SAUERBRUCH · DAS WAR MEIN LEBEN

FERDINAND SAUERBRUCH

DAS WAR MEIN LEBEN

1956

IM BERTELSMANN LESERING

Lizenzausgabe für den Bertelsmann Lesering mit Genehmigung des Kindler Verlages, München. Copyright by Kindler und Schiermeyer Verlag, Bad Wörishofen. Einband S. Kortemeier. Gesamtherstellung Mohn & Co GmbH, Gütersloh. Printed in Germany

Der höchste Grad der Arznei ist die Liebe. Die Liebe ist es, die die Kunst lehret, und außerhalb derselbigen wird kein Arzt geboren. Schwätzen, süß reden ist des Maules Amt; helfen aber, nutz sein, ist des Herzens Amt. Im Herzen wächst der Arzt, aus Gott geht er, des natürlichen Lichtes der Erfahrenheit ist er. Nirgend ist, wo große Liebe vom Herzen gesucht wird, größere als im Arzt.

PARACELSUS

VORWORT

Der Tod ist der große Herr auf dieser Welt, und unter uns Menschen hat er viele Gehilfen.

Er ist mir in jeglicher Gestalt begegnet - ein halbes Jahrhundert habe ich im Kampf gegen ihn verbracht, denn so lange bin ich nun schon Arzt. Fünfundsiebenzig Jahre habe ich gelebt, um, wenn ich jetzt am frühen Abend in meinem Garten stehe, auf Ruinen zu sehen, in deren öden Fensterhöhlen noch immer das Grauen des vergangenen Jahrzehntes wohnt. Das dunkle Wort des Paracelsus fällt mir dann jedesmal ein:

„Der erschlagen wird, der hat den Sieg und bleibt auf seiner Walstatt."

Am Abend, zwischen Tag und Dunkelheit, umdrängen mich die Gestalten mit ihren klangvollen Namen aus Kaiserreich, Republik, Drittem Reich und aus unserer jetzigen Zeit - die Namen der Lebenden und der Toten. Es umdrängen mich aber in einem freundlicheren Sinne viel mehr noch die namenlosen Gestalten jener, denen ich mit meiner ärztlichen Kunst helfen konnte.

Einen alten Mann beunruhigt die Wirrnis. Jetzt werde ich mich daranmachen, alles das, was noch deutlich in meiner Erinnerung lebt, zu erzählen.

Ich glaube auch, es würde unserer Wissenschaft und unserer Kunst helfen, wenn es gelänge, einer demokratischen Gesellschaft vom Persönlichen her die Phasen naturwissenschaftlicher Entdeckung vor Augen zu führen. Wer etwas weiß über die Methoden und die Ziele - und nicht zuletzt über die Leistungen - der Experimentierenden und Handelnden, von dem steht auch zu erwarten, daß er ihr Bestreben mit Einsicht und Verständnis beurteilt.

Übrigens: nur von dem.

Aber die Allgemeinheit weiß nur wenig von dem Denken und Handeln derer, die in Laboratorien, Operationssälen und Krankenstuben die meiste Zeit ihres Lebens zubringen.

So werde ich es in diesem Buch auch unternehmen, neben den äußerlichen Geschehnissen eines bewegten Lebens den Lesern die Dramen unserer Kunst mit den Augen des Chirurgen sehen zu lassen – soweit dies eben möglich ist. Er soll Einblick erhalten in die Gedankengänge des Chirurgen und wird dann, wenn alles gut geht, ein wenig in der Lage sein, den Fragen zwischen Leben und Tod bis zu einem gewissen Grad mit jener Geisteshaltung gegenüberzutreten, die sich hinter der Gesichtsmaske des arbeitenden Chirurgen verbirgt.

Berlin-Grunewald, den 27. Juni 1950.

Ferdinand Sauerbruch

DER KINDHEIT LEID UND FREUD

Durch mein Leben ist ein unübersehbarer Menschenstrom gegangen. Ein vielbeschäftigter Arzt lernt mehr Leute kennen und tritt mit mehr Menschen in persönliche Beziehungen als irgendein anderer. Vielleicht stehe ich deshalb vor meiner Jugendzeit wie vor einem alten schon etwas verblichenen Gobelin, dessen Motive ihre Farbe verloren haben und aus dem nur noch wenige Bilder klar hervortreten. Das übrige lebt in mir nur noch als Grundstimmung, die ich wunderlicherweise noch heute nachfühlen, nachschmecken und wieder hervorrufen kann, wenn ich mir auch über die Ursachen, die sie damals zustande gebracht haben, keine Rechenschaft mehr zu geben vermag.

So sind mir viel stärker die Emotionen, die seelischen Eindrücke der Kindheit, der frühen Jugend gegenwärtig als die äußeren Ereignisse und Erlebnisse; wenn ich diesem Gedächtnis trauen darf, so war mir in diesen Lebensabschnitten meistens zumute, als hätte ich einen bitteren Geschmack auf der Zunge.

Ein Bild ist es, das mir in aller Deutlichkeit vor Augen steht. Ich betrat die Werkstatt meines Großvaters. Meine Mutter kniete vor einer Kundin auf dem harten Fußboden und war damit beschäftigt, mühselig die ungezählten Knöpfe an den Damenschuhen auf- und zuzuknöpfen, neue Schuhe anzuprobieren und die Kundin, die auf dem bequemen Stuhl vor ihr saß, mit überströmender Höflichkeit zu bedienen. Auf einem zweiten Stuhl saß ein anderer Kunde, und vor ihm kniete Tante Mathilde.

Dieser Anblick versetzte mir immer wieder einen Stich. Ich konnte es nicht verwinden, diese beiden Frauen, die mich mit Liebe und Fürsorge umgaben, in dieser, wie es mir schien, unwürdig dienenden Stellung zu sehen. Mein Selbstbewußtsein litt darunter. Ich muß zwölf oder dreizehn Jahre alt gewesen sein, als mir dieser Stachel im Fleisch den ersten Einfall meines Lebens abnötigte.

Ich richtete mir in der Werkstatt meines Großvaters eine versteckte Ecke ein und stellte in aller Heimlichkeit Versuche an. Mein Plan war, die vielen scheußlichen kugelförmigen Knöpfe an den hohen Damenstiefeln durch etwas Vernünftigeres zu ersetzen; zugleich konnte man auch, so stellte ich es mir vor, die lästigen Schnürsenkel, bei deren Lösen sich Mutter und Tante so oft die Fingernägel blutig rissen, auf den Müll werfen. Ganz leicht und ohne den häßlichen Knopfhaken würden Mama und Tante in Zukunft die Schuhe der Kunden öffnen und schließen können.

Mir schwebte nämlich nichts anderes als die Konstruktion eines Druckknopfes vor.

Es gelang mir tatsächlich, solche Knöpfe zurechtzubasteln. Sie sahen zwar etwas plump aus, die Formgebung war nicht sehr elegant, aber sie ließen sich öffnen und schließen und hielten zusammen wie genietet.

Die beiden Frauen und mein Großvater waren außer sich vor Stolz und Freude über meine Erfindung. Großpapa versah die Schuhe eines langjährigen Kunden, eines einflußreichen Industriellen unserer Provinz, mit diesem neuen Verschluß. Er hatte ein Dutzend solcher Knöpfe bei einem Handwerker anfertigen lassen.

Der große Mann verfügte über ein respektables Bäuchlein. Das mag wohl der Grund gewesen sein, daß er von seinen neuen Schuhen so sehr beeindruckt war. Ich nehme an, daß er sie trotz seines Leibesumfangs mit Leichtigkeit aus- und anziehen konnte. Er versprach uns, „die Sache in die Hand zu nehmen“ und das Patent auf meinen Namen eintragen zu lassen.

Leider wurde nichts daraus. Nach ein paar Tagen erschien er und zeigte uns, bedauernd mit der Schulter zuckend, eine ganze Serie von Druckknöpfen. Der neue Verschluß war vor ein oder zwei Jahren schon von einem anderen erfunden worden und wurde bereits für die verschiedensten Zwecke fabriziert. Er war unter dem Namen „Kronendruckknopf“ für die Kleider der Damen schon recht gut eingeführt.

Diese kleine Episode, die mir nur noch sehr vage erinnerlich ist – was beweist, wie gering ihr emotionaler Eindruck gewesen sein muß –, kann, wer will, für ein frühes Zeichen einer gewissen technischen Begabung halten. Vielleicht, so schmeichle ich mir, ist es auch wegweisend, daß mich menschliches Leid, oder was ich dafür hielt, dazu anregte, den Knopf zu konstruieren. Jedenfalls erfüllt es mich auch noch heute mit Befriedigung, daß ich die „Erfindung" zustande brachte, um meiner geliebten Mutter das Leben zu erleichtern.

So schön es wäre, ich entdecke außer diesem Ausflug ins Technische in meinem früheren Leben nicht einen einzigen Hinweis für meine spätere Berufung. Zur Erbauung des Lesers würde ich gerne berichten, daß ich, gleich anderen Ärzten, besonderes Interesse an kranken Tieren oder vielleicht sogar an kranken Menschen besessen, daß ich mir frühzeitig Gedanken über Geburt, Tod und was dazwischenliegt gemacht oder doch wenigstens voll Inbrunst Spielzeug seziert hätte. Schade, von all dem habe ich nicht das mindeste zu berichten. Ich gehöre zu denen, die erst später in ihren Beruf und ihre Begabung hineinwachsen.

Der Zeit, in der ich geboren wurde und aufwuchs, wäre die Lebensangst der heutigen völlig unverständlich gewesen. 1875 kam ich in Barmen zur Welt, vier Jahre nach jenem Krieg, in dem das deutsche Kaiserreich geschaffen wurde, und inmitten einer Zeit des Wohlstandes und einer zuversichtlich vorwärtsblickenden Lebensauffassung. Heute kommt es mir immer so vor, als sei ich damals der einzige Pessimist im Lande gewesen, denn dies ist meine allererste Erinnerung:

Vielleicht vier oder fünf Jahre war ich alt und saß auf dem Schoße meiner Mutter. In keiner Epoche meines Lebens habe ich vergessen, wie meine Mutter damals aussah. Noch heute spüre ich den Stoff ihres Kleides an meiner Wange; ihren Arm hatte sie um meinen Hals gelegt, und sie flüsterte:

„Jöngken, er ist tot, du aber mußt immer an ihn denken." In ihrem weichen rheinischen Dialekt sprach sie von meinem Vater, der, zwei Jahre nachdem ich eintraf, an einer Krankheit gestorben war, die man damals die „galoppierende Schwindsucht" nannte. Er war der kaufmännisch-technische Leiter einer Tuchweberei gewesen. In einem arbeitsreichen und erfolgstrebigen Leben hatte er es unternommen, einen neuen Webstuhl zu konstruieren. Sein ganzes Vermögen, teils ererbt, teils erarbeitet, teils von der Mutter eingebracht, hatte er in den Arbeiten zu dieser Konstruktion angelegt. Seine Krankheit und sein Tod machten die Vollendung des Webstuhls unmöglich. Er ließ Frau und Sohn völlig mittellos zurück.

Ich habe überhaupt keine Erinnerung an ihn. Meine Mutter versuchte sie oft zu beschwören oder mir sein Bild vor Augen zu führen, und bei mir kleinem Kinde klagte sie, wie ungeordnet und unsicher unsere Lebensumstände seien, so daß ich immer baß erschrak, wenn sie nur davon zu reden begann. Sicher beeindruckte mich der Tonfall ihrer Stimme mehr als der Sinn ihrer Worte. Es war stets in der Dämmerung, bevor das kostspielige Licht angezündet wurde, daß sie mich in die Arme nahm und ihre Gedanken, Sorgen und Ängste aussprach. Es mögen Selbstgespräche gewesen sein, aber die Niedergeschlagenheit der Mutter teilte sich mir mit. Im dunklen Zimmer verschwammen die Konturen der Möbel, des vertrauten Schranks, der alten Standuhr, die noch heute in meiner Berliner Wohnung steht. Eine Welt voller Unsicherheit, ohne Festes, an das man sich hätte halten können, verblieb. Die grauen Gespenster der Sorge und der Angst hausten in dieser Umgebung.

Die Wirklichkeit der Tage aber sah für mich keineswegs so unfreundlich aus.

In Elberfeld lebte mein Großvater Hammerschmidt, der Vater meiner Mutter, der sich bald unserer Hilflosigkeit annahm. Mit einem kleinen Vermögen, das für seinen eigenen Lebensabend ausreichen sollte, hatte er sich zur Ruhe gesetzt und die Schuhmacherei, denn Schuhmacher war sein Beruf, aufgegeben. Er war ein Meister seines Faches, hatte gelegentlich bis zu einem halben Hundert Arbeiter beschäftigt, und im Alter ging er seiner Leidenschaft nach, Streit unter den Mitbürgern zu schlichten. Auf dem Rathaus in Elberfeld amtierte er als Schiedsmann.

Wir zogen zu ihm. Sein in letzter Zeit so still gewordenes Haus bewohnten meine Mutter und ich sowie meine liebe

Tante Mathilde – die Schwester meiner Mutter –, die meinem Großvater den Haushalt führte.

Großvater Hammerschmidt hatte noch einen anderen Anlaß, auf seine alten Tage sein Leben zu ändern, denn nicht nur wir erschienen in seinem Hause, sondern auch seine dritte Tochter mit ihrem kleinen Sohn, meinem Vetter Fritz. Mein Vetter, etwa in meinem Alter, war glücklicher als ich; sein Vater war nicht gestorben, aber er hatte sich von einem Drange erfassen lassen, der damals in unseren Landen nicht selten war: der Sucht, in der Ferne sein Glück zu suchen. Und so war er nach Australien ausgewandert. Bis sich aber herausgestellt hatte, ob er das Glück auch finden würde, sollten Frau und Kind beim Großvater verweilen. Um es schon jetzt zu sagen: sie sind ihm später ins ferne Land gefolgt, wovon noch zu reden sein wird.

Großvater Hammerschmidt eröffnete seine Werkstatt wieder und, da sie nicht nur in der Stadt, sondern auch in der ganzen Provinz bekannt war, und da es außerdem in der Gesellschaft zum guten Ton gehörte, Schuhe von Hammerschmidt zu tragen, verminderte sich der bescheidene Wohlstand meines Großvaters nicht.

Im Erdgeschoß des Hauses herrschte bald wieder lebhaftes Treiben. Großvater und Gehilfen hämmerten und nähten Leder und Sohlen zurecht, Mutter und Tante Mathilde empfingen und verabschiedeten die Kundschaft. Im ersten Stock unseres Häuschens lebten und wohnten die Erwachsenen, ich aber hatte ein Kämmerchen in der Mansarde, in dem ich mir meine eigene Welt aufbaute.

Liebe umgab mich. Nie wieder war ein Mann reizender zu mir als mein Großvater. In dieser Zeit schwand allmählich mein Pessimismus. Es blieb die Angst, dies alles könnte nur ein Traum sein.

Kamen Kundinnen, reiche Damen, die nach Quelques Fleures und Roger et Gallet rochen, so wünschten sie mich zu sehen, fragten mich nach diesem und jenem, und ich gab artige Antworten. Tante Mathilde steckte mir manchen Groschen und manches Stück Schokolade zu und befand sich immerzu in einem eifersüchtigen Wettstreit mit meiner Mutter, wer von ihnen mehr berechtigt sei, mich zu verhätscheln und zu verwöhnen.

Während ihres ganzen Lebens hielt Tante Mathilde an dieser Zuneigung fest. Zu ihrem achtzigsten Geburtstag fuhr ich von München zu ihr ins Rheinland, um den festlichen Tag mit der alten Dame zu verbringen. Sie war die letzte lebende Schwester meiner Mutter und das letzte Mitglied meiner Familie.

Aber anstatt ihren Geburtstag zu feiern, mußte ich sie operieren. Sie erkrankte an einem Darmverschluß. Ich sah bei der Operation, daß ein Krebs die Ursache war, dessen radikale Ausrottung nicht mehr anging. Dagegen gelang es, die freie Passage wiederherzustellen.

Ich habe diesen Eingriff nicht gern vorgenommen, aber sie bestand mit rührendem Vertrauen darauf. Da ich die Operation in örtlicher Betäubung durchführte, lag sie bei vollem Bewußtsein auf dem Operationstisch. Eine Vollnarkose konnte man bei dem hohen Alter der Kranken nicht mehr wagen.

Als ich die Operation beendet hatte und der Darm wieder in Ordnung war, ging ich daran, die Wunde zu nähen. Dabei riß mir der Katgut-Faden. Es war ein schlechtes Stück zwischen das Nahtmaterial geraten. Ich wurde sehr böse, mein Assistent sagte, ich hätte einen Tobsuchtsanfall bekommen: „Was ist das für eine verdammte Schweinerei! Was ist das für ein miserables Material! Ich will sofort besseres Nahtmaterial haben!"

Da flüsterte Tante Mathilde: „Jöngken, dat is aber nicht nett von dir. Wo ich doch so viel für dich getan han! Da kannst du doch ruhig teurere Fäden nehmen, um mir den Bauch zuzunähen!"

Womit die gute Seele vollkommen recht hatte.

Die Operation war gut gelungen, die Tante erholte sich verblüffend schnell. Dennoch bekam sie, wie das bei alten Leuten leider so häufig der Fall ist, vom langen Liegen trotz aller Vorsicht eine Lungenentzündung, der sie erlag.

Mein Spielkamerad war Vetter Fritz. Wir waren unzertrennlich. Unsere Spielgefährten, mit denen wir uns vertrugen und schlugen, waren der Sohn und die Töchter des Bäckermeisters Heinemann. Es gab für uns nichts Anziehenderes als den Geruch im Laden der Bäckerei. Die Brote kamen, wenn sie aus dem Backofen geholt worden waren, auf den Hof, um zu lüften, und das roch ich für mein Leben gern. Der Vater Heinemann selbst machte auch einen großen Eindruck auf mich, und ich staunte darüber, wie er seinen Betrieb regierte, wie er mit Menschen, Mehl, Broten, Rosinen und Korinthen und den mannigfachsten Geräten schaltete und waltete. Wenn ich sehr brav war, durfte ich Brötchen austragen; diese Tätigkeit verlieh mir das Gefühl einer gewissen Nützlichkeit. Es gab einen großen Riß in meiner damaligen Welt, als Fritz mit seiner Mutter in ein fremdes Land, nach Australien, verschwand. Ich war schon so groß, daß ich etwa wußte, wo dieses sagenhafte Land lag. Es war ganz weit weg, man mußte dorthin über Ozeane fahren. Ich beneidete Fritz, jedoch fand ich mich nach seiner Abreise schnell zurecht, denn nun hatte ich die ungeteilte Liebe des Großvaters für mich. Das Schönste war der Spaziergang am frühen Samstagabend. Da nahm er mich an die Hand, ging mit mir aus der Stadt hinaus in die Natur, benannte mir die Bäume und Pflanzen mit Namen, und ganz großartig war das Ende dieses Spazierganges: ich durfte Großvater begleiten, wenn er seinen Schoppen trank, bekam auch ein winziges Gefäß vor mich hingesetzt und war hocherfreut, zur Männerwelt zu gehören.

So war ich ein Kind aus einfachen Verhältnissen und ging mit anderen einfachen Kindern in die Volksschule. Aber es gab in Elberfeld viele wohlsituierte Familien, die ihre Kinder ebenfalls in die Volksschule gehen ließen, anstatt sie vor ihrem Eintritt in das Gymnasium in einer Privatschule oder durch Hauslehrer unterrichten zu lassen. Das war eine Haltung voll kluger Voraussicht. Diese Industriellen und Bankiers waren der Meinung, daß es ihren Kindern guttun würde, wenn sie frühzeitig mit Angehörigen der Schichten des Volkes in Berührung kämen, die später einmal in ihren Fabriken oder an ihren Bankschaltern arbeiten sollten.

Damit kündigte sich allmählich das Ende des Feudalsystems und das Heraufdämmern eines demokratischen

Zeitalters an, das so gewaltige Erschütterungen des Weltgefüges mit sich bringen sollte.

Es war meine Leidenschaft, mir in freien Stunden in der Nähe meines Großvaters einen Platz in der Werkstatt zu suchen und ihm bei seiner Arbeit zuzusehen.

Man sagt, daß Schuhmacher zur Besinnlichkeit, zur Wortkargheit und zum Philosophieren neigen. Bei meinem Großvater waren diese Charakteristiken seines Berufes ausgeprägt. Er war sehr schweigsam, aber er sah alles, kannte die Menschen, und er wußte ohne viel Worte, was in mir vorging. Einmal, als ich voll neidischer Bewunderung auf einen sehr feinen Herrenschuh blickte, den er in Arbeit hatte, hielt er mir den Schuh hin und sagte:

„Siehst du, Jöngken, solche Schuhe trägt man, wenn man dazugehört . . .“

Als er mein verständnisloses Gesicht sah, lachte er leise und sagte nichts weiter.

Einmal sah er mich lange und nachdenklich an, wie ich da auf einem Schusterschemel vor ihm saß.

Dann gab er mir einen halbfertigen Schuh und ein Stück Leder.

„Versuch dat doch mal“, forderte er mich auf und wies mich an, das Leder an den Schuh zu nähen. Ich versuchte es, zunächst gelang es mir natürlich nicht. Bald aber schaffte ich es und lernte es gut und schnell. So merkwürdig es klingen mag, das Bewußtsein, diese Handfertigkeit erlangt zu haben, stärkte mein Selbstvertrauen außerordentlich. In meinem unreifen Hirn entstand die beruhigende Vorstellung, daß ich nun davor geschützt sei, jemals zu verhungern. Ich konnte mir meinen Lebensunterhalt ja dadurch verdienen, daß ich Schuhe nähte und reparierte.

Die damalige Epoche spiegelte sich am sichtbarsten in den Dingen wider, die man für wichtig genug hielt, um sie zu feiern: das Fest des jährlichen Erinnerungstages an die Schlacht bei Sedan oder die Schlacht bei Mars-la-Tour. Auch Episoden aus früheren Kriegen, wie die Erstürmung der Düppeler Schanzen, Blüchers Marsch auf Paris, wurden gefeiert. Solche festlichen Gedenktage und außerdem die schmetternden Militärmärsche beim Durchzug der Truppen durch unsere Straßen, die überragende Stellung des vergotteten Militärs, das waren für mich die Glanzlichter einer Welt, in der ich aufwuchs und die mir imponierte. Zugleich fürchtete ich, nie in diese leuchtende Welt Einzug halten zu dürfen.

Großvater ging schrittweise und mit weiser und umsichtiger Pädagogik vor. Er verstand es, dem Kleinen klarzumachen, daß man „dazugehören müsse".

Erzählte ich ihm von einem Rittmeister, den ich in farbenprächtiger Uniform vor seiner Schwadron reitend gesehen hatte, so sagte er:

„Du kannst Rittmeister werden, Jöngken. Genau wie der, den du gesehen hast. Du kannst auch vor der Schwadron reiten auf 'nem Pferd. Aber dazu mußt du erst das Realgymnasium besuchen."

Er brachte es schließlich fertig, daß mich eine heiße Sehnsucht nach diesem Realgymnasium ergriff, auf dem man mir die Zauberei beibringen würde, deren Beherrschung allein mich zum Rittmeister oder vielleicht sogar zum Schiffskapitän machen konnte. Dieser gütige alte Mann hatte meine Qualen erkannt und dem gehemmten unsicheren Burschen den Mut gegeben, sich in die große Welt zu wagen.

So sehr, daß ich, als das Realgymnasium zu Elberfeld mich Ostern 1885 aufnahm, bald feststellte, es sei für mich ein leichtes, das zu leisten, was man von mir erwartete. Ich war immer unter den Ersten in der Klasse. Meine Abende nach den Schularbeiten verträumte ich über Büchern, die mir Großvater schenkte. Der Rittmeister in mir starb zu jener Zeit eines schmählichen Todes, geboren wurde der Schiffskapitän, dann der Afrikaforscher, später der General, der die Schlacht bei Sedan noch einmal schlug.

Der Großvater sagte:

„Jöngken, das kannst du alles werden. Du mußt nur erst einmal das Realgymnasium hinter dich bringen."

Er lernte mit mir, und als er entdeckte, daß ich musikalisch war, schenkte er mir eine Violine. Zweimal in der Woche bekam ich Unterricht. Besonders beliebt war die Geigenstunde bei mir nicht. Und so stieß die Versuchung, die an mich herantrat, auf nur geringe Widerstände. Eines Tages nämlich entdeckte ich meine Leidenschaft für das Murmelspiel. Ich stand da, sah zu, wie meine Mitschüler mit den glänzenden Kugeln spielten, und war traurig, daß ich nicht mithalten konnte; so erlag ich den Verführungskünsten eines anderen Bengels, der mich überredete, ihm meine Geige gegen einen Sack voller Murmeln zu überlassen. Eine vielversprechende Karriere als Virtuose war beendet. Den Verlust des Instrumentes konnte ich lange Zeit geheimhalten. Ich weiß heute nicht mehr, wie ich mich bei meiner Mutter und meinem Großvater aus der Affäre zog, aber auf jeden Fall schenkte mir mein Großvater später eine Trompete. Dieses Instrument zu erlernen machte mir weit mehr Vergnügen als das Geigenspiel. Schallende Märsche schmetterte ich aus dem Fenster unserer Wohnung, zum hellen Entsetzen unserer Nachbarschaft. Alle Regungen meines Herzens fanden ihren Ausdruck im Schmetterton der Trompete, sie war ein großartiges Mittel, meine Stimmung wiederzugeben.

Meine „Stimmung" wurde im Laufe der Jahre immer mehr von der Stimmung der Zeit beherrscht. Das Signal des Trompeters in der Schlacht bei Mars-la-Tour konnte ich bald besonders gut und sehr lautstark blasen. Meine Freunde bewunderten mich sehr. Ihren Lobreden konnten sich die Lehrer nicht entziehen. Ich brachte es auf der Prima zum „Kapellchef". Ich habe ein altes Bild von mir, auf dem ich dastehe wie ein selbstbewußter Feldherr im Reiche der Musik. Am Abend vor dem Sedan-Tage marschierte ich stolz vor der mächtig blasenden Kapelle durch die Stadt Elberfeld, voller Schneid und Selbstbewußtsein.

Bald jedoch sollte ich den schrecklichsten Schlag meines jungen Lebens erleiden. Mein Großvater starb.

Er ließ mich im wahrsten Sinne verzweifelt und allein zurück. Der Verlust des Mannes, der so viele Jahre liebevoll die Stelle des Vaters eingenommen hatte, traf mich schwer. Während ich bisher einer der besten Schüler gewesen und überzeugt war, daß mir keine Klasse des Gymnasiums je Schwierigkeiten machen würde, türmten sich jetzt in meiner Einbildung die Forderungen der Schule

Mein Vater

Meine Mutter

zu riesengroßen drohenden Bergen. Ich verlor jeden Boden unter den Füßen und fing an, die Schule zu schwänzen. Morgens verließ ich die Wohnung zur pünktlichen Stunde mit dem festen Vorsatz, dieses Mal der Versuchung nicht zu erliegen. Tapfer schritt ich bis in die Nähe der Schulpforte – und schlich mich dann kleinlaut und heimlich davon. Ich lief in den Feldern vor der Stadt umher und gab mich phantasievollen Träumereien hin.

Damals brach in mir etwas zusammen. Mein Großvater hatte behutsam in mir die Überzeugung hervorgerufen, daß auf dieser Welt alles ordentlich eingerichtet sei.

Über uns schwebte Gott, der mit Klugheit und Gerechtigkeit unsere Welt leitete. Dann kam der Kaiser und König, und nichts geschah unsinnig, weder von der göttlichen noch von der menschlichen Instanz her. Alles hatte seinen unangreifbaren Sinn.

Der Tod des Großvaters war für mich unbegreiflich, sinnlos, vernichtend. Die menschliche Instanz hätte seinen Tod nicht verhindern können, das sah ich ein. Aber die göttliche durfte mir diesen so geliebten Mann nicht nehmen. Der Großvater lag im Grabe. Begraben war auch meine Meinung von der vorzüglichen Ordnung auf dieser Welt. Dieser Zusammenbruch wirkte schrecklich in mir weiter, so jung an Jahren ich auch war. Eine niederdrückende Unlust ergriff mich, ich verlor die Haltung und den Mut, die Großvater so sorglich in mich gepflanzt und bei mir gehegt hatte. Gelegentlich wagte ich mich wieder in die Schule, ein paar Wochen lang. Meine Leistungen waren schlecht. Für meine Mutter war es eine schlimme Enttäuschung, als ich zu Ostern nicht versetzt wurde. Sie fiel aus allen Himmeln. Gewohnt, daß ihr Sohn zu den ersten Schülern der Klasse gehörte, war er jetzt zu gänzlicher Unzulänglichkeit herabgesunken.

Ich dachte daran, daß ich gelernt hatte, Schuhe zu nähen, war sofort bereit zu kapitulieren und versuchte völlig ernsthaft, meiner Mutter auseinanderzusetzen, ich müsse das Rennen aufgeben, da ich es nie schaffen würde, „dazuzugehören". Aber es gelang mir nicht, mich bei ihr durchzusetzen. Ich glaube, daß sie mir kaum zuhörte, wenn ich ihr meinen großen Jammer schilderte. Sie wiederholte stereotyp nur den einen Satz:

„Jöngken, wir wollen es doch versuchen."

Ihre Zuversicht, ihr Starrsinn, ihr Ehrgeiz für mich überzeugten. Mit dem Mute der Verzweiflung begann ich wieder zur Schule zu gehen. Die Erwachsenen lächeln leise über die „Leiden der Jugend". Sicherlich aber sind die Enttäuschungen und Kümmernisse eines Jungen weit schmerzlicher als die eines Erwachsenen. Damals durchwanderte ich das Tal, eine Depression, wie nie wieder in meinem Leben. Verbissen ging ich zur Schule, verbissen kämpfte ich mich durch. Der Elan fehlte mir. Nicht mehr hochgemut eilte ich die Berge der Schwierigkeiten hinauf, auf mühselig sich windenden Pfaden quälte ich mich vorwärts.

Mit meinen Lehrern ging es mir merkwürdig. Keinem von ihnen war ich gleichgültig. Sie mochten mich entweder, oder sie konnten mich nicht ausstehen. So ging es mir mein ganzes Leben lang mit allen Menschen.

Wir wurden damals in der Schule noch sehr in der Furcht des Herrn gehalten. Die kleine Geschichte, die ich hier erzählen will, sagt mehr als alle Erklärungen:

Mein Name enthält viele Buchstaben, ich brachte ihn nicht ganz auf den winzigen Schildern der Schulhefte unter. In einer Lehrstunde inspizierte der Lehrer die Hefte und nahm Anstoß daran, daß mein Vorname nicht auf dem Etikett stand. Er schrie mich an:

„So groß sind wir noch nicht, daß wir unseren Vornamen weglassen können ... Du Lümmel ... Nur ein Mann, der berühmt ist, kann sich das leisten."

Ich hatte keine Vorstellung, was der Mann wollte. Kein Wunder, daß mich die kalte Dusche heftig einschüchterte.

Später änderte sich das, und ich wurde – die Flegeljahre hatten mächtig eingesetzt – frech und provokatorisch.

Einmal stach mich wieder der Hafer. Wir hatten einen Aufsatz zu schreiben bekommen. Jeder Schüler sollte einen Bericht über große deutsche Männer verfassen, von denen er etwas wußte.

Am Samstag sprach mich meine Mutter auf diese Arbeit an.

„Jöngken“, sagte sie, „du mußt darangehen, den Aufsatz zu schreiben. Das ist nicht so einfach, die großen Männer zu beschreiben.“

„Das mache ich in zwei Minuten“, antwortete ich, „das geht ganz schnell.“

Erst am Sonntagabend ging ich daran. Mutter wollte gern wissen, was ich geschrieben hatte, aber ich zeigte es ihr nicht.

Mein Aufsatz bestand nämlich aus einem einzigen Satz: „Für jeden einsichtigen jungen Menschen ist es klar, daß für die junge Generation Wilhelm Busch der große deutsche Mann ist.“

Der Lehrer wurde fuchsteufelswild, anstatt zu lachen. Ich war wieder einmal der unreife und freche Bursche, der besser ein Handwerk lernen sollte, anstatt seine Zeit auf einer Schule zu vertrödeln.

Busch war immer meine große Liebe und ist es geblieben. Wie oft habe ich ihn in meinen Kollegs vorlesen lassen!

Ein halbes Jahr vor meinem Abitur wäre beinah eine Katastrophe eingetreten, deren tiefere Ursache in meinem erschütterten Vertrauen in die Welt, die Menschen und in Gott zu suchen war. Für mich saß in allem der Wurm, auch in der sonst so heißgeliebten Schlacht bei Sedan, im Rittmeister, im Schiffskapitän und im Morgenrot, das dem tapferen Soldaten zum frühen Tod leuchtete. Ich war wieder einmal der einzige Pessimist im allgemeinen orgiastischen Optimismus und nicht bereit, mit den Schafen zu blöken oder mit den Wölfen zu heulen. Diese Eigenbrötelei führte zu einem Eklat.

Etwa ein halbes Jahr vor dem Abitur unterrichtete ein neuer Lehrer über Literatur, und zwar meines Dafürhaltens weit unter dem Niveau der Prima. Den Wert einer Dichtung maß er an der Propaganda, die sie für die Erzeugung einer patriotischen Gesinnung hergab. Er forderte uns auf, ihm schöne und kraftvolle Stellen aus dem „Wilhelm Tell“ zu nennen, die seine Ansichten rechtfertigen sollten.

Der erste, den er aufrief, schmetterte unter heimlichem Grinsen der Klasse heraus: „Nichtswürdig ist die Nation, die nicht ihr Alles setzt an ihre Ehre.“ Ein anderer Schüler deklamierte den Rütli-Schwur: „Wir wollen sein ein einzig Volk von Brüdern.“ So ging das fort, der Lehrer war's zufrieden. Bis er zum Unglück mich entdeckte und in meinen Grimassen Aufsässigkeit vermutete.

„Sauerbruch!“ rief er. „Was haben Sie behalten?“

Da ritt mich der Teufel, und ich sprach jenen Satz aus „Wilhelm Tell“, der mir tatsächlich vor allen anderen in der Erinnerung geblieben war: „Der Schieferdecker ist vom Dach gestürzt!“

Die Klasse explodierte in einem homerischen Gelächter.

Der Herr Professor sah sich brüskiert und verspottet. Er schrieb meiner Mutter einen Brief und gab ihr den Rat, mich vom Gymnasium zu nehmen. Im Abitur werde ich sicherlich durchfallen, mich auf der Schule zu lassen, sei vertane Zeit und vertanes Geld, ein Handwerk zu erlernen, das sei für mich das einzig Richtige. Er schrieb weiter, ich benähme mich in einem ungewöhnlichen Maße unverständig und töricht. Meine Geistesgaben würden niemals ausreichen, um mir ein Auskommen in einem geistigen Beruf zu sichern.

Meine gute Mutter war bis dahin überzeugt gewesen, jede Meinungsäußerung eines Lehrers sei einem Wort aus den Evangelien gleichzusetzen.

Ich war zu Hause, als der Brief eintraf. Natürlich wurde mir ungemütlich zumute, als meine Mutter mit einem feinen Messerchen das Kuvert aufschnitt. Während sie las, verfärbte sie sich. Schweigend stand sie auf, schweigend zog sie sich an, und schweigend verließ sie das Haus.

Sie ging zum Lehrer und machte diesem Mann eine fürchterliche Szene. Sie berichtete es mir, als sie wieder zurückgekommen war. Dem Lehrer hatte sie gesagt:

„Wat sind Sie denn nun schon Großes geworden? Ich werde Ihnen mal etwas sagen. Mein Jöngken ist klüger als Sie! Und aus dem wird mal mehr als aus Ihnen! Guten Tag!“

Mich packte das blanke Entsetzen. Daß ich nach diesem Naturereignis glücklich durch das Abitur kommen sollte, war eine Unmöglichkeit. Für meine damaligen Verhältnisse vollbrachte ich am nächsten Morgen eine wahre Heldentat. Ich ließ mich beim Direktor melden und bat ihn um

Entschuldigung. Das Ganze sei mir schrecklich, beteuerte ich.

Der Direktor gehörte zu jenen Lehrern, die mich gerne mochten. Etwas unsicher sah er mich an und sagte dann:

„Machen Sie sich keine Sorgen, ich werde Ihnen helfen."

Ein halbes Jahr später bestand ich dann zu meinem Erstaunen das Abitur.

Es war Sitte, daß man nach dem Examen in vorschriftsmäßigem dunklem Anzug seinen Lehrern den Abschiedsbesuch machte. Mit einem Freund begab ich mich daher zur Wohnung des Klassen-Ordinarius. Es war derselbe, der den Zusammenstoß mit Mutter gehabt hatte. Er empfing uns in Hose, Hosenträgern und Hemdsärmeln. Er brachte uns in seine „gute Stube", wies einladend auf das Plüschsofa und sprach wohlgelaunt:

„Sie verlangen ja doch wohl nicht von mir, daß ich mich Ihnen zuliebe noch anziehen soll?"

Da stach mich der Hafer – was konnte mir schon noch passieren –, und ich erwiderte:

„Doch – ich bitte sehr darum!"

Der Lehrer verstummte, ging hinaus, kam bald in Rock, Kragen und Röllchen wieder, setzte sich zu uns, schnitt mich und fragte meinen Con-Abiturienten, was er denn nun zu werden gedenke. Der hatte es mit der korrekten Redeweise und erwiderte:

„Ich gedenke das Bergfach zu studieren, Herr Professor."

Der Herr Professor ließ sich lichtvoll über das Studium der Bergfaches aus. Das eröffne die Aussicht auf einen schönen Beruf, einen schwierigen jedoch auch. Man habe dunkel gekleidet in der dunklen Erde zu stehen und sei den Fährnissen der dunklen Unterwelt ausgeliefert. So führte er eine Weile die Unterhaltung, brach sie ab, indem er meinem Freund mit viel Betonung recht viel Glück wünschte. Dann wandte er sich knapp zu mir:

„Ein schwarzes Kleid ist besser als eine schwarze Seele."

Damit waren wir entlassen.

Zuerst kam ich auf die Idee, mit der Schlacht von Sedan ein Übereinkommen zu treffen, und dachte daran, Offizier zu werden. Der „Offizier" war eine leicht einzuordnende Figur auf den Rangstufen innerhalb der Nation. Ich konnte durchaus begreifen, was er zu lernen und später zu leisten hatte. Das alles traute ich mir zu. So suchte ich mir theoretisch schon ein Regiment in meiner rheinischen Heimat aus. Mich beglückte die Vorstellung, daß dieses Regiment für mich sorgen müsse. Aber als mir meine Mutter bald eröffnete, daß sie nicht in der Lage sei, meinen Traum von einer uniformierten Zukunft zu erfüllen, mußte ich diesem Plan entsagen. Niemals werde sie die Zuschüsse aufbringen können, die ich bis zum Hauptmann benötigen würde. Jedoch könne sie es schaffen, mich eine Universität besuchen zu lassen. Die gescheite Frau wußte besser als ich, was für mich das richtige war, und sie führte mit weiblichem Geschick die Regie meines Werdeganges.

So sah ich mich also vor die schreckliche Frage gestellt, was ich werden solle. Aber „zu werden“ gedachte ich noch gar nichts. Das Wort meines Großvaters, daß man „dazugehören“ müsse, klang mir natürlich noch im Ohr. Ins Blaue hinein entschied ich mich für die „Naturwissenschaften“.

ICH WERDE ARZT

Im Jahre 1895, gleich nach dem Abitur also, bezog ich die Universität in Marburg. Das Jahr in Marburg war das nichtssagendste Jahr meines Lebens. Ich studierte brav und fleißig Naturwissenschaften und fand in dem Stoff keine Schwierigkeiten.

Ich muß gestehen, das Studium fesselte mich nicht sehr; denn gab ich mich mit den Pflanzen ab, so sagte ich mir unablässig, daß man sich doch eigentlich mit den Menschen befassen solle; trieb ich Physik oder Chemie, so beschäftigte mich immerzu die Frage, wie diese Erkenntnisse den Menschen helfen könnten. Hier in Marburg fand ich mein eigentliches Interessengebiet, den Menschen. Nur die Wissenschaft in ihrer Beziehung zum Menschen und zum Menschlichen regte mich an.

Das Geld, das mir meine Mutter zum Studium geben konnte – nun, dieses Geld wäre in ein winziges Beutelchen hineingegangen. Daher war ich gezwungen, in der Beschränkung Meister zu werden.

Meine „Bude“ hatte ich gefunden bei der Witwe eines Lokomotivführers in der Rosenstraße. Sie betreute mich wahrhaft mütterlich. Sehr oft saß ich bei ihr in der Küche und speiste mit ihr Pellkartoffeln und Weißkäse. Über meinem Bett lachte mich abends und morgens ein Spruch an, den die Witwe dereinst ihrem Gatten zur Hochzeit gedichtet und in Kanevas-Stickerei fabriziert hatte:

„Die Bahnbeamten voll Emsigkeit
Sind hurtig stets zu jeder Zeit
Und setzen Blut und Leben ein
Für Volkswohl und Verkehr allein.“

Still und fernab vom studentischen Treiben lebte ich damals. Ich war fleißig, lief viel in den Wäldern umher und zog nur wenige Male im Sommer mit zu den „Fäßchen-Partien“ aus, bei denen wir Studenten hinter einem kleinen Wagen mit einem Fäßchen Bier einherpilgerten, den ein Eselchen auf einen Lahnhügel zog. Wir tranken dann das Fäßchen aus, sahen auf die alte Universitätsstadt Marburg hinab und sangen Lieder.

Das Physikum schaffte ich glatt und ohne Anstand, aber da entdeckte ich, daß einer kommenden Karriere ein großer Stein im Wege lag, den ich merkwürdigerweise bis jetzt nicht bemerkt hatte. Ich war auf einem Realgymnasium erzogen worden, war in einem Lande aufgewachsen, in dem die Industrie dominierte. Niemand hatte mich darauf hingewiesen, daß ich ein griechisches Examen haben müsse, wenn ich auf der Universität in einem humanistischen Fach meinen Weg machen wolle. Ich mußte also das „Graecum“ nachholen, gleichgültig, welchem Studium ich mich auch zuletzt zuwenden würde.

Ich informierte mich: am humanistischen Marzellen-Gymnasium in Köln konnte ich das Graecum machen. Ich begann schleunigst mit den Vorbereitungen.

Autodidaktisch ging ich vor, verschaffte mir die nötigen Lehrbücher, büffelte in Marburg und zu Hause in Elberfeld und meldete mich dann zum Examen.

Ich erhielt einen Termin, und zur angegebenen Zeit traf ich mit einem Dutzend anderer junger Leute zusammen. Ihre Absichten waren die meinen. Wir alle waren nicht sehr glücklich, die Stimmung gedämpft. Der Lehrer trat in das Klassenzimmer, in das wir Leidensgenossen für dieses Examen zusammengetrieben worden waren, sah uns der Reihe nach streng an, hieß uns Platz nehmen, zog geschäftsmäßig ein Papier aus der Brusttasche, begann einen griechischen Text vorzulesen und befahl uns, ihn Wort für Wort niederzuschreiben. Er versprach, langsam genug zu lesen. Die Niederschrift sollten wir dann ins Deutsche übersetzen.

Mich traf der Schlag. Alle meine umfangreichen Vorarbeiten für dieses Examen waren falsch gewesen. Ich hatte angenommen, der Examinator würde griechische Texte verteilen, die wir ganz einfach zu übersetzen hätten. Schriftlich! Meine Gewährsmänner – wie ich sie verfluchte – hatten mich dessen versichert und mir die Klassiker genannt, die zu solchen Prüfungen herangezogen würden. Mit diesen Übersetzungen war ich gepolstert. In allen Rock- und Hosentaschen hatte ich sie verstaut. Aber ich konnte nicht ein Wort griechisch schreiben. Nur lesen konnte ich diese vertrackte Sprache, denn nur lesend hatte ich mich selbst unterrichtet.

Ich hatte das Spiel verloren. Verbiestert starrte ich auf mein Papier und machte gar nicht erst den Versuch, zu schreiben.

Lange diktierte der Prüfer. Ich merkte gelegentlich, daß er sein Augenmerk auf mich Unglücklichen richtete.

Als die anderen zu übersetzen begannen, trat er zu mir heran und fragte:

„Haben Sie mich nicht verstanden? Sind Sie schwerhörig?"

Da hatte ich einen verwegenen Einfall. Ich war zum erstenmal in meinem Leben geistesgegenwärtig. Ich hielt die Hand hinters Ohr und brüllte nach Art der Schwerhörigen zurück:

„Wie bitte?"

Noch lauter schrie der Lehrer in meine vorgehaltene Hand hinein:

„Ich frage, ob Sie schwerhörig sind!"

Mit fürchterlichem Stimmaufwand antwortete ich:

„Ja, sehr!“

Er brüllte zurück: Es könne gar nicht die Rede davon sein, daß er mir den griechischen Text Wort für Wort ins Ohr schreie. So müsse er das Verfahren notgedrungen mit mir vereinfachen. Er gab mir die Blätter, auf denen der griechische Text niedergeschrieben war, und forderte mich schreiend auf, ihn zu übersetzen.

Zunächst überflog ich alles und fand ein paar Eigennamen. Mir war zumute wie einem Goldgräber, der fündig geworden ist. Ich hatte einen Text aus dem Xenophon vor mir. Den Xenophon hatte ich in der linken Hosentasche. Ich fischte ihn heraus, fand die Stelle, fand mühselig buchstabierend die ersten und die letzten Worte in meiner Übersetzung und schrieb sie dreist und gottesfürchtig ab. Wohlgemut lieferte ich die Arbeit ab. Dieses Examen hatte ich bestanden ...

Nach acht Tagen sollte das Ergebnis verkündet werden. Zu meiner Mutter sagte ich: „Die Sache ist Ia verlaufen.“ Sie glaubte mir, das gute Herz. Sie richtete an dem Nachmittag, an dem ich zur Schule ging, um zu hören, daß ich das Examen bestanden hätte, ein festliches Abendbrot.

Wieder saßen wir beisammen. Unter all den Pessimisten war ich der einzige sonnige Optimist. Wir warteten mit gespaltenen Gefühlen auf den Lehrer. Er kam, sah uns wieder der Reihe nach an und verkündete, von Namen zu Namen schreitend, das Resultat des Examens. Die meisten waren durchgefallen. Was mich aber einzig interessierte: von meinem Schicksal wurde nicht gesprochen. Er erwähnte meinen Namen gar nicht. Ich wurde unruhig, mir wurde unbehaglich, und ich zerbrach mir den Kopf, was das zu bedeuten habe. Schon verließen die anderen Schwergeprüften den Raum, die wenigen Glücklichen mit den vielen Unglücklichen, als sich der Lehrer endlich an mich wandte. Er hatte sich meinen Fall als Dessert aufgehoben.

„Sauerbruch“, sagte er heimtückisch, „sind Sie eigentlich noch schwerhörig?“

Ich schwieg stur und machte mich auf das Schlimmste gefaßt. Dies konnte nur ein Begräbnis bedeuten.

„Ihnen ist ein Unglück widerfahren", fuhr der Herr Professor ironiegeladen fort, „Sie haben die Stelle aus dem Xenophon hervorragend übersetzt. Sehr gut! Sehr brav! ... Ohne einen einzigen Fehler. Erstaunlich, ganz erstaunlich für einen Externen. Aber über die Maßen erstaunlich ist nun dieses: Sie haben zwei Sätze mehr übersetzt, als in meinem Text standen. Zwei Sätze aus dem Original, Sauerbruch, habe ich nicht niedergeschrieben, weil in diesen zwei Sätzen Schwierigkeiten enthalten waren, deren Überwindung ich meinen Prüflingen nicht zumuten wollte. Diese beiden ausgeschalteten Sätze haben Sie mit übersetzt. Sollten Sie nun etwa wagen", hier wurde sein Tonfall drohend und unheilschwanger, „die Behauptung aufzustellen, Sie könnten den ganzen Xenophon auswendig, dann wüßte ich mich ob solch einer Frechheit nicht mehr zu fassen. Tun Sie das besser nicht! Gehen Sie nach Hause und schämen Sie sich. Selbstverständlich sind Sie durchgefallen. Sie Frechling! Sie Betrüger ..."

Ich ging sehr langsam nach Hause, dachte über die Tugend der Ehrbarkeit nach, verdammte dennoch unbekehrt mein Pech und teilte, zu Hause angekommen, meiner Mutter zerknirscht mit, daß ich durchgefallen sei.

Ich wollte es vom Herzen haben, denn der liebliche Duft von Kartoffelpuffern durchzog unsere Wohnung. Auch sah ich schon den festlich gedeckten Tisch.

Sehr verlegen war ich indessen über die Reaktion der Mutter auf diese Unglücksbotschaft.

„Aber, Jöngken!" sagte sie vorwurfsvoll. „Du mußt deine gute Mutter nicht beschwindeln. Du und durchgefallen? Das ist doch Quatsch. Komm, beim Essen erzählst du mir, wie du das Examen bestanden hast."

Wir aßen. Es war für mich eine unerquickliche Mahlzeit. Ich blieb bei der Wahrheit und erzählte ihr alles haargenau. Sie aber wollte sich ausschütten vor Lachen. Wie ein junges Mädchen kicherte sie:

„Aber, Jöngken, du mußt deine alte Mutter nicht verulken. Natürlich hast du das Examen bestanden!"

Ich konnte anstellen, was ich wollte, sie glaubte mir nicht. Unter dem Eindruck dieses Debakels beschloß ich,

Oberlehrer zu werden, und zwar am liebsten an einer Mädchenschule. Physik und Chemie wollte ich lehren. Ich stellte es mir angenehm und einfach vor, die jungen Damen in diesen Wissenszweigen zu unterrichten. Tagsüber befreundete ich mich mit diesem Gedanken, nachts aber überfiel mich der große Katzenjammer. So hatte ich es also doch nicht geschafft . . .

Auch um Oberlehrer zu werden, mußte ich zunächst einmal wieder zurück nach Marburg. Bevor ich dort endgültige Schritte unternehmen konnte, griff der Zufall in einer wunderlichen Verkleidung ein.

Eines Nachmittags erschienen einige Kommilitonen auf meiner Bude und forderten mich auf, mit ihnen in der kommenden Vollmondnacht, die klar und warm zu werden versprach, auf die Lahnberge bei Marburg zu steigen und dort ein „feudales" Fest zu feiern. Nur einiges für eine kleine Bowle war aufzubringen.

So saßen wir nächtens auf einem Felsen, aßen wenig und tranken mehr, blickten in das Tal, das vom Vollmond zauberhaft bestrahlt wurde, und einem von uns fiel das Gedicht von Goethe ein:

„Füllest wieder Busch und Tal
Still mit Nebelglanz,
Lösest endlich auch einmal
Meine Seele ganz."

Da fiel der Schatten einer hohen Gestalt auf unseren Kreis. Wir blickten auf. Über uns stand ein junger Mann, den wir alle kannten. Es war ein Kommilitone, der als Sonderling galt. Mir war er immer wie eine Opernfigur vorgekommen, so pathetisch war sein Gebaren.

Wir kredenzten ihm einen Becher, er trank und sagte dann deklamierend im Stile des Autors, dessen Werk „Das Gastmahl" er unter dem Arm trug:

„Es ziemt mir, der ich als Gast in eure Runde komme, nicht, euch zu tadeln, liebe Freunde! Aber ich hörte euch ein Gedicht zitieren. Zwar von Goethe, jedoch solltet ihr bedenken, was Platon über das Zitieren von Gedichten bei Gelagen der Männer sagt."

„Er wird sicher einiges Gute davon halten“, meinte ich.

„Du wirst dich wundern“, erwiderte er, zog ein Kerzlein aus der Tasche, entzündete es in der windstillen Nacht, las zuerst wohlklingend auf griechisch und übersetzte dann:

„Auch meine ich, die Unterhaltung über ein Gedicht erinnert allzusehr an die Gelage unerzogener und gewöhnlicher Menschen; denn diese können sich aus Mangel an Bildung beim Trunke nicht mit eigenen Mitteln, weder in ihrer Sprache noch in eigenen Reden, unterhalten; deshalb machen sie die Flötenspielerinnen so wertvoll: um teures Geld mieten sie sich die fremde Stimme der Flöten, um sich auf diese Weise miteinander zu unterhalten.

Wo sich dagegen edle und gebildete Zechgenossen zusammenfinden, wirst du weder Flötenspielerinnen antreffen noch Tänzerinnen oder Kitharistinnen, sondern nur jene Männer, die sich zur Unterhaltung in eigener Sprache selbst genügen und solcher Tändeleien und Kindereien nicht bedürfen; sie reden und hören der Reihe nach gesittet zu, auch wenn sie recht reichlich Wein genossen haben.“

„Was um alle Welt sind ‚Kitharistinnen‘?“ unterbrach ich ihn.

Er sah mich streng und tadelnd an:

„Natürlich Zitherspielerinnen, vermutlich solche von lockeren Sitten.“

„Wie abscheulich“, klagte ich verlogen.

Er setzte sich neben mich, und wir unterhielten uns. Er habe gehört, sagte er, daß ich beim Graecum durchgefallen sei. Er selber stehe nun auch vor der Aufgabe, dieses Examen nachzuholen. Ich versicherte ihn meines Mitleids. Er hingegen brachte einen Plan vor, in den er mich einbezogen hatte. Wann und wo wollte ich versuchen, es dennoch zu schaffen? Ich winkte ab.

„Mein Bedarf ist gedeckt“, sagte ich mit einer Wurstigkeit, von der ich nichts fühlte, „bei mir nie wieder Graecum.“

Er fuhr mich an: „Du mußt das Graecum machen, sonst bist und bleibst du ein Prolet . . .“

Wir wollten miteinander studieren, meinte er, dann würden wir es fertigbringen. Mit vereinten Kräften müsse es möglich sein.

Ich lehnte noch immer ab und erklärte mich desinteressiert. Da schlug er vor: er werde alle Kosten der gemeinsamen Vorbereitung tragen und die gesamte „Organisation" übernehmen. Gemeinsam sollten wir für das Examen pauken, und er versprach mir hoch und heilig, mich schnell vorwärtszubringen, denn er glaube, schon ziemlich weit im Studium zu sein. Die Zusammenarbeit werde uns zu perfekten Griechen machen.

Darauf ging ich ohne viel Überzeugung ein, in der Laune dieser Nacht bei einer Bowle, in die der Mond schien und bei der ein junger Mann heiter und leicht zu seinem Glück oder Unglück zu überreden ist.

In Mülheim/Ruhr sollten wir es versuchen, riet der Freund, und zwar müßten wir als Externe in eine Oberprima eintreten, um uns bei der Abiturientenprüfung der Klasse dem Examen im Griechischen zu unterziehen.

Während wir arbeiteten – alle Schritte der Anmeldung übernahm der Freund, getreu seinem Versprechen –, brachte er heraus, daß der für die Prüfung maßgebende Lehrer, ein Provinzialschulrat, gern Texte aus dem Platon nehme. Ich vertiefte mich in den Platon, zog dann schließlich mit meinem Freund nach Mülheim, und ehe ich mich recht versah, stand ich in einem Examen, zu dem ich mich aus einer Weinlaune heraus entschlossen hatte.

Der Provinzialschulrat legte mir tatsächlich einen Text Platons vor, und nun kam es zu keinem hochnotpeinlichen Examen, sondern zu einer angeregten Unterhaltung. Er fand mich wohlbelesen, fand merkwürdigerweise meine Ansichten über Platon reif und klar. Er führte eher eine Konversation unter gebildeten Menschen als ein Examen durch und ging nicht ins Detail. Es war offensichtlich – ich hatte bestanden.

Mein Freund aber, der mich förmlich gezwungen hatte, das Examen zu unternehmen, mein armer Freund fiel durch. Nun, so ist das Leben.

Jetzt war es so weit, daß ich mit der Notlösung „Oberlehrer an einer Mädchenschule" brechen konnte; ich begann mit dem Medizinstudium, zu dem es mich hinzog. Den Ariadnefaden, der mich durch das Labyrinth des Daseins leiten sollte, hatte ich endlich in der Hand. Ich habe es nie bedauert, mich der Heilkunst verschrieben zu haben, aber als junger Bursche an der Universität in Leipzig war ich völlig verzaubert. Der Schweizer Arzt Geheimrat His dozierte über Anatomie. Am Ende der Tage, wenn es die anderen Studenten zu Bier und sonstigen Dingen trieb, hockte ich noch in der Anatomie und studierte das Skelett und die Muskulatur des menschlichen Körpers. Ich war fasziniert von der Ordnung des menschlichen Gebeins und den Kraftquellen, die es bewegten. Und in einem Augenblick, als ich, zu später Stunde versunken, ein Präparat anfertigte, stand Geheimrat His vor mir und sagte:

„Ich beobachte Sie schon seit einiger Zeit, Sauerbruch. Da sitzen Sie immer hier ganz allein herum und präparieren. Interessiert Sie Anatomie wirklich so sehr?"

Völlig der Wahrheit entsprechend bejahte ich die Frage des Anatomen und erzählte ihm von meiner Begeisterung für alles, was mit dem Menschen zusammenhing.

Damit war das Gespräch nicht beendet. Im Gegenteil, es begann erst. Meine Aufmerksamkeit, meine Studien überhaupt, seien ihm aufgefallen, meinte mein Lehrer und erkundigte sich taktvoll nach meinen sonstigen Verhältnissen. Ich hatte nichts zu verschweigen, schilderte sie so, wie sie waren. Am Ende der Unterhaltung hatte ich die Gewißheit, das Große Los gewonnen zu haben, denn His bot mir an: ein Zimmer in seiner Klinik, womit auch „freie Verpflegung" verbunden war. Das war phantastisch, war die Befreiung aus peinlichen materiellen Nöten! Aus nagenden Sorgen heraus wurde ich in den Himmel völliger Sorglosigkeit versetzt. Ich dankte es dem Geheimrat damit, daß ich ein besessener Schüler wurde.

In jene Zeit fällt das traurige Ende der ersten großen Freundschaft, die ich geschlossen hatte. Mit mir zusammen studierte auf der Leipziger Universität Freund Ritter, Sohn einer Familie, die in Wiesbaden und in Frankfurt am Main Druckereien besaß. Wir bedeuteten uns alles, und so erschrak ich zu Tode, als er an einer Blinddarmentzündung erkrankte. Die chirurgischen Möglichkeiten für die Behandlung dieser Krankheit waren damals noch nicht ausgearbeitet. Ein „perityphlitischer Abszeß“ – so hieß die Appendizitis damals – war eine Sache auf Leben und Tod. Das Schicksal ging hart mit mir um, der Freund mußte sein Leben lassen.

Seine Eltern kamen nach Leipzig. Wir freundeten uns an, und Vater Ritter brachte mir seinen zweiten und nunmehr einzigen Sohn und bat mich, ich möchte mich seiner annehmen. Der junge Mann sollte später die Druckereien des Vaters übernehmen und sich dafür in Leipzig vorbereiten. Auch mit ihm freundete ich mich sehr an, und wir blieben bis zu seinem Tode in herzlicher Zuneigung verbunden. Er war musikalisch wie seine ganze Familie und führte mich in die musikliebenden Kreise der Stadt ein. So lernte ich schon damals Nikisch kennen. Seine Gewandhaus-Konzerte wurden zu köstlichen Höhepunkten meines Aufenthaltes in Leipzig. Die Musik war meine einzige Erholung von der Arbeit, der ich – gegenüber meiner früheren Indolenz – mit unwahrscheinlicher Begeisterung anhing.

Auf den Rat von Geheimrat His wechselte ich für kurze Zeit studienhalber nach Jena über, kam aber bald nach Leipzig zurück. Am 26. Februar 1901 bestand ich ohne besondere Schwierigkeiten das Staatsexamen. Ich war Arzt. Die Approbation wurde mir amtlich verbrieft und gesiegelt – „für das Gebiet des Deutschen Reiches“ war sie, wie zu lesen stand, gültig. Sie ist es noch heute. Eines der wenigen Dinge, die ich nicht verloren habe.

In der Freude meines Herzens setzte ich mich schleunigst auf die Bahn. So wie ich war, in schwarzen Frackhosen, schwarzer Frackweste. Nur den Frack selbst hatte ich mit einem schwarzen Röckchen vertauscht. Ich fuhr nach Oberstdorf zur Familie Ritter, die dort jedes Jahr weilte, und wurde vergnügt aufgenommen. Wir tobten im Schnee herum, lieferten uns Schneeballschlachten, bauten Schneemänner, rodelten und machten Schlittenpartien. Skifahren war noch nicht als Wintervergnügen entdeckt worden. Ich kletterte auf die Berge und blickte glücklich über Täler und Ebenen in ein Leben, das vor mir lag.

Dann fuhr ich zur Mutter, nachdem ich ihr vorher telegrafiert hatte, sie möge ein Festessen richten. Das Mahl fand ich vor, als ich zu Hause ankam, und Mutter war heiter. Aber es gab keine Möglichkeit, ihr klarzumachen, daß ich das Staatsexamen tatsächlich bestanden hatte. Ich konnte auch die Urkunde nicht vorweisen, denn die hatte ich nicht mitgenommen. Das Essen verlief in Heiterkeit, und nach jedem Gang und nach jedem Glase sagte meine gute Mutter: „Jöngken, du mußt es noch mal versuchen." Ich brauchte Tage, bis sie mir glaubte.

Daß ich jetzt Geld verdienen konnte, erschien mir wichtig. Nicht, weil ich es für mich so nötig gebraucht hätte, sondern weil ich glaubte, für meine Mutter und Tante Mathilde sorgen zu müssen. Zwar bestand das Schuhgeschäft noch, doch gab es da schon Schwierigkeiten. Die Schuhfabrikation hatte große Fortschritte gemacht. Mit eleganten Schaufenstern und einer unendlichen Formen- und Farbenauswahl war den beiden Damen eine böse Konkurrenz auf den Hals gerückt.

Der schnellste Weg zum Geldverdienen war, so schien es mir, praktizierender Arzt zu werden. Die Familie Ritter beriet mich, und so ließ ich mich sehr bald probe- und vertretungsweise in einem kleinen Ort Thüringens, in der Erfurter Gegend, als Landarzt nieder.

Diese kurze Episode als Praktikus auf dem Lande war einer der schönsten Abschnitte meines Lebens. Ich bekam überraschend schnell eine unwahrscheinlich große Praxis, aber da ich mit den armen Kranken und Bresthaften litt, da mir auch nichts Besseres einfiel und selbst im Arzneimittelschatz nichts Vernünftiges vorhanden war – so verschrieb ich jedem kranken Weiblein und jedem alten Mann ein Stärkungsmittel. Und zwar in der Gestalt von Tokajer. Die Apotheken führten diesen Wein damals als „Roborans". Das sprach sich mit Lichtgeschwindigkeit herum. Ich konnte mich der Patienten bald kaum mehr erwehren. Aber es waren keine Privatpatienten, sie gehörten alle der Krankenkasse an. Diese Kasse war schockiert wegen des faßweisen Tokajer-Verbrauchs in meiner Gegend – auf Rezept. Es wurde „eingegriffen". Daraufhin wurde meine Praxis schnell notleidend . . .

In dieser Zeit kam mir ein Inserat des Hessischen Diakonissenhauses Kassel zu Gesicht, das einen jungen Arzt als Assistenten suchte. Doktor Rockwitz war der dirigierende Arzt dieses Hauses. Ich meldete mich und, welch ein Glück, ich erhielt die Stellung. Damals war so etwas viel leichter als heute.

In Kassel fand ich mich in einer wunderlichen Umgebung. Es war die Oberschwester, die das Haus beherrschte. Eine Oberschwester, die ihr ganzes Leben der Religion verschrieben hatte. Und, zu allem Überfluß, sie duzte mich. „Die Mutter“ wurde sie genannt, und wenn ich zu ihr gerufen wurde, so sagte man mir: „Die Mutter wünscht Sie zu sprechen.“ Als ich sie verwundert fragte, wie sie dazu käme, mich zu duzen, antwortete sie, sie sei eine Freundin der Kaiserin und daher berechtigt, mich und die anderen Menschen in der Klinik, mit Ausnahme des dirigierenden Arztes, zu duzen. Diese Erklärung beantwortete ich damit, daß ich sie auch duzte, und das nahm sie merkwürdigerweise übel auf. Sie hatte eigene Vorstellungen von den Ursachen der Krankheit und der Mission eines Arztes. „Krankheiten sind Heimsuchungen Gottes“, sagte sie. „Nur wenn Gott will, kann ein Arzt sie heilen – jeder andere Standpunkt ist Gotteslästerung.“

Ich konnte diese Denkungsart nicht verstehen.

Wirklich schwierig wurde es erst nach einem unglaublichen Vorfall. In Kassel entdeckte ich meine Leidenschaft für das Reiten. Eine Vorliebe, die mich nie verlassen hat. Ich fand jemanden, der mir ein Pferd lieh, und Sonntag morgens ritt ich in die Umgebung der Stadt.

An einem späten Sonntagvormittag kam ich ins Krankenhaus zurück und fand vor dem Gebäude einen Menschenauflauf. Wohl hundert Leute, Männer und Frauen, standen da und starrten auf einen alten Mann, der am Boden lag. Ich eilte hinzu, fragte, was geschehen sei, und viele Stimmen erwiderten mir, dieser Mann sei an der Stelle, an der er nun lag, tot zusammengebrochen.

Ich beugte mich über den Liegenden, fand, daß er keinesfalls tot war, sondern noch schwache Lebenszeichen von sich gab. Die Treppen zum Krankenhaus stürzte ich hinauf – aber die Tür war verschlossen. Wieder meldeten sich Stimmen aus der Menge:

„Am Sonntag machen die nicht auf, da beten die Schwestern!"

Der Mann, der vor dem Hause lag, war nach meiner Meinung das Opfer eines Schlaganfalles; lag er dort noch lange, konnte er sterben. Es mußte etwas mit ihm geschehen. Ich lief um das ganze Haus, um einen anderen Eingang zu suchen. Aber es war mit einem mannshohen Gitter umgeben, und kein zweiter Eingang fand sich.

Auch ich selbst konnte nicht ins Haus, und so begann ich vor dem Hauptportal zu rufen, man möge öffnen. Die Menge formte sich zum gefälligen Chor. Wir alle wurden immer lauter, erreichten aber nur, daß eine Schwester an einem Vorderfenster erschien. Sie rief, wir sollten den Lärm lassen und den Gottesdienst nicht stören. Sofort schloß sie das Fenster wieder.

Auf unser Gebrüll hin aber kam aus dem Keller des Hauses das Faktotum des Krankenhauses gekrochen, ein Mann, der die Heizung zu bedienen und ähnliches zu tun hatte. Der, ein Geselle, den es in vielen Berufen durch die ganze Welt getrieben hatte, war mein Freund. Abends saßen wir in seiner Kellerstube oft beisammen, aßen das uns beiden vom Krankenhaus gelieferte Butterbrot und tranken unsere Flasche Bier dazu.

Dieser Mann sah, was vorging, verschwand, kam alsbald wieder und warf mir einen Sack über das Gitter zu. Zuerst begriff ich nicht, aber dann schwang sich der Mann über die Eisenstäbe und forderte mich auf, ihm zu helfen, den Kranken in den Sack zu packen. Ich begriff. Im Sack hoben wir den Armen, von der Menge eifrigst unterstützt, über den Zaun.

Als wir den Kranken im Keller hatten, wollte ich ihn ins eigentliche Krankenhaus tragen, aber mein Freund protestierte:

„Am Sonntag wird hier niemand aufgenommen. Das hat die Oberschwester verboten!"

In einer Rumpelkammer lag eine Matratze. Wir zogen den Mann also aus dem Sack, entkleideten ihn, und ich tat an ihm, was mir nötig schien. Um es vorweg zu sagen, nach einigen Wochen ging er gesund von dannen. Jedoch an diesem Tage mußte ich mit der Oberschwester ein schweres Gefecht bestehen. Sie erklärte:

„Der Mann wird heute, am Sonntag, nicht aufgenommen. Wenn er am Sonntagvormittag auf freiem Platz hinfällt, dann hat Gott ihn hinfallen lassen. Ihn von dort wegzuschaffen, ist schon Sünde. Ihn dann auch noch in unser christliches Krankenhaus zu bringen, und sei es auch nur in die Rumpelkammer, ist schwerer Frevel. Ich werde mich über dich beschweren. Du wirst das nicht noch einmal tun. Mit deiner heidnischen Haltung gehörst du überhaupt nicht in unser christliches Haus. Ich rate dir gut, suche dir eine andere Stellung."

Ich versuchte mich mit ihr auseinanderzusetzen. Religiöse Vorstellungen über Kranke und Medizin, sagte ich ihr, seien in der Vorzeit bei den Altbabyloniern, Ägyptern und Indern üblich gewesen. Asklepios stand im Mittelpunkt der frühen religiös gefärbten Medizin der Griechen. Die Hauptheilmethode dieser Epoche war der Tempelschlaf. Im Asklepieion wurde der Kranke eine oder mehrere Nächte zu Füßen des Götterbildes gebettet. Im Traume erschien ihm Asklepios und verriet ihm die richtigen Mittel für seine Behandlung. Der Priester übernahm die Deutung des Traumes. Verstand er etwas von Medizin, so fiel seine Deutung wohl vernünftig aus.

Ich war sehr stolz auf mein Wissen und ging zu einer Schilderung der Sitten bei den germanisch-keltischen Völkern über.

Aber als ich soweit gekommen war, war es mit meinem Vortrag vorbei.

„Soweit ist es also gekommen!" rief sie aus. „So weit, daß du es wagst, die Heiden vor mir zu preisen!"

Sie ließ mich verblüfft zurück. In den folgenden Tagen merkte ich bei der gesamten Schwesternschaft die Opposition. Zwar hatte ich es erreicht, daß der arme, im Sack in die Klinik gebrachte Kranke in ein richtiges Bett kam. Aber feindselige Blicke der Schwestern begleiteten all meine Handlungen und folgten mir auf allen Wegen im Hause. Es war ungemütlich, aber ich ließ mich nicht stören und stürzte mich neben meiner eigentlichen ärztlichen Aufgabe in chemische und bakteriologische Untersuchungen.

Dann kam ein Sonntag, an dem die Dinge auf die Spitze getrieben wurden. Dr. Rockwitz, der dirigierende

Arzt, war übers Wochenende zur Jagd gefahren, und auch keiner der anderen Ärzte des Hauses war anwesend, als am Samstagabend ein Mann im Krankenhaus eintraf, der einen riesigen, sehr gefährlich aussehenden Karbunkel in der Achselhöhle und hohes Fieber hatte.

Auf den ersten Blick war zu sehen, daß das Geschwür möglichst bald gespalten und versorgt werden müsse. Ich hoffte aber, diese Operation hätte bis zum Montag Zeit. Ich hatte noch nie operiert, das war der Grund meines Zögerns. Den Mann ließ ich ins Bett bringen, studierte in der Nacht nicht nur alle in der Bibliothek greifbaren chirurgischen Werke, um notfalls für den Eingriff gerüstet zu sein, sondern ich rief auch bei älteren Kollegen in anderen Krankenhäusern Kassels an, um mich beraten zu lassen. Aber die Kollegen waren nicht da. Auch sie waren fast alle zur Jagd gefahren oder zum Wochenende verreist.

Als ich am Sonntagvormittag meinen Kranken besuchte, sah ich nicht ohne einiges Lampenfieber, daß mit der Operation keine Zeit zu verlieren war. Ich konnte den Mann nicht untätig zugrunde gehen lassen. Ich ließ ihn in den Operationsraum bringen. Beide Operationsschwestern waren da und begannen mit den Vorbereitungen. Als ich aber anfangen wollte, begannen die Kirchenglocken zu läuten, um zum Gottesdienst zu rufen. Beim ersten Glockenton legten die Schwestern ihre Arbeit nieder und verließen den Operationssaal. Sie gingen zur Kirche. Ich war allein mit dem Kranken.

Jung, wie ich war, packte mich eine sinnlose Wut. Ich suchte und fand den Weg in die Kapelle des Krankenhauses. Vor der Gemeinde, hauptsächlich Schwestern, stand der Pfarrer. Ich fühlte deutlich, wie die Zuhörerinnen erstarrten, als ich – schon im weißen Kittel – am Altar vorbei auf den Prediger zuging und ihn unterbrach.

„Bitte, einen Augenblick, Herr Pfarrer! Im Operationssaal liegt ein Mensch, der sterben wird, wenn Sie, Herr Pfarrer, nicht sofort die Operationsschwestern in den Operationssaal schicken. Tun Sie es nicht, so sind Sie schuld am Tode eines Menschen!"

Der Pfarrer war wie versteinert. Ich sah, wie sich die Oberschwester, die „Freundin der Kaiserin", drohend erhob, aber der Pastor hatte ein Einsehen. Er forderte die Operationsschwestern auf, an ihre Arbeit zu gehen.

Die taten es denn auch, aber mit sauren Gesichtern und einem Minimum an Arbeitslust.

Nach solch einem Spektakel führte ich meine erste Operation aus. Ich kann nicht behaupten, daß mir besonders wohl dabei war.

Wenn das man gut geht, dachte ich die ganze Zeit, während der ich das Riesengeschwür spaltete und auskratzte. Aber ich mußte durchführen, was ich begonnen hatte. Dieses Menschenleben konnte ich retten. Mein erstes!

Die Oberschwester sprach ich an diesem Tage nicht mehr. Ohne Gruß rauschte sie an mir vorbei. Und dann kam die große Überraschung. Eine Vernehmung bei der Kriminalpolizei wegen „mutwilliger Störung eines Gottesdienstes und Rädelsführung bei einem Auflauf vor dem Krankenhaus, der ebenfalls zur Störung einer gottesdienstlichen Handlung geführt hatte“. Das zweite Delikt bezog sich auf den „Unreinen“, den ich an einem Sonntag von der Straße in das Krankenhaus befördert hatte.

Konsterniert fragte ich den Kriminalbeamten, der mich vernahm, ob er ernstlich der Meinung sei, daß die Angelegenheit vor die Gerichte kommen werde. Ungerührt und pessimistisch meinte der:

„Bei dem Einfluß, den die Oberschwester als Freundin der Kaiserin hat, ist es durchaus wahrscheinlich. Sie haben mit einer Bestrafung zu rechnen.“

Da empörte sich alles in mir. Der höchste Beamte in Kassel war der Regierungspräsident. Zu dem ging ich, oder vielmehr ich wollte zu ihm gehen. Aber beim Regierungsassessor lief ich gegen eine Wand, die den höchsten Beamten abschirmte. Der Assessor nahm sein Monokel aus dem Auge und fragte erschüttert:

„Den Herrn Regierungspräsidenten wollen Sie persönlich sprechen? Wie stellen Sie sich das vor?“

Da öffnete sich die Tür des Zimmers, in dem der Regierungsassessor thronte. Ein sehr eleganter hochgewachsener Mann trat ein. Der Assessor erhob sich, verbeugte sich und sagte:

„Guten Morgen, Herr Präsident."

Und auf eine fragende Handbewegung seines hohen Vorgesetzten:

„Da ist jemand, Herr Präsident, der Sie unbedingt selbst sprechen will."

Jetzt meldete ich mich.

„Mein Name ist Sauerbruch, Herr Präsident, ich hätte Sie wirklich gern gesprochen."

„Sauerbruch heißen Sie? Sind Sie vielleicht jener Sauerbruch, der gewerbs- und gewohnheitsmäßig die Gottesdienste im Diakonissenhaus stört? Das sind Sie? Na, dann kommen Sie mal 'rein."

Er nahm mich unter den Arm, zog mich aus dem Zimmer, brachte mich in das seine, holte Zigarren und forderte mich auf, ihm die Vorgänge in allen Einzelheiten zu erzählen. „Doll" – das war wohl sein Lieblingswort –, warf er fast nach jedem meiner Sätze ein. Und als ich geendet hatte:

„Doll! Inhibiere natürlich sofort kriminalpolizeiliche Untersuchung. Händeringender Blödsinn! Sie haben sich ganz großartig gehalten, lieber Sauerbruch! Spreche Ihnen meine Anerkennung aus! Gebe aber persönlichen Rat: Machen Sie, daß Sie wegkommen!"

Mein Chef dagegen gab mir den Rat, mich beim Konsistorium zu entschuldigen. Das tat ich dann auch, obwohl ich mich völlig im Recht fühlte. Was hatte ich anderes getan als die selbstverständliche ärztliche Pflicht?

Aber das Konsistorium ließ sich nicht erweichen. Zwar hatte der Regierungspräsident die kriminalistische Untersuchung beendet, aber die Bürokratie ist ebenso dumm wie rechthaberisch – wenn das überhaupt ein Unterschied ist. Ich flog.

Eine Weile arbeitete ich in der Privatpraxis meines Chefs. Dann besorgte er mir – er stand natürlich ganz auf meiner Seite – eine Stellung als Assistent in Erfurt. An der Chirurgischen Abteilung. Damit war wohl mein Werdegang endgültig festgelegt: ich wurde Chirurg.

Das Zeugnis, das mir Dr. Rockwitz ausstellte, ist eines der hübschesten, die ich jemals erhalten habe. Hier ist es:

Kassel, den 25. 8. 1901

Der Approb. Arzt Herr Ernst Ferdinand Sauerbruch war von Anfang April bis Anfang August 1901 als Assistenzarzt des Hessischen Diakonissenhauses dahier angestellt.

Während dieser Zeit hatte derselbe anerkennenswerten Eifer, Zuverlässigkeit und Sorgfalt bei der Behandlung der Kranken sowie ein vorzügliches wissenschaftliches Interesse bewiesen, welches, unterstützt durch tüchtige klinische und anatomisch-physiologische Kenntnisse, seine Arbeit anregend und fruchtbringend gestaltete. Besonders gewandt ist er in chemischen und bakteriologischen Untersuchungen. Auch zu selbständigen chirurgischen Eingriffen hat er Gelegenheit gehabt und dabei Geschick und Umsicht bewiesen. Er läßt sich leiten von einer durchaus idealen Auffassung der ärztlichen Berufsarbeit und hat für die Kranken ein warmes Herz.

So hat sich Herr Sauerbruch in seiner jetzigen Stellung vollkommen bewährt und sich mir persönlich als tüchtiger, schätzenswerter, liebenswürdiger Kollege erwiesen. Ich bedaure, daß er seine Stellung äußerer Umstände halber schon nach kurzer Zeit verläßt, und trage keine Bedenken, ihn angelegentlichst zu empfehlen.

gez. Dr. Rockwitz
Dirigierender Arzt des Hess. Diakonissenhauses

Krankenhäuser waren in der Zeit meiner Anfänge nicht das, was sie heute sind. Darüber könnte ich so manches odoröse Geschichtchen erzählen. Hier ist eines davon, bei dem ich den Schauplatz schamhaft verschweige.

In der Nacht um zwei – ich lag im schönsten Schlaf – werde ich durch ein Bumsen an meine Tür geweckt. Ich denke mir schlaftrunken: Da haben sie wieder einen Besoffenen, der ein Loch im Schädel hat, und wanke zur Tür.

„Können Sie nicht mal kommen?“ Vor der Tür steht eine Schwester, zitternd und käsebleich. „Schwester Euphrosine ist sterbenskrank! Was sollen wir denn nur anfangen, wenn sie uns stirbt?“

Ich sage: „Das können wir doch jetzt nicht miteinander aushandeln.“

„Ach, können Sie nicht mal ’raufkommen ...“

„Natürlich“, sagte ich, „ich komme ’rauf.“

Und als ich oben war, frage ich Schwester Euphrosine: „Na, wo fehlt's dir denn?"

„Wie kommen Sie dazu, ‚du' zu mir zu sagen?"

„Das sage ich dir, solange du lebst, denn die Sachen, die ich mit dir erlebt habe – die sind nur mit dem Wörtchen ‚du' in Einklang zu bringen."

Jetzt fing sie an zu jammern: „Was fehlt mir denn um Gottes willen, was fehlt mir denn?"

„Um das festzustellen", sagte ich, „müssen wir dich mal untersuchen. Leg mal das Röckchen ab!"

„Mich ausziehen? Vor einem Mann? Nein, das tue ich nie."

„Das ist das einzige, was du noch tun kannst."

Die Frau hatte eine Krätze. Ich habe sie mit Ichthyolsalbe behandelt. Als sie wieder sauber war, sagte sie:

„Sie müssen ja wohl doch schon etwas bei uns gelernt haben!"

Woran die Dame litt, hatte ich auf den ersten Blick an verräterischen Kratzeffekten an den Händen gesehen.

Wenn ich heute, nach so langer Zeit, auf meine Erfurter Jahre zurückblicke – von 1901 bis 1902 arbeitete ich im Krankenhaus dieser Stadt, und zwar zuletzt als Erster Assistenzarzt –, so kommt es mir vor, als hätte ich mir in jener Zeit das Selbstvertrauen erworben, das mir bis heute nie abhanden gekommen ist. Ich machte meine ersten großen selbständigen Operationen in Vertretung meines Chefs, des Sanitätsrates Dr. Bock, und ich fand Zeit zu meiner eigenen theoretischen Weiterbildung.

Der Internist war Dr. Buchholz. Bei ihm hatte ich Gelegenheit, Praktisches aus der inneren Medizin zu lernen. Die Zusammenarbeit zwischen den Chirurgen und den Internisten war in diesem Krankenhaus vollendet und ganz auf beiderseitige Hilfe und beiderseitiges Verständnis aufgebaut. Im Gegensatz zu Kassel fand ich hier eine gut ausgebildete und hervorragend arbeitende Schwesternschaft vor. An ihrer Spitze stand die Oberin Krickhaus, und zu meiner großen Freude fand ich unter ihren Schwestern eine ehemalige Spielgefährtin wieder, die Tochter des Bäckermeisters Heinemann. Von diesen vorbildlichen Schwestern lernte ich die wesentlichen Grundlagen, die für die Leitung einer Klinik Vorbedingung sind. Dieser Schwesternschaft habe ich auch abgeschaut, was man von einer Schwesternschaft verlangen kann und darf.

DAS LEITMOTIV ERKLINGT

Auch in Erfurt hatte ich ein Erlebnis, das für einen großen Teil meiner späteren Lebensarbeit richtunggebend wurde. Man könnte es Zufall nennen, was hier geschah. Aber solche Ereignisse sind eben keine Zufälle, sie sind kleine Winke des Schicksals, und alles hängt davon ab, was man aus ihnen macht.

Ein Mann wurde eingeliefert, den ein Stier auf die Hörner genommen hatte. Am Unterleib hatte das Tier den Unglücklichen hochgehoben und von sich geschleudert. Der Tod war schon eingetreten, als ich ihn sah. Ich öffnete den Leib, um die Todesursache festzustellen. Jedoch fand ich kein Organ verletzt. Da entdeckte ich an der Leiche eine kleine Öffnung im Brustkorb und wußte nun, daß der Unglückliche am „Pneumothorax" zugrunde gegangen war. Vermutlich hatte er sich den Brustkorb aufgestoßen, als der Stier ihn fortgeschleudert hatte. Er konnte auf einen spitzen Stein gefallen sein, auf einen Rechen oder auf irgendein anderes Gerät. Frau und Kinder, die weinend bei der Leiche standen, vermochte ich nicht zu trösten.

Dieser Unglücksfall war die Ursache dafür, daß ich in dieser Zeit mein Hauptinteresse den physikalischen Bedingungen im Brustkorb des Menschen zuwendete.

Ich habe in meinem Vorwort schon versprochen, den Leser für einen Augenblick in die Denkart des Chirurgen blicken zu lassen. Das bringt einige Verpflichtungen mit sich, sowohl für den Verfasser als auch für den Leser.

Wenn ich hier versuche, die grundlegenden Überlegungen zu schildern, die einerseits zu den Bedenken des Chirurgen gegenüber Eingriffen im Brustraum führten, andererseits zur Überwindung dieser Bedenken, so muß ich ein wenig an das Vorstellungsvermögen des Lesers appellieren. Die Zusammenhänge sind, das kann ich zum Trost versichern, zwar komplex, vielseitig, aber nicht kompliziert, nicht schwer verständlich.

Zudem: das umfangreiche Kapitel über die Hintergründe der dramatischen Ereignisse, die das immer sehr ernste Geschehen einer Brustkorböffnung begleiten – sei sie durch eine Kriegsverletzung, durch einen Verkehrs- oder Betriebsunfall oder, sogar auch noch heute, durch die helfende Hand des Arztes bewirkt –, ist noch nicht abgeschlossen. Dennoch hoffe ich, daß es gelingen wird, die Maske des Chirurgen, der sich vor das Problem einer Thoraxoperation gestellt sieht, für einen schnellen Blick zu lüften.

Öffnet man bei einem lebenden Menschen die Bauchhöhle mit einem Schnitt durch die Bauchdecke – so passiert gar nichts. Man näht die Wunde wieder zu, und der Mensch lebt weiter. Öffnet man dagegen den Brustkorb, etwa mit einem Schnitt, der zwischen zwei Rippen verläuft und durch die ganze Wand geht, so stirbt der Mensch. Ich sage das mit Absicht grob, ohne auf Differenzierungen einzugehen, die jeder Arzt kennt und die nur den Arzt interessieren. Wird die Brustwand durch Verletzung oder einen Schnitt geöffnet, entsteht ein „Pneumothorax", eine „Luftbrust". Die Außenluft dringt in die Hälfte des Brustkorbes ein, an der die Wunde liegt, denn im Brustkorb eines Menschen herrscht ein geringerer Luftdruck als in der Atmosphäre. Den Namen „Pneumothorax" führte der englische Arzt Hewson in die Begriffe der Medizin ein. Er erfaßte auch zuerst die anatomischen und krankhaften Bedingungen dieses Zustandes.

Dieses ernsthafte Ereignis des „Pneumothorax" vollzieht sich unter eigenartigen Erscheinungen. Im Augenblick des Öffnens der Brustwand dringt zunächst unter leichtem Zischen eine kleine Menge Luft in den Brustraum ein. Die Außenluft drängt sich in das Vakuum. Alsbald verändert sich die Atmung, sie wird schwieriger und langsamer. Nicht selten geschieht etwas Dramatisches: stürmisch preßt die beim Einatmen sich blähende Lunge die eingedrungene Luft wieder hinaus, aber unter schlürfendem Geräusch wird wieder Luft eingesogen. Es ist, als hätte der Brustkorb ein Ventil eingebaut erhalten. Die Lunge wogt kraftlos hin und her. Das Mittelfell der Lunge, das hinter dem Brustbein die Lungenhälften hermetisch voneinander abschließt, bläht sich bei der Ausatmung in die geöffnete Brusthälfte hinein. Das Fell flattert wie ein Segel im hin und her wehenden Wind der Atmung. Die Halsvenen füllen sich prall mit Blut, Lufthunger tritt auf. Die Herztätigkeit ist zunächst verlangsamt, der Puls aber voll und gespannt. Bald tritt Herzschwäche ein, der Puls wird klein und unregelmäßig. Erbrechen und Atemstillstand künden höchste Lebensgefahr an.

Nicht immer führt ein einseitig offener Pneu zu solch katastrophalen Erscheinungen. Ich sah im Feld Verwundete, die Lungendurchschüsse erlitten hatten, sich in aller Seelenruhe zum Hauptverbandsplatz begeben. Eines Fliegers erinnere ich mich, der seine Kiste glatt zur Landung brachte. Er stieg aus, setzte sich im Krankenrevier auf einen Stuhl und ließ sich, eine Zigarette rauchend, entkleiden. Als die Brust frei war, sah man den Einschuß. Aus der winzigen Öffnung, die ein MG-Geschoß verursacht hatte, quoll in Wölkchen Zigarettenrauch.

Auch eines anderen Erlebnisses erinnere ich mich, das dem Leser besonders eindringlich die Geschehnisse bei einer Verletzung des Brustkorbes vor Augen führen wird.

Bei einer Säbelpartie war einem Fechter die Brustwand durch einen Hieb gespalten worden, der zwischen zwei Rippen verlief. Die Lunge selbst wurde zum Glück nicht verletzt.

Es entwickelten sich sehr bedrohlich alle Anzeichen eines offenen Pneumothorax. Der „Paukarzt“ wurde der Verletzung nicht Herr. Fassungslos sahen die Umstehenden dem zunehmenden Verfall des Duellanten zu. Er saß, mühsam um Atem ringend, auf einem Stuhl. Das Gesicht war blau angelaufen, die Venen am Hals traten gleich dicken Wülsten hervor. Der Mund stand weit offen. Langsame tiefe Atemzüge folgten in langen Abständen. Dieses Bild hatte sich in Sekunden entwickelt. Obgleich aus der Wunde nur wenig Blut floß, war aus dem blühenden jungen Mann ein Sterbender geworden.

Nun geschah etwas Unheimliches. Der Schwerverletzte bekam einen heftigen Hustenanfall, der die verängstigten und hilflosen Zuschauer mit Schrecken erfüllte. Er erschien ihnen als ein Zeichen des herannahenden Todes. Aber ebenso plötzlich erholte sich der Patient nach diesem Hustenanfall. Ohne Übergang konnte er mit einem Male wieder frei atmen. Mit offenen Mündern starrten die Umstehenden auf den Mann, der sich im Stuhl aufrichtete und ihnen zulächelte. Dann stand er auf und sagte:

„Gebt mir um Gottes willen eine Zigarette ...“

Er konnte zu Fuß, nur mit einem flüchtig angeklebten Verband versehen, in unsere Klinik gebracht werden. Was war hier geschehen?

Als wir den Patienten sahen, war ein Stück der Lunge zwischen den beiden durch den Säbelhieb getrennten Rippen fest eingeklemmt. Während sie vorher durch das Eindringen von Außenluft in den Brustkorb zusammengefallen war, hatten sie die heftigen Hustenstöße wieder von der Mitte des Brustkorbs her gegen die Brustwand vorgestoßen. Sie war zwischen die beiden klaffenden Rippen geraten, diese hatten sich wie ein schnappendes Maul geschlossen und einen Teil der Lunge zwischen sich eingeklemmt. Die Lunge konnte also nicht mehr, wie dies beim offenen Pneumothorax geschieht, sich zusammenziehen und dadurch Atmung und Kreislauf und deren Zusammenarbeit stören. Der zum guten Glück einsetzende Hustenanfall und – wiederum ein Glück – das Festklemmen der Lunge hatten dem Mann das Leben gerettet.

Ich versorgte die Wunde und nähte den Brustkorb schichtweise dicht zu. Der junge Mann konnte bereits acht Tage später bei bester Gesundheit die Klinik verlassen. Einziges Ergebnis: ein sehr bemerkenswerter Renommierschmiß auf der Brust.

Im Jahre 1902 konnte noch kein Arzt auf der Welt Eingriffe in der Brustwand, am Zwerchfell, am Mittelfell, überhaupt an den inneren Organen des Brustraumes mit irgendeiner Aussicht auf Erfolg vornehmen; der Pneumothorax tötete den Patienten bei einem derartigen Versuch. Es gab bei ganz schnellen Operationen einige Hilfsmittel, mit denen man unter Umständen den Pneumothorax verhindern konnte. Sie hatten ihren Wert in der Unfall-Chirurgie. Man wandte sie an, wenn man sicher zu sein glaubte, daß der Verletzte ohne den Eingriff sowieso sterben würde. Da gab es den „Müllerschen Handgriff". Man faßte mit der Hand oder einer Zange die zurückgesunkene Lunge und zog sie in die Brustwunde vor. Lungenstiel und Mittelfell wurden dadurch angespannt und festgehalten. Flattern und Verdrängungserscheinungen, die ich beschrieben habe, wurden abgeschwächt.

Es gab noch mehrere derartige Möglichkeiten, aber die Lunge blieb immer gefährdet und damit der Mensch.

Man mußte ein Mittel finden, im Brustkorb ohne die beschriebenen Gefahren operieren zu können. Das war ein Problem, das die ganze Menschheit anging.

Ich habe mich immer gern mit der Geschichte der Medizin befaßt. Jetzt stellte ich in allen erreichbaren Büchern fest, welche Rolle dieses Problem in der Geschichte der Medizin gespielt und wie man sich in den verschiedenen Zivilisations- und Kulturepochen des Menschengeschlechtes damit abgefunden hatte. Das Altertum kannte das Problem. Brustwunden, die im Kriege erlitten wurden, hatten die Ärzte frühzeitig beschäftigt. Im klassischen Altertum hielten griechische und römische Ärzte, wenn sie feststellen wollten, ob das Brustfell durch die Verletzung geöffnet war, vor die Wunde eine Lichtflamme, eine Feder oder eine Baumwollflocke. Aus ihren Bewegungen konnte man erkennen, ob der Brustkorb durchlöchert war. Ein Mittel aber, den offenen Pneumothorax zu behandeln, kannte man wohl nicht.

Im Mittelalter sind keine neuen Heilmethoden entdeckt worden. Bezeichnend für die Dunkelheit der damaligen Weltanschauung ist die Methode der Behandlung von Brustwunden. Man verband sie im dunklen Raume bei Kerzenschimmer, weil Tageslicht schädlich sein sollte. Auffallend spät, im Anfang des 18. Jahrhunderts erst, begriff man den vollen Vorgang des Pneumothorax. Aber selbst jetzt, im Jahre 1902, stand man noch immer machtlos vor dem gleichen Problem.

*

Diese Machtlosigkeit empfand ich bald, widmete meine Interessen wieder anderen Dingen und kam durch eine Duplizität der Ereignisse nach kurzer Zeit abermals an das Krankenlager eines Mannes, den diesmal eine Kuh auf die Hörner genommen hatte. Sein Darm war schwer verletzt worden, und nach seinem Fall schrieb ich meine erste wissenschaftliche Arbeit. Sie erhielt den Titel: „Experimentelles über Darmverletzungen nach Bauchkontusionen (Quetschungen) an der Hand eines Falles von Rectumruptur (Mastdarmriß)."

Ich war sicher, neue Erkenntnisse niedergeschrieben zu haben, und auf meine kleine Arbeit sehr stolz.

In Erfurt wurde ich von meinem Chef, von meinen Kollegen, von dem gesamten Personal des Krankenhauses geschätzt und geliebt, aber ein städtisches Krankenhaus ist nicht der Platz, an dem ein junger Arzt weilen sollte, wenn er wissenschaftlich arbeiten will. Es zog mich mit Gewalt in eine Universitätsstadt. Aber die Tatsache, daß ich in Erfurt Geld verdiente, hielt mich ganz einfach aus wirtschaftlichen Gründen fest.

Zunächst also ließ ich meine kleine Arbeit drucken, verschickte sie an prominente Ärzte, sandte sie auch dem Vater Ritter und tat weiterhin meinen Dienst im Krankenhaus.

Da trat wiederum ein Ereignis ein, das man Zufall nennen könnte. Vater Ritter erschien bei mir in Erfurt, sagte, er habe meine Arbeit einem älteren erfahrenen Arzt gezeigt, und dieser Herr sei des Lobes darüber voll gewesen. Man ersehe aus ihr meine Eignung zu wissenschaftlichen Arbeiten, ein gewisses Geschick, Experimente anzustellen. Ich dürfe nicht an einem einfachen Krankenhaus verbleiben, sei gesagt worden, und Vater Ritter, der mich aufrichtig als Freund seines toten Sohnes ins Herz geschlossen hatte, redete mir eindringlich zu, recht bald in eine Universitätsstadt hinüberzuwechseln.

Ich mußte eine gewisse Scheu überwinden, um ihm zu erklären, weshalb ich das nicht konnte. Da erbot er sich kurzerhand, mir einen monatlichen Betrag von hundertsechzig Mark vorzuschießen, bis ich in der Lage sei, auf eigenen Füßen zu stehen. Er zeigte so viel Güte, so viel menschliche Wärme und so viel Herzlichkeit, daß ich wankend wurde.

Er sagte: „Lieber Ferdinand! Mein Sohn, der dein bester Freund war, ist gestorben. Du mußt auch an mich denken. Ich bitte dich, an seine Stelle zu treten und mich als Vater zu betrachten. Ich will dir jetzt helfen, denn du mußt in eine Universitätsstadt und an eine größere Klinik kommen. Du mußt die einhundertsechzig Mark von mir nehmen!"

Natürlich überlegte ich mir nun doch, welch neue Aussichten sich mir eröffneten, und nahm mit herzlichem Dank an. Ich kündigte meine Stellung in Erfurt, verließ das Krankenhaus am 1. Januar 1903 und erhielt das nachstehende Zeugnis:

Herr Dr. Sauerbruch war vom 1. Oktober 1901 bis 1. Januar 1903 1. Assistent am Städt. Krankenhaus Erfurt an der chirurg. Abteilung.

Neben vortrefflichen allgemeinen medizinischen Kenntnissen hat er hier große Geschicklichkeit und unermüdlichen Eifer gezeigt, ist in den Grundzügen und der Technik der Asepsis völlig zu Hause und hat wiederholt auch größere Operationen (Laparotomien) in meiner Vertretung zu vollster Zufriedenheit ausgeführt. Auch dem Krankenhaus als solchem (Ausbildung der Schwestern und Wärter) hat er sich mit großem Interesse und weit über das nach der Dienstordnung Notwendige hinaus gewidmet.

Erfurt, den 31. 12. 1902

gez. San.-Rat Dr. Bock

Es zog mich zu Professor Dr. Langerhans an die pathologisch-anatomische Anstalt des Krankenhauses in Berlin-Moabit. Die Universität war nahe. Anatomische Arbeiten waren das Feld, auf dem ich mich betätigte. Dr. Langerhans las meine Arbeit, die ich in Erfurt geschrieben hatte, und meinte, ich solle sie zwei Ärzten schicken, Professor Naunyn in Straßburg und Geheimrat von Mikulicz in Breslau. Ich war ganz traurig, als ich von keinem der beiden eine Antwort erhielt.

Als ich seinerzeit in Moabit arbeitete, passierte mir eine gräßliche, wahrhaft unverzeihliche Geschichte. Ich hatte die Nacht vorher feuchtfröhlich in einer angeregten Gesellschaft bei einer Erdbeerbowle verbracht, um einen Kollegen wegzutrinken. Der Kopf war schwer, als am nächsten Morgen die Pflicht rief. Sie bestand einleitend in einer Leichenöffnung.

Im Laufe des Vormittags erschien der Wärter und legte mir einen Totenschein vor. Darin war zu lesen, daß eine betagte Dame namens Alma Empf zu ihren Vätern versammelt worden sei. Der Wärter belästigte mich mit der Frage, warum der Totenschein hartnäckig behaupte, die Dame hieße Alma Empf; Emma Müller sei doch der Name. Zum Beweis legte er mir die Erkennungsmarke vor:

Emma Müller, Alm. Empf.

Die letzten Hieroglyphen bedeuteten in unserer Geheimsprache „Almosen-Empfänger".
Die Erdbeerbowle hatte die Kenntnisse der amtlichen Terminologie restlos besiegt.

Als Vater Ritter im Hochsommer nach Berlin kam, fand er mich unlustig. Er befahl mir, meinen Koffer zu packen und Urlaub zu erwirken. Dann fuhr er mit mir nach Berchtesgaden, und wir kletterten auf alle Berge, die für uns erreichbar waren.

Von einer solchen Tour zurückgekehrt, fand ich einen dicken Eilbrief meiner Mutter vor. Ich öffnete den Umschlag und las den ersten Satz: „Was hast Du nun schon wieder angestellt, daß Du nach Amerika gehen mußt, Du Spitzbube!"

Ich las nicht weiter, denn aus dem Kuvert fiel ein Brief des Geheimrats von Mikulicz, den er aus Amerika, wo er gerade weilte, an mich geschrieben und den das Krankenhaus in Berlin an meine Heimatadresse nach Elberfeld nachgesandt hatte.

Von Mikulicz schrieb mir sehr anerkennend. Er bot mir für den ersten Oktober desselben Jahres (1903) eine Stellung als Volontärarzt an der Chirurgischen Universitätsklinik zu Breslau an, der er vorstand. „Kommen Sie zu mir", hieß es in dem Brief, und meine Mutter hatte daraufhin angstvoll vermeint, ich müsse nach Amerika auswandern, wohin man damals die schwarzen Schafe schickte.

Vom großen Naunyn lag, als ich nach Berlin zurückkehrte, um dort meine Zelte abzubrechen und nach Breslau überzusiedeln, ein sehr ablehnender Brief über meine Arbeit vor. Ich kann mir selbst heute nicht erklären, was ihn derart erbost hatte. Ein ablehnendes Urteil aus solchem Mund ist bedrückend. In meine Freude über den Ruf nach Breslau fiel ein reichlich groß geratener Wermutstropfen.

Über Professor Naunyn hat mir Freund Eiselsberg viele Jahre später eine hübsche Geschichte erzählt. Er wird mir verzeihen, wenn ich sie hier ausplaudere.

Anläßlich eines Medizinerkongresses in Wien erkrankte Naunyn, der auch daran teilnahm, schlagartig an Beschwerden, die er sich, selbst ein großer Arzt, als eine Appendizitis diagnostizierte. Er begab sich zu seinem Freunde Eiselsberg in Behandlung, der bei der Untersuchung eine daumendicke Geschwulst in der Blinddarmgegend fand. Naunyn war damals an die Siebzig, es bestand also die Möglichkeit eines bösartigen Tumors. Dagegen sprachen aber das akute Einsetzen der Beschwerden und die stürmischen Krankheitszeichen, die auf eine Blinddarmentzündung hinwiesen.

Bei der Operation, die einige Tage später gebieterisch notwendig wurde, fand Eiselsberg eine Appendix – den „Wurmfortsatz" –, die auf das Zehn- bis Fünfzehnfache vergrößert war. Sie war mit einer steinharten Masse ausgegossen. Die Untersuchung zeigte, daß es Kalkstein war. Die ganze Chirurgische Klinik rätselte herum, wie der Stein in Naunyns Appendix geraten sein konnte. Er mußte sich dort erst gebildet haben, das war klar.

Des Rätsels Lösung war dann einfach, als der Patient mitteilte, daß er sich jahrzehntelang die Zähne mit einem eigenen Gemisch aus Magnesia und Kalkmasse geputzt habe. Jeden Tag hatte sich eine Kleinigkeit dieses Zahnpulvers festgesetzt und den Wurmfortsatz ausgegossen. Seine Zähne waren gut dabei geblieben, aber sein Blinddarm hatte rebelliert.

IN DEINER BRUST...

Es ging also nicht nach Amerika, wie Mutter gefürchtet hatte, sondern nach Breslau. Ehrgeizige Hoffnungen schwellten meine Segel. Wie ich vermeinte, reiste ich in die Arme des Geheimrats von Mikulicz. In Wirklichkeit aber reiste ich in den Betrieb einer großen, vorzüglich geleiteten Universitätsklinik, der mich zunächst überwältigte. Ich war städtische Krankenhäuser gewohnt, hatte als Landarzt gewirkt, aber ich war noch niemals mit den großen wissenschaftlichen Möglichkeiten, die eine Universitätsklinik ihren Mitarbeitern bietet, vertraut gemacht worden. Auch von der menschlichen Seite meiner neuen Position war ich überrascht. Jeder Kollege war eine Persönlichkeit. Das Wissenschaftliche dominierte, das Materielle trat völlig zurück. Ich sah mich auf Distanz gestellt. Ich war nicht, wie viele meiner Kollegen, in einer Universitätsklinik groß geworden. Geheimrat von Mikulicz zog mich auch durchaus nicht, wie ich das erwartet hatte, zu sich heran. Ich sah ihn nur gelegentlich in einem größeren Kreis, und ich wäre mir auch sonst sehr vernachlässigt vorgekommen, wenn sich nicht einer von den Kollegen, Hubert Bardenheuer, meiner angenommen hätte. Er war der Sohn des alten Geheimrats Bardenheuer in Köln, eines bedeutenden Chirurgen der alten Schule, und wurde später der Leiter des Chirurgischen Krankenhauses in Deutz am Rhein. Den Klinikchef, von Mikulicz, traf ich meist nur bei Vorlesungen und bei den großen Visiten, auch dann nur aus großer Ferne. Die Leitung der Klinik hatte damals Oberarzt Professor Kausch, ein Schwiegersohn des Geheimrats von Mikulicz, der mich als Volontär-Assistent einer Station zuteilte.

Mein Leben spielte sich in der Klinik ab. Ich hatte mir in der Stadt ein Zimmer gemietet, das sich im wesentlichen nicht von der „Bude“ eines Studenten unterschied. Dort schlief ich nur, bis ich später in der Klinik selber ein Zimmer erhielt und überhaupt nicht mehr aus dem Haus kam. An die Stadt habe ich aus jener Zeit kaum eine Erinnerung. Die Klinik war alles für mich; ich erschien am frühen Morgen und verließ sie in der späten Nacht. Für uns Ärzte gab es einen Aufenthaltsraum, das „Kasino". Das begann insofern eine Rolle in meinem Leben zu spielen, als sich unsere Unterhaltungen, unsere Gespräche, unsere Überlegungen um das Medizinische und um das Chirurgische vor allem dort abspielten. Von den Operationen noch stark beeindruckt, kamen die Kollegen im Kasino zusammen. Der Verlauf der vielen verschiedenen Eingriffe wurde diskutiert, man unterhielt sich angeregt über die einzelnen Fälle, theoretisierte heftig, man lebte mit einem Wort in einer Chirurgenwelt, in die das Draußen kaum eindrang. Ich muß gestehen, daß sogar meine Verbindung mit der Heimat sowohl als auch mit Ritters unter dem neuen Aspekt litt, den mir jetzt das Leben bot. Die Möglichkeit, mich fortzubilden, und das Interesse, das ich an jedem wissenschaftlichen Vorgang in der Klinik nahm, füllten mich völlig aus.

Nach Wochen erst kam der Augenblick, wo ich zu Geheimrat von Mikulicz persönlich eingeladen wurde, aber auch jetzt empfing er mich nicht allein, sondern zum Speisen mit den Kollegen. Es war ein großes Haus, in das ich trat, im wahrsten Sinne des Wortes. Im Erdgeschoß lagen die Empfangsräume und das Musikzimmer. Mikulicz selber musizierte; Chopin war sein Lieblingskomponist. In diesem Hause verkehrte alles, was in Breslau zur Gesellschaft gehörte. Die Regierung, die Kürassiere, es schien für jedermann eine Ehre zu sein, bei dem Geheimrat eingeladen zu werden. Er selber war ein gesellschaftlich sicherer, ja überlegener Mann. Seine Frau war ihm ein idealer Partner in der Repräsentation dieses kultivierten Hauses.

Mir imponierte damals alles, die Lichterflut in den großen Zimmern, die Teppiche, das Silber, das Kristall, das Porzellan, die geschulte Dienerschaft. Auch hielt Geheimrat von Mikulicz Pferde und Wagen. Aber dieses gesellschaftliche Leben war nur eine Arabeske seines Daseins. Er war vor allem Chirurg.

Viele Töchter waren ihm geboren worden, zuletzt ein Sohn.

Dr. Anschütz, mit dem ich mich damals in Breslau befreundete, heiratete später eine der Töchter, Hilda von

Mikulicz. Sie hatte die musikalische Begabung der Eltern geerbt und studierte in Paris Gesang.

Der Geheimrat war derart mit Arbeit belastet, daß sein privates Leben eigentlich erst in der Nacht begann. Erbat er sich einen Besuch, so bestellte er ihn auf die Mitternachtsstunde oder noch später. Seine Kinder holte er oft aus dem Bett, weil es doch irgendeine Stunde am Tage oder in der Nacht geben mußte, in der er mit ihnen zusammen sein konnte. Da es damals noch keine Automobile gab, hatte er seine Visiten in der Stadt mit Pferd und Wagen zu machen, und die Zeit, die diese Fahrten erforderten, fraß auch noch an den überbelegten Stunden des Arbeitstages eines vielbegehrten Chirurgen und Lehrers. Er war sehr wohlhabend geworden, der Geheimrat von Mikulicz, und besaß in der Gegend des Riesengebirges ein schönes Gut. Zum Wochenende fuhr er dorthin, und später, vor allem als es körperlich nicht mehr gut ging, weilte er oft zur Erholung und Entspannung auf diesem Gut.

Erst als ich mich im Betrieb der Klinik fest verankert sah, als ich endgültig Fuß gefaßt hatte, mich zu Hause fühlte und auch schon operierte, kam es zu einer längeren Unterredung zwischen dem Geheimrat und mir. Er sprach mich auf meine kleine Schrift an. Er hatte sie in Amerika gelesen, lobte sie und meinte, daß ich offenbar Talent für das Experiment habe. Dann kam er auf die Brustraum-Chirurgie zu sprechen. Professor von Mikulicz erweiterte dieses Thema und brachte es in Zusammenhang mit der Lungentuberkulose. Ich vergesse nie einen Satz, den er sprach:

„Hunderttausende von Menschen gehen an Lungentuberkulose zugrunde, nur weil man im Brustkorb nicht operieren kann."

Das war der große Traum aller: die Lungentuberkulose, die große Seuche, an der Millionen litten, aktiv chirurgisch angehen zu können.

Als er merkte, daß ich mich mit diesem Problem eingehend befaßt hatte, drückte sein Gesicht Zufriedenheit aus, und er entließ mich mit der Mahnung, die Ausarbeitung einer Thorax-Chirurgie sei das hervorstechende Problem der ärztlichen Kunst unserer Zeit. Man habe gelernt, die

Bauchhöhle zu öffnen, und so müsse sich doch auch eine Möglichkeit finden lassen, in den Brustkorb vorzudringen.

Alle Einfälle, die ich in meinem Leben auf dem Gebiet der Medizin hatte, sind durch eine Anregung von außen an mich herangetragen worden. Ich bin das Gegenteil von abergläubisch, jedoch wirkte das Zusammentreffen von zwei Dingen sehr stark auf mich: in Erfurt hatte ich das Erlebnis mit dem Unglücklichen, der durch eine kleine Öffnung im Brustkorb getötet wurde. Damals studierte ich alles mit sorgfältiger Genauigkeit, was zum Fall gehörte, und hier in Breslau sprach Geheimrat von Mikulicz mir von dem gleichen Problem.

Für geraume Zeit ging ich wie ein Träumer umher. Ich hatte nichts anderes im Kopf als die Anregung meines Chefs. Im übrigen verrichtete ich meinen täglichen Dienst. Zu einer abermaligen Aussprache mit dem Geheimrat kam es nicht, aber eines Nachts – es war gegen drei Uhr – erhob ich mich taumelnd aus halbem Schlaf. Ich weiß noch heute genau, daß mein Herz vernehmbar pochte, denn ich fand mich an der Schwelle einer vorläufig noch unklaren „Möglichkeit".

Meine Überlegungen führten mich zu einem zwingenden Schluß. Am und im Menschen selbst war das Problem nicht zu lösen. Nicht an ihm, nicht in ihm war die Konstruktion des menschlichen Leibes zu ändern. Der Unterdruck in der Brust eines Menschen war eine Lebensnotwendigkeit. Lunge und innere Brustwand mußten „zusammenkleben" wie zwei plan geschliffene Glasplatten, sollte die Atmung in Gang gehalten werden. Die Bewegungen des Brustkorbs ziehen die elastische Lunge hinter sich her, und nach den Kräften der Adhäsion folgt ihnen die Lunge. Jedoch, und das war mir mit einemmal überwältigend klargeworden: die technischen Möglichkeiten der Zeit reichten durchaus hin, um das Brustinnere eines Kranken von außen her unter einen Luftdruck zu bringen, der dem im Brustkorb annähernd gleich war.

Eine namenlose Aufregung erfaßte mich. Den Kopf begoß ich mir mit kaltem Wasser und wurde hellwach. Ich zog mich oberflächlich an, stieg in den Keller des Hauses, in dem eine Werkstatt war, weckte zuvor die beiden

Laboranten der Klinik und versuchte, diesen schlaftrunkenen Männern das Problem auseinanderzusetzen. In dem Wirbel meiner Gedankengänge hatte ich mich davor gefürchtet, sah aber zu meinem Erstaunen und meiner grenzenlosen Genugtuung, daß sie mich begriffen. Ich wiederholte ihnen den Satz, den Mikulicz gesprochen hatte: „Hunderttausende von Menschen gehen an der Lungentuberkulose zugrunde, nur weil man im Brustkorb nicht operieren kann", und sehe noch heute die gläubigen und vertrauensvollen Gesichter vor mir, mit denen sie mich ansahen. Ich trieb bei der Nachtschwester starken Kaffee auf, holte Zigarren aus meinem Zimmer, und dann begannen wir. Nun, wie begannen wir? Ich mußte wieder reden. Ich entwickelte wieder meinen Plan, und um die Wahrheit zu sagen, diesen Plan hatte ich im Umherlaufen gefaßt, auf den Wegen von der Nachtschwester zum Zigarrenholen, beim Hasten durch die matterleuchteten Gänge der Klinik, beim Überwinden von Treppen und Stiegen.

An einem kleinen Hund wollte ich den ersten Versuch ausführen. An einem Hund deshalb, weil bei diesem Tier, wenn man ihm einen Pneumothorax anlegte, die Änderung der Atmung, das Hin- und Herflattern des Mittelfelles und die Beeinträchtigung der Herztätigkeit noch ausgesprochener sind als beim Menschen. Nahm ich also einen Hund zum Versuch, so ging das Experiment unter verschärften Umständen vor sich, und das war mir willkommen.

Wir saßen im Keller, in einem Abstellraum, waren umgeben von Metall, Glas, Leder, kurz, von Materialien, die im Labor und der Klinik gebraucht wurden. Wir tranken heißen Kaffee, und ich entwickelte mein Experiment. Ich wollte einen Kasten bauen, dessen Wände aus Glas bestehen sollten. Eine Glastrommel wollte ich konstruieren. An dem einen Ende mußte ein Gummiring sitzen, der den Hals des Tieres luftdicht abschloß. Der Kopf sollte also außerhalb der Glastrommel bleiben, ebenso wie auch der Unterleib des Hundes. Nur seine Brust wurde in die Trommel gesetzt. An der Kopfseite mußten im Glas noch zwei Öffnungen sein, durch die ich die operierenden Arme stecken konnte, meine Arme, die ebenfalls durch Gummiringe abgedichtet werden mußten. Aber nun kam das Wichtigste. Diese Glaskammer mußte eine Luftpumpe zum Absaugen der Luft haben. Sie mußte Ventile besitzen, um in ihr einen Unterdruck herzustellen, dessen Höhe in diesem Experimentalfalle identisch war mit dem Luftdruck im Innern der Brust eines Hundes.

Nachdem ich das auseinandergesetzt hatte, sahen mich die beiden Männer, die ich zu Hilfe gerufen hatte, verklärt an. Die Konsequenzen dieses Einfalles erfaßten sie sofort. Ich hätte sie umarmen können.

Wir gingen nicht ins Bett, sondern rechneten uns alle Maße aus, und kaum war es hell geworden, als sich die beiden auf den Weg machten; der eine zum Glaser, der andere, um Gummi und Ventile zu besorgen. Für diese Anschaffungen legte ich das Geld auf den Tisch. Ein wohlhabender Mann war ich ja, mit hundertundsechzig Mark im Monat.

Nächtens arbeiteten wir jetzt im geheimen. Die Meßapparaturen, die wir brauchten, um den Luftdruck im Innern der Kammer festzustellen, hatte ich selbst beschafft. Unsere ganze Sorge war die Abdichtung. Denn, daß wir den Hund töteten, wenn diese Dichtungen nicht einwandfrei waren, das war uns klar. Als wir endlich so weit waren, daß die Kammer luftdicht abschloß, als das Werk so weit gediehen war, daß ich mit den messerbewehrten Händen in der vorläufig noch leeren Glastrommel herumarbeiten konnte, ohne daß Luft einströmte, gab es keinen Grund und keinen Vorwand mehr, das Experiment hinauszuschieben.

Wir wählten „Cäsar“ aus, einen mittelgroßen, freundlichen Hund, der zu unseren Versuchstieren gehörte und einem der Laboranten sehr anhing. Er gehörte keiner Rasse an, war wenig behaart und von sanfter Gemütsart. Alles was ich an Instrumenten benötigte, um dem Tier den Brustkorb zu öffnen und wieder mit einer Naht zu verschließen, legte ich in die Glastrommel, und dann legten wir den Hund hinein. Vorher jedoch betäubte sein Herr ihn selbst.

Ich legte vorsichtig einen Schnitt bis auf die Rippen, dann stellten wir den Unterdruck her, und zwar ganz einfach dadurch, daß einer meiner Gehilfen die Luft durch einen Gasschlauch absaugte. Ich schnitt zu, öffnete breit den Brustkorb – und die Erscheinung des Pneumothorax trat nicht ein. Graurosa lag die Lunge vor mir, im Takt der Atmung hin und her gleitend. Nach einiger Zeit – kein Zweifel am Gelingen des Experiments blieb mehr – vernähte ich Cäsars Wunde, nahm die Arme aus dem Kasten. Dann befreiten wir den Hund aus seiner Lage und legten ihn auf die Matte. Mir klopfte das Herz, Schweiß lag auf meiner Stirn, denn ich wußte jetzt, daß mir da etwas geglückt war, das sich zum Wohle vieler kranker Menschen auswirken würde.

Die beiden Männer, die mir geholfen hatten, saßen schweigend bei mir. Der eine streichelte den Kopf des still daliegenden Tieres, das seinen Chloroformrausch ausschlief, der andere sah mich an, stand langsam auf, streckte mir die Hand entgegen und sagte:

„Bei Gott, Herr Doktor, ich gratuliere Ihnen! Was wird der Geheimrat dazu sagen!“

Was würde der Geheimrat sagen? In dieser Nacht konnte ich nicht daran denken, ins Bett zu gehen, ich war zu aufgeregt. Ich überlegte. Ehe ich vor den Geheimrat trat, beschloß ich, mir noch mehr Sicherheit zu verschaffen. Das tat ich in den nächsten Wochen.

Ich habe so viel Ernsthaftes über diese Versuche berichtet, daß man auch die herzlicheren Aspekte zu ihrem Recht kommen lassen muß:

Es war eine schreckliche Schinderei für mich damals, mit den Hunden in der Unterdruckkammer. Aber endlich winkte doch der Erfolg. Ein Hund hatte eine sehr schwere Operation überstanden und war völlig genesen. Damals schrieb ich in meinem Überschwang eine Postkarte an eine Dame, die über mein Vorhaben unterrichtet war:

„Er lebt, er liebt, er frißt, er säuft.“

Ein Hund hatte einen Eingriff überlebt, bei dem ich einen Lungenflügel entfernt hatte. Daher das Triumphgeschrei im Telegrammstil.

*

Endlich ging ich zum Chef. Ich war meiner Sache ganz sicher. Er wußte noch von nichts. Die beiden Laboranten hatten mir strengstes Stillschweigen gelobt und strengstes Stillschweigen gehalten. Es war gar nicht so leicht, den Geheimrat zu fassen. Nach den ersten Sätzen unterbrach er mich und fragte:

„Was sagten Sie da? Das wollen Sie doch wohl nicht im Ernst sagen?"

Ich verharrte bei meiner Erklärung und lud ihn ein, einem Experiment beizuwohnen. Immer noch etwas abwesend, zudem mit außerordentlicher Verwunderung und ganz ungläubig, starrte er mich an, vernahm skeptisch, daß ich im Keller einen Raum hergerichtet hatte, in dem die Versuche stattfanden, und gab mir schließlich einen Zeitpunkt an, zu dem er „da unten" erscheinen werde, um sich den Beweis für meine Behauptungen anzusehen.

Nun stürzte ich in den Keller, holte meine beiden Vertrauten und bereitete das Experiment vor.

Der Geheimrat von Mikulicz erschien mit allen Anzeichen des Unglaubens. Verwundert beugte er sich über die Glastrommel, betrachtete aufmerksam das Kaninchen und fragte ungeduldig:

„Und nun?"

Ich begann zu agieren. Das Tierchen wurde betäubt, die Luft aus der Glastrommel abgesaugt, der Druck am Manometer gemessen, dann schnitt ich ein. Das arme Tier wandte den Kopf zur Seite und – war auf der Stelle tot.

Erbleichend begriff ich sofort die Ursache. Ein leichtes Zischen war mir nicht verborgen geblieben. An irgendeiner Stelle war die Glastrommel undicht geworden.

Ich wollte erklären, kam aber nicht mehr dazu.

Geheimrat von Mikulicz fuhr, wie von etwas Bösem und Schlechtem berührt, von der Glastrommel zurück, faßte das Kaninchen am Kopf. Ganz leise fragte er:

„Was tun Sie denn da?"

Noch bevor ich antworten konnte, explodierte er:

„Sie Hochstapler!"

Ich war in einer unglücklichen Lage, in einer körperlichen meine ich, denn meine Hände steckten noch im Glaskasten. Ich riß sie heraus, als Herr von Mikulicz mir das beleidigende Wort an den Kopf warf. Jetzt brüllte er, und zwar wiederum:

„Sie Hochstapler!"

Er sah sich um. In dem nicht sehr ordentlichen Kellerraum kam er sich wohl ohnehin deplaciert vor, nun auch noch genarrt durch einen jungen Volontärarzt, und er schrie:

„Sie Hochstapler! Was erlauben Sie sich mit mir? Was fällt Ihnen ein? Machen Sie, daß Sie wegkommen! Unterlassen Sie hier diesen verbrecherischen Unsinn! Hinaus mit Ihnen!"

Ein ungeheuerlicher Jähzorn erfaßte mich. Ich hätte Cäsar holen und die anderen Kaninchen herbeischaffen, mich auf das Zeugnis der beiden Laboranten berufen und um Geduld bitten können. Nichts davon tat ich. Mein Temperament ging mit mir durch, und ich brüllte törichterweise zurück:

„In Ihrem Puff bleibe ich sowieso nicht!"

Und dann war es aus.

Ich fand mich wirklich und wahrhaftig hinausgeschmissen und beim Geheimrat in Ungnade gefallen. Ich schlich mich davon wie ein Aussätziger. Heimlich am Abend brachten mir die beiden Laboranten, die einzigen Wesen, die mich nicht mieden, die noch an mich glaubten, meine Koffer in mein möbliertes Zimmer. Hier saß ich auf dem Bett, von widerstrebendsten Gefühlen hin und her gerissen, und wußte zunächst nicht so recht, was ich tun sollte.

Ich ging ins Bett, dachte lange nach, beschloß, nicht eine Spur vom Wege abzuweichen, und bevor ich einschlief, fiel mir ein, daß ich mich an den Besitzer einer kleinen Klinik in der Stadt wenden konnte, den ich kennengelernt und der mich einige Male beim Geheimrat zum Assistieren ausgeborgt hatte. Vielleicht konnte der mir helfen, das Experiment weiter durchzuführen.

Am nächsten Morgen ging ich zu dem Manne.

Als ich ihm sagte, daß Mikulicz mich hinausgeschmissen habe, lachte er schallend. Er sah die Dinge überhaupt gern von ihrer spaßigen Seite. Tatsächlich entbehrte meine Lage ja nicht einer gewissen Komik. Mit spontaner Hilfsbereitschaft stellte er mir einen Raum in seiner Klinik zur

Verfügung, in dem ich experimentieren konnte, befahl seinem Laboranten, mir an die Hand zu gehen, und traf alle diese Anordnungen in einer strahlenden Laune.

Ich entwarf zunächst auf dem Papier die Zeichnungen für eine Unterdruckkammer, die es dem Experimentator erlaubte, im Raume selbst zu sitzen und das ganze Tier, mit Ausnahme des Kopfes, aufzunehmen.

Das war nun viel teurer als die erste „Trommel". Ich verwandte meine ganze Sorgfalt darauf, alles präzise abzudichten. Die Apparatur zur Herstellung des Unterdruckes, Manometer und Ventile, kosteten viel Geld.

Vater Ritter, der mich, wie ich schon berichtete, ohnehin mit monatlich einhundertsechzig Mark unterstützte, hatte mir, als ich nach Breslau kam, eine sehr großzügige finanzielle Zuwendung gemacht. Als ich bei diesen Versuchen war, gab er mir etwas, man man nur einen Blankoscheck nennen kann. Die Summe, die ich verwenden würde, sollte ich später zurückzahlen. Ich hatte also Geld, um meine Versuche selbst finanzieren zu können.

Ich widmete mich nur meinen Versuchen, und mit Hilfe des Laboranten experimentierte ich wie vorher. Mit dem gleichen Erfolg. Kein Tier starb mir mehr; die Kammer hielt dicht.

In dieser Zeit ereignete sich wieder ein kleines Unglück, das mich bei dem Geheimrat von Mikulicz womöglich in ein noch schlechteres Licht setzte. Der Besitzer der Privatklinik, in der ich experimentierte, heiratete und lud mich zur Hochzeit ein. Bei der Feier betrank sich der Hochzeiter derart, daß er die geplante Hochzeitsreise nicht antreten konnte. Das wurde auch der ihm frisch angetrauten Dame klar. Infolgedessen lag sie in irgendeinem Zimmer und weinte bitterlich, wobei ihr ihre Mutter Hilfestellung leistete. Jeder Versuch, den frisch gebackenen Ehemann am weiteren Trinken zu hindern, scheiterte kläglich. Stereotyp sagte er auf jeglichen Zuspruch:

„Hochzeit macht man in der Nacht. Das weiß ich aus einem ganz dicken Buch. Noch ist Tag, also habe ich noch Zeit. Prost!"

Ich saß neben dem betrunkenen Mann, der den Arm um meine Schultern geschlungen hatte, in der anderen

Hand ein volles Glas, als jemand ins Zimmer trat. Es war der Geheimrat, der ohne mein Wissen auch geladen worden war. Er erfaßte, wie er glaubte, die Situation, warf mir einen Blick zu, der etwa bedeuten sollte: Natürlich der Sauerbruch. – Wenn irgendwo etwas Ungehöriges vorgeht, ist er dabei! Er wandte sich brüsk um und verließ die Hochzeit. Jetzt begann auch ich zu trinken, denn das Schicksal meinte es offenbar in Beziehung auf den Herrn von Mikulicz schlecht mit mir. An eine Versöhnung mit ihm wagte ich nicht mehr zu denken.

In den Nächten plagten mich widerstreitende Gedanken, wie ich mich verhalten sollte, um meinen Erfolg in einer Form zu publizieren, daß ein in wissenschaftlichen Kreisen anerkannter Arzt es unternehmen würde, eine Unterdruckkammer bauen zu lassen, groß und sicher genug, um einen Menschen in ihr zu operieren. So viel wußte ich, daß ein Unbekannter wenig Aussicht hatte, eine Berücksichtigung seiner Ergebnisse durchzusetzen. Bald jedoch geschah etwas sehr Wichtiges: Dr. Willi Anschütz, der spätere Ordinarius für Chirurgie, der noch heute in Kiel lebt, besuchte mich. Fassungslos sah er mir zu, wie ich einem Kaninchen die Brust öffnete, begriff alles und schrie:

„Was sagt Mikulicz dazu?"

Ich beschwerte mich bei ihm über alles, was geschehen war. Den Geheimrat, der mich „Hochstapler" geschimpft hatte, könne ich nicht mehr sprechen. Anschütz aber, freudig erregt, wischte diesen Einwand mit einer Handbewegung weg und rief:

„Schließlich hast du ‚Puff' gesagt!"

Er verlangte, daß ich mich unverzüglich zum Geheimrat zu begeben und mich zu entschuldigen hätte, aber ich wollte nicht. Er fauchte mich an, wie ich es verantworten könne, durch törichten Eigensinn meine Erfindung nicht zur Entfaltung zu bringen, nur weil ich als junger Mensch nicht bei einem verehrungswürdigen älteren Mann einen Entschuldigungsbesuch machen wolle.

Im übrigen ließ er mir überhaupt keine Zeit zur Überlegung, stürzte davon, kam nach einer Stunde wieder und erklärte: „Herr Geheimrat von Mikulicz wird um fünf Uhr hier sein, hier an dieser Stelle! Hic Rhodus, hic salta."

Ich stand vor meiner Apparatur und beschwor sie, denn es war mir klar, daß von dem Besuch des Geheimrats alles abhing. Von Mikulicz war nicht nur ein Arzt von großem Ruf, er besaß auch die Macht und die Mittel, mir zu helfen, mein Verfahren auszubauen. Konnte ich ihn jetzt überzeugen, so überstieg ich mit Leichtigkeit Schwierigkeiten, die sonst nur sehr schwer, vielleicht überhaupt nicht zu überwinden gewesen wären. Meine Stimmung pendelte in diesen Stunden zwischen Hoffnung und Bangen.

Pünktlich zur verabredeten Zeit erschien der Geheimrat, gefolgt von Dr. Anschütz. Sein Gesicht war unbewegt, als er eintrat. Er war nicht gerade eisig, jedoch sehr zurückhaltend, machte eine knappe Verbeugung und sagte:

„Würden Sie die Liebenswürdigkeit haben, mir das Experiment vorzuführen?"

Er blieb außerhalb des Kastens, sah alles mit an und verzog noch immer keine Miene. Der Versuch glückte, die Apparatur ließ mich nicht im Stich. Wieder außerhalb des Gehäuses, sah ich ihn an und bemerkte, wie eine leichte Röte über sein Gesicht zog und wie etwas Blankes, Helles in seine Augen trat.

„Bitte, ein zweites Mal!" sagte er leise.

Bevor wir aber zur Wiederholung des Experiments schritten, ließ er sich die Apparatur in allen Einzelheiten erklären.

Jetzt kam er mit mir in den Glasraum, sah der Operation zu, und als auch dieser Versuch geglückt war, machte er eine reizende Geste zu mir, streckte mir die Hand entgegen und sprach:

„Lieber Sauerbruch! Wir wollen einen Vertrag miteinander abschließen. Sie sind nicht mehr böse auf mich, und ich bin nicht mehr böse auf Sie."

Natürlich ging ich überglücklich auf diesen Vorschlag ein. Er drückte mir beide Hände. Dann meinte er, und zwar mit jener verbindlichen Liebenswürdigkeit, die diesen großen Mann auszeichnete:

„Sie kommen doch sofort wieder zu mir in die Klinik, Herr Kollege?"

Zum grenzenlosen Erstaunen des gesamten Personals zog ich, neben ihm gehend, in das Haus ein. Eben erst richtete ich mich in meinem Zimmer ein, als die beiden Laboranten erschienen, um mich zu beglückwünschen.

Es hatte sich jetzt vieles in der Klinik geändert. Ich mußte nicht mehr darauf warten, daß der Chef mich vorließ. Schon am nächsten Tag kam er zu mir und eröffnete mir, daß er die ganzen Mittel der Klinik einsetzen werde, um mein Verfahren zur Vollendung zu bringen. Das tat er auch.

Ich will jetzt hier nicht beschreiben, was geschah. Wir arbeiteten Tag und Nacht, und dann beorderte mich der Geheimrat als seinen Begleiter nach Berlin zum Chirurgen-Kongreß, um in aller Öffentlichkeit zu berichten, was wir geleistet hätten. Ich bekam einen Schreck, einen freudigen natürlich. Dann begann ich mit den Vorbereitungen zur Reise. Die waren langwierig, denn der Geheimrat bestand darauf, daß wir eine komplette Unterdruckkammer nach Berlin mitnehmen sollten.

Die jungen Chirurgen von heute mögen sich einmal vorstellen, welche Gefühle mich bewegten, als ich neben von Mikulicz in den Polstern eines Eisenbahnabteils von Breslau nach Berlin fuhr. Für sie sind diese Dinge, um die es ging, Selbstverständlichkeiten. Sie waren es damals keineswegs – weit entfernt davon.

Kein Arzt konnte in der Brust des Menschen operieren. Ich muß das wiederholen, um die ganze Bedeutung des Problems für die damalige Chirurgie klarzumachen. Ich, mit achtundzwanzig Jahren, war damals ganz sicher, einen Weg gefunden zu haben. In meinem Herzen, nicht auf meiner Zunge, trug ich die Gewißheit, eine Methode entdeckt zu haben, mit der man an die Organe im Brustkorb des Menschen herangehen konnte.

Aber das alles war nur da, wenn ich mich in der unmittelbaren Umgebung des Geheimrats von Mikulicz befand, im Kasino unserer Klinik, in der Atmosphäre der wissenschaftlichen Untersuchung, der Diskussion und der Unterhaltung. Da war ich ganz sicher. Aber in der Welt? In der großen Welt, unter anderen Menschen als Wissenschaftlern? Es träumte sich leicht neben dem großen Arzt, geborgen in dessen Sicherheit, behütet von dessen Autorität. Aber draußen? Nun, ich mußte ja sehen, was daraus entstand.

Wenn ich mich recht erinnere, tagte die Versammlung des Chirurgen-Kongresses damals, an jenem für mich so bedeutsamen Tag, an dem ich sprechen sollte, im Auditorium maximum der Universität. In den frühen Morgenstunden jenes Tages ging ich aus meinem Hotel – ich wohnte zum erstenmal in meinem Leben im „Bristol“, das später mein Lieblingshotel wurde – zu dem vorgesehenen Raum, um festzustellen, ob meine beiden Laboranten, die wir mitgenommen hatten, unsere Unterdruckkammer schon aufgestellt hatten. Es mußte ein elektrischer Anschluß hergestellt werden, der die Pumpe antrieb. Ich überprüfte alles eingehend genau, fand nichts zu bemängeln und stand schließlich vor dem Brett, auf dem die Vorträge des Kongresses angezeigt waren. Ich las: Dr. Sauerbruch, Breslau. „Über die physiologischen und physikalischen Grundlagen bei intrathorakalen Eingriffen in meiner pneumatischen Operationskammer“!

In meiner Operationskammer, in meiner! Achtundzwanzig Jahre war ich alt, das darf man nicht vergessen.

Ich setzte mich auf eine Bank und verfiel in tiefe Gedanken; meine Mutter sah ich vor mir in unserem Stübchen in Elberfeld. „Jöngken, du mußt es noch mal versuchen“, hatte sie gesagt, als sie mir nicht glaubte, daß ich das Staatsexamen bestanden hatte. Trug sie noch dasselbe Kleid, jenes mit dem Samthalsband? War es noch immer der Mittwochnachmittag, an dem Tante Mathilde zu uns auf Besuch kam zu Kaffee und Streuselkuchen? Blühte der Flieder schon auf dem Grabe meines Großvaters? Wieder einmal stieg ich in ein Examen!

„Du kannst alles werden, was du willst“, hatte er gesagt.

Über den Flur kamen Männer gewichtigen Schrittes, mit langen Bärten und goldenen Brillen. Allein und langsam schritt Geheimrat von Mikulicz heran. Ich erhob mich. Mein Chef blieb vor mir stehen. Ich erwartete, daß er irgend etwas sagen würde, aber er beschränkte sich darauf, mein Gesicht prüfend zu mustern. Mit der Rechten klopfte er mir leise auf die Schulter:

„Nun nun“, sagte er, „keine Aufregung!“

Als wir so beieinanderstanden, merkte ich plötzlich, wie alle Männer auf dem Flur sich nach uns umdrehten.

Alle Männer auf dem Flur! Es war gar nicht auszudenken, wer alles nach Berlin gekommen war, und zwar unseretwegen! Es hatte sich nämlich herumgesprochen, daß wir in Breslau Eingriffe im Inneren der Brust von Tieren gemacht hatten, ohne die Tiere umzubringen. Und so waren Ärzte aus aller Welt auf diesem Chirurgen-Kongreß in Berlin erschienen, denn es war zudem bekanntgemacht worden, daß Geheimrat von Mikulicz, der jedem Arzt ein Begriff war, einen seiner Assistenten vorstellen würde, der etwas erfunden hatte, um Brustoperationen zu ermöglichen.

Ich habe völlig die Erinnerung daran verloren, wie ich eigentlich in den Saal kam. Präzise aber weiß ich, wie es war, als ich auf dem Podium stand. Für den Raum hatte ich kein Gefühl, ich sah nur Gesichter, junge und alte. Mehr alte als junge. Ich sah Augen. Scharfe Augen hinter Brillengläsern und unbewehrte. Ich fühlte Erwartungen und Skepsis, erblickte in der ersten Reihe den Geheimrat, wandte mich halb um, sah die Unterdruckkammer und die Laboranten. Meine Bewegungen und meine Blicke deutete von Mikulicz wohl falsch. Er nahm sie als Verlegenheitspause, lächelte leicht, hob ein wenig die linke Hand, so, als ob er sagen wollte: „Mut, junger Mann!“. Da begann ich zu reden:

„Den Hauptgrund der Reserve der Chirurgen gegenüber den Erkrankungen der Brustorgane bilden die besonderen physikalischen Verhältnisse im Brustraum . . .“

Kaum hatte ich das gesagt, spürte ich eine lächelnde, aber auch ironische Zustimmung. Das war bei Gott diesem erfahrenen Gremium bekannt. Es blieb mir aber nichts übrig, als die Schwierigkeiten trotzdem weiter auszumalen, einmal, weil sie die Voraussetzungen bildeten für das, was ich später sagen wollte, und zum anderen, weil ich sie aufgezeichnet hatte. Ich sprach nach einem Manuskript, das ich jetzt, während dieses niedergeschrieben wird, vor mir liegen habe. Ich berichtete den Hergang meiner Versuche und sagte:

„Die in ganz primitiven Apparaten angestellten Versuche, die mich von der praktischen Brauchbarkeit meiner Methode überzeugten, übergehe ich an dieser Stelle. Ich möchte Ihnen hier die Konstruktion der Operationskammer vorführen, die hinter mir steht."

Ich begann zu beschreiben:

„Meine Herren! Sie sehen hier einen etwa 2 cbm großen Holzkasten, der innen mit Blech ausgekleidet und absolut luftdicht abgeschlossen ist. In einer Wand befindet sich ein kreisrundes Loch, das durch eine Gummikappe mit zentraler Manschettenöffnung ausgefüllt wird. Dieser Öffnung gegenüber befindet sich eine Tür, die mit dicken Gummiröhren eingefaßt ist und durch Hebebalken luftdicht angepreßt werden kann. Im Kasten befinden sich ein Operationstisch und zwei Sitze für Operateur und Assistent. Dieser Raum ist auf der einen Seite durch ein Leitungsrohr mit einer Saugpumpe und auf der anderen mit einem Ventil verbunden. Die Pumpe ist eine zweizylindrige Hebelpumpe, die durch einen Elektromotor von einem halben PS Leistung betrieben wird. Bei zirka 40 Umdrehungen des Motors saugt die Pumpe etwa 28 Liter in der Minute ab. Das Ventil . . ."

Kaum hatte ich „das Ventil" gesagt, als aus dem Auditorium ein Zuruf kam. Während ich sprach, hatte ich gefühlt – dankbar gefühlt –, wie sie alle mitgingen. Nun wurde ich unterbrochen. In deutscher Sprache mit ausländischem Akzent rief jemand aus der vierten oder fünften Reihe:

„Beschreiben Sie das Ventil genau!"

Etwas verblüfft antwortete ich:

„Es ist seinem Prinzip nach leicht zu verstehen."

„Bitte, warten Sie!" rief dieselbe Stimme, und ein alter, würdiger Herr mit grauem Haar erhob sich und kam langsam auf das Podium zu. Die Treppe stieg er hinauf, ging an die Apparatur und sagte halb befehlend:

„Beschreiben Sie ganz langsam!"

Ich führte aus:

„Sehen Sie hier diesen Glaszylinder. Er ist durch einen Gummipfropf luftdicht verschlossen. Durch den Gummipfropf geht ein langes, verschiebliches, beiderseits offenes Glasrohr, ein zweites, das nur in den Anfangsteil des Zylinders ragt, und schließlich ein Quecksilbermanometer."

Aus der siebten oder achten Reihe kamen Zurufe:
„Noch einmal, bitte!"
Ich, etwas aus der Fassung:
„Aber es handelt sich doch um ein einfaches Wasserdruckventil, wie es jeder Physiker kennt."
Man rief:
„Wiederholen Sie es trotzdem!"
Drei, vier Herren kamen herauf und stellten sich an die Apparatur. Ich wiederholte und demonstrierte weiter:
„Sehen Sie das Manometer. In dem Augenblick, in dem der Manometerstand so niedrig ist, daß die Wassersäule aus dem Rohre durch den Atmosphärendruck herausgetrieben wird, tritt eine Kommunikation zwischen äußerer Luft, Ventilraum und Operationskammer ein, und zwar so lange, bis Luftverdünnung und Wassersäule sich wieder das Gleichgewicht halten. Durch Verlängerung beziehungsweise Verkürzung des langen Rohres, durch Einschieben und Herausziehen wird die Wassersäule variiert, und man hat es dadurch in der Hand, den Druck in der Kammer beliebig zu regulieren. Erfahrungsgemäß kann man den Stand des Rohres bei einem bestimmten Drucke X finden. Ich stelle das Rohr bis zu dieser bestimmten Marke ein; das Ventil arbeitet dann so zuverlässig, daß kaum Schwankungen von 1 mm Quecksilber, selbst bei stärkster Absaugung, eintreten. Es ist dadurch möglich, bei Aufrechterhaltung eines gewünschten Druckes in ausgiebigster Weise die Kammer zu ventilieren."
Plötzlich wurde ich gefragt:
„Wieviel Operationen an Tieren haben Sie in dieser Kammer vorgenommen?"
Ich antwortete:
„Achtundsiebzig!"
Aus dem Auditorium rief es:
„Haben Sie allen Tieren den Brustraum geöffnet?"
„Ja", bestätigte ich diese Frage, und nun wollten mehrere Herren wissen:
„Wie viele Tiere sind gestorben?"
„Kein Tier ist gestorben!"
Dann brachte ich den in meinem Manuskript vorgesehenen Satz:

„Ich werde Gelegenheit haben, Ihnen am Versuchtstier alles zu zeigen."

Wir demonstrierten. Geheimrat von Mikulicz ließ es sich nicht nehmen, selbst das Hündchen zu operieren, das wir bereitgehalten hatten. Ich saß in der Kammer und regulierte den Luftdruck. Um uns herum an den Glaswänden sah ich die Gesichter aus dem Auditorium, die mich schon vorher beeindruckt hatten. Die medizinische Welt sah zu, im wahren Sinne des Wortes. Mir war sehr wohl bei dem Gedanken, daß von Mikulicz mit dem ganzen Gewicht seines Namens und seiner Persönlichkeit für meine Sache eintrat. Wie hätte ich sonst vor solch einem Gremium bestehen sollen?

Als wir fertig waren und als das Tierchen ruhig atmend und schlafend, lebend vor aller Augen außerhalb der Kammer lag, während Geheimrat von Mikulicz schlicht beiseite trat, prasselte eine Folge von schnellen Fragen auf mich nieder.

„Wie vertragen Operateur und Assistent den Aufenthalt in der Kammer?" lautete eine Frage, und so war meine Antwort:

„Einen Minusdruck von 10 mm habe ich hergestellt. Das entspricht dem Luftdruck auf der Höhe eines 300 m hohen Berges."

„Und die Wärme?" rief man mir zu.

„Es wird sehr warm, aber Herr Geheimrat von Mikulicz und ich haben uns schon zwei Stunden hintereinander in einer solchen Kammer aufgehalten."

„Wenn Sie jetzt die Wunde geschlossen haben ...", begann jemand. Höflich unterbrach ich ihn und erklärte:

„... dann sind im Brustraum die früheren physiologischen Verhältnisse wiederhergestellt."

„Kann nicht nach der Wundnaht atmosphärische Luft in den Brustraum eindringen?"

Ich wandte mich nach dem Frager um und erwiderte:

„Nicht, wenn man exakt vernäht!"

Dann kam die Frage, die ich schon erwartet hatte, die große Frage, die mich bewegte:

„Glauben Sie denn wirklich, daß diese Methode auch beim Menschen anwendbar ist?"

Mit fester Stimme entgegnete ich:

„Auf Grund unserer Erfahrungen bei Tieren sind wir der Überzeugung, daß auch der Mensch in einer solchen Kammer operiert werden kann!"

Am nächsten Tage sollten wir nach Breslau zurückkehren. Am Abend im Hotel „Bristol" schrieb ich meiner Mutter einen langen Brief, dann zog ich mir den dunklen Anzug an, ging in den großen Saal des Hotels und setzte mich hin, um einsam für mich zu feiern. Ich fand, daß ich Grund dazu hatte. Schon allein die Tatsache, daß ich vor dieser illustren Versammlung gesprochen und das, was ich behauptet, auch bewiesen hatte, schien mir beachtlich genug, aber für mich allein wußte ich noch mehr. Ich wußte ganz bestimmt, daß man vielem menschlichen Leid und vielem menschlichen Elend mit meiner Methode zu Leibe gehen konnte.

Der Speisesaal des Hauses gefiel mir sehr, dieser Speisesaal in der klassischen Zeit des kaiserlichen Berlins. Matt glänzte das feine Leinen auf den Tischen, blank das schwere Silber, und mit Vergnügen sah ich ein stattliches Orchester, das die Tischmusik darzubieten hatte. Ich nahm in seiner Nähe Platz. Die Kellner waren schnell um mich herum; von allen gefiel mir der Weinkellner am besten, der als Zeichen seiner Würde an einem silbernen Kettchen den Kellerschlüssel trug. Das Restaurant war nicht allzu besetzt. Damen und Herren waren in Abendtoilette, mir war wohl zumute.

Damals sah ich diesen Kellner, mit dem ich später ein herrliches Erlebnis haben sollte, zum erstenmal und widmete ihm weit weniger Aufmerksamkeit als dem Orchester, weniger vor allen Dingen als dem Trompeter. Der Mann blies schlecht.

Ich hatte schon einige Glas von dem schweren Wein getrunken, den mir der Kellner gebracht hatte, als in einer Musikpause der Kapellmeister an mir vorbeikam. Ich sprach ihn an:

„Ihr Trompeter ist sauschlecht!"

Er fuhr zusammen und entschuldigte sich. Der Mann tauge wirklich nichts, blase auch nur zur Aushilfe, um einen erkrankten Trompeter zu vertreten. Da ritt mich der Teufel.

„Soll ich blasen?“ fragte ich. Der Teufel ritt mich kräftig. Als die Musik wieder einsetzte, saß ich auf dem Stuhl des Trompeters und blies sein Instrument. Das hatte ich ja gelernt – vom Blatt zu blasen. Und alles, was mich bewegte, das ganze Glück des Augenblicks, die mit Macht auf mich einstürzenden Erinnerungen an meine Kindheit, alles trompetete ich heraus. Und als wir ein Potpourri aus Wilhelm Tell von Rossini spielten, mit dem Siegesmarsch am Ende, der den ulkigen Text hat:

„So haben wir denn die Schweiz befreit“,

blies ich so kräftig, daß alles zu uns herübersah und der Kapellmeister fast vor Schreck vom Podium fiel. Trotzdem machte er mir das ehrenvolle Angebot, in seine Kapelle einzutreten, aber ich sagte ihm: nach Breslau müsse ich, dort hätte ich zu tun.

So verbrachte ich den Abend des 6. April 1904.

In Breslau ließ von Mikulicz sofort eine neue große Operationskammer bauen. Für den Menschen! Die Kammer war 14 cbm groß, Boden, Decke und Unterbau waren aus massivem Eisenblech gefertigt. In der Höhe von 1,30 m begann eine Glasverkleidung. Eine große Doppellampe sorgte für die Beleuchtung, und ein Telefon vermittelte sogar den Verkehr mit draußen. Das wichtige Ventil ließ er so vorzüglich bauen, daß der Druck um Bruchteile von Millimetern verändert und auch konstant gehalten werden konnte. Die Apparatur hatte eine Reservepumpe für den Fall eines Versagens der ersten, und außerdem konnte man auch mit der Hand pumpen, falls der elektrische Strom aussetzen sollte. Peinlichste Sorgfalt war auf die Konstruktion jener Öffnung gelegt worden, durch die der Kopf des Patienten aus der Kammer heraustreten sollte. Ich ließ mich zuerst hineinlegen, um es an mir selbst zu probieren, wie stark der Druck der Gummimanschette am Halse sein durfte. Alle Assistenten kamen der Reihe nach in die Kammer, um diesen Gummiverschluß zu erproben. Schließlich war es soweit. Kein Mensch konnte den Druck dieser Manschette als ernsthafte Belästigung empfinden, aber der Verschluß war vollkommen dicht, darüber gab es keinen Zweifel mehr.

AUF DES MESSERS SCHNEIDE

In unserer Klinik lag eine Frau mit einem Krebs tief unten an der Speiseröhre. Professor von Mikulicz wollte sie als erste in der Kammer operieren. Nur eine radikale Entfernung der Geschwulst konnte sie retten, ohne chirurgische Hilfe war sie unweigerlich dem Tode geweiht.

Dreizehn Hunde operierten wir in der neuen Kammer an der Speiseröhre, alle dreizehn überstanden lebend die Operation, und nun wollte mein Chef den großen und bedeutsamen Schritt vom Tier zum Menschen tun.

Als ich mich zur Operation begab und durch die Gänge der Klinik schritt, fand ich alles in Aufregung und Spannung. Man winkte mir zu wie einem Soldaten, der in die Schlacht zieht, in eine Schlacht, die alle anging. Man folgte mir, und als ich in den Operationsraum kam, fand ich dieses Bild:

Einsam stand meine Kammer in der Mitte; im weiten Rund hatten sich alle abkömmlichen Ärzte versammelt und warteten interessiert auf das Kommende. Bevor ich mich in das Glashaus begab, spürte ich förmlich die erwartungsvolle Spannung des Auditoriums. Ich hörte das Flüstern der vielen erregten Menschen. Dann war Ruhe. Ich hatte die Tür der Kammer geschlossen und stand in ihr allein. Ich schaltete das Licht ein, prüfte die Apparatur. Sie funktionierte tadellos. Nach menschlichem Ermessen war alles in Ordnung. Ich sah auf. Draußen wurde die Kranke hereingefahren. Aus dem Nebenraum kamen jetzt auch der Geheimrat und der Oberarzt; sie hatten sich gewaschen. Ich trat aus dem Glashaus heraus und sah Herrn von Mikulicz an. Der nickte mir kurz zu, und schwer fiel mir wieder der Satz ins Herz, den er einmal zu mir gesprochen hatte:

„Hunderttausende von Menschen gehen an Lungentuberkulose zugrunde, nur weil man im Brustkorb nicht operieren kann."

Das Instrumentarium für die Operation wurde in die Kammer getragen. Der Oberarzt ging hinein. Dann brachte man die Kranke, die schon narkotisiert war. Wir schnallten sie fest, und zwar so, daß wir einen langen Leinensack um ihren Unterleib legten, einen Sack, den wir am Ende mit einem Seilzug befestigten und mit der Innenwand des Glashauses verbanden. Er war deshalb angebracht worden, um es der Kranken unmöglich zu machen, durch eine jähe Bewegung ihre Lage so stark zu verändern, daß der Gummiring, der den Hals abdichtete, sich lockern konnte. Die Patientin mußte still und steif liegen. Wir betteten nun die Frau, und dann trat Geheimrat von Mikulicz ein. Der Narkotiseur war an den Kopf der Patientin getreten, um die Narkose zu überwachen; ich hatte die Hände an meiner Apparatur.

Nun auf einmal – überaus gespenstisch wirkte es auf mich – kamen alle Zuschauer, unter denen sich auch noch eine Anzahl Studenten befand, langsam näher, um dieser Operation zuzusehen. Und so geschah es, daß unser Glashaus von vielen Gesichtern umgeben war. Einige von den Beobachtern waren etwas in die Knie gegangen, um den hinter ihnen stehenden Personen die Sicht zu ermöglichen; die dritte Reihe wiederum reckte sich, und nur die Wand, hinter der der Narkotiseur arbeitete und sorgsam seines Amtes waltete, blieb frei. An den anderen drei Wänden aber sah ich nichts als Gesichter. Gesichter unten, Gesichter oben, Gesichter in der Mitte. Junge Gesichter, alte Gesichter, solche mit Brillen, solche mit Bärten und glattrasierte. Und aus allen blickten forschende Augen in das Glashaus. Augen voller Skepsis, Augen voller Hoffnung, Augen voller Neugier, Augen voller Erwartung. Der Narkotiseur hatte das Toleranzstadium herbeigeführt. Der Geheimrat durchschnitt die Haut. Der Assistent reichte ihm die Instrumente. Jetzt war es an mir, den Unterdruck herzustellen. Ich tat das, sah auf meine Meßapparate. Der Luftdruck in der Kammer sank. Ich war zufrieden, alles schien ausgezeichnet zu gehen. Ich wagte es nicht, zum Operateur zu blicken, wo die Arbeit fortschritt. Dann – plötzlich durchfuhr mich ein eisiger, ein entsetzlicher Schreck. Ich hatte für den Bruchteil einer Sekunde aufgesehen, starrte in die sich weitenden Augen der Zuschauer, blickte zurück auf meinen Manometer und sah hilflos zu, wie der Unterdruck entwich, begriff, daß die Kammer sich mit der normalen Atmosphäre füllte, wußte, daß die Brust der Kranken geöffnet war, ahnte Fürchterliches . . .

Die Gesichter drehten sich langsam herum, ich sah auf Hinterköpfe, riß die Augen hoch zu dem Herrn Geheimrat, begriff das Fürchterliche endgültig: die Patientin war tot. Unsere Apparatur hatte versagt.

Dann geschah etwas Dämonisches: In der Kammer läutete das Telefon. Ich sah auf. Der Assistent hielt den Hörer in der Hand. Von Mikulicz drehte sich langsam zu ihm hin und schüttelte abwehrend den Kopf.

Der Schlag war so schwer für uns, daß niemand sich entschließen konnte, die Kammer zu verlassen. Schließlich ging der Geheimrat als erster. Es galt, den Leichnam von seinen Binden zu lösen, von der Manschette am Halse und vom Seilzug an der Wand. Es war fürchterlich, wie wenig uns zu tun blieb, alles andere war Sache des Totengräbers, der Rest war Schweigen.

Ich ging auf mein Zimmer, sah niemanden auf Gang und Treppe an. Aufs Bett warf ich mich und hing trübseligen Gedanken und Selbstvorwürfen nach. Bald schon öffnete sich die Tür. Herr von Mikulicz trat ein, winkte mir zu, liegenzubleiben, setzte sich hin und sagte tröstend:

„Seien Sie ruhig und vernünftig. Verlieren Sie nicht den Kopf. Es ist alles richtig, was Sie gedacht und getan haben. Wir wollen es nicht zulassen, daß die Tücke des Objektes den Sieg über uns davonträgt."

Er blieb lange bei mir, war so liebenswert in dieser Stunde, so liebenswürdig im wahren Sinne des Wortes, daß ich in diesen Augenblicken eine tiefe Zuneigung zu ihm faßte. Er ging. Ich ermannte mich, um in den Operationssaal zu gehen und die Apparatur zu untersuchen. Auf dem Wege traf ich diesen und jenen. Ihre Gesichter sagten: Na also!

Aber ich war schon über das Stadium hinaus, in dem Kritik mich verletzen konnte. Herr von Mikulicz hatte mich darüber hinweggebracht.

Ich mußte unbedingt feststellen, warum die Kammer versagt hatte. Nicht nur die Laboranten zog ich hinzu, sondern ließ auch den leitenden Ingenieur der Firma kommen, von der die Kammer nach unseren Angaben hergestellt war. Bis in die Nacht hinein dauerten die Untersuchungen. Um es gleich vorweg zu sagen: die Apparatur funktionierte jetzt, da es zu spät war, ausgezeichnet.

Immerzu stellten wir den Unterdruck her, ohne einen Menschen und mit einem Menschen, der die Rolle des Patienten übernahm. Wir konnten anstellen, was wir wollten, der Unterdruck blieb konstant. Und nur am Morgen, als jene Kranke mit dem Krebs der Speiseröhre in ihr gelegen hatte, da sollte sie, ohne daß ich es bemerkt hatte, versagt haben? War es eben doch unmöglich, einen Menschen in ihr zu operieren?

Der Ingenieur war fassungslos. Es war nicht festzustellen, woran der Fehler gelegen hatte. Es blieb uns nichts übrig, als in der Chronik der Klinik zu vermelden, daß die Frau „aus unbekannter Ursache plötzlich ad exitum (zu Tode) kam". Das unglückliche Ende dieser Operation in meiner Kammer ging auch so in die medizinische Literatur ein, „aus unbekannten Gründen" ist die erste Patientin in ihr gestorben.

Als ich spät in der Nacht zu dem Geheimrat ging, breitete er mir folgende Gedankengänge aus: Jeder Kampf um ein neues Gebiet in der Chirurgie habe Opfer gekostet, auch in der Erschließung der Thorax-Chirurgie würde sie nicht fehlen. Das Endziel, die Lebensmöglichkeit für Zehntausende unheilbarer Lungentuberkulöser, rechtfertige unser Tun.

Die Vorstellung von der Rettung der an Lungentuberkulose erkrankten Menschen war eine Besessenheit bei diesem überragenden Manne. Ich schlug vor, um die letzten Zweifel an der Zuverlässigkeit der Kammer auszuschalten, alle jene Teile, die eine Fehlerquelle bilden konnten, nochmals umkonstruieren zu lassen. Das war einfach zu machen. Von Mikulicz stimmte zu und entließ mich früher, als es sonst seine Gewohnheit war.

Ich sah die Leiche der Frau, die bei der ersten Kammer-Operation zu Tode gekommen war, noch einmal vor der Beisetzung. Ein armer verhärmter Mensch lag im Sarge; an ihrer abgearbeiteten Hand trug sie zwei breite goldene Ringe. Sie war fast ohne Anhang. Ich ging zu ihrer Beerdigung, und als ich die Handschuhe auszog, um ihr drei Hände Erde auf den Sarg zu werfen, schwur ich ihr, daß sie nicht umsonst gestorben sei.

Als ich Herrn von Mikulicz vermelden konnte, daß die Kammer wieder bereitstehe, zögerte er nicht. Von meinem Vorschlag, den Operationssaal zu sperren, um die Operation unter Ausschluß der Öffentlichkeit vorzunehmen, wollte er nichts wissen. Dann bezeichnete er den Fall, der für einen weiteren Versuch in Frage kam.

In seiner Privatklinik lag eine vierzigjährige Patientin, die unter dem Brustbein einen Tumor hatte. Diesen Tumor wollte der Geheimrat durch einen Eingriff in den Brustraum entfernen. Dazu mußte die Brust weit geöffnet werden. Es handelte sich also um einen klassischen Fall für uns, um eine Operation, die ohne meine Unterdruckkammer nicht möglich war.

Es ist überhaupt nicht zu beschreiben, wie erregend das Vorhaben des Geheimrats war. Nicht nur wegen der Frage, ob die Kammer funktionieren würde oder nicht. Denn daß sie funktionieren mußte, daß physikalische Gesetze nicht immerzu lächerlichen Zufälligkeiten unterworfen sind, das war selbstverständlich. Ein ganz anderer Grund machte die Operation, die wir vorhatten, zu einer einzigartigen. Niemand hatte nämlich Erfahrung in der Chirurgie bei weitgeöffnetem menschlichem Brustkorb. Niemand! Wir standen vor medizinischem Neuland, und was wir sagten, war gewaltig.

Zum zweiten Male also brachten wir einen Menschen in meine Kammer. Zum zweiten Male erschienen die Gesichter an den Glaswänden, und zum zweiten Male saß ich vor der Apparatur. Einen Minusdruck von 8 mm stellte ich her, von Mikulicz griff mit breitem Lappenschnitt ein, die vierte und fünfte Rippe schnitt er in einer Ausdehnung von etwa 10 cm heraus. Breit war die Brusthöhle der Kranken geöffnet. Die Lunge blieb gebläht. Es gab keine Atmungs-, es gab keine Herzstörungen. Da war der Tumor. Der Geheimrat schälte ihn in aller Ruhe heraus. Dann vollendete er die Operation, vernähte sorgfältig die einzelnen Schichten der Brustwand, und erst in diesem Stadium der Operation sah ich auf die Glaswände, die uns umgaben, sah in fassungslose Gesichter.

Während die Kranke aus dem Glaskasten geholt und ins Bett gebracht wurde, gingen wir, Herr von Mikulicz und ich, über den Gang in sein Zimmer und setzten uns hin. Eigentlich sprachen wir gar nicht. In gewissen Zeitabständen flüsterte der Geheimrat nur: „Mein Gott, Sauerbruch!"

Niemals in meinem Leben bin ich so glücklich gewesen wie in jenen Tagen. Trat nun etwa eine ernsthafte Komplikation bei der Frischoperierten ein? Nichts dergleichen geschah. Die Patientin ahnte nicht, was für ein Aufsehen ihr „Fall" bei uns, aber was sage ich da, in der ganzen Welt machen würde. Sie nahm ihre Heilung mit großer Selbstverständlichkeit auf. Was sollte denn weiter sein? Sie hatte an einer Geschwulst in der Brust gelitten, und einer der ersten Chirurgen der Welt hatte sie entfernt. Nun ja, aber das war auch alles. Als sie zehn Tage, sage und schreibe zehn Tage nach der Operation die Klinik verlassen konnte und von ihrem Mann – einem wohlhabenden Kaufmann – abgeholt wurde, mit Blumenstrauß und Wagen, wie sich das gehörte, da sahen wir ihr lange nach. Für sie war alles glücklich zu Ende, und für uns begann jetzt alles.

Zunächst bestand der Geheimrat darauf, daß ich einen Urlaub nahm. Ich mußte wohl den Eindruck eines sehr überarbeiteten Mannes auf ihn gemacht haben.

Ich fuhr nach Wiesbaden zu Vater Ritter, und ich kann nicht leugnen, daß es der schönste Urlaub meines Lebens wurde.

Frohen Herzens kam ich in meine neue Heimat zurück. Niemand distanzierte sich mehr von mir. Ich war gewogen und keineswegs zu leicht befunden worden. Die Gesellschaft im Kasino war anziehend wie nie zuvor. Da verkehrten viele Stabsärzte, die von der Armee abkommandiert waren, da gab es Herrn von Niekititsch, den Leibarzt der Königin Draga von Serbien, da waren die alten Kollegen und die neugewonnenen Freunde.

Eines Tages fuhren wir übers Wochenende ins Riesengebirge. Es ist ganz merkwürdig, daß mir dieser Ausflug so lebhaft in Erinnerung geblieben ist; denn nachdem ich das, was ich niedergeschrieben habe, überlese, finde ich, daß ich eigentlich wenig von mir selbst, sondern fast nur von meiner medizinischen Laufbahn beziehungsweise von meinen medizinischen Arbeiten erzählt habe.

Ich glaube, das ist nicht aus übermäßiger Bescheidenheit geschehen. Es hat wohl einen ganz anderen logischen Grund. Von dem Augenblick an, da ich Medizin zu studieren begann, hatten mich die medizinischen Probleme völlig aufgefressen, wenn man so sagen darf. Sie waren meine einzige Freude, sie waren meine einzige Sorge.

Viele Leute, die Memoiren hinterlassen, erzählen von den Streichen ihrer Jugend, von Scherzen aus ihrer Studentenzeit. Wenn sie als Kind in einem neuen Matrosenanzug in den Teich gefallen sind, so erinnern sie sich daran, erzählen, wie Onkel Otto sie verhauen und Tante Else sie getröstet hat. Als junge Studenten haben sie Minister von der Bahn abgeholt, die ihre Korpsbrüder waren, und die Exzellenzen begingen ihnen gegenüber Indiskretionen. Sie haben Geliebte gehabt, die später die Gattinnen von Staatspräsidenten wurden und die ihnen noch heute mit verwelkter Hand Liebesbriefe schreiben, Briefe, die als Anlage dem Memoirenwerk beigegeben werden. In Faksimile. Neidvoll ersehe ich aus den Memoirenwerken anderer, daß sie schon als Studenten die Weltliteratur fast auswendig kannten und sie an passender Stelle zitierten. Von mir jedoch kann ich leider nur dies berichten:

Wenn ich mich an die Zeit meiner Jugend erinnere, an meine Kasseler, meine Erfurter und meine Breslauer Jahre, so rieche ich sofort Chloroform. Wenn ich mich selbst sehe, dann im weißen Kittel über medizinischer Literatur, oder ich höre den bellenden Cäsar; ich sehe Laboranten, Kollegen, Schwestern und Geräte. Das war meine Welt, in ihr lebte ich. Selbstverständlich habe ich mit anderen jungen Leuten gelegentlich abends getrunken, auch Kitharistinnen blieben mir nicht fern, manche schreiben mir noch heute, und ich habe dann immer Schwierigkeiten, sie zeitlich einzuordnen; auch bin ich immer geritten, wenn sich mir die Möglichkeit bot. Aber all das hat niemals und zu keiner Zeit in meinem Leben eine Rolle gespielt. Ich will mich dessen nicht rühmen, man soll mich deswegen weder loben noch tadeln. So habe ich gelebt, wie ich es hier beschreibe.

Wohl deshalb auch ist mir jene kurze Reise, die wir ins Riesengebirge unternahmen, in der Erinnerung geblieben. Am Ende eines schönen Tages, und nach weiten Märschen über die Kämme der Berge, fielen wir in einer kleinen Gastwirtschaft ein. Am Abend. Und wir setzten uns zu einem wahrhaft bacchischen Trunk zusammen. In der Nacht stellten wir fest, daß wir all das, was wir getrunken und verzehrt hatten, nicht mehr bezahlen konnten. Und doch sollten wir am nächsten Morgen mit dem ersten Zug nach Breslau fahren, um in der Klinik unseren Dienst wieder anzutreten. Da telegrafierte ich an den Herrn Geheimrat von Mikulicz:

„*sendet ohne murren telegrafisch hundert mark*

sauerbruch"

Am nächsten Morgen ließen wir dem Wirt einen von uns als Pfand zurück. Der kam aber schon mit dem zweiten Zuge nach, denn das Geld war frühzeitig eingetroffen. Als ich jedoch an diesem Tage in das Arbeitszimmer meines Chefs trat, hing das Telegramm an der Wand, schon gerahmt, und in der Breslauer Klinik hat es so lange gehangen, bis Breslau jetzt zerstört wurde.

Als wir nun, Herr von Mikulicz und ich, dabei waren, zu planen, welche Patienten der Klinik wir weiterhin in der Kammer operieren wollten – wir mußten bei der Indikationsstellung sehr behutsam sein –, merkte ich, daß die Spannkraft des Geheimrats nachließ. Er war offensichtlich krank, äußerte sich jedoch nicht darüber, was ihm fehlte. Aber von Woche zu Woche wurde es deutlicher, wie die Krankheit dem Geheimrat zu schaffen machte. Sie gewann langsam fortschreitend die Herrschaft über ihn. Trotzdem arbeiteten wir weiter. An die erste gelungene Operation in meiner Unterdruckkammer schlossen sich bald andere an. Der Chef operierte meistens persönlich. Aber es fehlte die riesengroße Energie des Geheimrats, der allmählich ein Schatten seiner selbst wurde.

Eines Tages erschien eine arme Frau in den Fünfzigern. Ein halbes Jahr, bevor sie zu uns kam, war sie wegen eines Krebses der linken Brust operiert worden. Der Kollege hatte damals, wie es üblich ist, die Brustmuskulatur weggenommen und die Achselhöhle „ausgeräumt", das heißt, er hatte die dort liegenden Drüsen entfernt. Das muß bei einer Entfernung der weiblichen Brust geschehen, weil immer zu befürchten ist, daß sich in den benachbarten Lymphdrüsen Krebszellen befinden, die später unweigerlich zu einer Aussaat der bösartigen Geschwulst über den ganzen Körper oder in entfernte Organe führen. Die bedauernswerte Frau hatte in der Operationsnarbe einen Rückfall, es hatte sich dort wieder eine Krebsgeschwulst gebildet. Diese neue Geschwulst, ein wucherndes Überbleibsel der ersten, war mit der dritten Rippe verwachsen.

Wenn man der Frau helfen wollte, so mußte wiederum eine radikale Operation versucht werden. Darüber war sich die Kranke auch klar, denn sonst wäre sie wohl nicht zu uns gekommen.

Man darf bei der folgenden Schilderung nicht vergessen, daß wir in das Jahr 1905 zurückblicken. Wir operierten damals kaum weniger geschickt als heute, aber unser technisches Rüstzeug war weitaus nicht auf dem heutigen Stand, unsere Erfahrungen waren begrenzt, die Medizin als Ganzes steckte noch in den Kinderschuhen.

Für die Chirurgen der damaligen Zeit war der Brustraum noch immer eine terra incognita, und praktisch hatte man nur bei Unfällen Gelegenheit, seine Kunst an einem Brustinnern auszuüben. Sicher hatten wagemutige Chirurgen gelegentlich versucht, in verzweifelten Fällen, etwa bei Geschwülsten der Speiseröhre, einzugreifen, weil sie es nicht fertigbrachten, ihre entsetzlich leidenden Kranken tatenlos zugrunde gehen zu sehen. Aber die Erfolge waren so selten, daß man sie sozusagen an den Fingern aufzählen konnte. Daran hatte 1905 die Unterdruckkammer noch nicht viel geändert.

Wir operierten damals noch in Chloroformnarkose. Ein bekannter Chirurg hatte zu den Narkosen dieser Zeit bemerkt, „man habe so lange (Narkotikum) draufgegossen, bis der Patient blau geworden sei, und dann einfach für kurze Zeit die Maske abgenommen, bis er sich wieder einigermaßen erholt habe“. Ganz so schlimm war es natürlich nicht. Verglichen mit unserer Zeit, in der man die Narkosemittel in wunderbaren Apparaturen mit Sauerstoff kombiniert und mit einem Bruchteil der früher nötigen Menge eines Betäubungsmittels auskommt, war die Technik der Narkose recht armselig. Aber für die Kranken war Chloroform etwas angenehmer als Äther, und für uns schaltete es eine Reihe gefährlicher nervöser Störungen aus, die bei allen Operationen auftreten können. Die Gefahren, die Chloroformanwendung mit sich bringt, mußte man damals noch für die Vorteile in Kauf nehmen.

Ich hatte die Operation auszuführen und begann damit, die Drüsen in der unteren Schlüsselbeingrube zu entfernen, die uns bei der Untersuchung der Patientin sehr verdächtig vorgekommen waren. Dann präparierte ich mit einem ovalen Schnitt die Geschwulst heraus. Dabei war es unbedingt notwendig, die gesunde Umgebung des Krebses mitzunehmen. Man kann nämlich nie wissen, wie weit sich Geschwulstzellen in der Nachbarschaft eines Krebses ausgebreitet haben. Beim Ausschneiden aller bösartigen Geschwülste ist man daher gezwungen, möglichst weit „im Gesunden" auszuschneiden, da sie sich nicht wie die gutartigen Tumoren in einer häutigen Hülle befinden, sondern sich wild wuchernd und regellos in den Geweben ausbreiten. Eine einzige bei der Operation nicht miterfaßte Krebszelle kann zum Ahn ungezählter weiterer Krebszellen und damit zu neuen verheerenden Krebsgeschwülsten werden.

Nachdem ich die alte Operationsnarbe mit der Geschwulst entfernt hatte, mußte die dritte Rippe angegangen werden. Sie war, wie gesagt, mit der Geschwulst verwachsen.

Man kann Rippen mit der richtigen Technik aus ihrer Haut herausschälen und ganz oder teilweise herausnehmen, ohne daß dabei das Rippenfell geöffnet wird. Der Brustkorb bleibt dann geschlossen, und die Lunge fällt nicht zusammen. Es bildet sich also keine Luftbrust, kein Pneumothorax, wie bei Brustwandverletzungen, durch die Außenluft in den Brustkorb eindringen kann, was zu den früher schon geschilderten Erscheinungen führt.

Ich spaltete also das Periost, die häutige Hülle, der dritten Rippe und kniff am Brustbein und seitlich ein etwa sieben Zentimeter langes Rippenstück ab. Im Operationsgebiet waren einige Weichteilreste stehengeblieben, die wie alles Gewebe in näherer Umgebung einer Krebsgeschwulst krebsverdächtig waren. Sie mußten sorgfältig entfernt werden, wenn wir unser Gewissen nicht belasten wollten.

Ich ergriff die Fleisch-, Haut- und Narbengewebereste nacheinander mit der Pinzette und löste sie von ihrer Unterlage, dem Rippenfell, mit dem sie mehr oder weniger fest verwachsen waren.

Bei einem dieser Fetzen riß nun, als ich ihn vorsichtig zu lösen suchte, das zarte Rippenfell ein. Ein langer Riß klaffte, und mit hellem Entsetzen hörte ich die Luft schlürfend und zischend in den Brustkorb einströmen.

Ich griff zu und versuchte, so gut es gehen wollte, den Spalt zu schließen und die Luft am Eindringen zu hindern. „Kammer vorbereiten!" rief ich meinen Helfern zu. „Patientin wird in die Kammer gebracht!"

So wurde diese Frau meine erste Patientin, die ich selbst in der Kammer operierte.

In einem Operationssaal bricht keine Panik aus, das kommt nicht vor. Ohne Hast und deswegen in einem Minimum an Zeit brachten wir die Frau in meine Kammer, die Narkose wurde kaum für eine oder zwei Minuten unterbrochen. Praktisch war es so, daß, bevor die Patientin die Zeichen des offenen Pneumothorax in ihrer ganzen Schwere entwickeln konnte – ich habe sie oben kurz skizziert –, schon der Unterdruck in der Kammer hergestellt war.

Für die Operationsgruppe in der Unterdruckkammer bedeutete der Aufenthalt nicht mehr als ein Besuch auf einem Hügel von einigen hundert Metern Höhe, also gar nichts, denn die Erniedrigung des Luftdruckes auf einem solchen Hügel stört nicht einmal den Empfindlichsten. Für die Kranke aber bedeutet das um wenige Millimeter sinkende Barometer, das den Luftdruckunterschied zwischen ihrem Kopf und ihrem Brustkorb registrierte, genau den Unterschied zwischen Leben und Tod.

Ich sah mit unbändiger Freude – und großer Erleichterung –, wie sich die linke Lunge blähte, sobald der Unterdruck in der Kammer voll hergestellt war. Graurosarot schmiegte sie sich wieder an das Brustfell an und wölbte sich ein wenig in den Riß hinein. Der Zwischenfall hatte die Kranke nicht im geringsten beeinträchtigt. Herz und Lungen arbeiteten einwandfrei.

Ich stand nun vor der Aufgabe, das Operationsgebiet, in dem die Lunge frei und ungeschützt dalag, wieder luftdicht abzudecken. Schon bei der ersten Operation war viel Material gefallen, jetzt war notgedrungen beinahe die ganze linke vordere Brusthälfte ohne Decke. Nur mit einer Plastik war der nötige Verschluß durchzuführen. Ich schnitt einen Hautmuskellappen aus der rechten Brust und bedeckte damit das Operationsgebiet. Dabei nahm ich an, daß die geblähte Lunge an diesen Lappen anwachsen würde, was auch wirklich geschah. Die Patientin war gerettet. Schon nach zehn Tagen war der Lappen auf der darunterliegenden Lunge angeheilt. Beim Einatmen zog sich die Operationsstelle ein – entgegen der Bewegung des Brustkorbs, eine Beobachtung, die unserer Theorie über die Atmungsvorgänge recht gab.

Wir führten in der Folgezeit insgesamt
2 Operationen im Mediastinum (Mittelfellraum)
8 Operationen an der Lunge
1 Operation am Herzen und
5 Operationen an der Speiseröhre
in der Kammer aus.

Wir hatten gute Resultate. Am schlechtesten waren sie auf dem Gebiet der Chirurgie an der Speiseröhre. Das hing einmal mit den Schwierigkeiten des Objektes zusammen und mit unserer geringen technischen Erfahrung auf diesem Gebiet beim Menschen. Vor der experimentellen Ausarbeitung der Methode waren wir in sehr schwieriger Lage, und selbst später, als wir schon zahlreiche Tieroperationen mit Erfolg ausgeführt hatten, stellten sich noch hier und da technische Schwierigkeiten beim Menschen ein.

In diese Zeit, in der ich ununterbrochen von Gefühlen des Glücks und des Unglücks hin und her gerissen wurde, Glück, weil meine Kammer sich bewährte, und Unglück, weil mein Chef immer kränker wurde, fällt für mich ein äußeres Ereignis. Am 8. Juni 1905 habilitierte ich mich als „Privatdozent für Chirurgie an der Breslauer Universität". Nur eine akademische Laufbahn reizte mich.

*

Um die damalige Zeit hatte ich auch eines der erschütterndsten Erlebnisse meiner Laufbahn.

Ich habe mich immer gewundert, mit was für einer unheimlichen Geschwindigkeit sich oft ein Gerücht über gelungene Kuren ausbreitet, ohne daß man von sich aus etwas dazu tut. Ich habe damals in Breslau nicht einmal einen Bericht in einer Fachzeitschrift gebracht, oder, horribile dictu, in der Öffentlichkeit darüber etwas verlauten lassen. Und dennoch sahen wir uns eines Tages einer Invasion der Wasserköpfe gegenüber, die unsere ganze Klinik zu überschwemmen drohte. Das war so gekommen:

Eines Tages kam eine unglückliche Mutter in unsere Klinik. Ihr Kind hatte einen Wasserkopf. Ich erhielt den Auftrag, den „Fall" zu versorgen, was nicht viel mehr bedeutete, als der armen Frau in blumenreichen Redewendungen einen Scheintrost zu spenden.

„Es wächst sich vielleicht aus" und „manches Mal werden aus Menschen mit Wasserkopf große Persönlichkeiten."

Als ich mir das Kind ansah, griff mir sein Anblick ans Herz. Es war nett und zutraulich und ließ die Untersuchung des Kopfes mit einem Minimum an Geschrei über sich ergehen.

Ich überlegte mir, während ich das Kind untersuchte, was, um Gottes willen, ich der Frau sagen sollte. In seinen Anfängen hat man trostreiche Worte nicht so parat wie später ...

Immerhin, überlegte ich weiter, manche große Menschen haben einen Wasserkopf gehabt: Helmholtz der Große, und auch Menzel ...

Ausnahmen unter den vielen. Die Frau sah mich flehend an:

„Tun Sie doch etwas, Herr Doktor!"

Das muntere, aufgeschlossene Kind hatte keine Lähmungen. So beschloß ich, etwas zu tun, sagte aber der Mutter eindringlich, daß ich für nichts garantieren und daß das Kind eine Hirnhautentzündung bekommen könne. Sie war dennoch einverstanden.

So begann ich denn, das Kind regelmäßig alle vier bis sechs Wochen zu punktieren und die übermäßig gebildete Hirn-Rückenmarkflüssigkeit abzulassen. Nach jeder Punktion, sie ergab jedesmal etwa einen halben Liter, wurde der Schädel zusammengedrückt. Noch während ich dieses Kind behandelte, kamen einige andere Kinder mit Hydrocephalus in unsere Klinik und wurden mit schöner Selbstverständlichkeit meiner Station überwiesen. Ich wurde so etwas wie eine Kapazität für Wasserköpfe und brachte es tatsächlich zu einer gewissen Routine auf diesem Gebiet. Trotzdem war es für die Kinder, die Mütter und auch für mich eine schreckliche Zeit.

Einige dieser kleinen Patienten wurden geheilt. Ich hatte sie bis zu zweieinhalb Jahren immer wieder punktiert. Noch während dieser Zeit wuchs der Zustrom an Kindern mit übergroßen Köpfen und kleinen Gesichtern immer mehr an. Wir konnten uns nur noch so helfen, daß wir die Kinder ein- oder zweimal behandelten und sie dann an ihre Ärzte zurückverwiesen mit der Aufforderung, sie über Jahre hinaus zu punktieren.

Die Katastrophe trat ein, als einige Kinder als geheilt bei einer Vorlesung vorgestellt wurden. Aus ganz Schlesien trafen die kleinen Kranken ein . . . „Es war schrecklich“, wie ich schon damals zu sagen pflegte. Selbst die älteren Herren unter meinen Klinikkollegen waren diesem Ansturm von Jammer und Elend kaum mehr gewachsen.

In Breslau begann ich auch, mich eingehend mit dem Leiden zu beschäftigen, das man nach dem Arzt von Basedow genannt hat, der es bei uns in Deutschland zuerst beobachtet und beschrieben hatte.

Wir hatten an der Klinik einen nicht geringen Zustrom von Patienten, die an weniger oder mehr ausgeprägten Formen des Morbus Basedowii litten. Von Mikulicz hatte sich ebenfalls schon intensiv mit dieser Überfunktion der Schilddrüse beschäftigt und bedeutungsvolle Einzelheiten zu ihrer Erkennung und Behandlung beigetragen.

Ein lehrreiches Beispiel zeigte mir damals, in welch hohem Maße seelische Erschütterungen bei der Entstehung der Basedowschen Krankheit beteiligt sein können.

In der Poliklinik hatten wir eine nette und ruhige Frau wegen einer Eiterung am Finger behandelt. Wenn ich nicht irre, war es ein sogenannter „Hausfrauenfinger“. Sie hatte ein uneheliches Kind, für das sie vorbildlich sorgte und dem sie mit aller Mutterliebe zugetan war.

Einige Tage nach ihrer Heilung wird uns die Frau morgens mit einem nahezu voll entwickelten akuten Basedow eingeliefert, von dem ich vorher nicht das geringste Anzeichen bemerkt hatte.

In der vorangegangenen Nacht war eine Feuersbrunst in ihrem Hause ausgebrochen, sie konnte nicht mehr über die Treppe fliehen, die Feuerwehr spannte die Fangtücher aus, und da sie sich nicht entschließen konnte, nahm ihr ein Feuerwehrmann das Kind aus den Armen und warf es hinunter in das Fangtuch. Sie selber sprang danach ebenfalls und kam auch wohlbehalten unten an. Aber der Schreck, ihr Kind weggenommen und in den Abgrund geworfen zu sehen – den ihre Angst ihr wohl übertrieben tief erscheinen ließ –, entwickelte in wenigen Stunden bei ihr die bekannten Erscheinungen einer Überfunktion der Schilddrüse mit allen körperlichen und seelischen Zeichen.

Mein Pensionsmütterchen in Breslau bekam ein Kind. Es war eine Tochter. Gleichgültig, zu welcher Stunde ich nach Hause kam, ich mußte mir das Kind ansehen. Es entwickelte sich allem Anschein nach in den ersten Tagen prächtig, aber dann teilte mir die Mutter verschämt mit, das Töchterchen nehme die Windeln für größere Geschäfte nicht in Anspruch. Ich schaute mir die Sache interessiert an und fand da, wo sie sein sollte, keine Öffnung.

Ich betätigte mich mit dem Messer als Kanalbauer, und dann war die Sache in Ordnung. Eine Patentante des Kindes fragte mich, als sie mich am Krankenbett erwischte, ob die Operation sehr schwierig gewesen sei.

„Schwierig“, antwortete ich ihr, „ist kein ganz zutreffender Ausdruck, ich würde eher sagen schmierig.“

Mit der Erkrankung des Geheimrats hing es wohl zusammen, daß er an einem Vormittag gegen neun Uhr nicht in der Klinik erschien, obgleich er einen Privatpatienten zur Untersuchung bestellt hatte. Die Oberschwester kam infolgedessen zu mir, berichtete mir den Vorfall und sagte, der Patient – von einem älteren Manne begleitet – sei übermäßig aufgeregt, weil der Herr Geheimrat noch nicht da sei. Sie bat mich, den Mann zu beruhigen.

Im Wartezimmer fand ich zwei Herren, einen von vielleicht fünfunddreißig Jahren, den anderen über sechzig, Onkel und Neffe. Ich war im weißen Gewande, also als Arzt kenntlich gemacht und entschuldigte den Geheimrat: er sei durch Dringendes aufgehalten und käme später.

Es kam zu einem Gespräch. Der jüngere Herr war krank; von seinem Onkel ließ er sich begleiten, damit der ihm Trost zuspreche. Er hatte Schmerzen im Unterleib, über die Art seiner Erkrankung waren im übrigen noch keine Feststellungen getroffen worden. Die beiden gehörten zur Handelswelt, die in und um Breslau seit langem etabliert war. Verblüffend wandte der jüngere Mann mit einem Male das Gespräch, das sich bisher sehr im Allgemeinen gehalten hatte, ins Direkte. Er fragte:

„Sind Sie, junger Mann, bei dem Geheimrat?"

Ich, heiter und wohlgemut, bejahte die Frage.

Der Jüngere sah den Älteren lange Zeit an, und dann fragte der Onkel: „Können Sie schon feststellen, Herr Doktor, an was für einer Krankheit ein Mensch leidet, wenn er sagt, wo es ihm weh tut? Und können Sie schon operieren, wenn es nötig ist?"

Das könne ich alles, hörten die beiden Herren von mir.

Wieder sahen sie sich lange an, nickten sich zu, und dann sagte der Jüngere:

„Sehen Sie, Herr Doktor, da ist nun der Herr Geheimrat! Ein reicher Mann! Und da sind Sie! Sie sind noch jung und infolgedessen kein reicher Mann! Ich verstehe mich doch auf Menschen. Und nun mache ich Ihnen einen Vorschlag. Sie sind e Jidd, ich bin e Jidd, mein Onkel is e Jidd, zu was brauchen wir den Herrn Geheimrat von Mikulicz? Der wird mir abnehmen ein Sündengeld, denn er ist ein Geheimrat. Untersuchen Sie mich, operieren Sie mich, wenn es nötig ist, heilen Sie mich, und dann werden wir uns um den Preis schon einigen, denn Sie sind e Jidd, ich bin e Jidd, mein Onkel is e Jidd."

Ich wehrte ab, kam aber nicht dazu, viel zu sagen, denn er fuhr fort, wiegte den Kopf und meinte traurig:

„Sie kennt keine Katz'! Der Herr Geheimrat ist ein berühmter Mann. Sie können nicht viel Honorar nehmen. Aber wenn Sie mich gesund machen, können Sie anfangen, auch ein berühmter Mann zu werden."

Der Eintritt der Schwester enthob mich der Antwort. Der Geheimrat war eingetroffen. Die Herren ließ ich warten, begab mich zu Mikulicz und berichtete ihm die Unterredung. Er ließ die beiden kommen, aber bevor die Untersuchung begann, wollte der Onkel vom Gelde reden. Jedoch gegen die bestimmte und sarkastische Art des Geheimrats kam er nicht an. Der verwies ihn zur Ruhe, ließ den Kranken sich entkleiden und untersuchte. Es stellte sich heraus, daß ein operativer Eingriff am Unterleib angezeigt war. Mikulicz sprach das aus, riet dem jungen Herrn, sich sofort in seine Privatklinik aufnehmen zu lassen. Am nächsten Tage wollte er ihn operieren.

Der junge Mann war damit einverstanden, sagte aber klagend:

„Und nun haben Sie das Wichtigste vergessen, Herr Geheimrat. Sie haben noch gar nicht vom Gelde geredet, und ich bin doch ein armer Mann!"

Als man anfing, „vom Gelde zu reden", stellte sich heraus, daß Geheimrat von Mikulicz über die Verhältnisse des jungen Herrn sehr gut informiert war, denn Mikulicz kannte den Osten Deutschlands recht genau. Der junge Mann war schon ein selbständiger Kaufmann und recht vermögend. Fünfhundert Mark verlangte Mikulicz für die Operation. Er ließ sich auf kein Verhandeln ein, so daß schließlich fünfhundert Mark als vereinbart galten, obgleich die beiden Herren bei ihren Verhandlungen um die Höhe des Honorars auch Herrn von Mikulicz gegenüber die Beschwörungsformel gebrauchten:

„Sie, Herr Geheimrat, sind e Jidd, ich bin e Jidd", und so fort.

Am nächsten Morgen, als der Patient auf den Operationstisch gelegt wurde, stand ich da, um die Narkose zu machen. Geheimrat von Mikulicz kam, ich machte mich bereit, da rief der Patient mir zu:

„Warten Sie doch a bisserl!"

Und zu dem Geheimrat gewandt:

„Herr Geheimrat, wir haben uns das nicht recht überlegt. Jetzt bin ich krank, jetzt werde ich operiert. Danach muß ich mich erholen. In der Zeit kann ich keine Geschäfte machen. So verliere ich also sowieso schon eine Unmenge Geld. Ich zahle Ihnen zuviel. Fünfhundert Mark, das geht nicht, das ist zu hoch!"

Jetzt wurde Mikulicz schon etwas böse. Er rief:

„Hören Sie mit den albernen Geldgeschichten auf!" Und zu der Krankenschwester sagte er:

„Legen Sie dem Patienten die Beine hoch!"

Die tat das, aber der unverwüstliche Patient erregte sich:

„Na, sehen Sie, Herr Geheimrat, nun auch noch die Beine hoch. Das ist keine große Sache! Das sehe ich sofort. Operationen, bei denen die Beine hochgelegt werden, das sind keine schwierigen Operationen."

Von Mikulicz lachte. Ich bekam einen Schrecken. Ich wußte, daß der Geheimrat recht unwirsch sein konnte. Zu meiner Überraschung blieb er freundlich:

„Mein Guter", erwiderte er, „machen Sie sich doch keine Sorgen. Wir werden uns schon einigen. So sehr, wie Sie zu glauben scheinen, kommt es mir nicht auf das Geld an."

Als ich jetzt mit der Narkose beginnen wollte, fing der Patient wieder an:

„Warten Sie noch a bisserl!"

Und abermals zu dem Geheimrat:

„Wir wollen den neuen Preis jetzt festlegen, Herr Geheimrat, bevor Sie anfangen. Es ist für beide Teile besser, glauben Sie es mir!"

Die beiden begannen also zu handeln. Der Patient handelte seinen Arzt zunächst einmal bis auf dreihundert Mark herunter. Als ich wieder mit der Maske kam, rief er abermals:

„Warten Sie noch a bisserl!" und machte nun den ernsthaften, sehr wortreichen Versuch, auch noch unter dreihundert Mark zu gehen. Endlich erwachte von Mikulicz aus seiner Bonhomie.

„Mein Guter", sagte er, „wenn Sie wollen, operiere ich auch unter dreihundert, aber auf eines mache ich Sie vorher aufmerksam: Bei Operationen unter dreihundert zittert mir immer die Hand!"

Der Patient fuhr entsetzt zusammen und schrie:

„Herr Geheimrat, es war nur ein Spaß – ich zahle Ihnen tausend Mark!"

Ich setzte ihm die Maske auf.

Dem Geheimrat war ich menschlich sehr nahegekommen, und ich litt sehr unter seiner Erkrankung. Je kränker er nun wurde, um so mehr zog er mich in sein Haus. In dem großen prächtigen Gebäude lebte er mit seiner Gattin und seinen vielen Kindern. Wenn ich mich recht erinnere, waren es neun. Mit dem Fortschreiten des Leidens des Geheimrats fanden in den schönen Räumen des Hauses keine glänzenden Gesellschaften mehr statt.

In der Bibliothek hing ein lebensgroßes Bild der Frau von Mikulicz aus ihren Jugendjahren. Als Herr von Mikulicz sie kennenlernte, war sie Schauspielerin in Wien. Noch jetzt sprach sie mit einer geschulten Stimme ihre Sätze, baute sie, wie man einen Bogen spannt. Sie liebte ihren Mann unendlich und war doch tief unglücklich, denn sie sah ihn kaum. Er war ein König im Reiche der Chirurgie. Aus der ganzen Provinz strömten ihm die Patienten zu, und schließlich kam es so weit, daß die großen festlichen Räume im Erdgeschoß seines Hauses in der Nacht kaum mehr Gäste sahen, sondern hier und zu jenen Stunden empfing der berühmte Arzt seine Patienten. Man muß sich die Verwunderung eines Kranken vorstellen, wenn ihm von der Sekretärin gesagt wurde: „Der Herr Geheimrat möchte Sie morgen nacht pünktlich um ½3 Uhr sehen."

Er fühlte den Tod nahen und wollte ihm entreißen, was ihm noch entrissen werden konnte.

Mit der Gattin des Geheimrats stand ich auf sehr gutem Fuß. Sie vertraute mir mehr an als jedem anderen, sie ahnte nicht, wie krank ihr Mann war, sie schob die Seltsamkeiten in seinem Leben auf völlige Überarbeitung. Er sah sehr selten seine Kinder. Sie tat mir leid, wenn sie erzählte: „Morgens gegen 4 Uhr erwache ich manchmal. Unten im Musikzimmer erklingt dann ein Stück von Chopin. Dann weiß ich: jetzt ist er allein, und bald geht er in seinem Zimmer zur Ruhe."

So standen die Dinge im Dezember 1904, als Mikulicz mir an einem Morgen sagte: „Ich fahre gleich nach Lodz. Ich habe meiner Frau Nachricht hinterlassen, sie möge morgen abend mit dem Schimmelgespann am Bahnhof sein und mich abholen. Ich bitte auch Sie, im Wagen zu sein. Bitte, Frack! Seien Sie so liebenswürdig und kümmern Sie sich darum, daß der Wagen mit meiner Frau und Ihnen pünktlich am Zug ist. Auf Wiedersehen!" Ich war sehr verwundert. Solche Dinge waren nicht sein Stil. Schon nach einer Stunde erschien auch Frau von Mikulicz in der Klinik, sie war völlig aufgelöst. Einen Zettel hatte sie vorgefunden, auf dem sie selbst im großen Abendkleid, das Schimmelgespann, das elegante Coupé und der Dozent Sauerbruch im Frack an den Bahnhof beordert wurden.

Sie war kaum zu beruhigen, so aufgeregt war sie. Ihr Mann, der sich in letzter Zeit überhaupt nicht mehr um sie gekümmert hatte – so sah sie dies wenigstens –, verlangte, ohne die Gründe anzugeben, diesen Aufzug. Als ich mich bei ihr melden ließ, um sie zu der befohlenen Fahrt abzuholen, sah ich deutlich, daß sie geweint hatte. In ihrem schweren Pelz, den sie über dem tief dekolletierten Kleid trug, blieb sie lange vor dem großen Spiegel in der Halle stehen und puderte ihr Gesicht. Dann fuhren wir zum Bahnhof. Sehr zeitig langten wir an, ich schlug vor, sie möge im Wagen warten, und ich wollte auf den Bahnsteig gehen und den Herrn Geheimrat empfangen.

Aber auch sie wollte auf den Bahnsteig gehen, obwohl es bitter kalt war. Mein Abraten half nichts, so stiegen wir aus und gingen durch den niederrieselnden Schnee zum Bahnsteig. Nachdem der Zug eingelaufen war, sah ich die große Gestalt des Geheimrats sofort. Ich verwunderte mich, denn er war im Zylinder und, wie sich später herausstellte, auch im Frack. Seiner Frau küßte er die Hand herzlich und doch ein wenig zeremoniell, auch mich begrüßte er etwas formeller, als er es sonst tat.

Sie sprach sofort auf ihn ein. Sie wollte wissen, weshalb Abendkleid, weshalb Schimmelgespann, weshalb Zylinder und warum Sauerbruch im Frack. Ein trauriges Lächeln huschte über sein Gesicht. „Du wirst es bald erfahren, Liebste", antwortete er ihr. Dann stiegen wir in den Wagen, und er rief dem Kutscher die Adresse des vornehmsten Weinhauses der Stadt zu. So fuhren wir dahin, im Wagen war es dunkel, aber ich ahnte, daß Frau von Mikulicz wieder Tränen in den Augen hatte. Kaum hatte der Portier des Restaurants, vor dem wir hielten, den Schlag unseres Wagens aufgerissen, da merkte ich, daß wir erwartet wurden. In der Halle des schönen Hauses erschien der Besitzer. Man half dem Geheimrat und der Geheimrätin aus den Pelzen und mir aus meinem Mantel und brachte uns dann in ein Séparée, in dem ein Tisch festlich und prunkvoll gedeckt war. Für drei Personen.

Die schönsten und seltensten Blumen, die ich je gesehen hatte, waren in kristallenen Vasen aufgestellt, das Tafelgeschirr war aus Gold und Silber, Teller und Tassen aus feinstem Porzellan, die Gläser hauchdünn.

Die gutgeschulte Bedienung setzte den Eisblock mit Kaviar auf den Tisch, goß den Champagner in die Kelche und verschwand lautlos. Der Geheimrat hob sein Glas, sah seine Frau lange schweigend an und sagte dann: „Liebste! Ich freue mich, daß ich nach so langer Zeit wieder einmal einen Abend mit dir verbringen kann. Ich plante das schon lange. Ich habe alles sorgfältig vorbereitet, und ich hoffe, daß du dich freust!“ Dann zu mir: „Wir feiern nämlich heute das Fest unserer silbernen Hochzeit.“ Er hob den Champagnerkelch, bereit, mit seiner Frau anzustoßen.

Die aber machte keine Miene, ihr Glas zu fassen, sondern sagte: „Aber, um Gottes willen! Ich werde ganz irre an dir! Wir sind doch heute noch gar nicht fünfundzwanzig Jahre verheiratet! Heute sind wir vierundzwanzig Jahre verheiratet.“ Er aber: „Nein! Nein! Glaube es mir nur! Wir feiern heute unseren fünfundzwanzigsten Hochzeitstag. Bitte, freue dich darüber, ich bin glücklich, daß wir an einem so schönen Abend zusammen sein können.“ Dann griff er schnell in die linke Innentasche seines Fracks, zog ein längliches, in Seidenpapier gepacktes Kästchen heraus, schob es mit einer Geste voll großer Zärtlichkeit vor sie, wollte etwas sagen, stand plötzlich auf, und ich merkte, daß ihn die Rührung übermannte. Er ging hinaus. Sie weinte heftig. In tiefer Bestürzung wußte ich mir nicht anders zu helfen, als sie ungeschickt zu bitten, das Päckchen zu öffnen.

Sie tat das mit Widerstreben, und während sie das Seidenpapier abstreifte, klagte sie: „Ich weiß nicht, was in ihn gefahren ist! Ich weiß es doch ganz genau, und er muß es doch auch wissen! Erst im nächsten Jahre sind wir fünfundzwanzig Jahre verheiratet."

Die Tränen rannen immer noch, ich bemächtigte mich des Etuis, das aus dem Seidenpapier zum Vorschein gekommen war, öffnete es und zeigte ihr eine kostbare goldene Uhr, die von einem breiten Armband, das über und über mit großen Diamanten bedeckt war, gehalten wurde.

Wie sie nun auf dieses kostbare Geschenk starrte, öffnete sich wieder die Tür, der Geheimrat trat ein, nahm wieder Platz, und lächelnd erinnerte er sich: Im ersten Jahr ihrer Ehe hatte sie sein Hochzeitsgeschenk, eine goldene Uhr, verloren, und damals hatte er recht böse gesagt:

„Erst zur silbernen Hochzeit schenke ich dir die nächste Uhr." Jetzt lächelte sie unter Tränen und drang noch einmal in ihn, man sei doch erst vierundzwanzig und nicht fünfundzwanzig Jahre verheiratet. Er lehnte sich in den Stuhl zurück, ergriff sein Glas, trank es aus und sagte: „Wir müssen heute unseren fünfundzwanzigsten Hochzeitstag feiern. Diesen Tag im nächsten Jahr – erlebe ich nicht mehr. Wir sind heute zum letzten Male an unserem Hochzeitstag zusammen."

Sie benahm sich prachtvoll, sie wischte die Tränen ab und sagte: „Was ist das für ein Unsinn, komm, wir wollen trinken, wir wollen essen, wir wollen heiter sein. Ich bedanke mich bei dir, daß du mir diesen Abend hier so wunderschön gemacht hast."

Nach dem Essen erhob ich mich und ließ die beiden allein.

Bei einem nächtlichen Besuch, den ich dem Geheimrat wenige Tage später abstattete, empfing er mich in dem einsamen Erdgeschoß seines Hauses, nahm mich unter den Arm und ging mit mir durch die Räume, drehte überall die Beleuchtung an, so daß wir durch ein wahres Lichtermeer schritten. Am Vormittag war uns eine besonders schwierige Operation in der Unterdruckkammer geglückt. Auf einmal ließ er meinen Arm los, stellte sich in seiner ganzen Größe und mit gemessener Würde vor mich hin, ergriff meine Hand und sagte:

„Das Leben der Patienten liegt in Gottes und des Arztes Hand.“

In Gottes und des Arztes Hand ...

Und dann:

„Ich werde Ihnen jetzt etwas sagen, mein lieber Sauerbruch, was niemand, auch nicht meine Frau, auch nicht meine Kinder wissen dürfen. Sie sollen es wissen. Sie dürfen aber vorläufig nicht darüber sprechen. Ich habe ein Carcinom.“

Ich stand erschrocken und wußte nichts zu sagen.

Die wichtigsten Ärzte der Klinik hatten für den Abend des 1. Januar 1905 eine Einladung in sein Haus erhalten. Das Erdgeschoß erstrahlte in seiner ganzen Pracht, bei Tisch waren seine Kinder nicht anwesend, jedoch seine Frau und auch sein Schwiegersohn, der Chirurg Dr. Anschütz. Nach dem Essen, dessen Feierlichkeit bedrückend war, begann er plötzlich in ein verlegenes Schweigen hineinzusprechen. Er sagte: „Meine liebe Frau! Ich bin sehr krank, das weißt du. Ich leide an einem Krebs. Du hast mir gesagt, daß ich dich nicht verlassen darf. Wenn du glaubst, daß ich bei dir bleiben muß, dann gibt es eine einzige Möglichkeit: Ich muß mich operieren lassen.“

Die Lichter brannten. Ein alter kostbarer Wein füllte unsere Gläser. Frau von Mikulicz hielt sich tapfer und streichelte seine Hand. Niemand von uns sagte ein Wort. Dann fragte er: „Wer von Ihnen, meine Herren, will mich operieren?“ Wir alle schwiegen betreten. Niemand von uns sagte: „Ich.“

Dann wandte er sich an Dr. Anschütz, seinen Schwiegersohn, der in seiner nächsten Nähe saß, und sagte, halb fragend:

„Ich dachte, daß du mich operieren würdest!“

Dr. Anschütz rief gequält: „Nein, das kann ich nicht!“

Der Geheimrat schien über unser Verhalten betroffen zu sein. Der Älteste von uns sprach dann für uns alle und sagte betreten, daß eine so schwierige Operation doch von einem Arzt ausgeführt werden müsse, der gerade auf diesem

Spezialgebiet große Erfahrungen habe. Ganz Europa stehe zur Verfügung, um diesen Chirurgen zu suchen.

Auf diese Äußerung unseres Kollegen erwiderte der Geheimrat: „Nun gut, dann werde ich von Eiselsberg aus Wien bitten, hierherzukommen, um mich zu operieren."

Mit dieser Lösung waren wir alle zufrieden. Zum ersten war von Eiselsberg der große Spezialist für diesen Fall, und zum zweiten war er mit von Mikulicz befreundet.

Schon am übernächsten Tag erschien er in Breslau.

Bevor zur Operation geschritten wurde, bestimmte der Chef, daß ich die Narkose machen sollte. So stand ich also am Kopfende des Operationstisches und konnte alles übersehen. Als der Leib geöffnet worden war, erschrak ich zutiefst. Schwarz–Grau–Schwarz. Carcinom–Carcinom–Carcinom. Inoperabel. Von Eiselsberg sah, daß nichts zu machen war, und schloß die Wunde.

Im Anschluß an die Operation bekam der Kranke noch eine Infektion, überwand sie aber und ging wieder in der Klinik umher.

Über die Operation wurde nicht gesprochen.

Eines Abends, als ich im Labor arbeitete, legte sich eine Hand auf meine Schulter. „Sauerbruch ..." Es war der Geheimrat. „Kommen Sie." Er führte mich zu einem Mikroskop, legte ein Präparat zurecht und sagte: „Schauen Sie sich das einmal an! Wofür halten Sie das?"

Ich blickte auf das Präparat und sagte dann: „Das ist Krebsgewebe."

Er drückte meine Hand und sagte: „Dann haben Sie ja die gleiche Auffassung wie ich. Eiselsberg versucht mich in dem Glauben zu halten, daß meine Erkrankung harmlos sei. Ihnen, lieber Sauerbruch, möchte ich sagen: Wenn Sie einmal selbständig geworden sind, dürfen Sie niemals so etwas tun. Die Wahrheit muß der Arzt immer sagen, niemals die Unwahrheit, um einem Kranken Erleichterung zu verschaffen, denn der Kranke hat einen Anspruch darauf, die Wahrheit zu erfahren."

Ich selbst habe mich grundsätzlich an dieses Wort gehalten, und ich habe auch immer meine Studenten gelehrt, so zu verfahren.

Am Abend desselben Tages holte er mich wieder spät in der Nacht in sein Haus und setzte mir auseinander, daß ich es nun doch sei, der nach seinem Tode die Operationen im Thorax ausführen müsse. Wörtlich sagte er: „Jeden Morgen kommen Sie jetzt um 6 Uhr in die Klinik, damit Sie lernen, was Sie noch nicht können."

Wiederum nach einiger Zeit bat er mich zum Abendessen in sein Haus. Wir waren unter vier Augen, seine Gattin war nicht anwesend. Er sagte: „Bleiben Sie bitte bei mir, denn es will Abend werden. Ich habe noch vierzehn Tage zu leben."

In dieser Stunde nahm er mir das Versprechen ab, mindestens drei Jahre lang in der akademischen Karriere zu bleiben. Er hatte wohl das Gefühl, daß ich bei meinem Temperament aus dieser Laufbahn auszubrechen manchmal geneigt war. Es ist ein langer Weg bis zum Ordinarius, und er dachte wohl, ich hätte nicht genug Ausdauer, diesen dornigen Pfad zu beschreiten. Weiß Gott, ich war oft genug drauf und dran, auszubrechen, und die Freunde mußten mir immer wieder zureden wie einem kranken Roß.

In diesen Tagen bat mich der Geheimrat auch, seinen Nachruf zu verfassen. Er redigierte ihn sorgfältig, klar bis zum letzten Augenblick.

Sein Tod brachte für die Klinik eine gewaltige Wandlung mit sich. Alle Ärzte, die auf einem verantwortlichen Posten im Hause gearbeitet hatten, machten sich bereit, Breslau zu verlassen. Stark empfanden wir, wie sehr wir an Johannes von Mikulicz-Radecki (1850–1905), so stand sein Name auf dem Grabstein, gehangen hatten.

In jenen traurigen Wochen wurde ich bestürmt, das Ergebnis unserer in der pneumatischen Kammer ausgeführten Operationen zu publizieren. Ich tat es und sagte in der Publikation einleitend:

„Eindreiviertel Jahre sind seit meiner ersten Mitteilung über die Grundlagen des Verfahrens vergangen. Die weiteren Publikationen, die sich von anderer Seite und aus unserer Klinik daran anschlossen, haben bisher über praktische Erfolge wenig gebracht. Mehrfach wurde ich deshalb aufgefordert, im Zusammenhang über die Verwendbarkeit des Verfahrens an Menschen zu berichten, habe aber bis jetzt stets eine solche Mitteilung abgelehnt, da ein endgültiges Urteil, meiner Ansicht nach, bis heute noch nicht zu fällen ist.

Unsere Erfahrungen darüber, wie sich das Operieren in der pneumatischen Kammer am Menschen bewährt, sind noch sehr gering. Die Schwierigkeiten, die sich bei der Bearbeitung eines neuen Gebietes immer dem Praktiker entgegenstellen, sind genugsam bekannt. Dazu kam in diesem besonderen Falle noch ein mißgünstiges Moment dadurch, daß die schwere Erkrankung meines hochverehrten Chefs weiland Herrn Geheimrat von Mikulicz, der ein Hauptfaktor des Ganzen war, den weiteren Ausbau der Methodik ins Stocken brachte."

Der allzu frühe Tod des Geheimrats war für uns alle, auch über den persönlichen Verlust hinaus, ein schwerer Schlag. Er brachte uns alle auseinander. Das Plötzliche seines Todes hatte ihn daran gehindert, so zu verfahren, wie es sonst üblich war: er hatte keine Zeit mehr gefunden, diesem zu raten, hierhin, jenem, dorthin zu gehen. Er hatte nicht mehr mithelfen können, jeden an einen Platz zu stellen, an dem er der Wissenschaft je nach seinen Fähigkeiten seine Dienste erweisen konnte.

Als sein Nachfolger war Professor Garré aus Königsberg berufen worden. Der würde seinen eigenen Oberarzt mitbringen, das wußte man. Das bedeutete für mich, daß ich mich umsehen mußte.

In der akademischen Karriere ist es so, daß man über Möglichkeiten und Vakanzen stets im Bilde ist. Ich wußte, daß Professor Friedrich in Greifswald einen Oberarzt gebrauchen konnte. So fragte ich bei ihm an, ob er mich haben wolle. Aus meiner Leipziger Zeit kannte ich ihn, er hatte dort zu meinen Lehrern gehört. Er schrieb zurück, ich könne Oberarzt bei ihm an der Chirurgischen Universitätsklinik in Greifswald werden, jedoch nur unter der Voraussetzung, daß ich sofort erscheinen könne.

Es gelang mir, meine Breslauer Position zu liquidieren. Man stellte mir nachstehendes Zeugnis aus:

Breslau, den 25. Juli 1905

Herr Dr. F. Sauerbruch ist seit dem 1. Oktober 1903 an der Königl. Chirurg. Klinik zu Breslau (Director weiland Geheimrat von Mikulicz) angestellt, nachdem er zuvor zwei Jahre Assistent an der chirurg. Abteilung des Diakonissen-Hauses zu Cassel, dann am Städtischen Krankenhaus in Erfurt, alsdann 3/4 Jahre Volontärassistent an der pathologisch-anatomischen Abteilung des Krankenhauses Moabit zu Berlin gewesen war. Dr. Sauerbruch trat auf der Klinik als Volontärarzt ein, wurde Ende Januar 1904 wissenschaftlicher Assistent, am 1. Oktober 1904 klinischer Assistenzarzt. Pfingsten 1905 habilitierte er sich in der medic. Fakultät als Privatdozent für Chirurgie. Herr Dr. Sauerbruch ist somit insgesamt vier Jahre Chirurg. Er hat in dieser Zeit Gelegenheit gehabt, sich in allen Gebieten der modernen Chirurgie auszubilden, speziell in der Diagnostik und Therapie. Insbesondere konnte er die chirurgischen Kenntnisse, die er sich während seiner Tätigkeit in den Krankenhäusern in Cassel und Erfurt erwarb, durch seine Beschäftigung an einer auf voller Höhe stehenden Universitätsklinik vertiefen und vervollständigen. Herr Dr. S. hat in der chirurgischen Klinik eine große Anzahl von Operationen, anfangs unter Leitung der Assistenzärzte, dann als Assistent, selbständig ausgeführt, und zwar Operationen, welche sämtliche Gebiete der Chirurgie umfassen, die compliciertesten Magen- und Darmoperationen eingeschlossen. Hierbei hat Herr Dr. S. eine ungewöhnliche technische Geschicklichkeit an den Tag gelegt; doch nicht allein diese, sondern auch alle die anderen Eigenschaften, welche der Chirurg nötig hat: Geistesgegenwart in allen sich darbietenden Situationen, sorgsamste Abwägung, wieweit bei einer Operation zu gehen ist und was dem Patienten zugemutet werden kann.

Über Dr. S.s wissenschaftliche Leistungen zu sprechen, erübrigt sich, nachdem derselbe durch die aufsehenerregende und epochemachende Erfindung der pneumatischen Kammer sich selbst in der ganzen medic. Welt einen Namen geschaffen hat. Es ist dies ein Verfahren, welches erlaubt, bei eröffneten Brustfellhöhlen Operationen auszuführen, ohne daß das Individuum an der Atmungsstörung zugrunde geht, eine Erfindung, die beweist, daß der Urheber in gleich hohem Maße über medic. Scharfsinn, über physiologische Kenntnisse und über chirurgisches Geschick verfügt und nicht minder über eine außerordentliche Energie, die zur

Bekämpfung aller sich entgegenstellenden Schwierigkeiten erforderlich war.

Ich füge hinzu, daß Herr Dr. S. für seine Patienten stets ein warmes Herz zeigte, daß er sich seinen Kollegen gegenüber durch ein angenehmes Wesen auszeichnete, daß er es dem Personal gegenüber nicht an der nötigen Energie fehlen ließ.

Herr Dr. S. ist als Chirurg weit reifer, als seiner Ausbildung von vier Jahren entspricht, als äußeres Zeichen hierfür möchte ich nur anführen, daß Herr Geheimrat von Mikulicz ihm bereits nach einjähriger Tätigkeit an der Klinik eine Assistentenstelle verlieh, während dies sonst erst in der Regel nach zwei bis drei Jahren geschieht. Ferner ließ ihn die medic. Fakultät der Universität Breslau bereits nach einem weiteren halben Jahre zur Privatdocentur zu. Während dies sonst erst nach vieljähriger Assistenztätigkeit üblich ist. Herr Dr. S. hat eben, infolge seiner unzweifelhaft hervorragenden Beanlagung zur Chirurgie in außerordentlich kurzer Zeit praktisch und theoretisch mehr erreicht, als andere tüchtige Chirurgen in weit längerer. Herr Dr. S. ist bereits in hohem Maße geeignet, einem großen chirurgischen Betriebe vorzustehen.

gez. Prof. Dr. Kausch
mit der Leitung der Klinik beauftragt

Die Erinnerungen eines älteren Herrn an diese heroische Zeit in Breslau sind auch mit liebenswürdigen Melodien anderer Art angefüllt. So denke ich immer mit einem bittersüßen Erschauern an die Spontaneität der Gefühle, die mir damals – ich fürchte, später auch noch – zu eigen war. Der gesellschaftliche Verkehr in Breslau zur Zeit der Ägide Mikulicz war für uns Ärzte sehr anregend, und von mir ging damals die Sage, daß ich mich gewohnheitsmäßig bei Gesellschaften verspäte und mich bei jeder einzelnen immer wieder aufs neue verliebe. Zu spät kamen wir von der Chirurgischen Klinik alle miteinander, denn von Mikulicz setzte Operationen zu jeder Tages- und Nachtzeit an. Kein Kranker wurde auch nur eine Stunde später operiert, weil abends eine große Gesellschaft auf dem Programm stand. Was meine verschiedenen „damaligen Verliebtheiten" anbelangt, so kann ich mich nur noch an eine schreckliche Geschichte erinnern, die mir und vor allem den Freunden viel Kopfzerbrechen bereitete.

Ich verbrachte einmal meine Ferien auf Rügen und lernte dort eine ungemein reizvolle junge Dame kennen, oder sagen wir vorsichtshalber eine junge Dame, die mir großen Eindruck machte. Ich verlobte mich mit ihr „sofort". Frauen haben die merkwürdige Eigenschaft, einen, wenn erst einmal ein legaler oder halblegaler Schritt getan wurde, wie es eine Verlobung ist, mit unvermuteter Plötzlichkeit aus dem siebten Himmel auf die Erde zurückzubringen. Am Tage nach der Verlobung überraschte mich meine holde Braut mit einer kalten Dusche: sie begann von unseren Zukunftsaussichten zu sprechen. Der Herr Papa besaß eine Fabrik oder so etwas Ähnliches. Und da ich als junger Arzt ja doch eine Frau nicht ernähren könne, setzte mir meine Braut auseinander, so sei es doch die einfachste Lösung, wenn ich in Papas Fabrik eintreten würde.

Auch bei anderen Gelegenheiten bewies die junge Dame einen unheimlichen Sinn fürs Praktische. Wenn ich ihr etwas von wissenschaftlichen Idealen erzählte, so rümpfte sie das Näschen und begann mit erstaunlicher Zungenfertigkeit von etwas anderem zu reden.

Als ich wieder in Breslau war und reichlich ernüchtert, wandte ich in diesem Fall eine Strategie des „langsamen Einschlafenlassens" an. Aber ich hatte die Rechnung ohne eine schreckliche Wirtin gemacht: die Schwiegermutter in spe. Sie ließ sich in der Klinik melden, und der Bote, der mir die Schreckensnachricht überbrachte, sah mich erbleichen. Ich verabredete mit der Dame eine Zusammenkunft, für den Augenblick dringendste Geschäfte vorschützend. Dann trommelte ich die Freunde zu meiner Rettung zusammen. Hubert weigerte sich rundheraus:

„Ich habe keine Erfahrung mit alten Fregatten", wies er kaltherzig mein Flehen zurück, „ja, wenn's noch 'n flottes Segelboot wäre! Laß doch den Buchholz die Sache ausfechten, der hat einen Bart und ist überhaupt so seriös!"

Buchholz wurde also damit beauftragt, der Mutter so schonend wie möglich beizubringen, die geplante Heirat werde für ihre Tochter eine bürgerliche Katastrophe bedeuten; denn die gute Frau war allen Ernstes erschienen, um mich in den Hafen der Ehe zu schleusen (um bei den maritimen Bildern Huberts zu bleiben).

Buchholz sollte mich ihr madig machen, indem er ihr meinen lockeren Lebenswandel hinsichtlich Wein, Weib und Gesang schilderte. Jedenfalls sollte er – wir ließen ihm weitgehenden Spielraum – der Dame klarmachen, daß ich als Ehemann das denkbar ungeeignetste Objekt sei.

Die Schlacht wurde in der Klinik geschlagen. Zuweilen erschien Buchholz mit dem Bart bei uns, die wir in einem anderen Raum auf den Ausgang warteten, um sich neue Instruktionen zu holen, wenn ihm die Munition ausgegangen war.

Dank seiner überzeugenden Beredsamkeit und seines pastoralen Äußeren gelang es ihm, mich zu retten.

ERZWUNGENE ATEMPAUSE

An einem trüben Tag im Herbst des Jahres 1905 fuhr ich in trüben Gedanken von Breslau nach Greifswald.

Der Abschied fiel mir schwer. Es regnete, als sich der Zug in Bewegung setzte, dieser internationale D-Zug, der von Warschau nach Skandinavien eilte. Wie ungern verließ ich Breslau, wie ungern verließ ich die Großstadt, und wie schmerzlich war es mir, aus der Chirurgischen Klinik in Breslau zu scheiden. Die Fülle des Geschehens, die mustergültige Einrichtung, das unbeschränkte wissenschaftliche Arbeiten, das lebhafte Pulsieren dieser von einem heiligen Eifer erfüllten Stätte – das alles mußte ich verlassen.

Als der Zug in Greifswald einlief, in schwarzer Nacht und in grauem Regen, sah ich mich nicht – wie in Breslau – in einer großen hellerleuchteten Bahnhofshalle, in der Menschen aus aller Welt durcheinanderwirbelten. Nein: der Regen überfiel mich auf einem matterleuchteten Bahnsteig, über den der Wind ungehemmt hinwegfegen konnte; keinerlei Wände und kein Dach wehrten ihm und seinem Gefährten, dem Regen. Nur wenige Passagiere verließen mit mir den Zug, der nur eine Minute Aufenthalt in Greifswald hatte.

Ich stand draußen in der Nacht und verwünschte mein Los, als ich die hellerleuchteten Fenster der eleganten Abteile entschwinden sah. Es kam mir so vor, als hätte ich nicht nur einen D-Zug verlassen, sondern als sei ich aus einer hellen und wohleingerichteten Welt ohne meine Schuld exmittiert und in ein widerwärtiges Dunkel gestoßen worden. Die Lokomotive heulte mißtönend auf, der Zug eilte davon; ihn zog es zu der Fähre Saßnitz–Trälleborg, die ihn zu skandinavischen Ufern und in Städte der großen Welt bringen würde.

Ich nahm meinen Koffer auf und ging auf einige Lichter zu, die – wie sich dann herausstellte – zu dem trostlosesten Bahnhofsgebäude gehörten, das ich je gesehen. Nachdem ich das Bahnhofsgebäude verlassen hatte, stand ich sofort vor neuer schrecklicher Öde, vor einem großen Platz, dessen rundes Kopfsteinpflaster im nassen Regen und im fahlen Schimmer der wenigen Laternen glänzte. Nur in der Ferne konnte man Häuser ahnen.

Ein oder zwei Hotelomnibusse warteten, und wenige Dienstmänner mit ihren Karren. Ich stieg in einen Omnibus. Im Innern war es kalt und feucht, es roch nach nassem Leder. Beim Abendbrot und später im Bett überkam mich das Heimweh nach Breslau.

Vielleicht 24000 Einwohner hatte die Stadt, in die ich so gekommen, und sie war – um ein Wort aus dem Sprachschatz der Reiseführer zu gebrauchen – alles andere als ein „lebhafter Platz“. Sie war eine kleine norddeutsche Universitätsstadt, und sowohl das Wort „norddeutsch“ als auch das Wort „Universität“ schilderte ihren Charakter auf das treffendste. Wer von den Studenten nach Greifswald ging, hatte die Absicht, ernsthaft zu arbeiten. Die Professoren waren Leute von Rang und Namen. Lange Zeit jeweils galt die medizinische Fakultät als eine der besten Preußens. Die Lehrer für Philosophie, Theologie und Chemie waren über die Grenzen des Landes bekannt. Gewiß, das ist alles wahr, aber für mich, der ich aus dem großen Breslau kam, schien das Ganze zunächst eine schroffe Einengung. Das Stadtbild tat das Seine dazu, denn das Greifswald der damaligen Zeit war eng und klein gebaut – natürlich, es war eine alte stille Stadt –, jeder kannte jeden, und kein Schritt des einen konnte dem anderen verborgen bleiben.

Am nächsten Tag zog ich in die Klinik ein; sie lag am Rande der Stadt. Von meinem Zimmer konnte ich weit ins Land sehen, über Wiesen und Moore. Die Anstalt war neu gebaut, im preußischen Stil, ein roter Backsteinbau. Der Hof und die Gänge füllten sich an Markttagen besonders mit Angehörigen der Landbevölkerung, die den überwiegenden Teil der Patienten stellte. Bis nach Stralsund hinauf gab es kein anderes großes Krankenhaus. Alles ging in Ruhe, Stille und mit einer gewissen Gemächlichkeit vor sich – und ich sehnte mich nach Breslau.

Ich kam zunächst mit der ganzen Situation tatsächlich nicht zurecht. Ich war sehr allein und erfuhr, was man über mich sagte. Es hieß:

„Die chirurgische Klinik hat einen neuen Oberarzt bekommen. Der soll ein ganz gelehrtes Haus sein. Er ist ganz jung, hat aber doch schon etwas erfunden. Den kann man doch nicht zu Tanzereien einladen."

Das mir, einem dreißigjährigen Mann, der in keiner Weise ein Sauertopf war!

Die Sicherheit und die Großzügigkeit des Arbeitens, die ich Geheimrat von Mikulicz verdankte, waren mit seinem Tode dahin. Ich hatte ein Verfahren gefunden, von dem ich glaubte, von dem ich überzeugt war, daß es ein bestimmtes Gebiet der Chirurgie von Grund aus revolutionieren werde. Jetzt aber saß ich in Greifswald, weit ab vom Brennpunkt der wissenschaftlichen Ereignisse, und war nicht in der Lage, an der Vervollkommnung meiner Erfindung zu arbeiten.

Ich redete mich damals immer mehr in eine Verzweiflung hinein, so daß ich eines Tages in einem plötzlichen Entschluß alles liegen- und stehenließ, zu dem schrecklichen Bahnhof eilte und in den Zug stieg, der aus der großen Welt kam. Ich fuhr zurück nach Breslau.

„Aber nein!" sagte Dr. Anschütz in Breslau. „Du gehst sofort wieder zurück nach Greifswald."

Er überzeugte mich lächelnd, daß ich meine wissenschaftlichen Arbeiten an der Unterdruckkammer doch selbstverständlich auch in Greifswald fortführen konnte – ein

Gedanke, der mir in meiner Verzweiflung gar nicht gekommen war. Ich ließ mir also die Kammer, in der die ersten Tierversuche angestellt worden waren, verpacken und nach Greifswald schicken, und ich selbst stieg noch einmal in den Zug, um meine Arbeit an der Klinik in Greifswald wiederaufzunehmen.

Dr. Anschütz hatte recht gehabt; ich knüpfte allmählich auch in Greifswald engere menschliche Beziehungen an, und meine Arbeit gewann mir auch dort Freunde.

An manches Kleine und Enge konnte ich mich in diesem weltabgelegenen Winkel nie ganz gewöhnen, aber es gelang mir doch, es zu ertragen.

In Breslau gab es ein „Kasino" für uns Chirurgen allein, in Greifswald speisten wir des Mittags gemeinsam mit den Internisten; die kamen pünktlich zu Tisch, und für uns, die wir oft nicht vor drei Uhr aus dem Operationssaal kamen, blieb der Rest: ein schauerliches, kalt gewordenes spärliches Mahl, aus dem die besten Stücke fehlten. Wenn wir Chirurgen gut bei Kasse waren, ließen wir das wenig Verlockende stehen und aus der Konditorei von „Sparagnapane" Apfelkuchen mit Schlagsahne holen. Ich jedoch aß Mohrenköpfe.

Ich versuchte mich mit der Umgebung zu befreunden, begann auf der Ostsee zu segeln, mußte es jedoch aufgeben, weil ich seekrank wurde. Zeit meines Lebens war ich ein miserabler Seemann. Sehnsuchtsvoll gedachte ich der hellen und breiten Straßen Breslaus, wenn ich im Winter durch Greifswald nach Hause ging. Einer der Professoren hatte einmal die Landschaft von Greifswald treffend charakterisiert: „Sie ist wie ein Bierfilz", sagte er, „platt, grau und naß."

Zum Glück hatte ich meine Arbeit, die den ganzen Tag ausfüllte. Zwischen sechs und sieben Uhr morgens stand ich auf und ging in den Operationssaal. Die Zeiten zum Essen waren knapp bemessen, dann kam gewöhnlich die Vorlesung des Chefs, gegen Abend der „Rapport", den ich abzuhalten hatte und bei dem der Operationsplan für den nächsten Tag festgelegt wurde. Daran schlossen die Krankenvisiten an und dann das Abendbrot. Und jenseits des Tores der Klinik lag – Greifswald.

Wenn ich abends die Klinik noch verlassen wollte, so mußte ich daran denken, einen Schlüssel mitzunehmen. Einen Pförtner gab es nicht. Das vergaß ich natürlich immer wieder, kletterte bei der Rückkehr über das Tor und sprang in den Hof. Ich vergaß es so lange, bis ich eines Nachts auf etwas Weiches sprang, auf einen Betrunkenen, der irgendwie dorthin gelangt war. Seitdem vergaß ich den Schlüssel nicht mehr.

In unserem Leben spielten die „Schwedenzüge" eine große Rolle. Sie hielten bei uns genau für eine bedeutungs- und verheißungsvolle Minute, dann zog die Lokomotive an, und sie fuhren weiter. Gott sei Dank, sie fuhren auch nach Berlin. Der Oberarzt an der Chirurgischen Klinik in Greifswald konnte in dem Städtchen keinen Schritt tun, ohne von zahlreichen Argusaugen ausgespäht zu werden. Über das Wochenende jedoch konnte er nach Berlin fahren. Da waren das Metropol-Theater und viele andere ungeahnte Möglichkeiten, sich zu amüsieren und wieder einmal frei zu atmen.

Ich begann damals, einer Anregung Professor Friedrichs folgend, meine Untersuchungen über „parabiotische Tiere". Das sind siamesische Zwillinge, von Chirurgenhand hervorgebracht. Ich vereinigte also zum Beispiel zwei Ratten miteinander und konnte beobachten, wie die Tiere, unlöslich miteinander verbunden, sich den neuen Verhältnissen anpaßten. Zu meinem größten Erstaunen bekam ein solches Pärchen einmal sogar Junge.

Bei diesen parabiotischen Tieren konnte man die Geheimnisse der inneren Sekretion verfolgen. So habe ich in Greifswald und später in Marburg Versuche mit Hunden angestellt. Es zeigte sich, daß man bei diesen miteinander verwachsenen Tieren dem einen das Pankreas herausnehmen konnte, ohne daß es eine Zuckerkrankheit bekam. Wenn der Krieg nicht gekommen wäre, so wäre vielleicht das Insulin eine deutsche Erfindung geworden. Alle Vorbedingungen hierzu waren, nicht nur durch meine Versuche, in Deutschland gegeben.

Wenn man mich in Greifswald nicht in die Häuser der Professoren zum Tanzen einlud, so kamen doch mit der

Zeit Einladungen zum Abendessen und zu ernsthaften musikalischen oder literarischen Veranstaltungen. Anscheinend war man noch immer der Überzeugung, daß meine Interessen mehr der Wissenschaft als dem Wiener Walzer galten. Was, allerdings nur bis zu einem vernünftigen Grad, richtig war.

Bei einer solchen Gelegenheit kam ich auch in das Haus des Geheimrats Professor Dr. Hugo Scholz, der an der Universität über Pharmakologie las. Der Geheimrat stammte aus einer alten rheinischen Familie; sein Vater war Jurist im Rheinland. Die Frau des Hauses war die Tochter des früheren Direktors der Inneren Klinik in Greifswald, des Geheimrats Friedrich Mosler.

Die Tradition dieses Hauses zog mich sehr an. Der rheinische Lebensstil dieser Familie, das rheinische Temperament des Hausherrn, das alles mutete mich so heimatlich an. Er interessierte sich sehr für meine Erfindung und meine anderen wissenschaftlichen Arbeiten. Wir unterhielten uns viel über wissenschaftliche Probleme, freundschaftlich und kollegial, keineswegs wie ein berühmter Geheimrat und ein junger Privatdozent. Es bestand echte Zuneigung zwischen uns beiden.

Mit ihrem Vater arbeitete wissenschaftlich die Tochter Ada, sein einziges Kind, und die mit dem Vater begonnenen Gespräche führte ich mit ihr fort. Sie war zwanzig Jahre alt, als ich sie kennenlernte, und eines schönen Tages waren wir miteinander verlobt.

Vorwurfsvoll oder bewundernd, je nach der Einstellung zu diesen Dingen, hat man mich oft gerügt oder gelobt, daß ich Frau und Kinder zeit meines Lebens vernachlässigte, wenn die Arbeit rief. Meine Braut und spätere Frau behauptet, sie hätte mich nach unserer Verlobung oft wochenlang nicht gesehen. Das mag schon so gewesen sein, die Arbeit und die Patienten sind mir immer vorgegangen. Aber ich glaube nicht, daß ich ein schlechter Vater war.

Besonders prekär war damals meine Lage in Greifswald. Meine Konstruktion der Unterdruckkammer hatte Aufsehen erregt. Von Mikulicz und ich selbst hatten mit Erfolg in der Kammer operiert. Was den chirurgischen Teil meines neuen Verfahrens betraf, so war nach dem Tode des Geheimrats von Mikulicz ein Stillstand eingetreten, keineswegs dagegen in der technischen Verbesserung meines Verfahrens.

Von vornherein herrschte unter den Ärzten Klarheit, daß Thorax-Operationen auch mit Überdruck möglich sein müßten. Wir hatten schon in der Breslauer Klinik dahingehende Versuche ausgeführt. Im Unterdruckverfahren kam es lediglich darauf an, die Lunge gebläht zu halten. Die umgekehrte Überlegung war, durch Mund und Luftröhre in die Lunge des Patienten Luft unter einem höheren Druck als dem atmosphärischen einzupumpen. Auch bei diesem Verfahren bleibt die Lunge gebläht, und kein Pneumothorax entsteht. Auch dann kann man den Brustkorb gefahrlos öffnen.

Beide Verfahren lagen auf derselben Ebene. Ob Unter- oder Überdruck war gleichgültig. Die Druckdifferenz, die sich bei geöffnetem Brustkorb so störend auswirkte, mußte ausgeglichen werden. Darauf kam es an.

So bauten Ärzte und Ingenieure an meiner Erfindung weiter. Die Unterdruckkammern wurden immer geräumiger. Zuletzt ging man dazu über, Teile eines Operationsraumes als Unterdruckkammer einzurichten. Jetzt versagten auch die Apparaturen niemals mehr.

Bei der Konstruktion der Überdruckapparate ergaben sich zuerst große Schwierigkeiten. Bei ihnen mußte der Kopf des Patienten abgesondert in einer Überdruckkammer liegen, während sein übriger Körper unter normalem atmosphärischem Druck stand. Unter diesen Umständen war die Narkose ein Problem, da der Narkotiseur zusammen mit dem Kopf des Patienten sich in einem verhältnismäßig kleinen Raum aufhalten mußte. Dadurch bekam er selbst immer ein ziemlich großes Quantum des Narkosemittels ab und war jedesmal erledigt, wenn er die Überdruckkammer verließ. Es bestanden aber auch noch manche andere technische Schwierigkeiten.

Erst als es möglich geworden war, eine Maske zu konstruieren, die man dem Patienten so dicht über die Atmungsorgane, Mund und Nase, legen konnte, daß keine allzu große „Nebenluft“ entstand, konnte sich das Überdruckverfahren durchsetzen. Bei der Benutzung dieser Maske pumpte man Luft oder auch Sauerstoff mit Überdruck in die Lunge. Gleichzeitig setzte man Narkosemittel zu.

Während also draußen an meiner Sache gearbeitet wurde, war ich von dieser Entwicklung ausgeschaltet. Mich quälte der Gedanke, den Mikulicz mir seinerzeit eingegeben hatte: Hunderttausenden von Tuberkulösen sollte geholfen werden. Die Technik schuf die Voraussetzungen dafür, daß die ärztliche Kunst zum Zugriff kam, aber auch die Kunst braucht Erfahrung. Die Ärzteschaft der Welt hatte sie noch nicht und konnte sie noch nicht haben. Es gab noch keine wissenschaftliche Publikation, die sich mit der Chirurgie der Brustorgane befaßte.

Ich brannte darauf, in dieses Neuland des Chirurgen einzudringen, aber mir waren die Hände gebunden. Die Schweizer Ärzte interessierten sich am meisten für das Problem, denn in den Sanatorien in und um Davos warteten die Lungenkranken aus aller Welt auf eine Erlösung von ihren Leiden. Die erste Voraussetzung dafür aber war, daß ein Chirurg die wissenschaftlichen und chirurgisch-technischen Voraussetzungen erprobte, um der ärztlichen Kunst ein Eingreifen zu ermöglichen.

In der Klinik in Greifswald konnte überhaupt nicht mit Druckdifferenzverfahren operiert werden, mancherlei – darunter leider auch persönliche Gründe – stand dem hindernd im Wege. Ich war sehr unglücklich. Die einzige Stelle auf der Welt, bei der ich Trost fand, war das Elternhaus meiner Braut. Ich suchte es vielleicht nicht allzuoft auf, das mag wahr sein, aber hier konnte ich meine Sorgen erörtern, mich trösten lassen.

Nach dieser Pechsträhne in Greifswald lächelte mir wieder einmal das Glück.

Im Laufe des Sommers 1907 erhielt Professor Friedrich einen Ruf an die Universität in Marburg. Er bot mir an, ihn als sein Oberarzt dorthin zu begleiten. Bei dieser Gelegenheit machte er mir Komplimente, lobte meine Fähigkeiten im Bereich der Organisation, auch auf dem Gebiet des Chirurgischen. Ich mußte jedoch erst Überlegungen anstellen, sagte also nicht sofort zu, sondern beriet mich mit dem Vater meiner Braut. Er gab mir einen vorzüglichen Rat. Ich solle selbst nach Berlin ins Kultusministerium fahren, riet er mir. Mit dem Personalreferenten, dem Vortragenden Geheimen Rat Althoff, der ihm persönlich bekannt war, müsse ich Rücksprache nehmen.

Die Unterredung mit diesem hohen Beamten in Berlin verlief ausgezeichnet. Geheimrat Althoff hörte sich meine Darstellungen, die sich im wesentlichen auf meine Pläne zur Thorax-Chirurgie bezogen, mit lebhaftem Interesse an, riet mir, das Anerbieten des Professors Friedrich anzunehmen, und fügte von sich aus etwas für meine Karriere recht Entscheidendes hinzu. Er bot mir nämlich noch die selbständige Leitung der Poliklinik in Marburg an. Das war nun eine Stellung, von der der Titel „Professor" nicht weit entfernt lag.

Sehr glücklich kam ich nach Greifswald zurück, sprach mit Friedrich, und nun in einer ausgezeichneten Position, nämlich als ein Mann, der im Kultusministerium in Berlin wohlempfangen worden war. Es blieb mir verborgen, was Professor Friedrich über meine kommende Doppelstellung in Marburg dachte. Auf jeden Fall reisten wir beide nach dorthin ab. Meine Braut blieb in Greifswald.

Erst als ich mich in Marburg oberflächlich eingelebt hatte, eilte ich zurück nach Greifswald. Am 3. Januar des Jahres 1908 heirateten wir und zogen nach Marburg um. Ich war glücklich und stolz auf meine Frau.

Es lebte damals ein Herr Weißkopf in Marburg als Bauunternehmer. Er war auf die spekulative Idee gekommen, in der Nähe der Universitätskliniken einige neue Mietshäuser zu bauen. Die eine Seite der Biegenstraße bebaute er so und hatte natürlich mit seiner Spekulation Erfolg, denn Professoren und Dozenten beeilten sich, ihm die Wohnungen aus der Hand zu reißen. Ich hatte eine Wohnung in der ersten Etage eines Eckhauses besorgt, und da die gegenüberliegende Seite der Biegenstraße noch unbebaut war, so sahen wir über die Lahn, über Täler hinweg und auf Hügel, schauten auf die Gleise, über die die Züge brausten. Es waren jetzt nicht mehr die „Schwedenzüge";

die Lokomotiven eilten nun vom Norden Europas bis zum Süden des Kontinents. Sie spielten eine große Rolle in meiner Phantasie. Oft stand ich am Fenster, schaute gebannt hin, wenn sie heranbrausten, blickte ihnen nach, wenn sie davonjagten, und in Gedanken reiste ich mit. Wohin? In die große Welt. Und in die Vorstellung von dieser großen Welt vermengte sich in meinem Unterbewußtsein stets die Vorstellung vom Erfolg auf meinem wissenschaftlichen Gebiet. Ich war, so will es mir heute scheinen, sehr ehrgeizig damals.

Wenn man mein Leben in Marburg betrachtet, so konnte man eigentlich nicht von dem Leben eines Mannes der großen Welt sprechen. Mein fürstliches Jahresgehalt betrug 1500 Mark. Einem Oberarzt war es damals verboten, Privatpraxis zu betreiben. War der Chef verreist und kamen Privatpatienten, so behandelte sie zwar der Oberarzt, das Honorar aber bekam der Chef, und der wiederum honorierte den Oberarzt.

Unsere finanzielle Rettung waren die Einkünfte, die uns die Landes-Versicherungsanstalt zukommen ließ. Hatte jemand einen Unfall erlitten und war er bei der Landesversicherung versichert, so schickte die Anstalt ihn in die Universitätskliniken, damit sein Zustand begutachtet würde. Wegen der Schadens- und Rentenansprüche war dieser Vorgang wichtig für beide Teile. Für ein handgeschriebenes Gutachten zahlte die Gesellschaft damals 3,– Mark, für ein mit der Maschine angefertigtes je nach dem Umfange 6,– bis 10,– Mark, und für ein „Obergutachten" in der Länge von zehn Schreibmaschinenseiten gab es 20,– Mark und manchmal sogar noch mehr.

Hatte ich geglaubt, in Marburg Zeit und Gelegenheit zu finden, um an meiner Thorax-Chirurgie entscheidend weiterzuarbeiten, so sah ich mich gründlich getäuscht. Die Arbeit war riesengroß, mein menschliches Verhältnis zu meinem Chef nicht allzu gut. Meine Aktion in Berlin mag zu diesem Zustand viel beigetragen haben. Gott sei Dank war die Oberschwester der Poliklinik, Schwester Dorette, eine kleine, sehr temperamentvolle Frau, von äußerstem Verlaß. Sie dirigierte die Schwestern vom Kasseler Roten Kreuz, die in der Anstalt arbeiteten, mit unheimlicher

Gewissenhaftigkeit. Ihre Stärke war zudem ein tatsächliches und lebhaftes Interesse für wissenschaftliche Arbeit.

Zwei Männer stießen damals zu mir, die mich lange Zeit auf vielen Wegen begleiten sollten. Zum ersten ein Mann namens Rohde, der herzkrank in die Marburger Klinik eingeliefert wurde. Er war ein Förstersohn aus dem Waldeckschen. Als er in der Klinik lag, interessierte ihn alles, was sich um ihn abspielte, sehr. Er verliebte sich geradezu in den Betrieb eines Krankenhauses. Als er gesund wurde, bat er darum, man möge ihn behalten. Er bekam zunächst einen Posten als Wärter im Operationssaal, zeigte sich anstellig und geschickt, so daß ich ihn dabehielt.

Zum zweiten kam Gustav Kratzat zu uns, und zwar auf sehr merkwürdige Weise. Er stammte aus Ostpreußen. Als er beim Infanterieregiment in Allenstein seine Jahre abdiente, wurde er zu einem Stabsarzt als Bursche kommandiert. Dieser Militärarzt hieß Boit und arbeitete jetzt, nach Marburg beordert, im Laboratorium unserer Klinik, um sich weiterzubilden. Boit erweiterte die Aufgaben Kratzats wesentlich. Er nahm ihn schlechtweg mit in die Klinik. Dort erhielt er die Aufgabe, unseren Tierpark, bestehend aus Hunden, Mäusen, Ratten, Kaninchen und Meerschweinchen und auch aus vielen kleinen Affen, zu betreuen. Es gab in dieser Zeit keinen verzweifelteren Menschen als Kratzat. Ich sah ihn oft mit großem Eifer seine Arbeit verrichten und fragte ihn eines Tages:

„Kratzat, wie geht es Ihnen? Wie gefällt es Ihnen bei uns?"

Wutschnaubend antwortete er:

„Es gefällt mir gar nicht hier! Es stinkt mir hier zuviel! Ich bin Bäcker und Konditor. Das ist doch noch ein anständiger Beruf."

Gustav Kratzat gefiel mir. Vor allen Dingen als ich merkte, daß alle Tiere an ihm hingen. Wo man ihn auch sah, war er begleitet von Hunden, Meerschweinchen und Affen. Alle hatte er sie benamst. Es gab Mohrchen, es gab Nero, es gab Äffchen Piki, und nur er konnte sie alle auseinanderhalten. Als Kratzats Dienstzeit um war, wollte er zum „Konditorn“ nach Ostpreußen zurück, aber ich bewog ihn, in Marburg zu bleiben, und stellte ihn im gerichtlich-medizinischen Institut an. Außerdem mußte er in meinem Hause aushelfen, wenn wir Gäste hatten.

In großer Unruhe lebte ich in Marburg, das muß ich sagen. Ich arbeitete über „Blutleere im Gehirn“ mit Professor Lohrmann vom Psychologischen Institut. Diese Forschungen nahmen mich sehr in Anspruch. Auch schloß ich mit der Verlagsbuchhandlung Ferdinand Enke in Stuttgart einen Vertrag über die Herausgabe eines Werkes: „Chirurgie der Pleura und des Mediastinums“. Auf meinem eigentlichen wissenschaftlichen Gebiet kam ich auch hier nicht weiter, und trotzdem war es natürlich angenehmer, in Marburg zu leben als in Greifswald. Die Umgebung war nicht „platt, grau und naß“ wie ein Bierfilz.

Im Gegenteil, sie war prächtig. Bei dem Fuhrwerksbesitzer Löchel mieteten wir uns hier und da einen Wagen zu Ausflügen in die Umgebung; ich liebte seinen Schimmel, ließ ihn vor einen Dogcart spannen, und so fuhren wir – meine Frau und ich – über die Höhen, durch die Täler und durch die Wälder in die Gartenlokale zu Kaffee und Zwetschgenkuchen, von dem wir erst die Wespen entfernen mußten, bevor wir aßen.

Wir jüngeren Ärzte und unsere Familien hielten in Marburg gut zusammen. Bei anspruchslosen Gesellschaften sahen wir uns abends oft – nach des Tages Last und Müh’. Zu Vorträgen und Veranstaltungen fuhren wir gemeinsam zur Universität nach Gießen, und die Gießener besuchten uns wiederum häufig in Marburg.

Im Herbst des Jahres 1908 wurden wir von einem Unglück betroffen. Unser erstes Kind, eine Tochter, kam zur Welt und starb einige Monate später an einer Kinderlähmung. Diese schreckliche Krankheit grassierte damals in ganz Hessen, sie war noch fast unbekannt und daher unheimlich. Sie machte uns Ärzten viel zu schaffen.

Im Winter dieses Jahres verdichtete sich das Problem der Operation in der Brusthöhle. Ich bekam Anfragen aus der Schweiz, aus Amerika und aus Holland. Man wollte Einzelheiten von mir wissen. Es ergaben sich weitläufige Korrespondenzen. Am Weihnachtsabend des Jahres überraschte mich ein wichtiger Brief. Er lautete:

Nachdem ich dem Privatdozenten in der Medizinischen Fakultät der Universität zu Marburg

Dr. Ferdinand Sauerbruch

in Rücksicht auf seine anerkennenswerten wissenschaftlichen Leistungen das Prädikat

„Professor"

verliehen habe, erteile ich demselben das gegenwärtige Patent in der Voraussetzung, daß der nunmehrige Professor

Dr. Ferdinand Sauerbruch

Seiner Majestät dem Könige und dem Allerhöchsten Königlichen Hause in unverbrüchlicher Treue ergeben bleiben und sich die Förderung der Wissenschaft, wie bisher, angelegen sein lassen werde, wogegen derselbe sich der öffentlichen Anerkennung und des Schutzes in dem ihm verliehenen Prädikat zu erfreuen haben soll.

Urkundlich ist dieses Patent unter dem beigedruckten Insiegel des Königlichen Ministeriums der Geistlichen, Unterrichts- und Medizinal-Angelegenheiten von mir vollzogen worden.

Berlin, den 23. September 1908

(Siegel)

Der Minister der Geistlichen, Unterrichts- und Medizinal-Angelegenheiten

Diesem Brief folgte eine Urkunde, mein Professoren-Patent. Es kostete mich 1,50 Mark und lautete:

Patent

als Professor für den Privatdozenten in der Medizinischen Fakultät der Universität zu Marburg

Dr. Ferdinand Sauerbruch

Der Königliche Kurator der Universität

Marburg, den 24. Dezember 1908

Durch Erlaß vom 23. d. Mts. UI Nr. 13689 hat Ihnen der Herr Minister der Geistlichen pp. Angelegenheiten das Prädikat „Professor" beigelegt.

Indem ich das hierüber ausgefertigte Patent Ihnen beifolgend übersende, ersuche ich, die Kosten des gesetzlichen Stempels mit 1,50 Mark an die Kuratorial-Kanzlei einsenden zu wollen.

gez. Schollmeyer

Dieses würdige Dokument war ein kleines Pflaster auf meine offenen Wunden. Heilen konnte es sie nicht. Mich drängte es mit einer rasenden Ungeduld, die meine Freude am Beruf überschattete, zu Taten, deren ich mich fähig wußte und die ich nicht vollbringen konnte. Die „erzwungene Atempause" war, das sehe ich heute, nicht unergiebig. Damals aber fiel ich von einer Niedergeschlagenheit in die andere.

Ich habe mich immer gern mit Kindern beschäftigt und liebte es, sie als Patienten zu haben. Daß aber ein kindlicher Patient für mich als Chirurgen jemals eine fördernde Rolle spielen sollte ...

An einem, wie mir schien, recht belanglosen Tag kam eine Mutter mit ihrem Kind zu mir in die Poliklinik. Der Fuß des kleinen Mädchens war verkrüppelt. Meine Studenten standen um mich herum, als ich dem kleinen Wesen Schuhe und Strümpfe auszog, um mir das Unglück zu betrachten. Es war eine mir recht ungelegene Zeit, in der die Untersuchung vor sich ging. Meine Frau wartete mit dem Mittagessen, ich war hungrig und wollte bald weg. Das Unglücksfüßchen hatte ich noch gar nicht angesehen, als ein Diener der Klinik kam und mir mitteilte, draußen stünden zwei Herren aus der Schweiz. Die bäten, eintreten zu dürfen, um zuzuhören, wie ich doziere.

Hungrig und ungeduldig antwortete ich: „Meinetwegen! Warum sollen nicht zwei Leute mehr zuhören."

Den Eintritt der beiden Herren registrierte ich nicht einmal. Meinen Studenten erläuterte ich das Leiden, tröstete die Mutter und sagte ihr, daß man das Füßchen operieren könne. Ich versicherte, daß ihr Kind gesunde und normale Füße haben werde, sobald wir es behandelt hätten. Ich verabredete mit der Frau alles weitere, bückte mich dann zur Erde, hob die Kleidungsstücke auf und zog der Kleinen, die artig auf meinem Schoß saß, sorgfältig Schuhe und Strümpfe wieder an. Die Mutter protestierte:

„Aber Herr Professor! Das ist doch nicht Ihre Sache! Lassen Sie mich das machen!"

Ich wehrte jedoch ab und beendete die kleine Aufgabe. Dann stand ich auf und ging zum Mittagessen. Flüchtig sah ich auf die beiden Schweizer, kümmerte mich aber nicht weiter um sie.

Mein Leben in Marburg ging weiter wie bisher. Ich ahnte nicht, welche Bedeutung die kleine Szene für meine ganze Laufbahn haben würde.

Meine Mutter und Tante Mathilde kamen oft zu Besuch nach Marburg. Unsere Wohnung war groß genug, um sie zu beherbergen. Ich glaube, die beiden freuten sich am meisten über den Professortitel ihres Lieblings. Ritters, die in der Nähe – in Wiesbaden – wohnten, erhielten oft unseren Besuch zum Sonntag. Wir wurden zur Verlobungsfeier des Sohnes, des Bruders meines verstorbenen Freundes, eingeladen, und bei dieser Gelegenheit nahm mich Vater Ritter beiseite. Er eröffnete mir: Seinerzeit habe er mir für meine wissenschaftlichen Arbeiten in Breslau die Erlaubnis gegeben, auf ihn die Summen zu ziehen, die ich für meine Arbeiten benötigte. Am heutigen Freudentage sei der Debet-Saldo gestrichen. Er schenkte mir die Schuld.

Während in der Schweiz, ohne mein Wissen, mein Schicksal geformt wurde, erhielt ich einen anderen Beweis dafür, daß meine Breslauer Arbeiten doch nicht in Vergessenheit geraten waren. Die Gesellschaft für Chirurgie in Amerika wandte sich an mich mit der Anfrage, ob ich zusammen mit meiner Unterdruckkammer nach Amerika kommen könne, um meine Erfindung dort zu demonstrieren. Nicht am Menschen, natürlich nicht, aber am Tier. Diese Anfrage war typisch für die wissenschaftliche Situation in bezug auf meine Erfindung. Das Technische funktionierte schon durchaus, jedoch das Wissenschaftlich-Chirurgische noch nicht. Es war sehr wichtig, dieser Einladung zu folgen. Daraus konnten sich für eine spätere Zeit vielleicht manche Möglichkeiten ergeben. Die Anfrage bedeutete zugleich eine Einladung. Von dem Augenblick an, in dem ich amerikanischen Boden betreten hatte, und bis zur Stunde meiner Abreise würden die amerikanischen Kollegen meinen Unterhalt bestreiten. Das war deutlich gesagt! Nur die Schiffsreise mußte ich selbst bezahlen.

Das war ein großes Problem. Die Reise nach Amerika war für die finanziellen Verhältnisse eines Oberarztes und jungen Professors unmöglich. Das Schiffsticket hin und zurück kostete wahrhaft ein Vermögen, und Ada und ich grübelten über die Frage der Reisekosten viele Nächte. Endlich sprang mein Schwiegervater ein, ich konnte reisen. Es gab einen lebhaften Telegrammwechsel zwischen Amerika und Europa. Die Marburger Klinik war vermutlich weit aufgeregter als ich, als es hieß, daß ihr Oberarzt nach Amerika eingeladen sei.

Selbstverständlich häufte sich gerade in den Tagen vor der Abreise die Arbeit. In Hast wurde die Unterdruckkammer zum Hafen geschickt, in Hast die Koffer gepackt; in Eile wurde der letzte Zug bestiegen, der noch den Anschluß an den Dampfer finden konnte. In solcher Hetze und solchem Durcheinander ging das Ganze vor sich, daß ich heute nicht einmal mehr weiß, ob ich von Cuxhaven oder Bremerhaven aus abgefahren bin. Ich fand meine Ruhe erst wieder, als wir auf See waren.

Das große Schiff, das weite Meer, Wind und Wetter überwältigten anfangs meine Seele, dann aber sehr schnell meinen Leib. Ich wurde jämmerlich seekrank, lag einsam in der Kammer und war erst wieder glücklich, als endlich die Schrauben des Schiffes stillstanden und damit anzeigten, daß wir New York erreicht hatten.

Auf dem Pier in New York stand der Chirurg des German Hospitals in New York, Willy Meyer, und nahm mich, der ich glücklich war, wieder festen Boden unter den Füßen zu haben, in seine Obhut. Wir fuhren durch die Stadt. Der Anblick von diesem New York überwältigte mich restlos. Die Größe und Höhe der Gebäude, der Verkehr auf den Straßen, die Anhäufung von Automobilen. Alles, was dem Europäer der damaligen Zeit völlig fremd war, verwirrte mich. Ich atmete auf, als wir endlich in der Klinik ankamen – vertrautes Gelände für einen armen Provinzler –, und freute mich besonders über die Kühle in den Räumen, denn draußen herrschte eine barbarische Hitze. Um meine Unterdruckkammer brauchte ich nicht besorgt zu sein. Sie war bereits zur Stelle und wartete darauf, vorgeführt zu werden.

Der Tag kam heran, an dem ich in New York meinen Vortrag halten sollte.

Meinen Vortrag! Natürlich in englischer Sprache, und dieser Umstand hatte mir schon in Marburg Sorge gemacht. Zwar war ich auf einem Realgymnasium gewesen, hatte englischen Unterricht gehabt, aber dann gab es keine Gelegenheit mehr für mich, diese Sprache zu sprechen und mich in ihr fortzubilden. In Marburg war eine Sprachlehrerin engagiert worden, und mit ihr hatte ich geübt, hatte meinen Vortrag auf deutsch niedergeschrieben, und sie hatte ihn übersetzt. Und am schriftlichen Text erprobte ich mich. Schließlich ging es einigermaßen. Es ging sogar sehr gut, als ich in New York vor einem glänzenden Auditorium demonstrierend sprach.

Die Chirurgen der großen Stadt und der nächsten Umgebung waren herbeigeeilt. Ich sah, wie meine Demonstration Aufsehen erregte, und mußte es mir gefallen lassen, im Anschluß an meinen Vortrag tagelang gefeiert zu werden. Ließen die amerikanischen Kollegen dann im Gespräch ab von den Möglichkeiten, die meine Erfindung für die Thorax-Chirurgie eröffnete, so kamen sie auf Entzündungen des „Blinddarms" zu sprechen, eine Krankheit, die zur damaligen Zeit die ganze wissenschaftliche Welt bewegte. Waren wir endlich soweit gekommen, so standen wir bereits, das Cocktailglas in der Hand, zwanglos umher.

Schließlich hieß es aus New York scheiden. Ich hatte ein ganzes Paket mit Fahrscheinheften und Hoteladressen in der Hand, zudem einen ausführlichen Terminkalender, und nun begann einige Wochen hindurch eine Hetze durch die Vereinigten Staaten von Nordamerika. Im Gepäckwagen der Züge, die ich benutzte, fuhr die Unterdruckkammer mit. Auf den Bahnhöfen der Stationen, wo ich aussteigen mußte, standen die Kollegen, schwenkten freundlich die Hüte und nahmen mich mit in die Stadt. Ich absolvierte meinen experimentellen Vortrag; überall wurde ich mit überströmender Liebenswürdigkeit aufgenommen. Anschließend standen wir beieinander, sprachen über das Problem, dessen Lösung der Vortrag gegolten hatte, und dann, mit dem Cocktailglas in der Hand, über die Appendix, den Wurmfortsatz.

So kam es auch, daß ich den Reportern, die mich beim

Verlassen des Landes fragten, wie mir Amerika gefallen habe, antwortete:

„Too much cocktail and too much appendicitis."

Diese Gewalttour durch die Vereinigten Staaten fand zunächst ihr Ende in Rochester im Staate Minnesota. In der Klinik der Gebrüder Mayo. Aufatmend begrüßte ich diese Ruhepause nach der Hast der letzten Wochen.

Mit dieser weltberühmten Klinik hat es folgende Bewandtnis: Der amerikanische Militärarzt Mayo in Rochester hatte sie erbaut und seine beiden Söhne, William James und Charles Horace, Medizin studieren lassen, damit sie das Haus eines Tages führen könnten. Diese beiden Söhne haben die „Mayo-Klinik" dann auch zu ihrer heutigen Größe und zu ihrem Weltruf gebracht. Das Bemerkenswerte dieser Anstalt ist ein System, mit dem die Kranken durch alle Abteilungen geschleust werden.

Kommt ein Patient mit irgendeinem Leiden in die Mayo-Klinik, so unternimmt man nicht etwa sofort den Versuch, dieses Leiden zu beheben. Nein! Der Patient wird zunächst völlig durchforscht, gleichgültig, was immer ihm fehlen mag, und zwar von Kopf bis Fuß. Ein Zahnarzt, ein Herzspezialist, ein Lungenspezialist beispielsweise untersuchen ihn ebenso wie ein Kollege, der das Studium der Niere oder des Magens zu seinem besonderen Fach gemacht hat. Er wird durchleuchtet, kurz, man stellt alles an, um sich genaue Kenntnis von dem Funktionieren aller seiner Organe zu verschaffen. Erst dann, wenn man genau im Bilde ist, macht man sich daran, seine eigentliche Krankheit zu bekämpfen.

Schon als ich in Amerika war, hatte die Mayo-Klinik einen außerordentlichen Erfolg. Eigene Züge brachten die Patienten aus dem ganzen Lande herbei und holten sie wieder ab.

Es war verständlich, daß sich die beiden Mayos für meine Erfindung außerordentlich interessierten. Sie besprachen jede Einzelheit und jede Möglichkeit mit mir. Sie bestärkten mich in meiner Meinung, daß mit dem von mir demonstrierten Verfahren eine bedeutsame Grundlage geschaffen war.

Ich studierte das ganze Haus, sah bei Operationen zu

und freundete mich mit beiden Brüdern an. Jeder besaß eine schöne Farm in der Nähe der Klinik. Auf diesen Gütern verbrachte ich das Wochenende. Schließlich hatte ich noch die Freude und die Ehre, den alten Herrn Mayo, den Vater der beiden, zu sehen und zu sprechen. Seine spannende Erzählung vom Werden der Klinik war mir ein großes Erlebnis.

Als ich mich in New York nach Europa einschiffte, kam in ziemlicher Aufregung ein amerikanischer Kollege zu mir und bat mich, ich möge doch seine junge Frau, die allein nach Europa reisen müsse, während der Fahrt unter meine Fittiche nehmen.

Meine Fürsorge für die Dame sah etwas merkwürdig aus. Sie hat mir auf der Reise reizend beigestanden, denn ich wurde sofort wieder seekrank. Mit ihrer Gummiwärmflasche erbarmte sie sich meiner. Ich weiß nicht, was ich ohne sie hätte anfangen sollen.

In Marburg hatte sich während meiner Abwesenheit nicht das mindeste geändert.

Das Ergebnis meiner amerikanischen Reise sah ich in der Fachpresse und der Fachliteratur Amerikas widergespiegelt, aber noch immer kam ich auf meinem Gebiet der Thorax-Chirurgie nicht weiter. Ich wurde ständig unzufriedener mit meiner Situation in Marburg, wußte aber nicht, wie ich sie ändern sollte. Mit den jungen Kollegen Birkelbach und Jehn saß ich in den Nächten zusammen. Sie interessierten sich am meisten für mein Spezialgebiet, doch vorläufig konnten wir nur reden, Theorien aufstellen, aber nicht im Praktischen arbeiten.

So kam der Januar des Jahres 1910 heran. Am Fest der Heiligen Drei Könige wurde uns ein Sohn geboren. Wir nannten ihn Hans.

Was das Leben anbetrifft, so habe ich eine merkwürdige Erfahrung gemacht. Es gibt nichts Interessanteres, als andere Leute über sich selbst zu befragen. Es ist wirklich erstaunlich zu hören, wie man in den Augen der Mitmenschen aussieht. In Marburg kam – ich erzählte es schon – Gustav Kratzat zu mir.

„Gustav", sagte ich kürzlich zu ihm, „ich schreibe jetzt

meine Erinnerungen. Ich bin bei meiner Marburger Zeit. Du bist seit Marburg um mich herum! Was habe ich eigentlich damals in Marburg getrieben?"

Gustav antwortete:

„In Marburg, Herr Geheimrat, habe ich für Sie immer aus dem Kasino des Jäger-Bataillons ‚Henkell trocken' geholt. Die Flasche für 4,20 Mark."

„Aber Gustav, das kann doch nicht alles sein, was ich in Marburg getrieben habe!"

Gustav:

„Beileibe nicht, Herr Geheimrat! Ihr Leibgericht war kalte Pute. Und wenn Frau Geheimrat verreist waren, dann haben Herr Geheimrat immer die Kollegen ins Haus geladen. Zu ‚Henkell trocken' und kalter Pute. Und mir haben Sie weiße Handschuhe gekauft und weiße Hosen, auch eine weiße Jacke. So mußte ich servieren. Wenn die Herren dann alle weg waren, sagten Sie immer: ‚So, nun räumt mal auf! Daß mir keine Spuren zurückbleiben, morgen kommt meine Frau zurück!' Und dann hatten wir es nun schwer. Wir mußten nämlich die Reste der Pute vertilgen und den Sekt."

Ich:

„Mensch, Gustav – du willst doch nicht ernsthaft behaupten, daß ich nur derartige Dinge in Marburg getrieben habe!"

Gustav:

„Nein nein, Herr Geheimrat, haben Sie auch nicht! Einmal haben Sie zwölf Herren zum Abendessen eingeladen. Und da war es ganz vornehm. Da gab es französischen Champagner, Pommery-et-Greno oder so hieß er. Nach dem Abendessen wurden Herr Geheimrat sehr heiter. Als nach Tisch der Mokka gereicht wurde, mußte ich den Kinderwagen vom kleinen Hans holen, und Herr Geheimrat bestanden darauf, daß Herr Geheimrat persönlich jeden Ihrer Gäste durch die Wohnung fuhr. Dazu wurde allgemein ein heiteres Lied gesungen. Die Herren vertrugen das alle, nur nicht der Kinderwagen."

Ich:

„Na schön, Gustav, weiter: nicht nur solche Geschichten habe ich in Marburg angestellt, sicherlich nicht."

Gustav:

„Nein, gewiß nicht, Herr Geheimrat. Ihre Leidenschaft in Marburg war das Reiten. Aber Sie mochten nur auf einem Schimmel sitzen. Einmal ritten Sie an einer Parforce-Jagd mit, und der Schimmel wollte nicht über eine Hecke. Da sind Sie abgestiegen, haben das Pferd an der Trense gefaßt, sind über die Hecke gesprungen, und dann haben Sie so lange am Zügel gezogen, bis das Pferd auch über die Hecke gesprungen ist. So war es ja auch im Großen mit Ihnen, Herr Geheimrat, 'ran an die Hürde und drüber! Und wenn Sie das Pferd mitziehen mußten!

Ja, und am Abend nach der Parforce-Jagd war große Gesellschaft bei Ihnen. Sie schickten mich ins Kasino vom Jäger-Bataillon. Ich mußte ‚Henkell trocken' holen, die Flasche zu 4,20 Mark. Und abends, als die Gäste gegangen waren, sagten Sie: ‚Gustav, nun räum mal auf, morgen kommt meine Frau' ..."

Ich unterbrach ihn:

„Gustav, das sind alles keine Dinge, die für die Niederschrift meiner Erinnerungen taugen!"

Gustav:

„Aber, Herr Geheimrat, in Marburg haben Sie nun einmal so gelebt! Wenn Sie natürlich in Ihren Erinnerungen schreiben wollen, daß Sie in Marburg wie ein Mönch lebten, sich kasteiten und immer traurig waren, na, dann müssen Sie mich nicht fragen. Ich kann nur das Gegenteil sagen. Sie waren ein flotter, lebenslustiger Herr in Marburg und bei den Offizieren vom Jäger-Bataillon sehr beliebt. Als sie aus Marburg weggingen, machten Sie mit Ihrer Gattin Abschiedsbesuche. Ich saß auf dem Bock mit weißen Hosen, weißen Handschuhen, und an jedem Hause mußte ich die Visitenkarten abgeben.

Das Personal in allen Häusern sagte zu mir: ‚Mensch, Gustav, daß dein Professor weggeht, das ist ein Jammer. Der war wenigstens ein tüchtiger Arzt und ein lustiger Mann!' So haben die Leute über Sie gesprochen, Herr Geheimrat. Und was Sie damals in Marburg alles angestellt haben, na, Sie waren schon wirklich ein Mensch mit – wenn Sie mir erlauben, das zu sagen, Herr Geheimrat – heftiger Lebenslust.“ Das kommt dabei heraus, wenn man andere über sich selbst befragt.

Geschwindigkeit ist zwar keine Hexerei, aber man kann mit ihr Hexenkunststücke vollbringen. Niemand weiß das besser als die Chirurgen. Bei unserer gefährlichen Kunst, bei deren Ausübung wir ständig von Gefahren und tückischen Zufällen umlauert sind, selbst wenn es sich um geringfügige Eingriffe handelt, kommt es vielmehr darauf an, immer in Bereitschaft zu sein, immer mit dem Ungewöhnlichen zu rechnen, also nicht auf letzte technische Feinheiten. Natürlich strebt der Chirurg nach einer vollkommenen operativen Technik, und für den Begabten und den Erfahrenen wird das nach kurzer Zeit zur Selbstverständlichkeit. Das eigentliche Wesen der Chirurgen aber ist Entschlußkraft, Entschlußfreudigkeit, gepaart mit einem kühlen Abwägen der Gegebenheiten.

In meiner Marburger Zeit hatte ich ein Erlebnis, aus dem ich mehr lernte als aus einem Dutzend wohlvorbereiteter Operationen: „Niemals resignieren“, so heißt der Wahlspruch der Chirurgen und der Staatsmänner.

An einem frühen Morgen fuhr in scharfem Trab ein Bauernwagen vor. Ich war gerade im Begriff, das Gebäude der Klinik zu betreten, und sah, wie ein Bauer von dem Wagen einen scheinbar leblosen Körper herunternahm, der dort auf Federbetten gelegen hatte. Der Mann nahm den Menschen in die Arme und trug ihn in die Klinik. Als er an mir vorüberkam, sah ich, daß es ein etwa zwölfjähriger Junge war, blitzblau und ohne Atmung.

Ich versuchte nicht, dem Mann den Körper abzunehmen oder jemanden zu Hilfe zu rufen. Er war ein Bärenkerl und so kräftig wie ihrer drei. Ich ging ihm voraus und rief ihm zu:

„Folgen Sie mir!“

Während wir durch die Gänge der Klinik gingen, fragte ich den Mann:

„Was ist mit dem Jungen geschehen?“

Er antwortete mehr vor Aufregung als vor Anstrengung keuchend:

„Mein Junge hat vor einer Stunde ganz plötzlich nicht

mehr schnaufen können, er schnappte nach Luft, so daß es ganz schrecklich war. Sie wissen ja, wie die Weiber sind, Herr Doktor, sie wollten unbedingt den Doktor holen. Aber ich habe mir gesagt: Das ist auf Tod und Leben, da muß ich gleich zum Schmied gehen."

„Seit wann atmet er denn nicht mehr, wissen Sie das?"

„Als wir nach Marburg hineingefahren sind, hat er noch geschnauft – aber dann hat er plötzlich aufgehört. Ich habe auf die Pferde eingehauen ..."

Inzwischen waren wir im Operationssaal angelangt. Dorthin führte ich den Mann gleich, denn etwas sagte mir, daß hier höchste Eile am Platze war. Das war nicht ein sechster Sinn. Der Vater hatte einen Kropf, und ich hatte da einen Verdacht hinsichtlich des Knaben. Ich ließ den Jungen auf das Untersuchungsbett legen und untersuchte ihn gemeinsam mit einem Assistenten.

„Der Knabe ist asphyktisch", sagte der Assistent höchst überflüssigerweise. Ich sagte:

„Zähl den Puls und nimm die Temperatur."

Dann betastete und beklopfte ich den Brustkorb unseres kleinen Patienten. Über dem Schlüsselbein glaubte ich eine weiche Kuppe zu fühlen. Ich sagte:

„Schau mal hier, das ist eine tiefe substernale Struma..."

Er tastete die Stelle ab und sagte:

„Aha, das kommt mir auch so vor. Aber ich glaube, die Diagnose überlassen wir dem Pathologen. Hier ist nichts mehr zu machen."

Ich erwiderte:

„Ich glaube, daß hier nicht die Anatomen zuständig sind, sondern die Chirurgen. Wir operieren!"

Während wir uns wuschen, wurde der Junge entkleidet, was keine große Sache war, da er nur Nachthemd und Hose anhatte. Er wurde auf den Operationstisch gelegt und von den „helfenden Händen" in höchster Eile für die Operation vorbereitet. Die Operationsschwester legte sich ihr Instrumentarium zurecht, ein Wärter strich das Operationsgebiet mit Jodtinktur an. Eine Narkose war überflüssig. Alle Beteiligten im Operationssaal, den Patienten als Mittelpunkt und mich ausgenommen, hielten den Eingriff für nutzlos und, mit Ausnahme des Patienten, der gar keine Meinung hatte, für ein Stück Rechthaberei meinerseits. Aber ich wußte genau, was ich tat. Ich hatte in Breslau schon mit solchen Kröpfen zu tun gehabt.

Die Entfernung eines Kropfes, der tief nach unten hinter das Brustbein gewachsen ist, ist ein schwieriger Eingriff. Solchen Kranken droht akute Erstickungsgefahr. Bei körperlicher Anstrengung, bei der Stuhlentleerung beispielsweise, kann durch Blutstauung der Kropf sich vergrößern und dadurch in der oberen Brustkorböffnung eingeklemmt werden. Kompressionen der Luftröhre und hochgradige Venendrosselung sind die Folge. Oft ersticken die Kranken im Anfall.

Ich öffnete über der Halsmitte und ging dann, nachdem wir zwei Schlagadern versorgt hatten, mit den Fingern vorsichtig in die Tiefe des Brustkorbs ein. Ich erreichte den unteren Pol des Kropfes, packte mit der anderen Hand die Masse des Gebildes und zog es nach oben heraus.

Es bedurfte all meiner Kräfte, um den Kropf herauszuholen.

„Klemmen Sie die Stränge ab und unterbinden Sie", keuchte ich. Vorsichtig drückte ich so allmählich den eingetauchten Kropf nach oben, bis schließlich mit einem Ruck sein unterer Pol oben heraussprang.

Mit dem Patienten ging in demselben Augenblick eine erstaunliche Veränderung vor sich. Die gestauten Venen, die wie dicke Wülste am Halse hervorsprangen, entleerten sich plötzlich, und das Gesicht wurde weiß. Der Kropf in meinen Händen, den ich aus der Brust herausgezogen hatte, schrumpfte förmlich zusammen. Ich sagte:

„Wir müssen uns eilen, gleich wird er aufwachen."

Der Assistent blickte mich zweifelnd an, aber folgte meinen Anordnungen. Ich sagte:

„Wir müssen jetzt alle offenen Venen sorgfältig schließen, sonst riskieren wir eine Luftembolie . . ."

Ich sah, wie der Assistent die Schultern zuckte. Er glaubte offensichtlich nicht an einen Erfolg, wurde aber sofort überzeugt, denn der Patient begann zu atmen. Ich verlangte, daß Vorsorge für eine Narkose getroffen wurde, und begann damit, den Kropf herauszuschneiden. Wir hatten Glück. Der Kropf riß nicht ein, was zu Blutungen und großen Schwierigkeiten geführt hätte. Wir konnten den eingeklemmten Tauchkropf entfernen, mußten, da der Kranke wieder aufgehört hatte zu atmen, einige Zeit künstliche Atmung durchführen, und – unser kleiner Patient genas.

Ganz so, wie Gustav meint, muß es mit mir in Marburg nicht ausgesehen haben, denn im Herbst 1910 geschah etwas ungeheuer Aufregendes. Ein Telegramm aus Zürich vom Regierungsrat des Kantons wurde mir ausgehändigt. Der Text des Telegrammes bedeutete nicht mehr und nicht weniger als die Aufforderung, nach Zürich zu kommen, damit sich der Regierungsrat mit mir besprechen könne.

Dieses Telegramm war deshalb so sensationell, weil wir wußten, daß der Lehrstuhl der Chirurgie an der Universität in Zürich (und gleichzeitig auch der Posten des Direktors der Chirurgischen Klinik des Kantonspitals) frei werden mußte. Im Augenblick hatte ihn Professor Krönlein inne, der jedoch schwer erkrankt war und die Absicht hatte, zurückzutreten. In den Universitätskreisen weiß man solche Dinge. Sollte ich den Lehrstuhl besteigen dürfen? Dann würde sich mein ganzes Leben entscheidend ändern. Zum Besseren. Das wußte ich.

Strömender Regen ergoß sich über Marburg, als wir beide, meine Frau und ich, zum Bahnhof fuhren. Auf den leeren Straßen, über deren Pflaster die Droschke schlidderte, sah ich die bekannten Gesichter, Menschen mit hochgeschlagenem Kragen, den Schirm über dem Hut. Auf dem Bahnhof standen die Dienstmänner, die ich schon kannte. In Marburg gab es wenig Reisende. Gern fuhr ich aus dieser grauen Nässe fort. Wir saßen zu zweit allein im Abteil. Uns bewegte die bange Frage, würde ich dem uneben gewordenen Boden in Marburg entfliehen können oder nicht? Abends in Basel bewegten sich unsere Gedanken und Worte um die gleiche Frage.

Aber am nächsten Morgen lacht die Sonne. Im strahlenden Herbstwetter fahren wir auf Zürich zu. Keine Wolke am tiefblauen Himmel. Es ist warm. Gibt es diese himmlische Landschaft wirklich, durch die wir fahren? Diese freundlichen, lachenden Gesichter auf den Bahnsteigen der Stationen, die wir durcheilen? Das Herz wird mir warm. Ich vergesse allen Marburger Ärger; eine fast wehmütige Ahnung von kommendem Glück durchfährt mich. Und erst in Zürich. Der See ist tiefblau, der abendliche Himmel umhüllt die fernen Berge, die nahen Hügel, das breite Tal mit strahlender Güte. Auf den Straßen eine lebhafte, sorglose Menge. Im Hotel, im Baur au Lac, alle Sprachen der Welt. Vom Zimmer aus der Blick über den See; die Schiffe treiben in geruhsamer Eile. Von ferne aus einem Zunftgarten klingt Musik herüber. Das alles scheint mir ein Paradies auf Erden zu sein.

Am nächsten Morgen gehe ich zu Fuß durch die Stadt, um den Regierungsrat Ernst in seinem Amte aufzusuchen. Wie mich die Stadt fasziniert! Die breiten Straßen. Aus allen Baulichkeiten, aus jedem Giebel, aus jeder Toreinfahrt grüßt mich die alte würdige Tradition dieser zutiefst demokratischen Stadt. Jedes Schaufenster zieht mich an, jede Auslage eines Ladens. Die Waren stammen aus allen Teilen der Welt; ich ahne die Weite im Materiellen wie im Geistigen.

Im Amte des Regierungsrates bittet man mich, zu warten. Man führt mich in einen mit altertümlichen Möbeln prächtig ausgestatteten Raum. Bewundernd bleibe ich vor einem schönen Sekretär stehen, und ich erfahre, daß man mich in das ehemalige Arbeitszimmer Gottfried Kellers gebracht hat.

Für mich Ungeduldigen, Hoffnungsfrohen kommt eine Hiobsbotschaft. Der Regierungsrat ist am Morgen über Land gerufen worden; es ist auch nicht sicher, ob er schon am nächsten Tage von der Reise zurück sein wird.

Ein wenig flügellahm gehe ich zurück. Es ist warm wie im Sommer. Vor dem Hause sitzen wir, trinken den Apéritif, und schweigend sehen wir auf die Landschaft. Telefonisch melden wir uns dann bei dem Pharmakologen Cloetta und bei dem Anatom Ruge. Zu Cloetta gehen wir am Nachmittag und zu Ruge am Abend. Der wohnt in einer Villa auf dem Zürich-Berg. Am Abend sitzen wir zusammen und sehen auf den See hinunter, schweigend, verträumt und verzaubert, wenn die Lichter jetzt aufglühen wie leuchtende Perlen einer Schnur. Wir sehen die weißen, die roten und die grünen Lichter an Bord der Schiffe über den See gleiten, und im Gespräch mit Cloetta und Ruge weicht die nervöse Unruhe aus meinem Herzen.

Am nächsten Tage führte Cloetta uns durch das Kantonspital, einem schönen alten Bau, in dem Billroth gearbeitet hatte, bevor er nach Wien ging. In den oberen Stockwerken war die Innere Abteilung untergebracht, unten die Chirurgische. Ein Park umgab das Ganze, in den man aus tiefen Fenstern sah. Die Räume der Chirurgischen Klinik bestanden aus kleinen, vorzüglich angeordneten Sälen. Breite Gänge verbanden sie miteinander.

Am Abend war Regierungsrat Ernst von der Dienstreise noch nicht zurück. Im Gespräch mit Ruge und Cloetta entstand Klarheit. Es war so, wie wir schon erfahren hatten: Professor Rudolf Ulrich Krönlein mußte sein Amt aus Krankheitsgründen niederlegen. Die großen Lungenspezialisten von Davos und St. Moritz hatten mit den Schweizer Regierungsstellen gesprochen und auf mich hingewiesen. Vor allen Dingen Lucius Spengler in Davos, auch der weltberühmte Kocher in Bern, der Spezialist für Kropfoperationen. Cloetta war mit Spengler befreundet, war also über die Vorgänge im Bilde. Die Schweizer Lungenärzte hatten sich noch nicht zu Lungenoperationen mit Hilfe des Druckdifferenzverfahrens entschließen können. Sie versprachen sich von meiner Anwesenheit in greifbarer Nähe, in Zürich, viel für das Heil ihrer Kranken. Also stimmten sie für meine Wahl.

Jedoch sprach manches zu meinen Ungunsten. An Jahren schien ich noch sehr jung für den bedeutenden Posten, ich war noch nicht ordentlicher Professor gewesen und hatte noch niemals ein Krankenhaus selbständig geleitet.

Da Regierungsrat Ernst noch auf seiner Dienstreise war, hatte ich viel Zeit. So blieb ich abends noch immer eine Weile allein in der Halle des Baur au Lac. Kaum saß ich in einem Sessel, kam ein Kellner, ein viel vornehmerer, als wir sie in Marburg hatten, beugte sich dienstfertig über mich und fragte mit diskreter Herablassung, ob er etwas für mich tun könne. Ich sähe so schlecht aus.

Die Teilnahme tat mir wohl. Der Kellner war angezogen

wie ein russischer Großfürst im Exil, und so gab ich schlicht zu: ich sei wirklich erschöpft, ich sähe nicht nur so aus.

Der Kellner lächelte verbindlich und meinte, Leute von Welt tränken bei Erschöpfungszuständen eine Flasche „Irroy Cordon bleu", und sie fühlten sich nach ihrem Genuß gekräftigt und zufrieden.

Was sollte ich da machen? Ich trank eine Flasche Irroy ganz für mich allein. Wenn ich heute darüber nachdenke, so halte ich es durchaus für möglich, daß ich zwei Flaschen Irroy für mich allein getrunken habe. Auf jeden Fall aber ging ich gekräftigt und zufrieden ins Bett. Die nächsten drei Abende hielt ich mich wieder an die Anweisungen jenes Menschen, der die Sitten der großen Welt so gut kannte, und kostete, sobald meine Frau sich zurückgezogen hatte, nach seinen Weisungen die Champagner-Marken Veuve Cliquot, Mumm und Moët et Chandon. Ich war im Paradies.

Dann kam der Regierungsrat Ernst zurück. Er war ein prächtiger Mann, der mir vom ersten Augenblick an gefiel und mit dem mich in späteren Jahren eine warme Freundschaft verband.

Ich fand ihn allerdings im ersten Augenblick unruhig und verlegen. Eine kleine Weile nur druckste er herum, dann rief er aus: „Was sind Sie für ein unkluger Mann! Ich trinke ja auch so gerne wie Sie! Aber doch nicht so öffentlich wie Sie! Die Leute von der medizinischen Fakultät haben Sie gesehen. Im Baur au Lac trinken Sie ganz öffentlich Champagner! Und dann gehen Sie in ein Kabarett! Und auch da trinken Sie Champagner! Die Leute von der Fakultät sagen: ‚Dieser Sauerbruch kommt hierher mit der Absicht, den Champagner von Zürich auszutrinken.' Die Fakultät ist bei mir erschienen und hat mich beschworen, Sie nicht zu nehmen, weil Sie saufen! Und das öffentlich!"

Zuerst war ich baß erstaunt, dann wurde ich wütend, stand auf und erwiderte:

„Nun gut, dann gehe ich eben wieder weg!"

Ich war geradezu neugierig, welchen Champagner ein Herr von Welt in einer solchen Situation zu trinken hatte.

„Seien Sie doch nicht töricht", beschwor mich der Regierungsrat, „und hören Sie mir erst weiter zu!" Er gestand mir offen, daß er für mich eingenommen sei, wollte wissen, ob ich mich so schnell aus dem Verband der Preußischen Universitäten lösen könnte, um bei Beginn des Wintersemesters anzutreten. Das sagte ich ihm zu. Er allein hatte die Entscheidung über die Besetzung des Lehrstuhles nicht zu treffen, ein Gremium war zuständig. Auf der einen Seite würden meine medizinischen Fähigkeiten ins Feld geführt, auf der anderen Seite die geleerten Champagnerflaschen. Regierungsrat Ernst machte mir Hoffnungen, daß die Wahl dennoch auf mich fallen würde, und als wir uns verabschiedeten, gestand er, daß man zwei Schweizer an diejenigen Universitäten gesandt habe, auf denen man den Nachfolger für Professor Krönlein heraussuchen wollte. Die beiden, zurückgekehrt, hätten sich sehr für mich verwandt.

„Das ist ein guter Mann", hatten die zwei berichtet, „er wird auch menschlich gut zu unseren Kranken sein, den müssen wir nehmen!" Dann hatten sie die Geschichte erzählt, wie ich dem Kinde die Schuhe angezogen hatte. Diese bedeutungslose Geschichte hatte dem Regierungsrat Ernst sehr gefallen. Jetzt meinte er, ich möge nach Marburg zurückfahren und dort die endgültige Entscheidung abwarten.

Ich dachte daran, daß in Marburg niemand gemurrt hatte, wenn Gustav Kratzat ins Jäger-Kasino ging, um „Henkell trocken" für 4,20 Mark die Flasche zu holen. Andere Länder, andere Sitten!

Auf dem Marburger Bahnhof das gleiche Bild wie immer: die wartenden Dienstmänner, wenige Reisende. In grauer Nässe schlidderte die Droschke über das holperige Pflaster; auf toten Straßen die bekannten Gesichter. Menschen mit hochgeschlagenen Kragen, den Schirm über dem Hut.

Wir warteten sehnsüchtig.

Am 8. Oktober hatte diese Wartezeit ein Ende.

An diesem Tage traf die schriftliche Mitteilung der Schweizer Regierung bei mir ein. Sie hatte die Überschrift „Anstellungsdekret" und hieß im Wortlaut:

Der Regierungsrat des Kantons Zürich,

nach Einsicht eines Antrages der Erziehungsdirektion, der Direktion des Gesundheitswesens und des Erziehungsrates, wählt zum ordentlichen Professor der Chirurgie an der Hochschule Zürich und zum Direktor der chirurgischen Klinik und Poliklinik des Kantonspitals Zürich

Herrn Professor Dr. Ferdinand Sauerbruch,

Oberarzt an der chirurgischen Klinik in

Marburg,

und beschließt:

I. *Der Amtsantritt geschieht auf 15. Oktober 1910.*

II. *Die Wahl erfolgt als Professor der Hochschule auf eine Amtsdauer von sechs Jahren, als Direktor der chirurgischen Klinik und Poliklinik für den Rest der laufenden Amtsdauer der kantonalen Beamten.*

III. *Der Lehrauftrag umfaßt Vorlesungen und klinische Übungen in allgemeiner und spezieller Chirurgie im Umfang von 10 bis 12 Stunden wöchentlich.*

IV. *Die Jahresbesoldung beträgt: Als Professor der Hochschule Fr. 4000,–, als Direktor der chirurgischen Klinik und Poliklinik Fr. 3500,–.*

V. *Dem Gewählten wird zugesichert, daß während der Dauer seiner Anstellung keine Parallelisation der chirurgischen Klinik vorgenommen werde.*

VI. *Das Verhältnis der chirurgischen Klinik zur chirurgischen Poliklinik wird grundsätzlich in folgender Weise geordnet:*

1. *Die chirurgische Poliklinik ist eine Unterabteilung der chirurgischen Klinik.*
2. *Dem Direktor der chirurgischen Klinik steht die Oberleitung und Aufsicht über die chirurgische Poliklinik und die Verfügung über die poliklinischen Patienten zu.*
3. *Die Leitung der chirurgischen Poliklinik ist mit Beginn der neuen Amtsdauer einem Arzte der chirurgischen Klinik zu übertragen.*
4. *Dem Direktor der chirurgischen Klinik wird das Recht zugestanden, bei der Neuwahl eines Sekundararztes der Direktion des Gesundheitswesens Vorschläge betreffend die Besetzung der Stelle einzureichen*

VII. Der Gewählte ist verpflichtet, in der Stadt Zürich oder in deren nächsten Umgebung zu wohnen und sich zum Eintritt in die Witwen-, Waisen- und Pensionskasse der Professoren der Hochschule anzumelden.

VIII. An den Kosten des Umzuges wird dem Gewählten ein angemessener Beitrag zugesichert.

IX. Mitteilung an Herrn Prof. Dr. Ferdinand Sauerbruch in Marburg.

Zürich, den 6. Oktober 1910

Vor dem Regierungsrate,
Der Staatsschreiber:
gez. Dr. A. Huber

1692. k. (Stempel)

In Pfeifers Hotel in Marburg gaben wir unser Abschiedsfest. Während der Feier horchte ich auf. Der Regen peitschte gegen die Scheiben. Ich dachte an die sonnigen Herbsttage in Zürich und lachte den Regen aus.

ZUG NACH SÜDEN

Wir zogen nach Zürich. Wenn ich „wir“ sage, so spreche ich nicht nur von meiner eigenen Familie, von meiner Frau und von meinem Kinde, durchaus nicht. Nach Zürich gingen mit: die Ärzte Birkelbach und Jehn sowie die Laboranten Rohde und Kratzat. Ärzte und Laboranten reisten allerdings nicht sofort mit uns, aber zu Ostern waren wir endlich alle beisammen. In der Freien Straße in Zürich-Hottingen fand ich ein kleines Haus; seine Lage war für mich nicht ganz glücklich, weil ich es sehr weit bis zur Klinik hatte.

Die Klinik selbst krempelte ich zunächst einmal völlig um.

Mein Vorgänger in Zürich, Ulrich Rudolf Krönlein, war einer der vielen gewaltigen Chirurgen, die aus der Schule des „Großen Mannes“ der deutschen Chirurgie, Bernhard von Langenbecks, hervorgingen. Langenbeck und seine Schüler schufen damals die deutsche Vorherrschaft auf dem

Gebiet der Chirurgie. Krönlein selbst hat viel dazu beigetragen. Zweimal in seinem tatenreichen Leben sprach die Welt von ihm. Einmal, als er 1884 einen entzündeten Wurmfortsatz entfernte, der durchgebrochen war und eine heftige Bauchfellentzündung hervorgerufen hatte. Niemand vor ihm hatte das gewagt. Er wies damit den Weg für die Entwicklung der chirurgischen Behandlung der weit vorgeschrittenen Blinddarmentzündung.

Das zweitemal sprach man auch außerhalb der engeren Fachkreise von ihm, als es ihm gelang, bei einem Mädchen ein Sarkom der Lunge erfolgreich zu entfernen, und zwar bevor ich mein Druckdifferenz-Verfahren entwickelt hatte. Man ersieht daraus, daß er nicht nur ein sehr mutiger und sehr tüchtiger Mann war, sondern daß er auch eine ungewöhnlich glückliche Hand hatte. Die erfolgreiche Operation erregte damals weltweites Aufsehen. Zum erstenmal war der Pessimismus der Chirurgen gegenüber Eingriffen im Brustkorb durchbrochen worden. Die Hoffnungen, die sich an diese Großtat knüpften, waren weit gespannt. Und wenn es auch nicht möglich war, das Ergebnis mit einiger Sicherheit zu wiederholen, so war doch der Bann gebrochen und der Mut erweckt, überhaupt an eine Brustraum-Chirurgie zu denken. Der tatendurstige zupackende Chirurgengeist Krönleins hatte nicht vor dem „Unmöglich" der Zunft kapituliert, sondern sich mit der ganzen Kraft seiner Persönlichkeit dem Tod entgegengeworfen – und hatte, wenn auch nur ein einziges Mal, gewonnen.

Einer der ersten Besuche, die ich in Zürich machte, galt ihm. Ich wußte, daß er schwer erkrankt war. Als ich sein Zimmer betrat, lag er im Bett. Nach der Begrüßung und nachdem ich mich an seinem Bett niedergelassen hatte und wir allein waren, sagte er sachlich feststellend:

„Ich habe noch drei Tage zu leben." Dann fuhr er fort: „Ich habe Sie damals bei dem Chirurgen-Kongreß in Berlin gesehen, als Sie Ihre Unterdruckkammer vorführten. Ich habe Sie mir genau angesehen damals, ich weiß, daß ich Ihnen vertrauen darf."

Ich schwieg betroffen. Ich wußte nicht, worauf er hinauswollte.

„Ich möchte", setzte er dann fort, „daß mir jemand einen

Dienst erweist. Es muß jemand sein, der nicht in meiner Umgebung gelebt hat. Bitte, gehen Sie in mein Arbeitszimmer und bringen Sie mir ein Paket Briefe, das Sie im Schreibtisch finden."

Er beschrieb mir die Stelle, an der die Briefe verborgen waren, und reichte mir die Schlüssel. Ich fand viele Briefe. Sie schienen mir von einer Frau geschrieben zu sein. Als ich wieder bei Krönlein saß, wies er auf eine Kerze auf einem großen Zinkteller. Ich mußte Brief für Brief verbrennen. Dabei sagte er mir, sein ganzes Leben habe nur aus Hoffnungen und Enttäuschungen bestanden. In einer Hinsicht sei sein Leben ein Fehlschlag gewesen, trotz aller Erfolge. Er hat mir nicht gesagt, wer die Frau war, die er so sehr geliebt hatte.

„Die Menschen sollen es nicht erfahren!" stöhnte er und starrte in die Flamme, die die Briefe zu Asche werden ließ.

Als ich mein trauriges Werk beendet hatte, wünschte er:

„Kommen Sie doch morgen noch einmal zu mir, übermorgen dürfte es zu spät sein."

Ich fand ihn am nächsten Tage bei vollem Bewußtsein, und jetzt galt es, mit Schlüsseln an einem Schrank zu hantieren. Einen kleinen Sack hatte ich ans Bett zu bringen. In dem Sack klirrte und raschelte es. Gold und Geldscheine enthielt er, als ich ihn auftragsgemäß öffnete. Nach der Zählung stellte es sich heraus, daß es eine sehr große Summe war. Zärtlich strich Krönlein über Gold und Scheine:

„Wir haben keine Kinderabteilung in der Klinik. Wenn ich tot bin, bauen Sie mit diesem Geld die Kinderabteilung. Nehmen Sie den Sack an sich, und jetzt lassen Sie mich bitte allein."

Wenige Wochen nach seinem Tode berief das Kuratorium der Klinik eine Sitzung ein, und einer der Kuratoren trug vor: Professor Krönlein habe einen namhaften Betrag für die Errichtung einer Kinderklinik hinterlassen. Er führte unter anderem aus, wie er sich Bau und Einrichtung dachte. Ich widersprach ihm. Ich hatte eine andere Vorstellung. Als der Mann zu meinem Plan nicht zu bekehren war, trumpfte ich auf. Ohne meine Zustimmung könne ja nicht gebaut werden, denn das hinterlassene Geld sei in meinem

Besitz. Ich würde es im Sinne Krönleins so verwenden, wie ich es für gut hielte. Da fiel der Kurator vor Erstaunen fast vom Stuhl, denn auch er hatte einen Sack Geld bekommen und wußte nichts von dem meinen. Jetzt einigten wir uns schnell und bauten mit Krönleins Geld eine wahrhaft herrliche Kinderklinik.

Wie mein Vorgänger zu diesen merkwürdigen Vermächtnissen gekommen war, wurde mir bald klar. Während seines Lebens hatte Krönlein viel zuwenig Steuern bezahlt. Nach seinem Tode kam das heraus, und etwas Derartiges mußte er wohl befürchtet haben. Seinen sonstigen Nachlaß griff die Steuer. Das Geld für die Kinderklinik hatte er wohl vor ihr retten wollen.

Die Operationsschwester der Klinik, Schwester Trine – sehr massiv, und ihre Haube saß immer etwas schief –, war tüchtig und menschlich reizend, jedoch murrte sie zunächst etwas, denn ich selbst mußte junge Schwestern anlernen für meine Aufgaben in der neuen Lungen-Chirurgie. Schwester Trine, bei Krönlein alt geworden, überließ ungern anderen diese wichtige Tätigkeit. Den ersten Operationswärter, Kaspar Locher, übernahm ich von Professor Krönlein. Rohde und Kratzat wußten sich mit ihm gutzustellen. Selbstverständlich schaffte ich die ersten Druckdifferenz-Geräte an, zum großen Teil auf meine eigene Rechnung. Meine erste Aufgabe aber war, mich zunächst einmal in der Klinik zu behaupten.

Was die Nationalitäten anbetrifft, so sind die Schweizer früher großzügige Leute gewesen, aber ich hatte dennoch zu rechtfertigen, daß die Idee, einen Deutschen mit der Leitung der Schweizer Klinik zu beauftragen, richtig gewesen war. In dieser Zeit gab es keinen Fall in der Klinik, den ich nicht selbst unter die Lupe nahm. Ich habe jede einigermaßen belangvolle Operation selbst gemacht. Wurde des Nachts ein Mensch, der einen Unfall erlitten, in die Klinik aufgenommen, so erschien ich im Kantonspital. Als erster Oberarzt blieb Professor Henschen, der schon unter Krönlein gearbeitet hatte, und mit ihm die übrigen Assistenzärzte. Zur gleichen Zeit aber wurde an Apparaturen eingebaut und aufgebaut, was ich für die Chirurgie im Brustkorb benötigte, und bald war ich soweit, bald konnte ich die ersten Eingriffe im Brustkorb machen. Die Operationen gelangen, und die Kranken genasen.

Auf diesen Augenblick hatten, wie es sich dann herausstellte, die großen Lungenspezialisten in Davos und den übrigen Schweizer Tuberkulosenzentren gewartet. Sie fanden sich alle bei mir ein, sie baten, bei den Operationen zusehen zu dürfen. Die Ärzte in den deutschen Heilstätten in Davos-Wolfgang kamen ebenso wie Professor Turban; Professor Kocher in Bern kam mit beiden Söhnen, der eine war Chirurg und der andere Internist, nach Zürich. Die drei quartierten sich ein paar Wochen lang in der Stadt ein. Sie sahen sich jede Operation an.

In diesen Monaten entschied sich das Schicksal meines Verfahrens. Es war jetzt nicht mehr weit entfernt von der Forderung meines verehrten, väterlichen Freundes, des Geheimrats von Mikulicz: es muß gelingen, im Thorax zu operieren, damit Unzählige am Leben bleiben können. Ich hatte ausgezeichnete Mitarbeiter zur Verfügung. Dr. Schumacher vor allem. Das war ein hochgewachsener junger Mann mit blondem Haar, aus altem Schweizer Geschlecht, dessen Wappen noch heute die Luzerner Brücke schmückt. Er war von mitreißendem Temperament, er trieb viel Sport und war eine strahlende Erscheinung. Dr. Billeter, die schon genannten Kollegen Birkelbach und Jehn, sie alle wurden mir allmählich unentbehrlich. Mit Hilfe dieser Kollegen und nach den Operationen, die ich jetzt in meiner Züricher Klinik gemacht hatte, begann ich die Erfahrungen auf meinem Spezialgebiet schriftlich niederzulegen. Die Kollegen Ludwig von Murald, Heyde, Heusner und Ellern halfen. Wenn ich im kommenden schildere, was ich niederlegte, und heute erzähle, was ich damals tat, so muß der Leser bedenken, daß ich über medizinische Dinge spreche, die vor dem ersten Weltkrieg aktuell waren. Zwischen damals und heute hat sich einiges geändert. Schritt ich seinerzeit zu einer Operation im Thorax, so war es ein bedeutungsvoller Eingriff. Der Kranke ist in Gottes und des Arztes Hand. Man darf sich nicht damit begnügen, die Operation selbst sorgfältig und umsichtig vorzubereiten, man muß auch die ganze Persönlichkeit des Kranken beobachten. Man muß sich auf die Persönlichkeit einstellen. Menschen, die an Tuberkulose erkrankt sind – und gerade solche galt es ja zu operieren –, leiden fast immer an einer krankhaften Angst. Wenn sie sich zu Erregungszuständen steigert, wird es für den Kranken gefährlich, denn oft werden derartige Operationen in örtlicher Betäubung ausgeführt.

Es war also ganz unerläßlich, daß ich und der Kranke in ein persönliches Verhältnis zueinander kamen. Der Patient muß zum Arzt vor einer großen Operation unbedingt Vertrauen fassen. Der Arzt muß den Sinn und den Zweck der Operation erklären, er muß dem Patienten das Gefühl vermitteln, in den denkbar besten Händen zu sein. Er darf ihn nicht im unklaren darüber lassen, was vor sich gehen wird.

Selbstverständlich fragte der Patient immer, was nun eigentlich geschehen werde. Und diese Fragen mußte ich sachlich beantworten. Daß der Mensch vor einer solchen, sein Leben doch ungeheuerlich beeinflussenden Operation in Seelennot und Furcht lebt, ist erklärlich. Nur sachliche Worte können trösten. Merkte ich aber, daß mir die Beruhigung nicht völlig gelungen war, mußte ich durch Brom oder sogar durch Morphium nachhelfen.

Ich bin auf ein Mittel verfallen, das fast niemals versagt hat. Einen anderen Kranken, der dieselbe oder eine ähnliche Operation schon hinter sich hatte, brachte ich zu dem Patienten, der operiert werden sollte. Meistens erlebte ich ein Wunder an Beruhigung.

Die allgemeine körperliche Verfassung des Patienten untersuchte ich sehr genau. Es ist von entscheidender Wichtigkeit, daß der Körper Widerstandskräfte genug besitzt, um alles zu überstehen. Diese Widerstandskraft mußte auf einen möglichst hohen Stand gebracht werden. Von ihr hängt nämlich bei der Eigenart dieser Eingriffe ungemein viel ab. Mancher Organismus ist bereits der Wegnahme einer Rippe nicht gewachsen, ein anderer versagt in der Nachbehandlungszeit, weil seine Kraftreserven erschöpft sind.

In längerer Vorbereitung konnte ich die Widerstandskraft meist unschwer heben. Diät, Liegekuren im richtigen Klima, das sind die Mittel. Kam der Kranke aus dem Hochgebirge zur Operation zu mir nach Zürich zurück, so mußte er einige ruhige Tage vor dem Eingriff verleben. Herz und Lunge prüfte ich sehr sorgfältig, denn während des Eingriffes werden diese Organe mechanisch geschädigt. In der Heilzeit haben sie zudem bedeutende Mehrarbeit zu verrichten.

Die Technik der Operation begann für mich mit der Lagerung des Kranken. Er darf nicht durch einen Zwang in seiner Haltung unnötig belästigt werden, und doch muß das Operationsgebiet frei zugänglich und übersichtlich sein. Der Kranke hat natürlich auf der gesunden Seite zu liegen. Die Atmung muß unbehindert sein, deshalb bettete ich ihn auf weiche Kissen und Luftringe. Das Gewicht des Körpers darf nun keineswegs vom Brustkorb getragen werden. Das Gesäß muß das tun. Bilder von Operationstischen, die wir damals in Zürich für derartige Operationen konstruierten, zeigen das alles besser als Beschreibungen. Eingriffe in die vorderen und seitlichen Abschnitte des Brustkorbes, zum Beispiel des Herzens, werden bei hochgerichtetem Oberkörper ausgeführt.

Operierte ich aber in Narkose einen Lungenkranken mit reichlichem Auswurf, so ließ ich seinen Oberkörper so stark senken, daß er fast auf dem Kopf stand. Auch bei linksseitigen Eingriffen in den hinteren Mittelfellraum, bei Operationen am Lungenunterlappen muß das so sein. Bei Operationen an den vorderen und seitlichen Abschnitten des Brustkorbs und am Herzen muß der Patient auf dem Tisch in eine entsprechende andere Lage gebracht werden. Die Lehre von den Positionen, die ein Kranker bei den verschiedenen Operationen einnehmen muß, ist ein eigenes Kapitel in der Chirurgie, und zuweilen entsteht sogar ein Streit darüber, welche Lage für einen bestimmten Eingriff vorzuziehen ist. Wir mußten damals unsere „Positionen" erst entwickeln, um unsere neuartigen Eingriffe durchführen zu können.

Es ist sehr wichtig, daß im Operationssaal eine Temperatur von mindestens vierundzwanzig Grad Celsius herrscht, denn freigelegte Lungen vertragen keine Abkühlung. In der Brust zu operieren, stellt an die Körperkräfte große Anforderungen. Manche Krankheitsherde liegen hinter dicken Knochenplatten versteckt, die mir wie dicke Mauern vorkamen. Es ist eine harte Arbeit, sie mit Meißel und Hammer, mit Zangen und Sägen zu sprengen und abzutragen und dabei zugleich mit großer Behutsamkeit vorzugehen. Infolgedessen ließ ich für diese Operationen ganz neue Instrumente konstruieren. Sie mußten einen Hebelarm haben, der starke mechanische Wirkung sichert. Einige Operationen gehen in der Tiefe der menschlichen Brust vor sich. Neue, lange aber handliche und nicht zu schwere Instrumente galt es herzustellen. Dann sogenannte Raspatorien, das sind Schabeisen zum Abschaben der Knochenhaut. Das wichtigste und notwendigste Werkzeug in der Brust-Chirurgie überhaupt aber ist die Rippenschere. Für die Resektion der ersten Rippe jedoch bedarf es wegen ihrer eigenartigen anatomischen Lage noch eines besonderen Werkzeuges. Mit meinem Kollegen Dr. Frey zusammen erdachte ich später ein solches Instrument. Bei allen Operationen am und im Brustkorb sind große vier- und sechszinkige stumpfe Haken und kräftige Rippensperrer nicht zu entbehren.

Für die Hantierung an der Lunge selbst mußten wir völlig neue Instrumente erfinden. Lungenspatel, Lungenfaßzange und Druckzange für die Lunge haben wir damals entworfen.

Anfänglich operierten wir mit Stirnlampen, die wir um den Kopf trugen, wenn wir an einer tief im Brustkorb gelegenen Stelle zu arbeiten hatten. Wir schufen ein lichtstarkes elektrisches Lämpchen, das mit einem Bleikabel, beides keimfrei gemacht, bis an die Operationsstelle heranzubringen war. Auch an unsere Thermokauter, Apparate mit hohlem Platinkörper, die erhitzt und durch Einleitung von Benzindämpfen und Luft glühend erhalten werden und mit denen wir tiefliegende Lungenabszesse eröffneten, befestigten wir solche Lämpchen.

In der Brust eines Menschen sitzt das Herz. Die tiefsten Gefühle verlegen Volksmund und Dichter in das „Herz“. Durch das „Labyrinth der Brust“ ziehen die tiefsten Gedanken eines Menschen. Die Haut und die Knochen der Brust schützen wirksam die Organe vor fremdem Zugriff und Eingriff. Das Innere des Brustkorbs ist ein Mysterium, nicht nur im Aberglauben. Deshalb ist bei Öffnung des Brustkorbs durch den Arzt mancherlei zu bedenken, mancherlei, das bei Operationen an anderen Körperteilen nicht von so großer Bedeutung ist.

Eigentümlich, mimosenhaft empfindlich, verhalten sich Lunge, Lungenstiel und Rippenfell bei geöffnetem Brustkorb eines Menschen, als gelte das mystische Tabu des Primitiven auch für den zupackenden Chirurgen. Zieht der Operateur die Lunge an, betupft er den Lungenstiel, berührt er das Rippenfell, so können ganz überraschend gefährliche und dramatische Folgen eintreten. Das Herz kann plötzlich stillstehen und die Atmung mit einem Schlag aufhören. Dasselbe kann sich ereignen, wenn wir den Menschen nicht vor der Öffnung des Brustkorbs in einen totenähnlichen Schlaf versetzen, wenn wir ihn also nicht narkotisieren. Nur eine „Allgemein-Narkose", eine Betäubung, die auf den ganzen Körper wirkt, die das Bewußtsein völlig auslöscht, verhindert mit Sicherheit die oben beschriebenen nervösen Reflexe, die bei einer Operation auftreten können.

Nun arbeitete ich vor dem Jahre 1914! Also auf völligem Neuland und auch mit den Mitteln der Narkose aus jenen Zeiten. Mancherlei war da zu bedenken, vieles mußte neu entwickelt und neu ausgebaut werden.

Daß der Patient aber die betäubenden Dämpfe einatmen, also durch die Lungen aufnehmen muß, das ist es gerade, was bei der Lungen-Chirurgie besonders erdacht werden muß. Für fast alle Kranken mit chronischen Entzündungen und Eiterungen der Lunge ist Chloroform schweres Gift, weil es den Herzmuskel schädigt, der bei diesen Leiden an sich schon nicht in bester Verfassung ist. Ich habe als Narkotikum den Äther angewandt und empfohlen. Die Überdruck-Narkose hat große Bedeutung, sie mindert die Vergiftungsgefahren und erheischt nur kleine Mengen des Narkosemittels. Selbst große und langdauernde Eingriffe konnten unter Verbrauch von nur wenig Äther durchgeführt werden. Seine Dämpfe, gemischt mit dem Sauerstoff, gelangten unter dem Überdruck schnell in die Lungenbläschen, dehnten und breiteten sich sofort und leicht aus.

Das örtliche Betäubungsverfahren war unerläßlich, wenn ein Lungenkranker operiert werden sollte, der starken Auswurf hatte.

Eine schlecht durchgeführte Lokalanästhesie war aber geradezu gefährlich. Schmerzen bedeuten für den Kranken immer größte körperliche Anstrengung. Ein Beklemmungsgefühl erfaßt sie, wenn der Brustraum nach Rippen-Resektion eingeengt wird. Man muß sich auch vorstellen, was es für den Kranken bedeutet, wenn er die Operationsereignisse miterlebt. Er hört Knacken, und wenn er Phantasie hat, weiß er, daß es seine eigenen Rippen sind, die gebrochen werden. Dann fällt der Brustkorb ein. Das beklemmt ihn im wörtlichen Sinne. Todesangst überfällt ihn. Man muß operieren, muß den Kranken beruhigen, muß ihn gleichzeitig seelisch wieder aufrichten; oft gelingt das nur mit großer Mühe. Derartiges also mußte man berücksichtigen, wenn ich zwischen „Allgemein-Narkose“ und örtlicher Betäubung wählen sollte.

Ich sagte schon, daß die Öffnung des Brustkorbs stets ein großer Eingriff ist. Als ich begann, ihn vorzunehmen, war ich immer wieder beeindruckt von der Größe der Aufgabe. Einem Menschen die Brust zu öffnen, wird stets ein Ereignis und ein Erlebnis bleiben, für Arzt und Patienten. Als den einfachsten Weg zur Öffnung der Brust fand ich damals in Zürich eine Methode, die ich den „Intercostalschnitt“ nannte, das heißt, ich schnitt zwischen den Rippen ein. Tat ich das, so brachte mir der Schnitt breiten Zugang zum Innern des Brustkorbes und ermöglichte gute Übersicht und gestattete freies Hantieren. Das Operationsgebiet lag nach dem Schnitt übersichtlich vor mir, und die Heilungsbedingungen des Schnittes sind gut. Vor allen Dingen in den unteren Abschnitten der Brust, da, wo die Rippen nachgiebig sind, ist dieses Vorgehen allen anderen weit überlegen. Nur bei Eingriffen im oberen Teil der Brust reicht er nicht aus. Hier müssen Rippen teilweise entfernt, muß ein Fenster in die Brustwand gelegt werden, um an die erkrankten Organe heranzukommen. Jedoch will ich hier nur von dem Zwischenrippen-Schnitt sprechen.

Ich brachte den Kranken, wenn er operiert werden sollte, in die Druckdifferenz-Kammer und ließ ihn seitlich hinlegen. Die Brustkorbhälfte, die operiert werden sollte, wurde durch Rollkissen herausgehebelt. Haut, Bindegewebe und Muskulatur trennte ich zwischen der siebten und achten Rippe durch. Wenn ich das getan hatte, so erkannte ich die graurosa gefärbte Lunge. Unter dem zarten Rippenfell sah ich sie, rhythmisch mit der Atmung schiebt sie sich hin und her.

In diesem Stadium der Operation ließ ich das Druckdifferenz-Verfahren in Tätigkeit treten. Jetzt hob ich an einer günstigen Stelle eine kleine Falte des Rippenfelles hoch; mit der Pinzette wurde das ausgeführt. Dann kommt jener Vorgang, der ohne die Erfindung der Druckdifferenz-Apparatur unfehlbar die Operation unmöglich machen würde: ich schneide in das Rippenfell ein und lasse die Luft in die Brusthöhle eindringen.

Die Lunge zieht sich jetzt langsam etwas zurück. Zwischen Brustwand und Lungenoberfläche entsteht ein breiter Luftmantel von mehreren Zentimetern Dicke. Von der kleinen Wunde aus führe ich den linken Zeigefinger ein und spalte auf ihm mit der Schere weit das Rippenfell. Jetzt muß der Rippensperrer eingesetzt werden. Seine breiten Schaufeln lasse ich zum Schutze der Weichteile mit Mull unterlegen. Langsam drehe ich jetzt an dem Hebel des Instrumentes und erweitere allmählich und vorsichtig die Bresche. So habe ich einen breiten Zugang geschaffen, der nun leicht das Aufsuchen des eigentlichen Operationsgebietes erlaubt. Einen großen Teil des Brustkorbes kann man auf diese Weise überblicken, den Rest abtasten.

Größere Teile der Lunge lernte ich zu entfernen, wenn sie von Sarkomen und Carcinomen, also von bösartigen Geschwülsten, befallen sind. Auch Geschwulste, die von der Brustwand auf die Lunge übergegriffen haben, und manche entzündlichen Herde in der Lunge gaben mir Anlaß zu derartigen Operationen.

Als ich in Breslau begann, das Druckdifferenz-Verfahren zu entwickeln, um im offenen Brustkorb operieren zu können, dachte Geheimrat von Mikulicz, der mich dazu anregte, in erster Linie an die Lungenkranken. Jetzt war ich soweit, Teile der Lunge, wenn sie von Krankheiten befallen waren, ausschneiden zu können. Da dieses Vorgehen in der Zwischenzeit nun wirklich vielen Menschen das Leben gerettet hat, da also die verpflichtende Forderung meines Lehrers von Mikulicz, von der ich oft gesprochen habe, erfüllt wurde, bin ich kurz auf derartige Operationen eingegangen, und zwar für den Laien, nicht für den Arzt.

Ich will mich nicht rühmen, und selbstverständlich fällt es mir einigermaßen schwer, davon zu sprechen: aber es ist heute nicht mehr vorstellbar, welches Aufsehen in der ganzen Welt die Tatsache machte, daß man Lungenkranken, die bisher für verloren gehalten wurden, durch eine Operation das Leben retten konnte. Kaum war das allgemein bekanntgeworden, als sich etwas ereignete, das später für meine Privatpraxis von außerordentlicher Wichtigkeit wurde.

In Davos lag Anfang des Jahres 1911, an der Lunge schwer erkrankt, eine achtzehnjährige Engländerin, die Tochter des Earl Frederik Cavendish-Bentinch. Die Eltern, zur englischen Hocharistokratie gehörend, waren nahe Verwandte des Königs von England. Meine Davoser Kollegen beurteilten den Zustand der jungen Dame als sehr ernst, baten mich zu einer Konsultation nach Davos, und ich stimmte für eine Operation. Es wurde die Zustimmung der Eltern eingeholt. Die Patientin selbst war auch einverstanden, und so wechselte sie von Davos nach Zürich herüber, denn in der damaligen Zeit konnte in den Lungenheilstätten selbst noch nicht operiert werden. Es gab weder die dazu notwendigen Druckdifferenz-Geräte noch hinreichend geschulte Chirurgen in diesen Häusern. Das hat sich bald grundlegend geändert.

Die Patientin kam nach Zürich mit ihrer Begleitung, einer älteren, recht englisch-konservativen Anstandsdame. An einem Abend nun geschah etwas Ungewöhnliches. Es gab ein für Europa recht heftiges Erdbeben im Kanton Zürich. Das Hotel, in dem die beiden Damen wohnten, der Dolder, fing an zu wackeln, und die Chaperon stürzte korrekt bekleidet auf den Flur, um das Haus zu verlassen und so ihr Leben zu retten.

Kaum befand sie sich jedoch auf dem Gang, als aus dem Zimmer gegenüber ein Mann stürzte, der das gleiche Ziel hatte, aber dieser Mann war keineswegs korrekt bekleidet, sondern schon im Schlafanzug. Als die Anstandsdame diesen Mann so erblickte, warf sie sich zurück in ihr Zimmer, schloß die Tür und rief aus:

„Lieber sterben, als einen Mann so sehen!"

Nun, sie mußte nicht sterben, denn das Erdbeben verebbte, ohne das Hotel umgeworfen zu haben.

Ich operierte die junge Patientin, und zwar mit Erfolg. Sie genas bald und wurde von ihren überglücklichen Eltern später nach Schottland zurückgeholt.

Als ich 1913 zum Chirurgen-Kongreß in England weilte, erhielt ich eine Einladung der Familie Cavendish-Bentinch auf deren Schloß in Schottland. Diese Einladung nahm ich gerne an. Während wir eines Abends am Kamin saßen, fiel mir ein wunderschöner Silberpokal auf, der eine Inschrift trug. Ich hielt ein Stück in der Hand, das in historischer Zeit ein König und eine Königin von England einem Vorfahren meines Gastgebers geschenkt hatten, mit der schmeichelhaften Inschrift „with profound gratitude".

In der Schweiz wieder angekommen, bekam ich ein sehr liebenswürdiges Geschenk aus England nachgesandt. Die Cavendish-Bentinch hatten den historischen Pokal getreulich nachbilden lassen, aber er trug jetzt die Inschrift:

„To Professor Dr. Sauerbruch from Frederik Cavendish-Bentinch and Ruth Cavendish-Bentinch with profound gratitude. 10th August 1913."

Patienten aus aller Welt kamen nach Zürich; von einigen werde ich noch sprechen. Einer jedoch machte mir einen ganz besonderen Eindruck. Dieser Patient sprach einen Satz, der mich tief erschreckte. Den Mann und den Satz konnte ich später niemals mehr vergessen. Es war ein prophetisches Wort.

Geheimrat Karl Turban in Davos, bei dem viele Lungenkranke aus aller Welt Heilung suchten, rief mich eines Tages in Zürich an und bat mich, zu einem Konsilium in seine Klinik nach Davos zu kommen. Das geschah zu einer Zeit, in der man schon in den Heilstätten mit Druckdifferenz-Verfahren operieren konnte. Ich kam also nach Davos.

Die Eröffnung, die mir der Kollege nun über seinen Fall, und zwar in bezug auf das Menschliche machte, war eindringlicher als sonst. Ein Russe, ein Mann von Distinktion, ein Staatsmann, läge erkrankt in seinem Hause, erklärte mir Dr. Turban. Es sei ein Mann von großer politischer Bedeutung. Der Kranke befand sich schon einige Zeit im Hause, litt an hohem Fieber, und Dr. Turban hatte die Diagnose Lungenabszeß gestellt. Jedoch war die Lokalisation der Krankheit trotz Röntgenbilder und vielfacher Punktierung nicht geglückt. Erst am Tage, an dem er mich angerufen hatte, war durch eine erneute Punktion der Krankheitsherd aufgefunden worden.

Die Frau des Kranken sei auch im Hause, sagte Dr. Turban, sei immerzu um den Patienten herum, habe sich sehr aufgeregt und störe den Kranken durch ihr Lamentieren. Ich wußte also nicht, wen ich vor mir hatte, als ich mit Turban zusammen ins Krankenzimmer trat. Meine allererste Handlung war, die Ehefrau hinauszukomplimentieren, so daß wir mit dem Russen allein waren. Er sprach deutsch mit dem üblichen russischen Akzent, lag im Bett mit nackter Brust, aus der die Punktiernadel noch hervorragte. Sie war nicht entfernt worden, um den Krankheitsherd festzuhalten.

Es war jetzt die Frage, sollte man eine Operation versuchen? War sie möglich? Versprach sie Aussicht auf Erfolg? All dieses wollte Dr. Turban mit mir besprechen, und wenn ich zustimmte, so war er dafür, daß wir den Patienten gemeinsam operierten.

Der Kranke war ein Mann von ausgezeichneten Formen. Er hörte offenbar meinen Namen zum erstenmal. Turban sagte ihm, daß ich aus Zürich herübergekommen sei als bekannter Spezialist. Der Mann erwiderte mit großer Höflichkeit, er freue sich, in der Behandlung Schweizer Ärzte zu sein, er liebe die Schweiz, und zu ihren Ärzten habe er am meisten Vertrauen. Ich sagte kaum etwas, denn für den Kranken war es ohne Belang, daß ich Deutscher war. Schon nach kurzer gemeinsamer Untersuchung war ich dafür, zu operieren, deutete es in der Fachsprache Turban auch an, und der wiederum wußte nun, daß ich mich jetzt nach meiner Art mit der Psychologie des Erkrankten auseinandersetzen wollte. Ich habe bereits ausgeführt, daß man das tun muß, bevor man einen so wichtigen Eingriff vornimmt. Turban ging. Ich fing an zu plaudern, löste dem Mann die Zunge, und er begann zu sprechen. Mir fiel auf, daß er reichlich verdüstert war. Wie viele Kranke seiner Kategorie hatte er Furcht, zu sterben. Als ich ihm lächelnd widersprach und ihm zusicherte, daß er am Leben bleiben würde, verdüsterte er sich noch mehr und sagte dann folgenden Satz:

„Sie tragen eine große Verantwortung! Ich muß am Leben bleiben! Denn ich habe eine gewaltige Aufgabe zu erfüllen!"

Ich schwieg. Selbstverständliche Diskretion verbot die Frage nach der Art dieser Aufgabe. Man hatte mir gesagt, daß der Mann inkognito zu bleiben wünsche. Indes sprach er schon weiter, wandte mir sein Gesicht voll zu und sagte den furchtbaren Satz:

„Es ist meine Aufgabe, Deutschland zu vernichten!"

Zunächst hatte ich das Gefühl, laut loslachen zu müssen. Deutschland vernichten, mein Vaterland vernichten, mein heißgeliebtes Land mit seiner großen tapferen Armee! Aber dann wurde mir dunkel zumute. Während mich meine Gedanken bedrängten, ging ich über die Äußerung hinweg, als hätte ich sie nicht gehört, stellte noch ein paar Fragen, die das körperliche Befinden des Patienten betrafen, verließ ihn dann, ging über die Korridore und konnte mich kaum der Fragen erwehren, mit denen mich die Frau des Patienten, neben mir herlaufend, überschüttete. Ich begab mich zu Turban, verschwieg mein Erlebnis und riet zur Operation.

Er nahm sie selbst vor, ich beriet ihn dabei. Auf sein Ersuchen kam ich nach geglücktem Eingriff noch einige Male zur Nachbehandlung nach Davos. Zu meiner Verblüffung fand ich vor dem Krankenzimmer jetzt Posten, es waren Tscherkessen. Tscherkessen standen auch vor dem Haus an jener Front, in der das Krankenzimmer des Russen lag. Jetzt wollte ich wissen, wer der Kranke war. Turban mochte ich nicht fragen. Aber bald gelang es mir, zu erfahren, wer es war, der den furchterregenden Satz gesprochen hatte:

„Es ist meine Aufgabe, Deutschland zu vernichten!"

Es war S. D. Sasonow, der russische Minister für Auswärtige Angelegenheiten.

Ich hatte auch noch mit anderen Russen zu tun. Mit ganz anderen Hörern. Mit den Studenten, die wegen ihrer politischen Gesinnung aus dem Zarenreiche emigriert waren. Zwei von ihnen werde ich ebenfalls nie vergessen. Einer von den beiden, dessen Name mir entfallen ist – und das ist durchaus erklärlich, denn ich maß der Angelegenheit, die ich mit ihm erlebte, seinerzeit keine große Bedeutung bei –, kam nach dem Kolleg zu mir und bat, in einer persönlichen Angelegenheit mit mir sprechen zu dürfen. Er eröffnete mir, daß seine Mutter zu Hause auf den Tod erkrankt läge. Als Emigranten seien sie völlig mittellos. Er sei nicht in der Lage, den Arzt zu bezahlen. Natürlich ging ich sofort mit ihm in seine Wohnung, fand eine bedenklich erkrankte Frau, ordnete in meiner Eigenschaft als Chef des Kantonspitals die Aufnahme der Kranken an, operierte und machte sie gesund. Der Rechnungsdirektor des Hauses machte mir keine Schwierigkeiten. Das war ein großzügiger Mann, und die Klinik war sowieso nicht kleinlich, wenn es sich um die Behandlung armer Leute handelte. Als der Student seine Mutter gesund sah und ich ihm eröffnen konnte, daß die Rechnung für den Aufenthalt in der Klinik unter den Tisch fallen werde und ich ihm selbstverständlich auch kein Geld abnehmen werde, bezeigte er mir geradezu eine frenetische Dankbarkeit. Er hat mir später unter dramatischen Umständen das Leben gerettet. Wie, das werde ich noch erzählen.

Den zweiten der beiden russischen Hörer sah ich eines Tages im Kolleg mit einer fürchterlich geschwollenen Backe. Der Mann litt große Schmerzen. Nach dem Kolleg fand ich ihn vor dem Kantonspital auf einer Bank, setzte mich zu ihm und fragte, warum er nicht zum Zahnarzt gehe. Auch er hatte kein Geld. Ich zog ihm persönlich den kranken Zahn. Er nannte sich damals Uljanow und hieß später Lenin.

Ich sagte schon, daß ich genötigt war, meine neue Klinik

in Zürich in die Hand zu bekommen und mich um jeden Kranken selbst zu kümmern. Da ich sehr exakte Vorstellungen darüber hatte, wie eine Klinik beschaffen sein und wie sie arbeiten solle – es existierten da, zunächst in meiner Vorstellung, die verschiedenartigsten Abweichungen von der herkömmlichen Organisation der damaligen Anstalten –, mußte ich notgedrungen allgegenwärtig sein. Das trug, wie ich ohne Übertreibung sagen darf, schöne Früchte.

Ich hatte meine Stellung in Zürich noch nicht vier Wochen lang angetreten, als ein junger Schweizer Offizier in die Klinik gebracht wurde, der furchtbar zugerichtet war. Ein Milchfuhrwerk hatte ihn, so berichteten die Sanitäter, angefahren und eine Strecke weit mitgeschleift. Der junge Mann war besinnungslos, sein Zustand schien völlig ohne Hoffnung zu sein. Auf den ersten Blick sah man, daß er eine schwere innere Blutung erlitten hatte und fast ausgeblutet war. Sein Gesicht war blau, eine Folge unzureichender Atmung, die Nase an der Spitze weiß und kalt. Als ich ihn genauer untersucht hatte, hegte ich keinen Zweifel mehr, daß eine gewaltige Verletzung der Lunge vorliegen mußte.

Die Diagnose, insbesondere über die Art dieser Lungenverletzung, war nicht so wichtig wie die richtige Indikationsstellung: eingreifen oder abwarten!

Ich hatte das Gefühl, daß hier etwas Furchtbares passiert war, daß ich hier eilig handeln müsse, um etwas noch Schlimmeres, den Tod, abzuwenden.

Als ich die Operation anordnete, blickten mich die Assistenten und Schwestern voller unausgesprochener Zweifel an. Ich vermutete, daß sie mit einem verborgenen Schulterzucken darangingen, die Vorbereitungen zu treffen. Ich konnte es ihnen nicht verdenken. Der Kranke war noch immer bewußtlos, als er auf dem Operationstisch lag. An eine Narkose war nicht zu denken, sie war wohl auch nicht nötig.

Ich legte den Patienten auf die rechte Seite, an der keine Verletzungen nachzuweisen waren, und öffnete in der Kammer mit einem großen Schnitt im 8. Intercostalraum den Brustkorb. Das ist weit unten an der Brust.

Bei der Öffnung schossen mir gewaltige Blutmassen entgegen. Nachdem wir sie gemeinsam ausgetupft hatten, konnte ich ins Innere blicken. Der ganze linke Unterlappen der Lunge war vollkommen abgerissen. Es handelte sich also um eine sehr schwere Verletzung der Lunge.

Ich nahm den abgerissenen Lungenlappen fort, unterband die noch immer blutenden Gefäße und wollte alles gerade übernähen, als der Kranke zu stöhnen begann. Er hatte sich etwas erholt, und wir mußten eine Narkose einleiten.

Währenddessen inspizierte ich noch einmal das ganze Operationsgebiet und entdeckte am Zwerchfell eine kleine Stelle, aus der Blut floß, wenn man vorsichtig darauf drückte. Der Patient hatte, das war nun klar, neben seiner Lungenverletzung noch eine Bauchverletzung. Ich hatte den Verdacht, daß ein Milzriß vorlag.

Eine zerrissene Milz geht man mit einem Bauchschnitt an. Aber die Übersicht im vorliegenden Operationsgebiet war so vollkommen, daß ich mir etwas einfallen ließ. Ich sagte mir kurzerhand, daß ich hier doch weiter nichts zu tun brauchte, als das Zwerchfell zu öffnen, um einen bequemen Zugang zur Milz zu erreichen.

So ging ich vor und holte durch den Schnitt im Zwerchfell die zerstörte Milz heraus. Dann wollte ich die Zwerchfellwunde nähen. Aber die Spannung des Felles war so groß, daß eine völlig abschließende Naht unmöglich war. Zum Glück fiel mir rechtzeitig etwas ein.

Im Jahre 1903 oder 1904 war im Tierexperiment verschiedentlich eine Lähmung des Zwerchfelles durchgeführt worden. Und zwar durch eine Durchtrennung des Phrenikus-Nerven, der das Zwerchfell in Bewegung versetzt. Beim Menschen war das noch nie ausgeführt worden. Ich machte also diesen Eingriff bei meinem Patienten und sah das Zwerchfell spannungslos werden. Jetzt war die Naht möglich. Es war ein gewaltiger Eingriff gewesen, und es war ein Wunder und eine Gnade, daß bei der mangelhaften Technik des Jahres 1910 der Mann geheilt wurde. Er war einer der Patienten, die mir große Dankbarkeit erwiesen.

*

Ich kann nicht behaupten, daß ich in meiner ersten Zeit in Zürich völlig frei von materiellen Sorgen lebte. Wir waren aus unserer Wohnung in der Freien Straße bald ausgezogen. Obschon wir dort einen Garten gehabt hatten, war das Haus zu laut, zu unbequem und zu weit von der Klinik entfernt. Auf der Suche nach einem anderen Heim hatten wir uns in der Nähe der Klinik in der Florhofgasse, einem alten Patrizierhaus, das in einem großen Park lag und das wir mieteten, doch etwas zu prächtig eingerichtet. Und so fand ich mich an den Nachmittagen in meinem schönen Arbeitszimmer in der Florhofgasse damit beschäftigt, aus dem Fenster zu sehen, ob nicht ein Patient käme. Nach einigen Wochen, in denen niemand gekommen war, beschloß ich zu glauben, daß irgend etwas in der Welt in Unordnung geraten sei. Es mußte doch kranke Leute in Zürich geben, die den Professor Dr. Sauerbruch privat konsultieren wollten. Schließlich verführte mich der Tatbestand der fehlenden Patienten zu der Meinung, Zürich sei eine besonders gesunde Stadt. Wenn ich durch die Räume ging, in denen ich die Privatkundschaft warten lassen, empfangen und behandeln wollte, stellte ich fest, daß mich mein Instrumentarium und die Herrichtung der Räume viel Geld gekostet hatten. Das alles schien mir verschwendet, denn es kamen wenig Patienten.

Am Nachmittage nun, an dem ich gerade beschlossen hatte, nicht mehr aus dem Fenster zu sehen, sondern in einem Buche zu lesen, läutete das Telefon.

Ich sagte: „Sauerbruch."

Aus dem Hörer sprach eine alte brüchige und bissige Stimme:

„Sind Sie der Sohn vom alten Professor Su-erbruch?"

Wie kam der Mann auf diese komische Frage? Klang meine Stimme noch so jugendlich? Barsch und eine halbe Oktave tiefer antwortete ich:

„Es gibt keinen alten Professor Sauerbruch, ich bin Professor Sauerbruch."

Der Mann am anderen Ende der Leitung konnte es mit mir an Barschheit aufnehmen. Er polterte los:

„Was soll das heißen? Ich habe Sie beobachten lassen! Sie sind noch jung. Man hat mir aber gesagt, daß Sie ein tüchtiger Arzt sind. Das ist doch alles Unsinn! Junge Ärzte können keine tüchtigen Ärzte sein."

Nun, zum mindesten war der Mann originell, und so fragte ich ihn: „Wer ist denn dort am Telefon?"

Die Stimme erwiderte:

„Der alte Rothschild in Gailingen."

Der alte Rothschild in Gailingen! Das war der reichste Mann in der Schweiz. Er lebte in einem prächtigen schloßartigen Hause, und in der Schweiz sprach man damals viel vom alten Rothschild. Nicht nur, weil er Herr über ein ungeheures Vermögen, sondern auch weil seine Grobheit in Stadt und Land bekannt war.

Zunächst sagte ich also:

„Guten Tag, Herr Rothschild!"

Er schnaubte zurück:

„Was heißt ‚Guten Tag'? Wie soll der alte Rothschild noch zu einem guten Tag kommen? Sie sollen sofort zu mir kommen."

Behutsam erkundigte ich mich.

„Warum denn, Herr Rothschild?"

„Fragen Sie nicht soviel", grobste er, „ich merke schon, Sie sind noch sehr jung. Warum soll der alte Rothschild zu einem Arzt durch das Telefon sagen: ‚Kommen Sie sofort zu mir!' Warum wohl schon? Weil der alte Rothschild krank ist, verstanden!"

Ich: „Welcher Arzt hat Sie denn bisher behandelt, Herr Rothschild?"

Er nannte den Namen eines Kollegen aus Winterthur und schloß das Gespräch:

„Ich bin sterbenskrank! Ich liege auf dem Totenbett. Ich schicke Ihnen meinen Chauffeur mit dem Wagen, und Sie kommen dann sofort."

Ein Automobil schicken, im Jahre 1910! Ich sagte zu. Ich rief zunächst einmal den Kollegen in Winterthur an. Der reagierte merkwürdig. Kaum hatte ich ihm die Geschichte zu Ende erzählt, rief er dreimal: „Gott sei Dank", ließ sich nicht darauf ein, zu erklären, warum er Gott danke, sondern verkündete mir nur, er werde sich schleunigst mit der Bahn nach Gailingen begeben und im Hause des alten Rothschild auf mich warten.

Der Wagen kam, ich fuhr nach Gailingen.

Ein würdiger, ungemein korrekt angezogener Schweizer Arzt, mit Backenbart und goldener Brille, empfing mich. Ein sehr ehrenwerter Mann. Wir begrüßten uns kollegial, und er schlug zunächst einmal vor, sich, bevor er mich an das Bett des alten Rothschild bringen würde, ausführlich zu unterhalten.

Der alte Rothschild sei todkrank, sagte er mir. Das wußte ich schon. Er leide an einem Hautkrebs. Kraterförmiger Substanzverlust an den Unterschenkeln als örtlicher Befund. An dieser Erkrankung werde er sterben, vertraute mir der Kollege an.

Ich fragte, ob seine Diagnose unfehlbar sei. Er stand zu seiner Ansicht, und ich schlug vor, nunmehr die Beine des alten Rothschild in Augenschein zu nehmen. Aber er hielt mich noch zurück:

Ich sei zwar noch jung, aber doch berühmt, wenngleich sich mein Ruf auf andere Dinge erstrecke als auf Krebserkrankungen. Wenn es mir aber gelingen sollte, den alten Rothschild zu heilen, so werde er es mir nie vergessen, denn stürbe ihm dieser Patient unter den Händen dahin, dann sei er, der Arzt aus Winterthur, ein ruinierter Mann.

„Warum denn?“ wollte ich wissen.

Er erläuterte:

In der ganzen Schweiz schaue man gespannt auf den Kampf, den er mit dem Tode um das Leben des alten Rothschild führe. Sterbe der alte Rothschild, ein in ganz Europa bekannter Mann, so verlöre er alle seine Patienten. Niemand werde sich mehr von ihm behandeln lassen, denn alle Schweizer würden klipp und klar so denken: Kann dieser Arzt nicht einmal das Leben eines der reichsten Männer Europas retten, so taugt er nichts. Sein Ruin sei dann eine beschlossene Sache.

Ich erwiderte:

„Herr Kollege, das Leben der Menschen liegt in Gottes Hand.“

Er, seufzend:

„Der liebe Gott hat breite Schultern. Auf sie kann er leicht den Tod des alten Rothschild nehmen. Für meine Schultern ist er zu schwer.“

Er ließ mich noch immer nicht ins Krankenzimmer, sondern ergoß sich in Klagen über seinen Patienten. Der sei unleidlich, dickköpfig, rundheraus ein Ekel und trotz seines schweren Leidens nicht im Bett zu halten.

„Seien Sie ja fein und vorsichtig", beschwor mich der Kollege. „Um Himmels willen nicht kurz angebunden. Der Patient ist nicht irgendwer", er sagte es mit drei Rufzeichen, „er ist der alte Rothschild – bedenken Sie, was das heißt!"

Endlich kamen wir ins Krankenzimmer. In einem breiten Bett lag ein Mann mit einem markanten Gesicht. Er mochte ein hoher Siebziger sein.

Streng, die Stirn runzelnd, sah er mich an und sagte mit harter Stimme:

„Su-erbruch" – er buchstabierte meinen Namen hartnäckig nach Schwyzer Art.

„Zu dienen", antwortete ich mit so viel Ironie, wie ich aufbringen konnte.

„Antworten Sie mir klar und deutlich: Können Sie mir helfen?"

„Keine Ahnung!"

Er riß die Augen groß auf, betrachtete mich abschätzend, fuhr sich mit den Händen in den Backenbart. Herr Rothschild war unschlüssig. Ich half ihm und ergriff die Initiative:

„Sie sind erkrankt, Herr Rothschild. Also zeigen Sie mir bitte mal Ihre Beine."

Bevor er sich dazu entschloß, schaute er streng und fragend auf meinen Kollegen aus Winterthur, der mit ans Bett getreten war. Dann zeigte er die Beine. Die sahen gar nicht gut aus. Ein Loch neben dem anderen. Ich untersuchte eingehend. Das war kein Haut-Ca ... Keine Rede davon – es waren ganz einfach Krampfadern – Ulcus cruris, Beingeschwüre in einer besonders schweren Form.

„Ich gehe jetzt und berate mich mit meinem Kollegen", erklärte ich nach der Untersuchung und wusch mir die Hände.

„Sie gehen nicht hinaus!" rief der alte Rothschild und setzte sich im Bett auf. Er sah uns beide drohend an. „Sie werden sich in meiner Gegenwart beraten!"

„Das geht nicht", erwiderte ich fest.
Dann begann er zu schreien:
„Das geht nicht? Ist es meine Krankheit oder ist es Ihre? Haben Sie Löcher in de Beine oder hat der alte Rothschild Löcher in de Beine?"
Ich zog den Kollegen aus Winterthur aus dem Zimmer. Der brach draußen zusammen.
„Um Himmels willen, was haben Sie getan?" klagte er. „Sie regen den Mann ja schrecklich auf! So kommen Sie nicht mit ihm weiter! O Gott, wie schrecklich! Es ist doch schließlich der alte Rothschild!"
„Es ist völlig geklärt, daß wir den alten Rothschild vor uns haben", entgegnete ich, „aber es ist ganz ungeklärt, was der alte Rothschild an den Beinen hat. Nach Ihrer Meinung ist es ein Hautkrebs, aber nach meiner Meinung ist es kein Krebs."
Da fuhr er zurück:
„Was? Kein Krebs? Was soll es anderes sein?"
„Meine Ansicht: ganz gewöhnliche Beingeschwüre."
Nun beschwor er mich, alles zu tun, was irgend möglich sei, und dann gingen wir wieder hinein.
Der Patient saß mit wütendem Gesicht im Bett und fuhr mich an:
„Also, Herr Professor Su-erbruch, was ist denn nun? Erklären Sie sich gefälligst. Können Sie den alten Rothschild gesund machen, oder können Sie ihn nicht gesund machen?"
„Ich glaube, ich kann Sie gesund machen!"
Das beruhigte ihn augenblicklich. Voller Ergebung legte er sich in seine Kissen zurück und forderte:
„Nun, dann machen Sie mich gesund! Worauf warten Sie?"
Ich zog meinen Rezeptblock aus der Tasche und erklärte:
„Die Medikamente, die nötig sind, und die Gebrauchsanweisung dazu schreibe ich Ihnen auf. Der Wagen, der mich zurückbringt, wird Ihnen die verordneten Dinge gleich mitbringen. Sie haben die Anweisungen genau zu befolgen und acht Wochen im Bett zu bleiben."
Da fing er gellend an zu lachen.

„Sie kennen den alten Rothschild nicht!" rief er voll boshaften Triumphes. „Noch nie in meinem Leben bin ich länger als drei Tage im Bett geblieben, und ich werde auch Ihnen zuliebe nicht länger als drei Tage im Bett bleiben. Das erleben Sie nicht!"

„Na schön", erwiderte ich, „dann lassen wir es eben!" Ich hörte auf zu schreiben und steckte den Rezeptblock weg. Ganz beiläufig sagte ich dann: „Sie haben sehr schöne Bäume im Park. Haben Sie auch Fische in den Teichen?"

Vor Wut springt er jetzt aus dem Bett, dachte ich mir.

„Was?" schrie er. „Sie kümmern sich um meine Bäume? Kümmern sich um meine Teiche mit oder ohne Fisch? Sie sollen sich kümmern um die Löcher in meinen Beinen!"

„Hat keinen Zweck", erklärte ich und erhob mich. „Sie sind zu halsstarrig, Herr Rothschild. So müssen Sie eben sterben. Wenn Sie nicht mal acht Wochen im Bett bleiben können, bloß wegen Halsstarrigkeit und Eigensinn, dann kann Ihnen kein Mensch helfen."

Ganz langsam legte er sich in seine Kissen nieder. Lange sah er mich an: „Sie haben vielleicht eine Manier, mit dem alten Rothschild umzugehen. Na, ich muß schon sagen, Herr Professor. Also gut, ich bleibe acht Wochen im Bett."

Wir verabschiedeten uns. Ich besorgte in Zürich die Medikamente, gab sie dem Chauffeur mit nach Gailingen und – vergaß den alten Rothschild viele Monate lang. Denn nun kamen mit einem Male die Privatpatienten.

In jener Zeit hatten wir ein Dienstmädchen von ungewöhnlicher Exaltiertheit. An einem Nachmittage – ich war allein in meinem Arbeitszimmer – stürzte sie plötzlich zu mir herein und zischte:

„Herr Professor! Retten Sie sich! Ein Verrückter ist ins Haus eingedrungen."

Ich schnauzte sie an und verlangte eine Erklärung. Sie aber hielt die Türe zu und forderte mich auf, zu lauschen. Der Mann sei erst in den Keller gegangen, schritte jetzt durch den ersten Stock ... „Hören Sie das Tap-Tap, Herr Professor, das ist er. Denken Sie an Ihre Frau und Ihr Kind!" rief sie und brachte es fertig, daß mir unheimlich wurde. Meine Frau schlief oben mit dem kleinen Hans.

Schon aber hörte ich Schritte die Treppe herunterkommen, und als ich auf der Diele angekommen war, sah ich auf den Stufen eine seltsame Gestalt. Lang und dürr, mit einem schmalen hohen Zylinder auf dem Kopf, der die Größe dieses Menschen ins Groteske verlängerte, mit prächtigen Vatermördern, in einem altertümlichen Gehrock, mit einem Regenschirm über dem Arm, in karierten, engen und an den Seiten zugeknöpften Hosen, in einem Anzug aus dem vorigen Jahrhundert, trat diese merkwürdige Erscheinung heran.

„Su-erbruch, Su-erbruch, Sie leben über Ihre Verhältnisse." Mit diesen Worten trat er zu mir ins Zimmer. Als er mich fassungslos sah, verwunderte er sich:

„Kennen Sie mich nicht? Ich bin doch der alte Rothschild!"

Da jagte ich das zitternde Mädchen davon und lud ihn ein, Platz zu nehmen. Er aber blieb stehen, sah sich im Zimmer um, schüttelte den Kopf, griff mit der Hand in die linke Brusttasche seines Gehrocks und erklärte etwas verschämt:

„Ich hab' mich eingerichtet!"

Ich verstand ihn erst, als er weitersprach:

„Was bekommen Sie?"

„Erst müssen Sie mir Ihre Beine zeigen", erwiderte ich. Er protestierte.

„Das geht nicht. Ich kann die Hosen nicht allein aufknöpfen. Die Beine vom alten Rothschild sind auch nicht mehr wichtig. Also, was bekommen Sie?"

Er stand noch immer gerade und steif, mit den schwarzen Bartkoteletten im kalkweißen Gesicht, den Zylinder auf dem Kopf, vor mir. Ich wußte im Augenblick nicht, was ich fordern sollte, und meinte:

„Gut, Herr Rothschild, ich werde Ihnen von meiner Sekretärin in der Klinik die Rechnung schicken lassen."

Er aber:

„Ich habe mich auf heute eingerichtet" – wieder der Griff mit der rechten Hand in die Tasche des Rockes –, und dann vorwurfsvoll: „Ich habe mich in Ihrem ganzen Hause umgesehen, Su-erbruch, Sie leben über Ihre Verhältnisse!"

Ich war neugierig auf den Anblick seiner Beine, ließ mich auf keinen Dialog mehr ein, brachte ihn in mein Untersuchungszimmer zu der Chaiselongue, die natürlich mit einem frischen weißen Laken bedeckt war. Darauf aber wollte sich der alte Rothschild nicht legen. Das müsse dann wieder ausgewechselt werden und verursache Kosten. So griff er in die Tasche seines Gehrocks, zog ein umfangreiches Paket Zeitungen hervor, breitete sie über der Leinwand aus und legte sich auf das Papier. Als ich lachte, vermeinte er recht ernsthaft: „So ist der alte Rothschild reich geworden."

Ich half ihm bei den Seitenknöpfen der Hose und hatte alsbald prächtige gesunde Beine vor Augen. Währenddessen hielt er eine Ansprache:

„Su-erbruch! Was tun Sie, was treiben Sie? Wie soll es Ihnen noch gehen im Leben? Die Medikamente haben Sie mir geschickt! Die Anweisungen haben Sie mir geschickt! Aber was haben Sie mir nicht geschickt! Keine Rechnung haben Sie mir geschickt! Was soll aus Ihnen noch werden?"

Und während er sich anzog:

„Also, was soll ich Ihnen bezahlen, Su-erbruch? Ich habe mich für heute eingerichtet!"

Na schön, dachte ich und fragte:

„Was sind Ihnen die gesunden Beine wert, Herr Rothschild?"

Er:

„Der alte Rothschild is e' alter Mann. Er is' im Ganzen nicht mehr viel wert. Was können da noch Teile von ihm groß wert sein? Und Sie, Su-erbruch, leben über Ihre Verhältnisse!"

Dann griff er abermals in die Tasche, legte fünftausend Schweizer Franken auf den Tisch, und noch in der Haustür murmelte er:

„Über seine Verhältnisse lebt er, der Su-erbruch!"

Ein Jahr später, in einer anderen Schweizer Stadt, ganz zufällig traf ich auf der Straße den alten Rothschild. Sofort kam er auf mich zu. „Ich wollte in dieser Woche zu Ihnen nach Zürich kommen", sagte er, „ich habe mich nämlich erkundigt, Su-erbruch! Sie leben noch immer über Ihre Verhältnisse!"

Griff in die Tasche, zog zweitausend Schweizer Franken hervor, steckte das Geld in meine Tasche, drückte mir die Hand und ging davon.

Daß sich Geiz mit Nächstenliebe kombinieren ließe, das habe ich nie für möglich gehalten. Dennoch ist es so, denn ich erfuhr es am eigenen Leibe.

Als ich es einmal in Zürich sehr eilig hatte und, wie gewöhnlich, das Abholen vom Bahnhof nicht klappte, nahm ich mir eine Taxe. Der Chauffeur fuhr mich in die Klinik, und ich spendierte ihm ein fürstliches Trinkgeld.

„Tun Sie sich was Gutes an", sagte ich gönnerhaft, „und trinken Sie auf mein Wohl."

Ich lebe gern über meine Verhältnisse, wie man sieht.

Aber ich fiel aus allen Wolken, als einige Stunden nachher ein Mann mit einem durchgebrochenen Magengeschwür in bedenklichem Zustand bei uns eingeliefert wurde. Es war mein Taxichauffeur. Er hatte sich zuviel des Guten angetan.

Eine andere Züricher Episode, die ich erlebte, läßt mich noch heute schmunzeln, wenn ich daran zurückdenke.

Eines Tages wurde ich zu einer Konsultation zu einer hochstehenden Persönlichkeit gebeten. Am Ort der Handlung sah ich eine Korona bekannter Ärzte um das Bett des hohen Kranken versammelt. Personal bemühte sich ebenfalls um ihn, und ich hatte Mühe, in dem Gewimmel zum Schmerzenslager vorzudringen. Schmerzen hatte der Patient auf alle Fälle, das sah man deutlich. Aber es waren keine duldenden Schmerzen, es waren die wütenden und wütend machenden Schmerzen eines hohlen Zahns.

Man muß über die Beschaffenheit dieser Schmerzen bei Wilhelm Busch nachlesen, der allein für dieses Gedicht den doctor med. honoris causa oder wenigstens humoris causa verdient hätte.

Zahnschmerzen hatte mein hoher Patient aber auch nicht. Es war ihm eine Mundbodenphlegmone diagnostiziert worden, ein sehr gefährliches Geschwür, das immer die Gefahr einer allgemeinen Sepsis mit sich bringt.

Als ich mir den Mund ansah, bemerkte ich eine Schwellung und etwas, was aus dieser Schwellung ganz gut sichtbar hervorragte. Ich faßte mit der Pinzette hinein, ergriff das Etwas und hielt – der Patient zuckte ein wenig – einen Speichelstein in der Zange. Binnen Minuten war der Kranke von seinen Schmerzen befreit.

Ich habe damals einen Orden bekommen. Den habe ich aber nur getragen, wenn ich ganz allein war.

Die glücklichste Zeit meines Lebens verlebte ich in Zürich. Es waren Jahre, die nur der Arbeit gewidmet waren. Meine häuslichen Verhältnisse wurden ganz auf meine Arbeit eingestellt, so daß mir alle häuslichen Mißhelligkeiten vom Leibe gehalten wurden. Die Penaten lächelten immer, fast immer.

Das Anwesen in der Florhofgasse war weitläufig. Außer dem Haus, das wir gemietet hatten, gehörte ein zweites Gebäude dazu, in dem Frau Michel-Amberger eine Pension unterhielt. „Pension Florhof" hieß sie. Frau Michel-Amberger hatte vier Söhne, die gingen alle ins Hotelfach. Ich traf sie in vielen europäischen Hotels.

Dieses Haus in der Florhofgasse war prächtig. Man kam über eine schöne Freitreppe zu uns herein. Der Garten stieg zum Hause zu an, so daß man vom ersten Stock in den Park gelangen konnte. Im Erdgeschoß hatte ich mir meine Privatpraxis eingerichtet, oben im Hause wohnten wir. An Personal war da eine Köchin, eine Kinderfrau und ein Hausmädchen, das nach Schweizer Sitte „Dienermädchen" genannt wurde, weil es auch die Funktionen eines Dieners zu übernehmen hatte. Sie war eine Deutsche, hieß Paula, wurde jedoch Paulette genannt, weil sie lange in Paris gelebt hatte.

Meinem Sohn Hans, der heute als Maler am Bodensee lebt, wurden in diesem Hause noch drei Geschwister geboren. Am 31. August 1911 kam mein Sohn Friedrich, der jetzt Arzt ist und heute an „meiner" Berliner Charité wirkt, am 5. Juni 1913 Peter zur Welt, der sich nach diesem Kriege wie so viele eine neue Existenz schaffen mußte. Er lebt heute bei Hamburg als Kaufmann. Und am 27. April 1917 erschien unsere Tochter Marilen, die ich mein Leben lang „Die Katze" nannte.

In dem schönen Haus richteten wir uns durchaus komfortabel ein. Unser Heim war so beschaffen, daß wir mit guten Freunden herzlich umgingen, aber kein eigentlich gesellschaftliches Leben führten. Es war in Züricher Professorenkreisen nicht Sitte, einen gesellschaftlichen „Betrieb“ zu unterhalten. Unsere Freunde waren Ruges und Cloettas; außerdem das Ehepaar Zollinger-Jenny, wohlhabende Schweizer, die nicht zum Universitätsbetriebe gehörten, sondern von wirtschaftlichen Bedingungen unbelastet ihr Leben führten. Am Abend brachte ich oft meine Mitarbeiter und Assistenten ins Haus. Wir aßen zusammen und arbeiteten dann bis spät in die Nacht an dem „Schweiß- und Tränenbuch“: an meiner „Chirurgie der Brustorgane“.

Morgens begab ich mich, nachdem wir uns in der Florhofgasse installiert hatten, auf den kurzen Weg hinauf zur Klinik. In späteren Jahren begleiteten mich bei diesem Gange meine Kinder. Von Anfang an aber lief mein Hund Lux mit, der im Gegensatz zu meinen Kleinen mit mir ins eigentliche Gebäude ging, sich sofort in mein Zimmer begab, sich dort auf den Teppich legte und geduldig wartete, bis ich wieder erschien, um ihn abzuholen. Verließ ich das Haus, so rief meine Frau die Klinik an, ich sei auf dem Wege, und im Krankenhaus begann man den ersten Fall für die Operation vorzubereiten. Bereits im weißen Zeug ging ich von zu Hause weg. War ich im Begriff, die Klinik zu verlassen, so telefonierte man wiederum mit meinem Hause. Trat ich mit Lux ins Freie, so standen, als sie größer geworden waren, meine Kinder da, um mich abzuholen, und von Lux begleitet, wanderten wir heimwärts.

Ich hatte eine durchaus eigene Methode, zu essen. Die wird aber nur jemand begreifen, der weiß, wie geistig und körperlich völlig erschöpft ein Chirurg nach einem Vormittag in der Klinik sein kann. Ich nahm am Eßtisch Platz, links lag die Zeitung; zur gleichen Zeit begann ich zu lesen und zu essen. Das wurde nur dadurch ermöglicht, daß meine Frau mir den Teller gefüllt und das Fleisch schon zerschnitten hatte. Hatte ich so eine Weile gespeist und gelesen, so fragte ich:

„Bin ich satt?“ Antwortete meine Frau mit „Ja“, dann

war der Fall erledigt, sagte sie: „Nein!“, gut, dann aß ich noch einen Teller voll auf. Bei gutem Wetter aßen wir im Garten. Waren wir vom Tisch aufgestanden, begab ich mich sofort ins Bett. Das Zimmer war verdunkelt. Ich zog mich ganz aus, las einige Seiten eines Kriminalromans, schlief ein und wurde, je nach den Forderungen, die der Nachmittag an mich stellte, geweckt. Dann trank ich Kaffee, rauchte eine Zigarre und war heiter. Wenn irgend jemand auf die Idee kommen sollte, zu behaupten, daß die Erwachsenen während meines Nachmittagsschlafes mit nichts anderem beschäftigt waren, als dafür zu sorgen, daß meine Kinder ihres Vaters Schlaf nicht störten, so kann ich mir schon denken, daß diese Behauptung nicht völlig erfunden ist.

Ich habe sehr früh festgestellt, daß man als Vater recht bald der Kritik seiner Kinder unterliegt. Als ich nach einem besonders schwierigen Vormittag beim Essen saß, fand ich das Haus laut. Hunde bellten in der Nähe, ein Fenster wurde zugeschlagen, eine Tür krachte ins Schloß. Ich hörte das Personal auf den Gängen. Ich explodierte:

„Das ist ja zum Verrücktwerden! Den ganzen Tag hat man in der Klinik nicht einen Augenblick Ruhe, und kommt man dann endlich nach Hause und freut sich auf Ruhe und Frieden, dann ist zu Hause Lärm und Radau!“

Darauf sagte mein ältester Sohn, der kleine Hans, ganz ruhig:

„Wenn du nicht da bischt, Vater, ischt es ganz ruhig.“

Noch weniger liebenswürdig war die Kritik meiner Kinder bei zwei anderen Gelegenheiten. Unser guter Freund Schumacher war gestorben. Ich werde von seinem Ende noch sprechen. Traurig saßen wir mit den Gästen des Tages beim Essen um den Tisch herum und sprachen erschüttert von dem Tode dieses hervorragenden Mannes. Plötzlich sah mein Sohn Hans auf, sah mich streng an und fragte:

„Hascht du ihn operiert?“

Natürlich machten unsere Gäste große Augen, aber noch ganz andere Augen machten die Honoratioren der Stadt Zürich, als sie eines Tages bei uns zum Essen waren. Nach Tisch gingen wir alle rauchend im Garten spazieren und fanden meine drei Buben, die in einem mächtigen Sandhaufen spielten. Häuser und Wälle hatten sie gebaut, und eine der Schweizer Prominenzen fragte sie, auf den kleineren Gebäudekomplex weisend, der unter ihren Kinderhänden entstanden war:

„Was ist denn das?"

Die Buben antworteten:

„Das ist das Kantonspital, wo Vater arbeitet."

„Ah, sehr gut!" rief der Fragende. „Und was bedeutet die große Fläche dahinten?"

Die Buben sagten:

„Das ist der Friedhof!"

Kam ich am Nachmittag in das Erdgeschoß, so fand ich gewöhnlich zahlreiche Patienten vor. Nach solchen Sprechstunden mußte ich wieder in die Klinik. Spät kam ich nach Hause, die Kinder lagen längst zu Bett, das Abendbrot war einfach wie alle unsere Mahlzeiten. Es gab Aufschnitt, Brot und Butter; ein jeder machte sich seine Brote selbst, dazu tranken wir Tee oder Bier. Arbeitete ich nach dem Essen nicht mehr, so gingen wir im Sommer noch in den Park. Er war hügelig. Ich hatte einen Wagen bauen lassen, mit dem man die kleinen Erhebungen in schneller Fahrt hinuntergleiten konnte. Mir machte es viel Spaß, mit meinem Hunde Lux das zu tun. Ich bin erst ziemlich spät dahintergekommen, daß es meinen Gästen weniger Vergnügen bereitete.

In meiner Jugend hatte ich Trompete geblasen, das tat ich jetzt nicht mehr, aber ich kaufte mir ein Phonola, auf dem es sich leicht musizieren ließ. Mein Lieblingsstück war die Egmont-Ouvertüre, die spielte ich mir und meinen Gästen mit großem Schwung vor. Kräftig zog ich die Register dieses Instrumentes.

Mußte fremder Besuch ausgeführt werden, so gingen wir meist in den Grillroom des Baur au Lac. Im übrigen jedoch lebten wir, wie gesagt, recht zurückgezogen. Wenn wir verreisten, so fuhren wir an die Riviera oder nach St. Moritz, auf die Chiantarella, wo die Familie Thomas-Badrutt, mit der wir befreundet waren, ein Sanatorium-Hotel unterhielt. Lag Schnee, so lief ich Ski, ich war ein guter Durchschnittsläufer, aber, um es gleich zu sagen, an die genannten Plätze fuhren wir selten zum Selbstzweck. Entweder hatte ich dort eine Konsultation oder eine Operation durchzuführen, oder ich mußte in Ruhe ein Kapitel aus der „Chirurgie der Brustorgane" schreiben und benötigte Zurückgezogenheit. Den Text diktierte ich dann meiner Frau in die Schreibmaschine, die immer mit dabei war.

Schon in der ersten Zeit meines Züricher Aufenthaltes, und nachdem sich die ersten Erfolge in der Lungen-Chirurgie gezeigt hatten, holte man mich nach Paris, lud man mich zu Kongressen nach Wien und Holland ein.

Ich hatte sehr wenig Zeit! Glühend beneidete ich den Friseur unseres Spitals. Der war von der Gletschersonne tiefbraungebrannt. An jedem Wochenende stieg er auf einen hohen Berg und hatte Zeit, die phantastischsten Touren auszuführen. Montags erzählte er mir stets sehr spannend von seinen alpinistischen Großtaten. An einem Sonnabendnachmittag zog er wieder davon, mit allem ausgerüstet, was zu einer Hochtour gehört. Er nannte mir auch den jeweiligen Gipfel, den er bezwingen wollte. Es waren immer die sensationellsten und schwierigsten. Eines Sonntags aber fuhr ich einmal mit meiner Familie bei prallem Sonnenschein auf einen Hügel in der Umgebung der Stadt. Da lag der kühne Alpinist in der Sonne und ließ sich braunbrennen. Ich überrumpelte ihn. Er gab zu, viele Bücher über Bergbesteigungen zu besitzen. Aus ihnen schöpfte er das Material für seine prächtigen Erzählungen. Auf einen größeren Berg war er nie gestiegen.

Ich hatte sehr wenig Zeit. Das und vieles andere auch beweist eine kleine Geschichte. Eines Tages machte ich die Entdeckung, daß ich meine Kinder kaum zu Gesicht bekam, und hatte das Gefühl, daß ich mich unbedingt mit ihnen abgeben müsse. Deshalb beschloß ich, sie mitzunehmen, wenn ich im Wagen zu Konsultationen fahren mußte, um sie zu erfreuen und mich mit ihnen zu unterhalten. Mit Friedel machte ich den Anfang. Der Wagen hielt schon draußen, als ich meinen Beschluß verkündete. Das ganze Haus geriet in Aufregung, und unsere gute Kinderschwester machte viele Anstrengungen, mich von meinem Entschluß abzubringen. Aber ich blieb fest. Das Kind wurde in den Wagen gesetzt, wir fuhren los. Vorher jedoch versprach ich meiner Frau, den kleinen Friedel zurückzuschicken, wenn ich mit den drei Konsultationen des Tages fertig sei, da ich mich anschließend gleich zur Klinik begeben werde. Meine Frau wartete sehr lange; es kam kein Wagen, es kam kein Kind. Sie rief in der Klinik an, konnte jedoch nicht mit mir verbunden werden, denn ich operierte, und in der Klinik wußte niemand etwas von einem Kinde des Chefs. Es gelang festzustellen, daß der Professor Sauerbruch zwar im Wagen, aber ohne Kind vor der Klinik vorgefahren war.

Die Namen der Familien, bei denen ich gewesen war, kannte meine Frau. Sie setzte sich mit diesen Häusern telefonisch in Verbindung. Bei den ersten beiden Familien sagte man ihr, daß der Professor Sauerbruch mit einem kleinen Buben erschienen und auch mit einem kleinen Buben wieder davongegangen war. Im dritten Haus stieß sie auf eine schwierige Situation. Der Hausherr lag schwer erkrankt, die Bewohner waren in Sorge und Unruhe. Man suchte nach und fand den Kleinen im Salon. Er schlief in einem Sessel. Auf diesen Stuhl hatte ich ihn gesetzt und ihm befohlen, zu warten. Das hatte er auch getan. Da saß er noch. Nun ja, so ist das leider gewesen, wenn ich mich mit meinen Kindern abgab.

Eine andere Geschichte, die meinen Sohn Peter betraf, erzähle ich nie, weil ich finde, daß sie keine Pointe hat. Aber meine erste Frau erinnert sich gern daran, ihr weiblicher Sinn für Komik ist anders gelagert:

Mein Sohn Peter war stets Feuer und Flamme, wenn er merkte, daß ich verreisen mußte. Offenbar gefielen ihm Hast und Trubel, die jedesmal entstanden, wenn einer eine Reise tut. Besonders meine Aufbrüche waren immer turbulent. Peter kam jedenfalls sofort aufgeregt zu mir, wenn er mich im Kursbuch blättern sah.

An einem Vormittag nun schritt der dreijährige Junge mit imitierter Grandezza die Treppe hinunter, unter dem Arm hatte er einen zerfetzten Katalog, und um den Hals trug er an einer Schnur einen Pappkarton. Meine Frau fragte erstaunt:

„Wo willst du denn hin, Peter?“

Er antwortete:

„Ich muß verreisen!“

„Wohin geht die Reise denn?“ wollte meine Frau wissen.

Gravitätisch entgegnete er:

„Ich weiß es noch nicht, ich muß erst im Kursbuch nachsehen.“

„Gute Reise!“ wünschte seine Mutter. „Komm gut hin. Grüße alle schön. Auf Wiedersehen, mein Junge.“

Sie brachte ihn an die Tür zum Park, winkte ihm nach und schloß die Pforte.

Peter ging die Treppe hinunter, lief noch ein Stück weiter und drehte sich dann um. Als er sah, daß seine Mutter verschwunden war, rannte er weinend mit dem Ruf: „Mutter, Mutter!“ zurück und stürzte in ihre Arme. Sie aber hatte ihn bereits gesehen und die Tür rechtzeitig wieder geöffnet.

Ich habe erzählt, daß die geglückte Operation an der Tochter des Earl of Cavendish-Bentinch mir ebenso wie die geheilten Beine des alten Rothschild großes Ansehen brachten. Zahlreiche Persönlichkeiten der europäischen Aristokratie und des internationalen Geldadels fanden sich daraufhin in meiner Privatpraxis in Zürich ein. Es kam der Fürst von Radziwill; körperlich ein mächtiger Mann, sehr korpulent, sehr anspruchsvoll. Zur Begeisterung unserer Klinikschwestern ließ er sein Krankenbett mit einer großen grünen Daunendecke schmücken, auf die eine goldene Krone prunkvoll gestickt war. Später heiratete er in Zürich und ließ sofort eine zweite Decke dieser Art, wiederum mit der Krone, anfertigen.

Es kam Nouman Bey, damals Legationsrat in der Türkischen Gesandtschaft in Bern. Nach seiner Genesung heiratete er eine Schweizerin, die er in der Klinik kennengelernt hatte. Ein englischer Admiral, dessen Namen ich vergessen habe, wurde von mir behandelt. Es kam eine Frau Rothschild, die Gattin eines der Inhaber der Firma Rosen-Rothschild-Ladenbourg, und es erschien schließlich sogar der Vater Nouman Beys, nicht, um sich operieren zu lassen, sondern um mir einen hohen türkischen Orden zu verleihen.

Die ganze Klinik geriet außer sich, als Frau Friedländer-Fould erschien, mit einem Abszeß an der Lunge und einem kleinen Hund. Für dieses Geschöpf verlangte sie ein eigenes Zimmer in der Klinik. Ein Maharadscha kam mit seinem Leibarzt. Den brachte ich mit zu Tisch, und er versprach meinem ältesten Sohne einen weißen Elefanten. Was habe ich unter diesem weißen Elefanten gelitten! Der kam nie, aber mein Sohn fragte über ein Jahr lang täglich nach ihm.

In dieser Zeit ist mir eine sehr merkwürdige Geschichte passiert, die ich noch heute nicht recht begreife. Mein Vorgänger, Professor Krönlein, hatte den „Krönlein-Kegel-Club" gestiftet. Seine Mitglieder waren durchweg Leute von Geist. Die Gespräche, die wir dort führten, waren uns alle wichtiger und ungemein interessanter als das Kegeln, das mehr als Ausrede diente, denn Männer huldigen nicht dem Klatsch. Als der Club einmal wieder seinen „Gründungstag" zu feiern hatte, wollten wir dieses Fest in einem Gasthof am Zürcher See begehen. Schon wollte ich hinfahren, als man mich in die Klinik zu einer dringlich gewordenen Operation rief.

Spät kam ich nachher zu meinen Kegelbrüdern, erhitzt und erschöpft. Ich hatte großen Durst. Man servierte mir nach und gab mir schweren Wein zu trinken, mit dem ich meinen Durst geistesabwesend löschte. Was dann später mit mir geschehen ist, weiß ich überhaupt nicht mehr. Meine Frau erzählt, ich sei ohne Hut und Mantel und so völlig durchnäßt nach Hause gekommen, daß nur die Annahme übrigblieb, ich habe mit allen Kleidern im Wasser gelegen. Als sie mich so sah und entsetzt fragte, wo ich denn gewesen sei, soll meine Antwort gelautet haben:

„Im Genfer See!"

Und ich war auch durch den Hinweis auf die geographische Unmöglichkeit dieser Behauptung nicht davon abzubringen, ich sei „im Genfer See" gewesen.

Von meinen nassen Kleidern befreit, ging ich ins Bett und schlief sofort ein. Nach einer Weile läutete das Telefon. Ich nahm den Hörer ab, steckte ihn unter die Bettdecke und war nicht zu bewegen, ihn wieder herauszugeben. Natürlich schlief ich weiter. Morgens zwischen drei und vier klingelte es an der Haustür. Ich schlief fest. Meine Frau stand auf, ging ins Erdgeschoß und öffnete die Haustür. Da standen zwei würdige Schwyzer Herren, wie ich Mitglieder des „Krönlein-Kegel-Clubs“. Zuerst baten sie meine Frau, sie möge sich nicht erregen, brachten dann meinen Mantel und meinen Hut zum Vorschein und sagten, die Sachen seien in der Garderobe des Gasthofes geblieben, ich selbst aber sei verschwunden. Die Polizei sei benachrichtigt und suche mich. Meine Frau erklärte ihnen, das sei unnötig, denn ich liege in meinem Bett und schlafe, nachdem ich vorher in den „Genfer See“ gestiegen sei. Die beiden würdigen Herren gingen davon und verstanden die Welt nicht mehr.

Ich selbst habe nie erfahren, wo ich eigentlich gewesen bin.

Im Sommer des Jahres 1912 kamen Ritters ins Hotel Dolder nach Zürich. Gewaltsam verschaffte ich mir die Zeit, um mit den beiden, mit ihrem Sohn und der Schwiegertochter Ausflüge in die Umgebung zu machen. Vater Ritter, klein und untersetzt, mit seinem grauen Stutzbart und mit viel Würde, kam in die Klinik und sah bei den Brustoperationen zu. Es war ein wunderschöner Sommer, und wir hatten eine herrliche Zeit miteinander.

In der Schweiz herrschte damals eine kleine Aufregung. Im Herbst dieses Jahres 1912 fanden große Manöver im Lande statt, und der deutsche Kaiser war zu ihnen eingeladen. Von Amts wegen wurde ich ersucht, nicht in Urlaub zu fahren, bis die Kaisertage vorbei seien. Der Schweizer Generaloberst-Divisionär Steinbuch, der die Manöver leiten sollte, suchte mich auf und schilderte mir seine Nöte. Er hatte kurze Zeit vorher beim Dienst einen Unfall erlitten und fürchtete, nicht aufs Pferd steigen zu können. Eines seiner Beine war zu Schaden gekommen. Ich konstruierte ihm einen unauffälligen Gipsverband, mit dem er reiten konnte. Er war selig. Einige Zeit vorher hatte ich auch die Tochter des Bundespräsidenten Forrer operiert. Diese beiden Patienten sorgten dafür, daß mir ein ausgezeichneter Platz bei den Veranstaltungen sicher war, die zu Ehren des Kaisers abgehalten werden sollten.

Als der Kaiser kam, verlief alles ausgezeichnet. Die Schweizer waren begeistert von Wilhelm II. Der Bundespräsident in seinem großen Schlapphut machte bei den Manövern und Paraden eine großartige Figur. General Steinbuch saß mit seinem Gipsverband recht prächtig zu Pferde.

Bei einem großen Festessen im Baur de Lac deckte man einen riesengroßen runden Tisch, damit sich niemand über die Sitzordnung beschweren konnte. Am Abend nach dem Essen erstrahlte der Zürcher See in einer märchenhaften Illumination. Der Kaiser fuhr auf einem Schiff über den See, und zu dieser Fahrt nahm mich Bundespräsident Forrer mit. Er stellte mich Seiner Majestät vor. Der Kaiser war sehr liebenswürdig zu mir. Er zeigte sich, und zwar, wie ich mir schmeichelte, aus dem Stegreif, über meine Person und über meine Arbeit wohlinformiert und verlieh mir den Roten-Adler-Orden IV. Klasse.

Nachher gab es einige Anstände mit der Deutschen Mission in der Schweiz, weil die nicht daran gedacht habe, mich zu präsentieren.

Als die Tage des Kaiserbesuches vorbei waren, durften wir in Urlaub fahren. Die Kinder, damals waren es erst zwei Buben, wurden zu den Schwiegereltern nach Greifswald gebracht. Wir selbst fuhren auf den Zirner Hof nach Südtirol, oberhalb von Bozen. Hier war es großartig. Wir konnten auf den Dolomitenbergen umhersteigen. Man erlaubte mir, beim Heuen zu helfen, aber das Ende dieses Urlaubs war schrecklich. Meine Frau fuhr nach Greifswald, um die Kinder zu holen, und ich erhielt in Zürich ein Telegramm aus Homburg, Vater Ritter sei an einer eitrigen Blinddarmentzündung schwer erkrankt. Ich nahm meinen Assistenten, Dr. Heyde, mit und eilte sofort nach Homburg. Es war bereits zu spät. Mein väterlicher Freund, der mehr als ein Jahrzehnt meinen Lebenslauf überwacht und liebevoll dirigiert hatte, war nicht mehr.

Meine Mutter und Tante Mathilde kamen bei Beginn des Jahres 1913 nach Zürich zu Besuch. Das Schuhgeschäft in Elberfeld war langsam gestorben. Es bestand auch keine Notwendigkeit mehr, es zu behalten; ich konnte Mutter und Tante Mathilde hinreichend unterstützen.

Wir fuhren nach Schaffhausen, und ich zeigte ihnen den Rheinfall. Es war ein voller Erfolg. Ich merkte es daran, daß die lieben alten Damen wochenlang davon sprachen. Wir feierten den siebzigsten Geburtstag meiner Mutter in Zürich. Bei keinem Aufenthalt in unserem Hause war sie ganz zufrieden mit mir. Sie lebte in Elberfeld und trug dieses Elberfeld mit sich herum, wo sie ging und stand. Jedesmal, wenn sie ankam, begrüßte sie mich mit der Zusicherung, sie habe mir unendlich viel zu erzählen. Ich müsse mir einen ganzen Abend freinehmen, um ihr zuzuhören. Auf diesen Abend bestand sie und begann dann etwa so:

„Du erinnerst dich doch noch an Hildchen Schmitz . . .“

Ich erinnerte mich nicht mehr an „Hildchen Schmitz“, aber trotzdem erzählte sie mir die Lebensgeschichte dieser mir ach so fernen Dame, vielleicht, weil sie geschieden war oder die Heimatstadt verlassen hatte oder aus sonst einem wenig bedeutungsvollen Anlaß heraus. Eine Fülle von Menschen ließ sie an solchem Abend vor mir auftauchen, die ich entweder nie gekannt oder bereits völlig vergessen hatte. Ich hatte immer Angst vor diesen Abenden. Es half mir auch nichts, wenn ich abberufen wurde. Die Zeit mußte nachgeholt werden, da gab es kein Entrinnen.

Im Herbst des Jahres 1913 fuhr ich zum Internationalen Chirurgen-Kongreß nach London, und zwar mit ganz besonderen Gefühlen. Geheimrat von Mikulicz hatte mich seinerzeit, wie ich erzählt habe, von Breslau nach Berlin mitgenommen zum Internationalen Chirurgen-Kongreß. Damals stand ich als völlig unbekannter Mann vor einem Gremium berühmter Chirurgen. Damals hielt ich meinen Vortrag „Über die physiologischen und physikalischen Grundlagen bei Intrathorakalen Eingriffen in meiner pneumatischen Operationskammer“, damals demonstrierte ich mit Herzklopfen meine Kammer. Es waren noch keine zehn Jahre vergangen, daß ich jetzt auf dem Chirurgen-Kongreß 1913 in London erschien. Da begriff ich am allerdeutlichsten, was die vergangenen knappen zehn Jahre für mein Leben bedeutet hatten. Ich bat dem Schicksal all die Unruhe und all das Gemurre ab, unter dem ich die Jahre in Greifswald und Marburg verbracht hatte, denn jetzt „gehörte ich endlich dazu", wie Großvater es ausgedrückt hatte.

Jetzt saß ich in der ersten Reihe, obgleich ich ein verhältnismäßig junger Arzt war. Mit keinem Gedanken dachte ich daran, daß dieser Kongreß der internationalen Chirurgen im Jahre 1913 für viele Jahre die letzte Begegnung in London sein sollte. Es mutet mich heute gespenstisch an, daß ich viel später, wie durch ein unentrinnbares Verhängnis, mich in genau derselben Verstrickung ahnungslos wiederfand.

Nach dem Kongreß fuhr ich zurück nach Zürich und in meinem Urlaub mit meiner Frau nach Oslo zu dem bekannten skandinavischen Arzt Dr. Wideroe. Der verwöhnte uns ungeheuer. Wir sahen uns seine Klinik an und verbrachten eine etwas kalte Zeit in Ballholm, denn das Jahr neigte sich dem Ende zu.

In dieser Zeit erhielt ich den Ruf an zwei verschiedene deutsche Universitäten, nach Halle und Königsberg. Ich lehnte sie beide ab, denn ich war in Zürich glücklich.

Jedes Jahr verschaffte mir neue Erkenntnisse in der operativen Behandlung der Brustorgane. Ich lernte Krankheitsbilder richtig erkennen und werten, und ich lehrte sie erkennen und werten. Meine Mitarbeiter und ich brachten es so weit, daß wir einseitige schwere Tuberkulosen, die auf konservativem Wege nicht mehr heilbar waren, ohne allzu große Gefahr für den Kranken durch chirurgische Behandlung bessern konnten. In vielen Fällen führten wir völlige Gesundung herbei. Das machte uns sehr glücklich, denn diese Menschen wären sonst gestorben. Zudem bedeuteten sie als Bazillenträger eine große Gefahr für die Umgebung, besonders für die Kinder. Und diese Menschen warteten jetzt nicht mehr in den Sanatorien auf den Tod. Sie konnten geheilt wieder ihre Arbeit aufnehmen und so ihr Geschick in eigenen Händen halten.

Wir dehnten unser Arbeitsgebiet aus. Die Theorie und die Praxis der Zwerchfell-Chirurgie wurde von uns erforscht. Später verfaßten wir ein eigenes Werk über dieses Spezialgebiet der Chirurgie.

Wir sind uns immer darüber einig gewesen, daß der Frühling des Jahres 1914 der schönste Frühling unseres Lebens gewesen ist. Der letzte zauberhaft schöne. Aber schwer auszudrücken ist das, was wir damals empfanden. Es war eine Stimmung von süßem Weltschmerz, der ich mich, obgleich ich weiß Gott nicht sentimental bin, nicht entziehen konnte. Wir lebten in der Schweiz, und das hatte seine Bedeutung. Wir lebten in einem neutralen Lande, in dem sich Angehörige aller Nationen zusammenfanden und von der drohenden Kriegsgefahr sprachen. Viel mehr als in Deutschland selbst. In diesem Frühjahr 1914 hatte ich ständig das entsetzliche Wort Sasonows im Sinn. Daß ein Krieg, wenn er entstand, sich ausbreiten würde, war mir klar, eben, weil ich täglich mit so vielen Ausländern sprach. Daß der Krieg die bürgerliche Welt in meinem Heimatlande vernichten würde, begriff ich durchaus. Jene bürgerliche Welt, die ich in Zürich so glänzend repräsentiert sah und die ich so heiß liebte.

Diese Sorgen brachten uns dazu, diesen wunderschönen Frühling voll bewußt zu genießen. Willi Anschütz kam aus Kiel und formulierte später auch: „Der letzte schöne Frühling". Er kam, weil die in Zürich neu erbaute Universität in diesem Jahre mit einem prächtigen Fest eingeweiht werden sollte, wozu Wissenschaftler aus der ganzen Welt und aus allen Fakultäten eingeladen worden waren. Der Neubau des der Wissenschaft geweihten Hauses verschaffte mir im übrigen ein kleines komisches Erlebnis.

Eines Tages streikten in Zürich wegen einer Lohnforderung die Gipser und hatten überall Streikposten aufgestellt. Ich sagte wohl bereits, daß ich immer im weißen Gewand von der Klinik aus nach Hause zu gehen pflegte. Auf diesem Wege stellte mich da plötzlich ein vierschrötiger Mann mit einem derben Stock, bedrohte mich und rief:

„Streikbrecher, du unverschämter!"

Ich fauchte ihn an:

„Was fällt Ihnen ein? Ich bin der Professor Sauerbruch!"

Da wandte er sich enttäuscht ab und murrte:

„Na, dann geh zu!"

Die Einweihung der neuen Universität wurde ein wahres Volksfest. Am Tage danach, beim „Sechs-Uhr-Läuten“, ward der Winter verbrannt in Gestalt einer überlebensgroßen, aus Stroh, Holz und Lumpen gefertigten Figur. Alles Volk beteiligte sich am Treiben. Der große Kopf des Winters flog mit herrlichem Knall und prächtigem Feuerwerk auseinander. Im weitläufigen Lichthof des großartig gebauten Hauses und in den Säulengängen, die ihn flankierten, standen wir mit unserem Rektor, der die goldene Amtskette trug, in schwarzen bürgerlichen Gewändern, denn die Schweiz kennt keine Talare für die Professoren. Um so feierlicher und farbiger waren die Gewänder der Kollegen aus fernen Landen, die der Einladung gefolgt waren. Am Abend zogen die Zünfte im großen historischen Festzug und in alten Trachten, jedermann seine Stocklaterne in der Hand, durch die Straßen. Es war ein wunderschönes Fest. Wenn wir aber in jenen Tagen mit unserem Kieler Freunde Anschütz unter den blühenden Apfelbäumen am Zürcher See promenierten, so schien uns ein Gespenst, das diesen märchenhaften Frühling für alle Zeiten zerstören würde, immer greifbarer zu werden.

Die erste Düsternis, die sich für uns am wolkenlosen Himmel zeigte, war der schnelle Tod meines Mitarbeiters und Freundes Schumacher. An einem Wochenende fühlte er sich matt und elend. Dr. von Muralt, der gerade in unserer Klinik weilte, nahm ihn mit zu sich hinauf in sein hochgelegenes Sanatorium, damit er sich für ein paar Tage, fern von der Arbeit, ausruhen könnte. Jedoch bald kam die furchtbare Nachricht, er liege auf den Tod. Eine Nebennieren-Tuberkulose machte seinem Leben ein schnelles Ende.

Die Gespenster drohten, es lag in der Luft.

Mit der medizinischen Fakultät hatten wir einen Ausflug ins Freie unternommen und saßen heiter beieinander. In dieser Stunde ließ uns das Attentat in Serajewo erschauern. Wochen später – meine Mutter und Tante Mathilde waren wieder zu Besuch bei uns – machten wir mit dem Mietsauto eine Fahrt nach Luzern. Während wir dort langsam über die alte Holzbrücke fuhren, schrien die Zeitungsverkäufer die Kriegserklärung aus. Wir waren wie gelähmt. Der Chauffeur mußte uns sofort zu Huegenin fahren. In diesem Restaurant saßen wir nun und waren völlig fassungslos. Der Kellner kam und brachte den Tee. Wir ließen ihn kalt werden.

Wir eilten zurück nach Zürich. Die Stadt befand sich in einem schrecklichen Aufruhr. Schon fuhren die Taxis und Droschken in Schwärmen durch die Stadt zum Bahnhof. Die Angehörigen der Nationen, deren Länder in den Kriegszustand gesetzt worden waren, begaben sich nach Hause. Das Gepäck stapelte sich wochenlang auf dem Bahnhof in Zürich. Die Hotels in der ganzen Schweiz verödeten mit einem Schlage, Gäste und Personal stürzten davon. Die vielen Kellner aus Deutschland, Österreich und Italien, die Köche aus Frankreich, alle gaben sich noch einmal die Hand, bevor sie in die Armeen einrückten, um aufeinander zu schießen. Die Banken schlossen, damit die Panik nicht die Wirtschaft des Landes zerstören konnte. Von seinem Guthaben konnte jeder nur wenige Franken abheben, denn das Gerücht lief durch das Land, die Schweiz habe nur für neunzig Tage Lebensmittel, und da sie durch den Krieg von aller Zufuhr abgeschnitten werde, so stehe eine Hungersnot bevor. In den Lebensmittelgeschäften drängte sich die Menge und kaufte ein. Das Straßenbild in Zürich war völlig verändert. Schweizer Soldaten, das eigene Pferd an der Hand und die eigene Uniform im Sattelsack, zogen durch die Straßen. Soldaten rückten ein, denn auch die Schweiz machte mobil. Die Schulen schlossen.

In der Klinik packten die meisten deutschen Ärzte ihre Koffer, denn sie waren fast alle Reserveoffiziere und hatten ihre Mobilmachungsorder in der Tasche. Dr. Heusner, der Sohn des Chirurgen beim Städtischen Krankenhaus in Barmen, Dr. Ellern aus Berlin, Dr. Heyde aus Marburg, sie warfen ihre Sachen in den Koffer und machten sich bereit, ins Feld zu ziehen.

Ich hatte das Gefühl, sofort etwas tun zu müssen. Eine Mobilmachungsorder hatte ich nicht erhalten, denn ich war niemals Soldat gewesen. Ich fuhr zur Regierung des Kantons und ließ mich bei dem Präsidenten, Herrn Dr. Ernst, melden. Dieser sonst so beschäftigte Mann empfing mich auf der Stelle, und den Dialog, den wir beide miteinander hatten, werde ich nie vergessen. Noch heute habe ich ihn wörtlich in Erinnerung.

Er sah auf, als ich eintrat, erhob sich von seinem Stuhl, und ich begann:

„Bitte, entschuldigen Sie, daß ich Sie so früh aufsuchen muß."

Er anwortete in seinem Schweizerdütsch, das mir so vertraut geworden war:

„Hören Sie, Sie brauchen kein Wörtle zu sprechen! Wenn Sie net gekommen wäre, hätten wir die Achtung für Sie verloren! Weihnachte werde die Dütsche den Krieg gewonne habe!"

Er beurlaubte mich auf unbestimmte Zeit, und ich ließ ihm keinen Zweifel darüber, daß ich sofort nach Deutschland fahren werde, um mich als Kriegsfreiwilliger zu melden.

Nach Hause zurückgekehrt, telegrafierte ich an die Deutsche Gesandtschaft in Bern, daß ich der Armee zur Verfügung stehe. Umgehend erhielt ich die telegrafische Antwort:

„Sie sind zum Beratenden Chirurgen des XV. Armeekorps ernannt und haben sich so bald als möglich in Straßburg zu melden."

KRIEG, DER BLUTIGE LEHRMEISTER

Am 5. oder 6. August, das weiß ich nicht mehr so genau, betrat ich die Bahnhofshalle von Zürich, um zunächst bis zur Grenze nach Lörrach zu fahren. Von dort mußte ich sehen, wie ich weiter kam. Die Doktoren Birkelbach und Jehn wollten mit mir nach Deutschland kommen. Meine Familie und die Schweizer Ärzte meiner Klinik standen am Zug. Der Oberarzt der Klinik, Professor Henschen, der mich vertreten sollte, sprach noch einige Worte, die ihm aus dem Herzen kamen. Er gelobte mir, nicht nur für das Spital, sondern auch für meine Familie zu sorgen. Er hat sein Wort getreulich gehalten.

Nach vielen Wirrnissen kam ich schließlich nach Straßburg. Nach Wirrnissen deshalb, weil kein Soldat begriff, daß ein Zivilist dicht an der Grenze in Zügen reisen sollte. Als ich endlich angekommen war, begab ich mich schleunigst zu meinem älteren Kollegen, dem Inhaber des Lehrstuhles an der Straßburger Universität, zu Geheimrat Madelung. Wegen seines hohen Alters konnte er nicht in den Krieg ziehen, sonst wäre er zum Beratenden Chirurgen des XV. Armeekorps ernannt worden. Alsdann meldete ich mich auf dem Generalkommando. Hier wußte niemand etwas von mir, und daß ich unter die Soldaten wollte, interessierte auch keinen. Schließlich fand ich doch einen Feldwebel, der sich meiner annahm. Er meinte, ich müsse sofort an die Front, aber das gehe nicht in Zivil. Es gebe keine Vorschrift, die besage, in welcher Uniform der Beratende Chirurg eines Armeekorps zu bekleiden sei, teilte er mir stirnrunzelnd mit. Weder er noch ich konnten allerdings ahnen, daß meine Frau in Zürich mittlerweile ein Telegramm in der Hand hielt, in dem geschrieben stand: „Sie sind zum Oberstabsarzt ernannt." Mein Berater meinte, ich solle mir eine Art Jagduniform machen und an deren Rock Spiegel mit Äskulapstäben anbringen lassen. Dieser Anzug würde wohl als Uniform angesehen und respektiert werden.

In meiner Eile, an die Front zu kommen, eilte ich zu einem Uniformschneider in Straßburg. Kaum hatte ich gesagt, man möge mir eine „Jagduniform" machen, als man mich mit empörten Worten hinauswarf und mir nachrief, es sei doch ein tolles Stück, sich bei Kriegsbeginn eine Jagduniform machen zu lassen.

Ich hatte immerhin das Telegramm in der Tasche, ich sei zum Beratenden Chirurgen ernannt. So kam ich dennoch in Zivil an die Front, dann regelte sich alles von selbst, und ich stolzierte in Uniform einher. Es passierte mir, als ich für wenige Tage eine Stadt in der Heimat aufsuchte, daß ich in der Uniform eines Oberstabsarztes, aber mit meinem mir lieb gewordenen Schlapphut auf dem Kopf, über eine Hauptstraße ging. Es ist wahr, ich will es nicht verschweigen. Ein Feldwebel entdeckte mich so, hielt mich an, und ich mußte einiges an Branntwein aufwenden, um ihn wieder zu sich zu bringen, so sehr hatte ich ihn erschreckt. Als wir uns trennten, zog ich den Schlapphut, und er grüßte stramm zurück.

Ich holte meinen ersten Operationswärter Rohde heran; als Sanitäts-Unteroffizier blieb er bei mir.

Ich tat meine Pflicht in den Weinbergen der Vogesen, ich tat dasselbe vor Ypern, und wenn es nach meinem Willen gegangen wäre, so hätte ich die Lazarette an der Front nicht verlassen.

„Iatrós gar anér pollon antáxios állon", steht bei Homer in der Ilias zu lesen. „Ein Arzt ist soviel wert wie viele Männer." Das ist ein Wort, in Kriegszeiten geprägt, in denen für so viele die Kunst des Arztes Rettung und Wiederherstellung bedeutet.

Für den Chirurgen ist der Krieg dicht hinter den vordersten Linien zwar ein furchtbares, zugleich aber auch ein spannendes und ungeheuer lehrreiches Erlebnis. Da er den Horror des Laien vor dem Anblick von Blut, Wunden, Schmerz beim Mitmenschen nicht teilt – wo käme er da hin –, kann er heißen Herzens und kühlen Auges Beobachtungen machen, die sonst nirgends anzustellen sind. Er gewinnt eine Unsumme von Erfahrungen, die auch noch heute die Basis des chirurgischen Könnens sind.

Der Arzt ist gewohnt zu helfen, eine Gewohnheit, die sich bei guten Ärzten zu einem Instinkt entwickelt hat. Es ist schmerzlich zu sehen, wenn vielfältiger Jammer und endloses Elend von der Front heranfluten und man alle Hände voll zu tun hat – und noch ein Dutzend Hände mehr brauchte. Es ist schmerzlich, jungen Leuten Gliedmaßen wegnehmen zu müssen, ohne ihnen einen einigermaßen ausgleichenden Ersatz geben zu können. Es ist schmerzlich, so viele sterben zu sehen, ohne daß ihnen die Kunst anders zu helfen vermag, als ihnen das Sterben zu erleichtern.

Neben alldem aber lernte man menschliche Fähigkeiten kennen, von denen wir in den Operationssälen und an den Krankenbetten der Kliniken keine Ahnung hatten. Ich glaube, daß die alten Ärzte davon viel mehr wußten als wir.

Bei Ypern hatte ich ein eindrucksvolles Erlebnis, von dem ich mehr lernte als in Jahren emsigen Studiums und in monatelanger Tätigkeit im Operationssaal. Ich hatte es mir nicht nehmen lassen, einen Verbandsplatz dicht hinter der Front öfter zu besuchen. Bei einem solchen Anlaß kamen Verwundete zurück, die einen Angriff mitgemacht hatten. Ein junger Leutnant fiel mir auf. Ein Unterarm hing schlaff und blutig bewegungslos herunter, aber der Mann schritt aufrecht. Er schien keinen Schmerz zu fühlen.

Ich sprach ihn an, und während ich den Arm untersuchte und von Tuchfetzen befreite, fragte ich ihn nach seinen Erlebnissen. Er gab mir eine großartige Schilderung des Angriffes, an dem er teilgenommen hatte. Er war so vertieft in seinen Bericht, daß ich einen Versuch anzustellen beschloß. Während er sprach und ich durch eingeworfene Fragen ihn zu weiterem Erzählen anregte, konnte ich ohne jegliche Betäubung den Arm im Ellenbogengelenk abnehmen. Ehe er sich's versah, war der Arm exartikuliert. Wir hatten den Schmerz betrogen. Die Erregung des jungen Mannes hatte kein Schmerzempfinden aufkommen lassen.

Die alten Ärzte wußten mehr von diesen Dingen als wir. Damals, als ich den Arm absetzte, begriff ich, warum Kollege Dieffenbach, der „Heilende Gott" Berlins, mit einem lachenden und einem weinenden Auge den Äther als Betäubungsmittel aufkommen sah. Wir werden nicht auf die Narkose verzichten wollen oder können – aber welch beneidenswerte Beziehungen müssen zu Dieffenbachs Zeiten und vorher zwischen Arzt und Patient bestanden haben, wie sehr viel mehr als heutzutage müssen sie auf Tod und Leben verbunden gewesen sein! Und, man mag da sagen, was man will, Befriedigung in unserem Beruf erfährt man zuletzt wohl nur aus den Beziehungen zwischen dem Hilfesuchenden und dem Hilfespendenden.

Es existierte ein Mann, den ich, seitdem ich seine Werke gelesen hatte, beneidete wie der Lehrling den Meister. Ich spreche von Larrey, dem Leibarzt Napoleons. Seine Schilderung über die Durchführung von Amputationen ist eines der größten Werke in der Geschichte der Medizin, und ich bin allen Ernstes der Meinung, daß die Menschheit nur in jedem halben Jahrtausend solch einen Arzt hervorbringt. (Vor ihm war wohl Paracelsus der Besitzer der „unsichtbaren Krone“.) Larrey beschreibt meisterhaft den Wundschock und vermutet, daß, beispielsweise bei der Herausschälung eines Oberschenkels aus der Hüfte, der Schock und die Erschütterung der Gesamtpersönlichkeit daher rührt, daß die Luft ins Gelenk einträte. Das wissen wir heute besser. Aber damals wurde ohne Narkose amputiert, und es hing also ausschließlich von der Gewalt und der seelischen Kraft der Persönlichkeit des Arztes ab, die Menschen über diesen Schock hinwegzubringen. Man glaube nicht, daß die Menschen heute schmerzempfindlicher und weinerlicher sind als früher. Ich fürchte nur sehr, daß früher die Ärzte besser wußten, wie man Menschen leitet, lenkt, beruhigt und zuversichtlich macht. Sie wußten besser, Vertrauen zu gewinnen. Man muß das bei Larrey nachgelesen haben, um zu sehen und zu glauben. Die „Persönlichkeit des Arztes“ ist nicht mehr das Wichtigste am Arztsein – welch ein Verlust für unseren Stand!

Nachdem jedoch in den Bewegungen der feindlichen Armeen ein Stillstand eingetreten war, wurden Verhandlungen zwischen der Schweizer und der deutschen Regierung aufgenommen – meinetwegen. Die Universität in Zürich wollte mich nicht entbehren. Die deutsche Regierung kam ihr entgegen, da man mit der Schweiz in einem guten Verhältnis bleiben wollte. Die Armee beurlaubte mich, und ich nahm meine Vorlesungen an der Universität in Zürich sowie meine Arbeit in der Klinik wieder auf.

In den ersten Monaten des Jahres 1915 hatte ich einen Zusammenstoß mit meinen Assistenzärzten. Mit Trauer sah ich, daß die politischen Leidenschaften die Klarheit des Denkens zu trüben begannen. Ich will diese Geschichte, die seinerzeit auf den ersten Seiten nicht nur der Schweizer Zeitungen eine große Rolle spielte, in groben Umrissen erzählen:

Diese ganze Angelegenheit, die in ihrem Verlauf nicht nur hochdramatisch, sondern geradezu hochpolitisch wurde, begann mit einem wahrhaft unglaublichen Vorfall.

Eines Tages hatte ich in Zürich sechs Studenten der Medizin in meinem Fach zu prüfen. Über die für die Prüfung festgesetzte Zeit wurde ich im Operationssaal aufgehalten. Ein Kranker in akuter Lebensgefahr war im letzten Augenblick – zu spät – eingeliefert worden. Der Patient starb auf dem Operationstisch. Ich war niedergedrückt und sehr übler Laune. Wie ich später erfahren habe, hatte der Klinikdiener die Studenten gewarnt, ich sei an diesem Tage keineswegs besonders heiter, es wäre besser, wenn sie sich einen neuen Prüfungstermin geben ließen.

Die sechs schlugen aber diesen Rat in den Wind. Ich examinierte und gab mir wirklich große Mühe, objektiv zu sein, fand aber ihre Kenntnisse unzureichend und ließ sie alle durchfallen. Dann fuhr ich nach Hause. Die sechs erinnerten sich des ihnen vom Diener erteilten Rates, bedauerten, ihn nicht befolgt zu haben, sprachen nochmals mit ihm, gaben ihm ein Douceur und erhielten einen neuen Rat:

„Der Professor Sauerbruch ist unter allen Stunden des Tages und der Nacht am besten gelaunt zwischen vier und fünf Uhr, dann hat er gegessen, geschlafen, sitzt bei Kaffee und Zigarre in versöhnlicher Stimmung und bester Laune."

Wie es denn nun wäre, wenn die jungen Herren zu dieser Zeit dem Professor im Florhof einen Besuch machten, alles frank und frei erklärten und um eine nochmalige Prüfung bäten? Es käme dann vermutlich bei Kaffee und Zigarre zu einem vorteilhafteren Examen als am Vormittag nach dem Tode des Patienten.

Von alledem hatte ich natürlich keine Ahnung, als am Nachmittag, an dem ich richtig bei Kaffee und Zigarre dasaß, mir gemeldet wurde: „Herr Professor, da draußen sind sechs Studenten, die haben Sie wohl heute vormittag durchfallen lassen."

Als die sechs nun ins Zimmer kamen, alle schön schwarz gekleidet, lief mein Hund Lux ihnen entgegen. Über die Abwechslung sichtlich erfreut, wedelte er mit dem Schwanz. Ich erhob mich und sagte: „Guten Tag, meine Herren", noch immer heiter und mit dem Nachmittag zufrieden. In der bestimmten Absicht, es den Herren leicht zu machen und erst einmal eine gelöste Atmosphäre herzustellen, fragte ich den ersten:

„Bitte, Herr Kandidat, sagen Sie mir, warum der Hund mit dem Schwanz wedelt?“

Der sah mich entgeistert an und sagte gar nichts.

Da fragte ich den zweiten. Der erbleichte und schüttelte den Kopf. Ich war fassungslos. Die Leute müßten doch wissen, warum der Hund mit dem Schwanz wedelt.

Ich fragte den dritten. Der wenigstens antwortete, aber er sagte: „Das vermag ich nicht zu sagen, Herr Professor.“

Der vierte schwieg wieder. Der fünfte begann zu stottern, und der sechste erklärte:

„Mit Hunden habe ich mich noch nie befaßt, Herr Professor.“

Meine gute Laune war dahin. Ich rief:

„Aber, meine Herren, es ist doch ganz einfach. Der Hund wedelt mit dem Schwanz, weil er sich freut, Sie zu sehen!“

Ich fügte dann hinzu:

„Ich aber würde mich freuen, wenn Sie wieder nach Hause gingen.“

Die Geschichte mit den sechs Studenten ist aktenmäßig belegt. Aber die Legende hat sich ihrer bemächtigt und eine hübsche Sauerbruch-Anekdote daraus gemacht. Danach waren es nur fünf Studenten und eine Studentin. Die sechs erschienen, und ich stellte ihnen die Frage nach der Ursache des Schwanzgewedels. Alle fünf Studenten stotterten oder wurden ärgerlich, nur die junge Dame, die zuletzt – wie ungalant – antworten durfte, sagte schnippisch: „Weil wenigstens dieser Hund mit uns Mitleid hat!“ Worauf ich, so will es die Geschichte, in ein unbändiges Gelächter ausbrach und die sechs zu Kaffee und Kuchen einlud und sie sehr, sehr wohlwollend prüfte.

Es stimmt schon, ich habe für Schlagfertigkeit immer viel übrig gehabt, und recht viele Kandidaten sind wegen frischer und kecker Antworten von mir in Gnaden entlassen worden. Ich habe mir immer gesagt, daß ein Mensch, der über Schlagfertigkeit verfügt, sicher auch das Zeug hat, sich mangelndes Wissen zuzulegen, wenn er es braucht. Auch war ich nie empfindlich, wenn auf meine Kosten gelacht wurde. Aber diese Geschichte ist leider wirklich erfunden. Mir wäre sie in der anekdotischen Form sehr viel lieber gewesen.

Die sechs gingen, aber keineswegs nach Hause, sondern sie begaben sich zur Schweizer Regierung. Sie zeigten mich an. Sie seien als Studenten der Humanmedizin von Professor Sauerbruch in der Tierpsychologie geprüft worden. Sie seien nicht verpflichtet, von der Tierpsychologie so viel zu wissen, wie man ihnen abverlangt hätte. Das Vorgehen des Professors Sauerbruch stelle einen Verstoß gegen die Vorschriften dar, die die Schweiz über die Prüfung von Kandidaten der medizinischen Wissenschaft erlassen habe. Die sechs ersuchten das Ministerium, einen Schweizer Arzt mit der Untersuchung des Falles zu beauftragen. So nahm diese Sache tatsächlich ihren Weg ins Politische.

In Wirklichkeit war aber dieser Weg schon lange beschritten worden. Als ich Anfang des Jahres 1915 von den Schlachtfeldern in die Züricher Klinik zurückgekehrt war, habe ich mich dort nicht anders benommen als vor dem Kriege auch. Und zwar verhielt ich mich so, daß ich sicher sein konnte, auch meine allergeringste Anordnung werde mit größter Genauigkeit durchgeführt. Mit Autorität habe ich mich sicherlich benommen. Wenn man über mich redete, so sagte man:

„Der Chef."

Und später über München bis nach Berlin habe ich diesen Titel mitgenommen. Das alles verdiente überhaupt keine Erwähnung, wenn es nicht seine große Rolle, die zu erzählen ich im Begriff bin, gespielt hätte.

Mit einem Male nämlich lagen bei den Schweizer Behörden Anzeigen gegen mich vor. Ich verhielt mich in höchst unpassender Weise „diktatorisch". Nun war Krieg, es gab in der Schweiz natürlich zwei Parteien. Die eine, die Deutschland, und die andere, die der Entente den Sieg wünschte. Wandte ich meine Autorität gegen einen, der auf seiten der Entente stand, so wurde der Fall politisch. Dem Leser wird alles am besten klar, wenn ich das Ergebnis der Untersuchung zitiere, die die Schweizer Behörden veranstalten mußten. Auch wird so die Objektivität am besten gewahrt. Die Sache erregte derartiges Aufsehen, daß der ganze Fall, in Broschüren gedruckt, im Lande verbreitet wurde. Ich berichte also jetzt das, was der Präsident des Regierungsrates des Kantons über mich an den Kantonrat bekanntgab:

„Der Komplex von Vorwürfen gegen Prof. Sauerbruch läßt sich dahin charakterisieren, daß er in seiner Klinik zu allmächtig auftrete und gewissermaßen die Menschenrechte der ihm Untergebenen, speziell der Hilfsärzte, nicht genügend respektiere. Auch dieser Vorwurf entbehrt nicht eines politischen Untergrundes. Man warf Prof. Sauerbruch vor, daß er ‚preußische Befehls- und Unterordnungsverhältnisse' in unsere chirurgische Klinik importieren wolle. Der Regierungsrat ist nun grundsätzlich der Ansicht, daß der Betrieb der chirurgischen Abteilung unseres Kantonspitales, welche zugleich chirurgische Universitätsklinik ist, ein so vielgestaltiger ist, daß darin nur dann Ordnung herrschen kann, wenn ein Wille den Gang bestimmt, und zwar derjenige des Direktors. Was von den Assistenten über Arbeiten vorgebracht worden ist, welche ihrer Stellung nicht entsprechen, über zu langes Wartenlassen und ähnliches, ist kaum erheblich. Sowenig es Sache des Unteroffiziers sein darf, die Maßnahmen seines Offiziers zu kritisieren, schon deshalb nicht, weil er nicht immer weiß, welche Gründe sie veranlaßt haben, so wenig kann zugegeben werden, daß die Kritik der Hilfsärzte an unseren Krankenanstalten sofort einsetze, wenn sie zu einer Pflichterfüllung herangezogen werden, welche ihnen unnötig erscheint. Es ist ein Ausfluß des in jeder Krankenanstalt notwendigen festen hierarchischen Verhältnisses, daß der Direktor befiehlt und der Hilfsarzt gehorcht. Gewiß sollen offenbare Übertreibungen vermieden werden. Der Regierungsrat würde solche auch nicht billigen. Er kann aber solche in dem von den Assistenten vorgebrachten Tatsachenmaterial nicht finden. Speziell wird dem Assistenzarzt meistens das Urteil fehlen, ob die von seinem Chef vorgenommene Zeitdisposition richtig sei oder nicht.

Anders liegen die Dinge mit Bezug auf den Ton, welchen Prof. Sauerbruch gegenüber seinen Untergebenen hie und da angeschlagen haben soll und welcher von ihm zugestanden wird. Weder die geschäftliche Überbürdung noch das Temperament, noch das außerordentlich freundschaftliche Verhältnis zu seinen Hilfsärzten können diesen völlig entschuldigen; diese Momente können nur bei der Würdigung mildernd wirken. Der Regierungsrat hat deshalb Prof. Sauerbruch wissen lassen, daß er dieses Verhalten mißbilligen muß."

Ich meine, daß die Welt schlecht eingerichtet ist. Ein Mensch, der ohne Rücksicht auf die eigene Person so arbeitet, wie ich es in Zürich und auch später getan habe, hätte doch eigentlich Anspruch darauf, daß man seine Eigenheiten goutiert. Das Gegenteil ist der Fall! Je mehr ein Mann leistet, um so mehr kümmert man sich um seine Schwächen. Man verzeiht sie nie. Nur den Filmschauspielern gesteht man sie zu, und bei ihnen findet man sie liebenswert. In jener Geschichte, über die die „Neue Zürcher Zeitung", ein weltbekanntes Blatt, auf der ersten Seite beginnend, fortlaufend berichtete, wurde ich von den Schweizer Behörden zur „Vernehmlassung" vorgeladen. Ich glaube, ich habe bei dieser Vernehmlassung ein bißchen getobt. Aber die vornehme Zürcher Zeitung schrieb:

„Prof. Sauerbruch gibt in seiner Vernehmlassung unumwunden zu, daß er gegenüber Hilfsärzten und Personal oft grob und vielleicht verletzend gewesen sei. Er anerkennt, daß er hierin gefehlt habe, und macht zu seiner Entschuldigung sein Temperament, die geschäftliche Überbürdung und das außerdienstlich freundschaftlich-kollegiale Verhältnis zu seinen Hilfsärzten geltend, alles Faktoren, welche unstreitig sind; Prof. Sauerbruch weist aber auch darauf hin, daß er alle neu eintretenden Ärzte auf seine Eigenheiten aufmerksam mache und ihnen zum voraus erkläre, daß ihm gegebenenfalls jede Beleidigungsabsicht fehle."

In die Praxis übertragen: Einem neu eingetretenen Assistenzarzte werde ich wohl gesagt haben: „Wenn ich Ihnen eines Tages sagen will: Das, was Sie soeben gemacht haben, verehrter Herr Kollege, halte ich, wenn Sie mir die

Kritik erlauben wollen, für falsch, wenn ich das also sagen will, so werde ich rufen: Rindvieh!“

Einige meiner Assistenten beschwerten sich erneut, vor allem darüber, daß ich von ihnen Dienstleistungen beansprucht hätte, die nur von Wärtern oder Schwestern verlangt werden dürften. Aus den mir vorliegenden Aufzeichnungen sehe ich, was ich bei der „Vernehmlassung“ geantwortet habe:

Zunächst wüßte ich keine Dienstleistung innerhalb der ärztlichen Arbeit, deren sich ein Arzt zu schämen hätte. Jeder Arzt wird, wenn es im Interesse des Kranken nötig ist, alle Verrichtungen, auch die unangenehmsten, gerne ausführen. Wenn junge Assistenten sich darüber beschweren, daß eine bestimmte Arbeit ihrer nicht würdig war, so spricht das in erster Linie gegen ihre Berufsauffassung. Vielleicht haben die Herren es übelgenommen, wenn ich von ihnen verlangte, daß sie gelegentlich Einläufe, besonders bei Schwerkranken, machten oder daß ich es nicht zugab, daß beim Umbetten Schwestern die Kranken heben, sondern verlangte, daß, soweit Wärter nicht da waren, die Assistenten es selbst taten. Vielleicht war es ihnen auch nicht angenehm, wenn ich während der Operation dem einen oder anderen einen Auftrag gab, ans Telefon zu gehen, um eine Bestellung auszurichten. Schließlich halte ich es auch für möglich, daß die häufig von mir angeordneten ärztlichen Nachtwachen von ihnen als unnötig und beschwerlich empfunden wurden, in der Meinung, daß auch eine Schwester in solchen Fällen genüge. Ich bin sehr erstaunt, solche Klagen zu vernehmen, die nun wirklich einem rechten ärztlichen Sinne widersprechen und die, wären sie früher zu meinen Ohren gekommen, den Herren ernste Vorstellungen eingetragen hätten.

Diese Beschwerden regten mich wirklich auf. Das Verhalten der jungen Ärzte stand zu sehr im Gegensatz zu meiner eigenen Ansicht darüber, wie sich ein Arzt verhalten solle. Denn Arzt sein heißt doch alles tun, um einem Menschen das Leben zu retten, alles, was nötig ist. Man komme mir nicht mit der Standesehre, die es einem Arzt verbietet, ein Klistier zu machen. Wenn ich so etwas schon höre!

Plötzlich warf man mir auch Gustav Kratzat vor. Ich hätte ihn eigens aus Deutschland kommen lassen; er habe die Stellung eines Laboratoriumsdieners und Tierwärters inne, und für eine solche untergeordnete Position sollte man doch auch in der Schweiz einen Menschen finden können. Zwischen den Zeilen wurde ich beschuldigt, einen deutschen Landsmann an Stelle eines Schweizers genommen zu haben. Gustav war schon längst wieder in Deutschland. Aber immerhin mußte ich mich rechtfertigen und erklärte:

„Für die Tätigkeit eines Laboratoriumsdieners und Tierwärters wurde der Wärter Kratzat, ein Deutscher und nicht ein Schweizer, angestellt. Als dieser nach etwa einjähriger Tätigkeit seinen Austritt nahm infolge einer Differenz mit der Verwaltung, wurde ein Schweizer an seiner Stelle gewählt. Derselbe hatte keine Ausbildung, konnte nicht wie sein Vorgänger pathologisch-anatomische Präparate anfertigen und nicht bei wissenschaftlichen Untersuchungen helfen. Auch versorgte er die Tiere schlecht, und durch fehlerhafte Behandlung von Instrumenten und des Materials verursachte er dem Staate einen nicht unerheblichen Schaden. Wir waren darum froh, als es uns später gelang, den tüchtigen deutschen Wärter Kratzat wieder zu bekommen. Es folgt aus den Tatsachen, daß, wo deutsche Wärter eingestellt wurden, nicht ihre Nationalität den Ausschlag gab, sondern ihre bessere Ausbildung und ihre besondere Tüchtigkeit. Das Angebot tüchtiger Schweizer Wärter ist eben außerordentlich gering, weil die guten Wärter in festen Händen sind und die Ausbildungsmöglichkeit anderer naturgemäß geringer sein muß als in dem größeren Deutschland. De facto sind von elf Wärtern nur vier Deutsche. Auch mein Vorgänger, Herr Professor Krönlein, hat unter diesem Mangel an schweizerischem Wartpersonal gelitten."

Kaum hatte ich mich also wegen Gustav Kratzat gerechtfertigt, erhob man einen schwereren Vorwurf gegen mich: mehr deutsche Assistenzärzte als schweizerische habe ich eingestellt. Dieses Vorgehen verletze die Neutralität der Schweiz. Ich zählte meine Assistenten an den Fingern ab und bewies sofort, daß die schweizerischen in der Überzahl waren.

Als die Untersuchung gegen mich beendet war, entließen die Schweizer Behörden denjenigen Arzt, der am meisten gegen mich Stellung genommen hatte. Da kam es zu einem außerordentlich aufregenden Vorfall! Die Assistenten der Klinik legten ihre Tätigkeit nieder und erschienen nicht mehr zum Dienst. Die Schweizer Stellen waren in dieser Situation nicht müßig. Ärzte aus der Stadt, ganz junge Kollegen mit frischem Staatsexamen wurden aufgefordert, in der Klinik zu arbeiten, und es bedurfte einer großen Anstrengung von meiner Seite, um den Betrieb aufrechtzuerhalten. Wieder einmal war ich Tag und Nacht in der Klinik anwesend.

Kurz vor den Universitätsferien des Jahres 1915 stieß ich auf der Straße in Zürich auf Professor Stodola, ordentlicher Professor an der Technischen Hochschule in Zürich. Wir hatten denselben Weg, gingen gemeinsam, und er fragte mich nach meinen Erlebnissen im Feldzuge. Ich sprach von der Tapferkeit meiner Kameraden, lobte sie und redete insgesamt vom Kriege als von einem Zustande, der viele lobenswerte Eigenschaften im Manne zur Entwicklung brächte.

Professor Stodola brauste auf. Dann tat er etwas, was mich völlig umwarf, er zitierte Plato, eine Stelle aus dem „Protagoras", eine Stelle, die in meinem Leben schon einmal eine große Rolle gespielt hatte.

„Du wirst finden, Sokrates, daß es Menschen von außerordentlicher Gottlosigkeit, Ungerechtigkeit, Zügellosigkeit, Unwissenheit und dabei von höchster Tapferkeit gibt."

Ich blieb stehen. Ein starkes Gefühl des Unbehagens durchzog mich. Hatte ich mich nicht einmal mit Plato-Zitaten aus der Affäre gezogen? Jetzt hielt man mir ein Plato-Zitat vor, auf das ich nicht antworten konnte. Weder dem alten griechischen Philosophen noch dem Professor Stodola war zu widersprechen.

Als er merkte, daß mich das Zitat beeindruckte, er konnte nicht ahnen warum, sprach er weiter vom Kriege. Er haßte ihn, er war überzeugter Pazifist. Zuletzt zog er die Rolle des Arztes im Kriege in den Kreis seiner Betrachtungen. Er löste mir die Zunge, und ich beschrieb ihm den Jammer, der mich erfaßte, und schilderte ihm das niederschmetternde Gefühl, das einen Chirurgen packt, wenn er sich gezwungen sieht, jungen, sonst gesunden Menschen Arme und Beine abzuschneiden. Ich sagte ihm auch, daß mich schon lange die Frage verfolgt habe, wie man für diese hoffnungsvollen jungen Menschen, die der Krieg zu Krüppeln machte, mehr tun könne als bisher. Er antwortete mir, daß es dann eben die Aufgabe der Ärzte sei, künstliche Glieder zu konstruieren. Er könne sich als Techniker und was die technische Seite des Problems betreffe, durchaus vorstellen, daß das möglich sei. Jedoch müsse der Arzt die Muskeln des verletzten Gliedes als Kraftquelle für eine „willkürlich bewegliche Hand" wieder nutzbar machen, dann könne man eine wesentliche Verbesserung der bisher üblichen, reichlich plumpen Prothesen erzielen.

Diese Anregung fiel bei mir auf einen fruchtbaren Boden. Ich stürzte mich in das Studium der Literatur über Kunstglieder. Bei den Chirurgen des Altertums, weder bei Hippokrates noch bei Galen und Celsus waren Ersatzglieder für Amputierte erwähnt. Nur eine einzige Stelle berichtete über eine künstliche Hand. Ein Römer, Markus Sergius, hatte im zweiten Punischen Krieg die rechte Hand verloren. Er ließ sich nach seinen Angaben eine künstliche Hand aus Metall herstellen. Plinius der Jüngere, der dies berichtet, hat leider übersehen, anzugeben, wie die Hand am Arm angebracht wurde und wie sie funktionierte. Dann erwähnen erst wieder englische Geschichten über Seeräuber eine Kunsthand. Ein Seeräuber, Barbarossa Horuk, soll sie getragen haben. Zur gleichen Zeit wurde die „eiserne Hand" des Götz von Berlichingen in Europa berühmt. Eine Literaturstelle wies darauf hin, daß sie sich noch im Besitz der Familie Berlichingen befinde. Das Stück interessierte mich brennend, und ich wollte es gerne genau in Augenschein nehmen. Die Familie von Berlichingen überließ mir liebenswürdigerweise die Hand zum Studium. Ich erfuhr, daß sie von einem Waffenschmied in Ollhausen im Jahre 1504 hergestellt worden war. Der Mechanismus der Hand ist in ihrem Handteller verborgen. Die Beugung der ursprünglich gestreckten Finger geschieht durch Aufstützen oder mit Hilfe der gesunden Hand. Jeder Finger kann in jedem seiner Gelenke beliebig gebeugt werden und bleibt in der eingenommenen Stellung fest stehen. Ein Knopf betätigt einen Mechanismus, der die gebeugten Finger wieder in die gestreckte Lage zurückversetzt. Endlich kann auch die Stellung der Hand im Handgelenk beliebig gebeugt oder gestreckt werden.

In der zweiten Hälfte des 16. Jahrhunderts ließ Ambroise Paré, ein gewaltiger französischer Kriegschirurg, durch einen Pariser Schlosser, der unter dem Namen „der kleine Lothringer" bekannt war, eine Hand für einen Amputierten herstellen. Sie wurde nach Art eines Ritterhandschuhes aus starkem Eisenblech angefertigt. Das Handgelenk war unbeweglich, und alle Finger konnten nur gleichzeitig bewegt werden. Eine Druckfeder, die vom Handteller bis zu den Fingerspitzen reichte, besorgte die Streckung, eine Zugfeder die Beugung.

Später wurden häufig künstliche Hände beschrieben. Sie waren mehr oder minder dem jeweiligen Stand der Technik angepaßt. All diese Kunstglieder sind primitive Werkzeuge. Sie ersetzen die Form des fehlenden Armes und sind höchstens zu passivem Halten und Tragen fähig. Die hauptsächlichste Leistung der lebenden Hand, das aktive Greifen und Fassen, die Bewegung, wird nicht einmal in bescheidenstem Maße nachzuahmen versucht.

Erst in der Mitte des 19. Jahrhunderts konstruiert der chirurgische Techniker und Zahnarzt Hofrat Ballif in Berlin die erste willkürlich bewegliche Hand. Der Grundgedanke seiner Konstruktion beruht auf der Ausnutzung von Schulter- und Rumpfbewegungen für die Bewegungen des Ellenbogens und die Streckung der Finger. Riemen und Saiten, die von den beweglichen Fingern und dem Unterarm über die Schulter zu einem Brustgurt laufen, sind die Kraftüberträger. Die Finger der Hand werden durch eine starke Feder in Beugestellung gehalten. Die Hand macht also in Ruhe eine Faust. Vorwärts- und Seitwärtsbewegungen des Rumpfes strecken die Finger, die dann nach einem Gegenstand greifen und automatisch wieder in die Beugestellung zurückfedern. Greifen – Festhalten – Loslassen, darauf beschränkte sich diese Hand.

Die Konstruktion Ballifs wurde vielfach verwendet und auch verbessert. Aber alle diese Konstruktionen gingen nach meiner Meinung am Wesentlichen vorbei. Stodola hatte richtig gesehen, daß man die am Amputationsstumpf vorhandenen Muskeln selbst als Kraftquelle und für die Steuerung der Hand nutzbar machen mußte, wenn sie brauchbar sein sollte.

Während meines Studiums und meiner Versuche fand ich eine Aufzeichnung des Leibarztes Napoleons, Jean Dominique Baron Larrey. Nach dem Rückzuge über die Beresina führte er, der „Chefchirurg der Großen Armee", in einer einzigen Nacht 234 Amputationen an erfrorenen Gliedern aus. Als er sich erschöpft von dieser herkulischen Arbeit und der übermenschlichen seelischen Belastung auf sein Feldbett niederlegte, fand er keinen Schlaf. Damals schrieb er in kurzen Sätzen die Gedanken in sein Notizbuch, die ihm in dieser Nacht durch den Kopf gegangen waren. Darunter steht einer, der mich elektrisierte:

„Die in einem Stumpf zurückgebliebenen Muskelkräfte müssen für die Bewegung einer künstlichen Hand auszunutzen sein."

Durch dieses Tagebuch meines großen Kollegen neugierig gemacht, begann ich mich eingehender mit Larrey zu beschäftigen. Er hat ein unglaublich bewegtes Leben geführt. 1787 ging er mit der französischen Flotte als Ober-Schiffswundarzt nach Nordamerika. Fünf Jahre später war er Sekundärarzt am Hotel des Invalides in Paris; im Jahre darauf Chirurg I. Klasse bei Luckners Heer. Hier führte er die „Fliegenden Feldlazarette" ein und bewies damit, daß er die dringendste Forderung der Menschlichkeit begriffen hatte, nämlich den Arzt an die jeweiligen Brennpunkte eines Krieges zu schaffen und nicht die Verwundeten über große Strecken erst zum Arzt transportieren zu lassen.

In der Folgezeit war er Hauptchirurg bei der Avantgarde. Er stand den ambulanten Lazaretten vor. Er war dann teils als Kriegschirurg, teils als Lehrer tätig und wurde von Bonaparte während des italienischen Feldzuges nach Italien gerufen. Das Jahr darauf sieht ihn in Ägypten. Über diese Expedition schrieb er einen blendenden chirurgischen Bericht. Er wird dann Leibarzt Napoleons und General-Inspecteur des Militär-Medizinalwesens. Er ist in den Schlachten des Kaisers bis Waterloo mittendrin und vornan. Nie wieder haben mich die Werke eines Mannes derartig gefesselt. Für mich ist er wirklich der größte Arzt der letzten 500 Jahre gewesen, neben Paracelsus.

Ich unterhielt mich in der weiteren Verfolgung meines Vorhabens noch öfters mit Stodola. Er hatte sich die Sache auch überlegt und legte sich fest, indem er sagte:

„Ich bin in der Lage, eine mechanisch-zweckmäßig gebaute Maschine zu konstruieren, die in Verbindung mit den lebenden Kraftquellen die normalen Bewegungen und Leistungen der lebenden Hand erfolgreich nachahmen kann."

Meine Aufgabe war es demnach, die „lebenden Kraftquellen" für die Konstruktion der Hand zu mobilisieren. Daß ein Mann wie Larrey das offenbar für möglich gehalten hatte, gab mir großen Auftrieb.

Die Überlegungen, die ich anstellte, um zu einer chirurgisch-anatomischen Lösung des Problems zu gelangen, bewegten mich Tag und Nacht. Eines Tages erschreckte ich Familie und Gäste, die sich am Teetisch harmlos unterhielten, mit dem Schlachtruf: „Man muß es an einem Ziegenbock versuchen!" Worauf ich hinausstürzte und alle Leute im Zimmer in tiefer Ungewißheit darüber ließ, was denn, um Himmels willen, man an einem Ziegenbock versuchen müsse.

Ich mußte feststellen, und das war der rettende Gedanke, ob lebende Muskeln sich mit einem künstlichen Huf verbinden ließen.

Als ich mir bewiesen hatte, daß das möglich war, wußte ich, daß ich mich auf dem richtigen Wege befand. Abermals besprach ich mich mit Stodola. Wir kamen überein, auf dem eingeschlagenen Weg weiterzugehen.

Als die Züricher Universitätsferien herankamen, ich also Herr meiner Zeit war, stellte ich mich dem Vaterland wieder zur Verfügung. Mein Auftrag lautete, nach Greifswald zu fahren, um dort die Leitung des Reservelazarettes, das der Chirurgischen Universitätsklinik in Greifswald angegliedert war, zu übernehmen. Ich nahm meine Familie mit in die Heimat.

Wir fanden Unterkunft bei den Schwiegereltern. Fest entschlossen, die ersten Versuche mit einer künstlichen Hand zu machen, sah ich mich um und fand einen Oberarm-Amputierten, bei dem eine weitere Amputation deshalb nötig war, weil der Stumpf seines Armes chronisch entzündet blieb.

Zu diesem Manne setzte ich mich ans Bett und erklärte ihm, was ich beabsichtigte. Bei ihm wollte ich es zuerst versuchen. Er hatte nichts zu verlieren. Der entzündete Stumpf mußte unbedingt operiert werden. Er war einverstanden.

Ich verband seine Muskeln nach der Operation mit einer bereits konstruierten künstlichen Hand. Sie war noch sehr primitiv und hatte keine Ähnlichkeit mit den später so vollendet funktionierenden Händen dieser Art. Aber dieser Soldat und diese Operation erbrachten den einwandfreien Beweis, daß eine aus den vorhandenen Muskeln gebildete Kraftquelle fähig war, wieder eine der normalen ähnliche Arbeit zu leisten. Mit dieser Feststellung war eigentlich das Prinzipielle der Idee als richtig erwiesen. Nun kam es darauf an, durch zuverlässige Methoden chirurgisch den Gedanken so auszugestalten, daß er größere praktische Brauchbarkeit und Zuverlässigkeit erwarb.

Ich meldete mich in Berlin beim Chef des Feldsanitätswesens, Exzellenz von Schjerning, an. Sein immer einsichtiger, kluger und hilfsbereiter Adjutant, Dr. Georg Schmidt, verschaffte mir einen schnellen Termin zum Vortrag. Meinen Mann mit der künstlichen Hand nahm ich mit. Schjerning zeigte sich stark beeindruckt, und wir überlegten, wie wir verwundeten Soldaten diese Prothese verschaffen konnten. Es mußte ein eigenes Lazarett für sie errichtet werden. Eine Werkstatt hieß es beschaffen. Diese scheinbar einfachen Probleme wurden aber dadurch so kompliziert, daß ich nach Ablauf der Universitätsferien wieder in Zürich zu erscheinen hatte. Das deutsch-schweizerische Abkommen über meine Person durfte nicht geändert werden. Das Auswärtige Amt, über die ganze Angelegenheit befragt, wünschte dringend meine pünktliche Rückkehr in die Schweiz, damit keinerlei Verstimmung aufkommen solle.

Da kam Schjerning auf die Idee, unmittelbar an der Schweizer Grenze ein derartiges Lazarett einzurichten. Drei Plätze nahm man in Aussicht und entschied sich dann für Singen am Hohentwiel, weil die Verbindung mit Zürich günstig war. Dr. Alfred Stadler sollte das Lazarett unter meiner Anleitung führen. Seine Frau, eine geborene von Westernhagen aus Köln, übernahm als „Schwester Angela“ die Leitung der Schwesternschaft und die Betreuung des Lazarettes. Sie war Oberin beim Roten Kreuz gewesen. Ihre Verdienste um das Gelingen des Ganzen sind außerordentlich. Ich selbst fuhr zu einer Instrumentenfabrik in Tuttlingen, um sicherzustellen, daß Prothesen in genügender Anzahl nach unseren Angaben hergestellt werden konnten.

Und nun kam es darauf an, wie ich schon ausgeführt habe, durch chirurgische Methoden den Gedanken so auszugestalten, daß er praktische Brauchbarkeit und Zuverlässigkeit erwarb.

Durch chirurgische Methoden! Gewiß! Aber der Mensch besteht nicht nur aus körperlicher Substanz, und hier hatten zunächst unsere Überlegungen einzusetzen. Das Wort „Handgriff“ ist in mehrfacher Bedeutung in den Sprachgebrauch eingegangen. Wie lange jedoch braucht ein Mensch, bis er einen alltäglichen Handgriff sicher vollführt. Das Kind kann es noch gar nicht; bei seinen Bewegungen kommt es immer wieder zu Fehlgriffen, es wirft Tassen und Gläser um, man sieht in seinem Gesicht die Überlegung, wie es mit der Hand greifen soll. Bei den Erwachsenen erfolgen Handbewegungen unbewußt von Nervenreflexen gesteuert. Erst wenn eine ungewohnte Tätigkeit ausgeübt werden muß, wird die Hand wieder ungeschickt wie beim kleinen Kind. Bevor ich nun darauf eingehe, welche Überlegungen in bezug auf meine willkürlich bewegbare künstliche Hand anzustellen waren, muß der Leser bedenken, was zur Ausführung einer menschlichen Bewegung im eigentlichen gehört.

Dazu gehören mindestens zwei Muskeln.

Zum ersten der Muskel, der die gewollte Bewegung ausführt. Wir nennen ihn den „Arbeitsmuskel". Zum zweiten aber der Muskel, der, allein in Tätigkeit gesetzt, die entgegengesetzte Bewegung des Arbeitsmuskels ausführt: der „Gegenmuskel".

Der Gegenmuskel überwacht die durch den Arbeitsmuskel erzeugte Bewegung, stellt durch einen bestimmten Widerstand ihre Gleichmäßigkeit her, unterbricht sie rechtzeitig durch stärkeren Widerstand und hält das bewegte Glied mit dem Arbeitsmuskel in der gewollten Stellung fest. Ein Beispiel: Zur Beugung des Ellenbogengelenkes gehört nicht nur der Beuger des Gelenkes, sondern auch dessen Strecker. Erst aus der gemeinsamen Arbeit beider entsteht die ruhige, gleichmäßige Bewegung des Vorderarmes. Der Beuger ist hier der Arbeitsmuskel, der die Bewegung ausführt, der Strecker der Gegenmuskel, der die Ausführung der Arbeit überwacht. Das prägt sich auch in den Muskelmassen aus, die zur Bewegung des Ellenbogengelenkes zur Verfügung stehen. Der Chirurg steht also zunächst einmal vor der Aufgabe, zwei Kraftquellen zu schaffen, von denen die eine im Sinne des Arbeitsmuskels, die andere in dem des Gegenmuskels, des „Kontrolleurs", arbeitet.

Nun ist die Bewegung eines Armes ein sehr komplizierter Vorgang. Jede Bewegung, auch die anscheinend einfachste, ist eine „zusammengesetzte Bewegung", die durch Zusammenwirken mehrerer Muskeln oder mehrerer Muskelgruppen zustande kommt. Man spricht deshalb von einer „Bewegung zusammengeordneter Muskeln".

Alle Bewegungen des Menschen sind, ohne daß uns dies bewußt wird, eingeübt. Jeder von uns lernt erst allmählich, die Muskeln oder die Muskelteile und das Maß ihrer Kraftleistungen zu bestimmen, die eine gewollte Bewegung am schnellsten, sichersten und am sparsamsten ausführt. Je häufiger die Bewegung ausgeführt wird, um so mehr wird sie zum „Handgriff". Jeder eingelernte Handgriff, möge er für die Anforderungen des täglichen Lebens oder zur Bedienung eines Werkzeuges oder einer Maschine benützt werden, wird schließlich unbewußt ausgeführt, ohne daß wir seinen Ablauf aufmerksam zu steuern brauchen.

Der Mensch vermag das, weil sich in seinem Zentralnervensystem allmählich für jeden Handgriff ein besonderes Nervensystem ausbildet, das „Assoziationszentrum". Diese geheimnisvolle Befehlszentrale des Menschen liegt in der Großhirnrinde. Hier werden verschiedenartige Sinneseindrücke zu höheren Einheiten zusammengefaßt. Man erlaube mir wieder ein Beispiel: Die Sinne eines Menschen, der eine schöne Landschaft betrachtet, die Blumen riecht und das Geläute einer Abendglocke hört, telegrafieren alle diese Wahrnehmungen in das Assoziationszentrum. Diese Zentrale aber erst telegrafiert in die Seele: „Landschaft ist schön."

Das ist zunächst etwas Passives. Aktiv wird das Assoziationszentrum, wenn der Mensch eine Bewegung ausführen will. Dann reizt dieses Zentrum durch die Nerven die zu der Bewegung nötigen Muskeln, und zwar entweder gleichzeitig oder in der notwendigen Reihenfolge und selbstverständlich auch in der notwendigen Stärke. Die einzelnen Bezirke innerhalb des großen Assoziationszentrums, die kleineren Zentren also, muß sich der Mensch erst erwerben. Die einmal erworbenen Zentren bleiben auch bei Nichtgebrauch durch längere Zeit erhalten, und zwar um so länger, je gröber die durch sie beherrschten Bewegungen gewesen sind. So vermag ein Handwerker einen durch Jahre eingeübten Handgriff oft noch nach langer Unterbrechung seiner Beschäftigung ohne weiteres oder nach kurzer Tätigkeit genauso einwandfrei wie früher auszuführen.

Der gleiche Muskel kann zu verschiedenen Handgriffen gebraucht werden. Aber sein Einsatz ist von verschiedenen Zentren abhängig. Die Nervenzellen, die zu dem Muskel gehören, können von den verschiedensten Zentren her gereizt werden.

Hier setzte nun eigentlich mein Einfall ein. Ich sagte mir: Kann also ein Verletzter bei dem Gebrauch seines künstlichen Gliedes die vorhandenen Assoziationszentren im gleichen Sinne wie früher weiterbenutzen, so wird er die Bewegung des künstlichen Gliedes früher, schneller und leichter ausführen lernen und durch sie seine Muskeln gebrauchsfähig erhalten. Beim Arm sind Beuge- und

Streckmuskeln die dominierenden Faktoren. Infolgedessen bildete ich durch operativen Eingriff am Stumpf des verletzten Armes „Kraftwülste“ aus der Muskulatur und wandelte sie in Kraftquellen für die künstlich bewegbare Hand um.

Das machte ich nun so: Die Beuge- und Streckmuskeln, die nun gerade für den besonderen Zweck zu bestimmen waren, löste ich vom Knochen und grenzte sie von ihrer Umgebung scharf ab. Muskelabschnitte überkleidete ich allseitig mit Haut, und so entstand am Amputationsstumpf jene wulstartige Auftreibung, die charakteristisch ist.

In dem „Kraftwulst“ konzentrierte sich gewissermaßen die noch vorhandene Kraft der Muskulatur. War das geschehen, arbeitete ich operativ in den Muskelwulst einen Kanal. Den polsterte ich mit gut ernährter Haut. Alsdann führte ich in den Kanal einen Elfenbeinstift ein, der in diesen Stumpf „hineinheilte“. Dieser Elfenbeinstift muß natürlich alle Bewegungen der Muskulatur mitmachen: wird den Muskeln vom Assoziationszentrum befohlen, sich zu verkürzen, so rückt der Stift herauf, wird den Muskeln befohlen, sich zu entspannen, so steigt er herunter.

Der Elfenbeinstift nun wiederum wird mit der künstlichen Hand verbunden, die ganz einfach mit Hilfe von Bandagen auf den Kraftwulst aufgesetzt wird.

Damals, in den Jahren 1915 bis 1916, schufen wir für den Amputierten mehrere Hände, vor allen Dingen einmal eine „Breitgreifhand“. Professor Stodola fertigte sie an. Ging der Elfenbeinstift nach unten, so öffnete sich die Hand. Wurde er durch die Muskeln nach erfolgtem Befehl aus dem Assoziationszentrum nach oben gezogen, so schloß sie sich. Der Elfenbeinstift ist mit Hilfe einer Schnur an die künstliche Hand angeschlossen, eine Schraube ist angebracht, um die Prothese genau einstellen zu können. Diese Stodolasche Hand diente vor allem dem Werktag des amputierten Arbeiters. Wir machten aber auch eine „Sonntagshand“, eine sogenannte „Spitzhand“, „Greifhand“ oder „Feinhand“. Der Amputierte sollte damit feinere Gegenstände greifen können. Sie mußte auch dem Verletzten dienen, der keine groben Arbeiten auszuführen hatte. Wir machten den Daumen in die Richtung auf die Mittelfinger beweglich.

Wenn ich der Zeit vorgreifen darf, so kann ich sagen, daß ich es nicht dabei beließ, die chirurgischen Voraussetzungen für Handprothesen zu schaffen, mit der sich die künstliche Hand nur öffnen oder schließen ließ oder nur eine Bewegung und die dazugehörige Gegenbewegung ausgeübt werden konnte. Nein. Prothesen sollten gebaut werden, mit denen man Drehbewegungen ausführte. Ich habe erzählt, daß ich einen Kanal in die Muskeln legte und einen Elfenbeinstift hineinbohrte. Ich ging dann dazu über, mehrere Kanäle zu bauen, und ich verließ mich darauf, daß das Assoziationszentrum die Muskeln für mehrere Stifte in Bewegung werde setzen können. Das Zentrum entsprach diesen Erwartungen.

Nach dem Kriege hatte ich einmal in einem kleinen Ort eine Nacht zu bleiben. Ich ging über den Marktplatz und hörte aus der Kirche Orgelspiel. Eine Fuge von Bach erklang. Ich trat ein, setzte mich in das Gestühl und fand das Spiel so meisterhaft, daß ich mich beim Küster erkundigte, wer so schön spiele. Ich erhielt zur Antwort: „Ein junger Musikstudent."

„Es ist ganz unglaublich", flüsterte der Küster, „im Kriege ist ihm die Hand abgeschossen worden. Nach Angaben von Professor Sauerbruch ist ihm eine künstliche Hand gemacht worden. Hören Sie sich das Spiel an!"

Ich hörte mir das Spiel an. Ich glaube nicht, daß ich sentimental bin, das Gegenteil trifft wohl zu. Aber damals in der Kirche wurde mir doch sehr merkwürdig ums Herz.

Der junge Künstler hatte im Krieg seinen rechten Arm bis zur Mitte des Oberarms verloren. Da er unbedingt wieder in seinem Beruf arbeiten wollte, was verständlich war, ließ er sich bei Professor Anschütz in Kiel, dem Schwiegersohn von Mikulicz', mit dem ich gemeinsam in Breslau gearbeitet hatte, drei „Kanäle" in die Muskulatur legen. So entstanden drei Kraftquellen, die besondere Aufgaben zu bewältigen hatten.

Für einen Organisten war die willkürliche Bewegung von mindestens zwei künstlichen „Fingern" unerläßlich.

Es mußte möglich sein, sie in beliebiger Stellung allein oder zusammen kraftvoll niederzudrücken. Auseinander- und Übereinanderspreizen war notwendig. Der Amputierte erhielt eine Prothese mit stumpfwinklig gebeugtem und im Ellenbogengelenk fixiertem Unterarm. Die Anordnung der zum Teil mechanisch bewegten Finger war so, daß gewissermaßen eine lebende Zweifingerhand nachgeahmt war. Die Spannweite der beiden Finger betrug 18 Zentimeter. Innerhalb dieser Breite konnten an beliebiger Stelle beide Finger gemeinsam oder nacheinander anschlagen.

Im Jahre 1929 – also viele Jahre nachher – ließ ich einmal die Ergebnisse meines Prothesenbaues statistisch untersuchen. Das Befinden von 539 Amputierten stand für diese Zwecke zur Verfügung. 92,4% dieser Leute waren berufstätig; 55,4% als Leichtarbeiter, 42,5% als Schwerarbeiter.

68% der Verstümmelten schätzten selbst ihre Arbeitsfähigkeit auf 100%, 13,5% auf mehr als die Hälfte eines gesunden Menschen.

Manchmal sind die Geschichtchen, die meine Mitarbeiter über mich verbreitet haben, gut oder schlecht erfunden.

So wird berichtet, daß ich einmal bei der Anlage eines „Sauerbruch-Kanals" für eine Unterarmprothese mich mit meinem Assistenten schlimm verfeindete. Er mußte bei dieser Manipulation den Hautschlauch mit der Kornzange durch den Muskelkanal ziehen. Was diese Operation zu bedeuten hat, erklärte ich bei der künstlichen Hand, wo der Leser darüber nachlesen kann. Als er den Hautschlauch ergriffen hatte, brach ihm eine Branche der Kornzange ab. So weit stimmt alles. Nun soll sich dieser Dialog entwickelt haben:

Sauerbruch: „Sag mal, Meyer, ißt du Erbsen mit dem Messer?"

Assistent Meyer schweigt

Sauerbruch: „Ich habe dich gefragt, ob du Kullererbsen mit dem Messer ißt?"

Meyer schweigt eisigen Gesichts.

Sauerbruch gibt nicht nach: „Kannst du mir nicht antworten, Meyer, wenn ich eine höfliche Frage an dich richte? Ich habe gefragt, ob du ..."

Meyer: „Herr Geheimrat wissen ganz genau, daß ich Erbsen nicht mit dem Messer esse!“

Sauerbruch: „Du solltest es tun, Meyer, du solltest es üben. Du wärst dann geschickter mit den Händen.“

Die ganze Geschichte ist erfunden. Ich habe bei diesem Dialog nicht ein einziges Mal von Erbsen gesprochen. Chirurgen brauchen doch keine Jongleure zu sein!

Im Frühjahr des Jahres 1942, mitten im zweiten Weltkrieg, habe ich einige der rückwärtigen Lazarette der Ostfront inspiziert. Da sah ich die vielen „Ohnhänder“ – tut mir leid, so werden sie genannt –, die Einarmigen und die Einbeinigen und auch solche, die gar keine Gliedmaßen mehr besaßen.

Als ich damals im Wagen wieder nach Westen fuhr, hatte ich einen „Tagtraum“. Ich sah einen Apparat, aus Verstärkerröhren, Relais, Kondensatoren und Transformatoren zusammengesetzt. Die räumliche Anordnung der Teile war eigenartig, sie füllten eine Armprothese. Mitten darin befand sich ein Elektromotor, von dem aus sich ein Dutzend biegsame Wellen nach unten zogen. Als ich genau hinsah, bemerkte ich, daß sie in die Finger einer eigenartig geformten Hand mündeten. Sie war etwas anders gestaltet als eine wirkliche menschliche Hand.

Die Wirkungsweise der Anordnung war mir klar. Die Zehen eines oder beider Füße stellten Kontakte her – auch verbleibende Armmuskeln konnten dies übernehmen –, die Stromimpulse liefen über den zylindrischen „Radioapparat“, der den stufenweise schaltbaren Motor steuerte. Der Motor mochte ein Zehntel-, ein Fünftel- oder auch ein Viertel-PS leisten.

Kurz, mein „Traum“ beschäftigte sich mit der Prothese der Neuzeit. Ihr Träger steckte sich einen Steckkontakt, der von der Lichtleitung ableitete, in die Prothese, und nun hatte er Kraft. Er hatte mehr Reservekraft in der Hand und im Arm als irgendein gesunder Mensch mit heilen Gliedmaßen. Er konnte – das ist heute kein Kunststück mehr – seinen Kraftbedarf auch aus dem Generator seines Traktors, seines Autos oder sogar aus einer Batterie, die er auf dem Rücken trug, entnehmen.

War es möglich, diese übermenschliche Kraft annähernd so fein abzustufen, wie die Hand eines Uhrmachers, eines Drehers, eines Schreiners es mit der normalen Körperkraft vermag?

Ich sprach nur zu einem Menschen über meine Idee. Er war ein Hochfrequenz-Ingenieur, den ich auf einem Kongreß traf. Als ich ihn vorsichtig fragte, ob „so etwas" möglich oder wenigstens denkbar sei, lächelte er alt und weise (der ganze Mann war nicht älter als fünfunddreißig Jahre oder vierzig).

„Aber, Herr Geheimrat", sagte er, „das wäre natürlich eine Kleinigkeit. Sagen wir einmal sechs oder acht Monate, um Versuche durchzuführen, und noch einmal soviel, um die Pläne zu entwerfen. Dann kann jede Uhrenfabrik Ihre Hand, jede Maschinenfabrik Ihren Motor und jede Radiofabrik Ihr Steuergerät bauen. Ich will nicht behaupten, daß eine Hand sowohl Schmiedearbeit ausführen als auch Schreibmaschine schreiben kann, aber das ist ja auch nicht nötig. Wenn Sie sich für die chirurgische Herrichtung der Anschlüsse verbürgen können, Herr Geheimrat, sehe ich keinerlei Schwierigkeiten."

„Ja, dann, zum Teufel", sagte ich, „bauen wir doch Prothesen!" Wieder lächelte er weise:

„Sicher tun wir das. Wenn wir die paar hunderttausend Mark aufgetrieben haben, die für die Entwicklung nötig sind, fangen wir sofort an. Und sobald wir den Fabriken den Absatz einigermaßen garantieren können, beginnen wir mit der Fabrikation. So eine Prothese dürfte ... einen Augenblick, bitte ...", er griff zum unvermeidlichen Rechenschieber und manipulierte mit ihm, „... dürfte für fünfzehnhundert Mark, sagen wir mit der individuellen Anpassung für achtzehnhundert Mark zu bauen sein, wenn alle Hand- und Armversehrten eine Prothese abnehmen. Ein Geschäft ist es natürlich auch dann nicht."

Nach diesem Gespräch versenkte ich meinen Traum und sprach nie wieder davon.

Man darf mich, bitte, nicht für weltfremd halten. Ich weiß sehr wohl, daß sehr vieles nicht ausgeführt werden kann, weil die Mittel nicht aufzutreiben sind. Aber manchmal erschreckt mich immer wieder die ständig tiefer werdende Kluft zwischen dem Möglichen und dem wirklich Ausgeführten. An den Bau einer dem Stand der Technik entsprechenden Prothese ist gar nicht zu denken. Ist daran unsere Form der Gesellschaft schuld? Ich glaube nicht. In den Ländern einer anderen Ordnung dürfen die Fachleute sich unerschwingliche Dinge nicht einmal einfallen lassen: die einfachste Methode, um mit derartigen Ketzereien fertig zu werden.

Noch im Kriege bekam ich in größerer Zahl Kriegsverletzte zu sehen, die Geschosse und Sprengstücke in ihrem Brustkorb bargen.

Allzuviel Erfahrung hatten wir mit Fremdkörpern im Brustraum damals nicht. Dennoch hatte ich das Glück, eine Reihe dieser Verwundeten erfolgreich operieren zu können.

Die Entscheidung darüber, ob ein Geschoß, das in den Lungen, im Herzbeutel oder im Mittelfellraum steckengeblieben war, herausgeholt werden mußte oder nicht, ist schwer zu treffen. Wir ließen uns schon damals davon leiten, ob ein solcher „Geschoßträger" ernsthafte und durch die Untersuchung nachweisbare Beschwerden hatte. War dies der Fall, so operierten wir, war es nicht der Fall, so lehnten wir einen Eingriff ab.

Als ich noch gegen Schluß des Krieges in Singen tätig war, kam ein Bauer in Begleitung seiner Frau zu mir, der einen Granatsplitter in der Lunge hatte. Er besaß ein kleines Anwesen, das er selbst bestellte. Gleich zu Anfang des Krieges war er verwundet und dann felddienstuntauglich geschrieben worden. 1916 bekam er beim Heuaufziehen im Heuschober eine schwere Lungenblutung. Nach drei Wochen wurde er aus dem Krankenhaus geheilt entlassen. Wieder ein Jahr später trat nochmals eine starke Blutung auf, es wurde aber nichts weiter unternommen. Im Frühling 1918 bekam ich den Mann zu sehen. Er hatte einige Zeit vorher abermals zwei, allerdings nur schwache Blutungen erlitten.

Ich riet ihm zur Operation. Er selbst wäre auch dazu entschlossen gewesen, aber seine Frau wollte nicht so recht. Er sagte daher, er wolle in einiger Zeit wiederkommen. Ich konnte ihn nicht halten.

Im Röntgenbild dieses Mannes sah man einen mächtigen Granatsplitter auf der rechten Seite, in der Gegend der Lungenwurzel. Diese prekäre Lage des Splitters hatte mich dazu veranlaßt, die sofortige Operation anzuraten. Seine Frau war anderer Meinung gewesen, und ich hatte den Entscheid zu akzeptieren.

Eine halbe Stunde nachdem mich die beiden verlassen hatten, wurde die Klinik vom Bahnhof Singen angerufen. Es wurde um das Erscheinen eines Arztes gebeten, da ein Mann auf dem Bahnsteig einen Blutsturz bekommen habe. Der Arzt unseres Lazarettes konnte nur den bereits eingetretenen Tod feststellen.

Es war mein Patient mit dem Splitter. Die Leichenöffnung zeigte, daß die große Lungenarterie von dem Granatsplitter durchsägt worden war.

Ich habe in späteren Jahren zahlreiche Fremdkörper aus dem Brustkorb herausgeholt. Davon werde ich später berichten.

Es war ein aufreibendes Leben, das ich zwischen meinem Züricher Pflichtenkreis, dem Lazarett in Singen und der Fabrik in Tuttlingen führte. Wenn ich von Zürich nach Singen und zurück fuhr, so benutzte ich ein Automobil. Den Wagen steuerte mein damaliger Chauffeur, Herr Haseneder, der mich einmal in ernsthafte Schwierigkeiten gebracht hat.

Weder die Schweizer noch die deutschen Behörden durchsuchten, trotz der damals ungeheuer strengen Paß- und Zollkontrollen, jemals meinen Wagen. Kam ich in die Nähe der Grenzen, so winkte man mir freundlich zu und öffnete die Schranken. Das galt auch – es spielt eine Rolle bei der Geschichte –, wenn meine Frau zwischen Zürich und Singen hin und her fuhr. Sie tat das oft, denn sie war mit der Organisation meiner Arbeit beschäftigt. Eines Tages stand ich in Singen vor einer Operation, zu der ich Instrumente brauchte, die in diesem Militärlazarett nicht vorhanden waren. Ich telefonierte mit einer deutschen Instrumentenfabrik, die in der Nähe lag, aber auch diese hatte das Benötigte nicht vorrätig. Da rief ich meine Frau an, bat sie, aus Zürich in Richtung Singen abzufahren, und zwar im Auto, und bezeichnete ihr das Instrumentarium, das sie mitbringen sollte. Es lag zwar in der Klinik, aber es war zum guten Teil mein Privatbesitz. Meine Frau fuhr sofort ab. Bevor sie jedoch in Singen eintraf, hatte die Fabrik, mit der ich gesprochen, schon die Instrumente geschickt. Sie hatten sich noch angefunden. Der Verwundete war bereits operiert, als meine Frau eintraf. So wurden die Instrumente nicht erst ausgepackt; noch in der Nacht fuhr sie mit ihnen zurück.

Ich wußte nicht, um was es sich handelte, als ich kurz darauf zu einer „Vernehmlassung“ vor die Schweizer Behörden geladen wurde. Ich fiel aus allen Wolken, als ich hörte, daß ich ganz ernsthaft angeklagt sei, gegen die Neutralität der Schweiz dadurch verstoßen zu haben, daß ich mit schweizerischen Instrumenten deutsche Verwundete hatte „behandeln wollen“. Zur Operation war es ja nicht gekommen. Als ich, vermutlich mit offenem Munde, eine wegwerfende Bewegung mit der Hand machte, eine Geste, die den Vorwurf als lächerlich abtun sollte, erfuhr ich, diesmal zu meinem wirklichen Schrecken, daß ich tatsächlich gegen ein bundesgenössisches Gesetz verstoßen hatte. Auf bestimmte Erzeugungsgüter war ein Ausfuhrverbot gelegt worden, unter anderem auch auf chirurgische Instrumente. Und so hatte ich als Professor an einer Schweizer Hochschule und als Direktor des Kantonspitales gegen die schweizerischen Gesetze verstoßen, zudem war ich Deutscher. Und das alles während eines erbitterten Krieges und in einer Zeit, in der mir die offiziellen und inoffiziellen Beauftragten der Entente unablässig auf die Finger sahen!

Es gab einen Skandal großen Stils. Die Weltpresse nahm davon Notiz, die uns feindlich gesonnene in nachstehender Darstellung:

„Deutscher Sanitätsoffizier, zufällig und leider Gottes Direktor eines Schweizer Spitals, nimmt diesem Spital die Instrumente, so daß Schweizer Patienten sterben müssen, weil sie nicht operiert werden können. Die Instrumente überbringt er trotz eines Ausfuhrverbotes der deutschen Armee.“

Man warf der Schweiz vieles vor, vor allen Dingen, daß sie weder mich noch meinen Kraftwagen, noch von mir Beauftragte jemals beim Grenzübertritt visitiert habe, weil der Name Sauerbruch den Schweizer Behörden für die Integrität des Namensträgers und seiner Beauftragten zu bürgen scheine. In amerikanischen Zeitungen las man die Geschichte in dieser Aufmachung:

„Deutscher Militärarzt Sauerbruch stiehlt die chirurgischen Instrumente der Schweiz für die deutsche Armee."

Den Schweizer Behörden – wieder war der Präsident des Regierungsrates, Dr. H. Ernst, der maßgebliche Mann – war die Angelegenheit ungeheuer peinlich.

Die Behörden untersuchten mit höflicher Sachlichkeit und gaben das Ergebnis der Untersuchung wie folgt bekannt:

„Daß Professor Sauerbruch sich für eine vorübergehende Beschaffung eines Instrumentariums an seine Klinik wandte, wo übrigens auch noch sein persönliches Instrumentarium lag, ist verständlich, da er vom Ausfuhrverbot des Bundesrates vom 13. August keine Kenntnis hatte."

Viel später ereignete sich ein peinlicher Zwischenfall mit dem Chauffeur Haseneder. Trotz der Sache mit den Instrumenten untersuchten die Schweizer Behörden niemals meinen Wagen. Darüber beschwerten sich aber schließlich einige Leute, deren Sympathien auf seiten der Entente waren, und so kam der Tag heran, an dem mein Automobil doch durchsucht wurde. Den Beamten, die mich seit langem kannten, war das Ganze peinlich, aber sie hatten nun einmal ihre Anordnung bekommen. Unwillig machten sie sich daran, sie zu befolgen. Ihre Anstalten, die Kontrolle vorzunehmen, machten keinen besonders gewichtigen Eindruck, aber schon bei der oberflächlichen Untersuchung stellte sich etwas Entsetzliches heraus: im Wagen lag nur dürftig durch Decken und Mäntel verborgen, ein Sack und als er geöffnet wurde, stellte sich heraus, daß er eine Zentner Pfeffer enthielt. Den hatte Herr Haseneder au der Schweiz in das pfefferlose Deutschland zu schmuggel gedacht.

Ich begriff sofort, was ich zu tun hatte. Während di Zollbeamten mit Herrn Haseneder gar nicht gelind recht unfreundlich sogar, umgingen, eilte ich nach Zürich zurück, meldete mich bei dem Präsidenten Dr. Ernst und erzählte ihm die Geschichte von dem Sack Pfeffer. Der bekam einen Tobsuchtsanfall, denn er mochte mich gern. Gott sei Dank kam die Angelegenheit nie an die Öffentlichkeit.

Aber es passierten auch spaßige Dinge in jener Zeit. Eines Tages hatte ich drei Kandidaten der Medizin zu examinieren. Unmittelbar vor der zum Examen angesetzten Stunde erhielt ich einen Anruf aus Singen, mein sofortiges Erscheinen im Lazarett sei notwendig. Ich war in der Zwickmühle, meine ganze Position war eine ewige Zwickmühle: Hochschulprofessor in einem neutralen Lande und deutscher Sanitätsoffizier. In der Universität machte ich den drei Studenten den Vorschlag, sie sollten im Automobil mit bis zur Schweizer Grenze kommen. Während der Fahrt war doch hinreichend Zeit, die Kenntnisse der drei Studenten zu überprüfen. Die Rückreise nach Zürich mit der Bahn würde ich ihnen bezahlen. Die Examenskandidaten waren schließlich einverstanden. Wir stiegen ein und fuhren ab. Nun lagen irgendwelche Sachen im Auto, wir saßen beengt. Den ersten Kandidaten ließ ich neben mir auf dem Rücksitz Platz nehmen und begann ihn auszufragen. Nach einiger Zeit glaubte ich, mir über sein Verhältnis zur medizinischen Wissenschaft klargeworden zu sein. Es kam mir vor, als seien diese Beziehungen reichlich locker und nicht von ernsthaften Ansichten gestützt, und weil wir gerade durch einen Ort fuhren, befahl ich Haseneder, zu halten, und sagte zu dem Kandidaten:

„Also, ich muß Ihnen leider sagen, Sie sind durchgefallen. Ihre Kenntnisse genügen nicht. Wir haben es hier im Wagen etwas eng. Bitte, steigen Sie aus und fahren Sie mit der Bahn zurück."

Der Kandidat, zerschmettert und überwältigt von seinem Mißgeschick, tat wortlos, wie ich ihn geheißen, und stieg aus.

Ich placierte den zweiten nach hinten, fand ihn wie den ersten unzulänglich, und als wir wieder durch einen Ort fuhren, eröffnete ich ihm dasselbe wie dem ersten, und er stieg ebenfalls aus.

An der Grenze angelangt, hatte ich auch den dritten Kandidaten negativ erledigt.

Am späten Nachmittag fuhr ich zurück. An der Grenze stand der Student, den ich dort abgesetzt hatte, und bat mich, mit nach Zürich fahren zu dürfen. Er stieg ein. Und wer beschreibt mein Erstaunen: die beiden anderen Studenten, die ich an zwei verschiedenen Orten abgesetzt hatte, standen noch dort, wo ich sie 'rausgeworfen hatte, und wünschten dringend, wieder mit nach Zürich genommen zu werden.

Zu viert fuhren wir also wieder in trautem Verein zurück und hielten in der Florhofgasse vor meinem Hause.

Dort hielten die drei mir eine Ansprache: So gehe das nicht, sagten sie. Der eine Student meinte, im Auto werde er immer seekrank, dafür hatte ich viel Verständnis. Der zweite begründete sein Versagen damit, Haseneder führe so schlecht, daß er Angst um sein Leben gehabt habe, und der dritte sagte mir klar und deutlich, ärztliche Handlungen würden auch nicht im fahrenden Automobil vorgenommen. Infolgedessen seien ärztliche Examina in so einem windigen Fahrzeug auch nicht erlaubt. Sie traten mit mir in mein Haus und ließen sich in meinem Wohnzimmer nieder. Dann gaben sie geschlossen ihre Absicht kund, in einem geschlossenen Raume und bei nächtlicher Ruhe das Examen noch einmal abzulegen.

Diese drei Kandidaten waren mir über. Als der Morgen graute, hatten sie ihr Examen bestanden.

GEKRÖNTE PATIENTEN – EHRENHALBER

Im Jahre 1915 schon war mir klar, daß ich mir ein eigene Privatklinik in Zürich einrichten mußte, denn meine Möglichkeiten, Privatpatienten im Kantonspita unterzubringen, waren beschränkt. Der Zustrom vo Kranken aus aller Herren Ländern war so groß, daß da nötig wurde. Das Ganze war reiflicher Überlegung wert denn es war ein für uns sehr großes finanzielles Objekt Endlich entschlossen wir uns, die Sache zu wagen. Wi fanden am Fuße des Dolder in einem prächtigen Park zwei Villen, die einem Russen gehörten, und zwar in der Carmenstraße. Nach einer Rücksprache mit einer Schweizer Bank erhielt ich einen Kredit und baute mit einem Aufwand von rund 80000 Schweizer Franken diese beiden Villen zu meinem Ideal von einer Privatklinik um. Alles war modern und mustergültig, vom Operationssaal bis zur Küche. Zweiundzwanzig Betten standen zur Verfügung. Die St.-Anna-Schwestern aus Luzern zogen unter ihrer bewährten, liebenswürdigen Oberschwester ein, und meine Frau übernahm die Organisation der Klinik. Jetzt engagierten wir auch eine Privatsekretärin, Johanna Leske, eine Deutsche, die sehr tüchtig war und später in München für mich auch noch mein Werk über die Thorax-Chirurgie niederschrieb. Sehr wichtig war es, einen guten Hausarzt für unsere Klinik zu finden. Wir trafen eine gute Wahl in Dr. Bürgi, der bisher praktischer Landarzt gewesen war und der es ausgezeichnet verstand, mit den fast immer schwierigen Patienten umzugehen.

Im Jahre 1917, es muß im Herbst gewesen sein, erhielt ich eine Nachricht von meinem älteren Kollegen und Freund von Eiselsberg in Wien. Er schrieb mir, daß König Konstantin von Griechenland sein Patient sei und sich im Augenblick in Pontresina befände. Der König sei erkrankt und eine Operation möglicherweise angezeigt. Von Eiselsberg hatte mich für die Beurteilung des Leidens und gegebenenfalls für die Ausführung der Operation vorgeschlagen. Der König sei damit einverstanden, sich in meine Privatklinik nach Zürich zu begeben.

Bald danach wurde ich zudem von der Deutschen Gesandtschaft in Bern dahingehend informiert: die deutsche Regierung lege großen Wert darauf, daß der König sehr gut aufgenommen werde.

Bald kam der König. Er kam nicht allein. Einen Hofstaat von sechzig Personen brachte er mit. In unserer Klinik wurden fünf Zimmer belegt. Konstantin selbst, die Königin, der Leibarzt Anastosopoulos, der Kammerdiener Seiner Majestät und die Jungfer Ihrer Majestät zogen ein. Im Gesellschaftszimmer der Klinik ließ sich ein Hofmarschall nieder. Dort wurde regelrecht hofgehalten, den die übrigen fünfundfünfzig Personen des Gefolges bildeten, die in einer Villa am Zürichberg wohnten. Waren zufällig keine Damen anwesend, so mußte meine Frau die Hofdame der Königin spielen. Zugleich zog aber auch Kriminalpolizei ins Haus. Ein Detektiv wohnte ständig in der Klinik. Tag und Nacht standen andere vor den Türen. Es war sehr unangenehm, weil jeder Patient, der zu uns kam, von der Polizei genau durchforscht wurde, was viel Ärger verursachte. Die polizeiliche Bewachung wurde deshalb so streng gehandhabt, weil in der Schweiz ein Attentat auf Konstantin versucht worden war.

Bereits im ersten Gespräch mit dem König, bevor es zu einer eingehenden Erörterung seines Gesundheitszustandes kam, schilderte er mir seine persönliche Situation. Die Entente habe ihm nicht verziehen, daß er die Neutralitätserklärung Griechenlands durchgesetzt habe, und habe begonnen, ihn durch die Unterstützung des frankreichfreundlichen Venizelos von seinem Thron zu vertreiben. Venizelos habe schon im Oktober 1916, trotz des Bestehens der durch ihn, Konstantin, gehaltenen legalen Regierung eine Gegenregierung aufgemacht, deren Einflußgebiet sich über Nordgriechenland und die Inseln erstrecke, und habe im November die Kriegserklärung an Bulgarien und Deutschland durchgesetzt.

Nicht einmal vor einer Küstenblockade sei die Entente zurückgeschreckt. Im Mai 1917 seien die Franzosen nach Epirus und Thessalien einmarschiert. Mit einem Ultimatum habe man ihn im Juni 1917 zur Abdankung gezwungen. Hätte er, Konstantin, zu der Abdankung sich nicht entschlossen, wäre es in Griechenland zu einem allgemeinen Bürgerkrieg gekommen, und die Entente hätte trotzdem erreicht, was sie wollte. Nunmehr habe Venizelos endgültig die Regierung übernommen. Man habe beschlossen, daß sein Sohn Alexander mit der Entente paktieren müsse, um zu retten, was zu retten war.

Schon vor langer Zeit sei die von den Deutschen und Österreichern geschlagene serbische Armee – vielmehr deren Reste – ohne Wissen der rechtmäßigen griechischen Regierung auf die Insel Korfu gebracht worden, wo sie alles unsicher mache.

Unter desolaten Umständen sei seine Abreise erfolgt. Seine Jacht „Sphacteria“, begleitet von französischen Kanonenbooten, sollte ihn bis auf die Reede von Korfu bringen. Die Engländer hatten ihm dann ein Schiff versprochen, das ihn, seinen Hofstaat und seine Familie von dort nach einem Hafen an der Nordküste der Adria bringen werde, von wo aus er mit einem Sonderzug in die Schweiz befördert werden solle. Das englische Schiff war jedoch nicht dagewesen. Er mußte in Korfu an Land gehen, und das alles schwerkrank und bei hohem Fieber. Als die Serben hörten, der frühere griechische König halte sich auf der Insel auf, rotteten sie sich zusammen, um ihn und die Seinen zu erschlagen. Nach vielerlei Unannehmlichkeiten und unter widrigsten Umständen erreichten die königliche Familie und ihre Getreuen endlich die Schweiz.

Eiselsberg, der mit seiner Tochter Flora auch nach Zürich kam und der als Reserveoffizier in der österreichischen Marine diente, gab mir einen Einblick in die Geschichte der Krankheit des Monarchen. Im Mai des Jahres 1915 wurde er zu König Konstantin nach Athen berufen, der, wie die Mitteilung besagte, erkrankt war. Die österreichische Regierung legte Wert darauf, daß von Eiselsberg sofort abreiste. Auf dem Landwege fuhr er bis zum bulgarischen Hafen Dedeagatsch und von dort mit einem Torpedoboot bis nach Phaleron, dem Kriegshafen von Athen. Er fand den König an einem Empyem, der Vereiterung eines Rippenfellergusses, erkrankt. Der griechische Kollege hatte das Rippenfell schon acht Tage vor der Ankunft des Wiener Chirurgen durch einen Schnitt geöffnet. Der Eiter floß gut ab, doch bereits nach wenigen Tagen mußte von Eiselsberg dennoch operieren. Die Resektion zweier Rippen war notwendig geworden. Er führte den Eingriff in Lokalanästhesie durch. Der König, während der ganzen Operation bei Bewußtsein, war ein leidenschaftlicher Raucher. Er ließ es sich nicht nehmen, auch während der Operation Zigaretten in Kette zu konsumieren. Als von Eiselsberg eine Rippe mit der Rippenschere durchtrennte, gab es einen hörbaren Knacks. Der König fragte:

„Ist ein Instrument zerbrochen, Herr Professor?“

„Jawohl, Majestät“, antwortete Eiselsberg.

Geistesgegenwart ist die erste Chirurgenpflicht.

Fünfzig Stunden ging es Konstantin von Griechenland nach der Operation sehr schlecht, so daß von Eiselsberg für das Leben seines Patienten fürchtete. Über das Menschliche hinaus spielt aber auch das Politische eine Rolle.

Starb der König, so war einer der letzten Repräsentanten und Verfechter der griechischen Neutralitätspolitik dahin. Venizelos und die Seinen, hauptsächlich durch französisches Kapital unterstützt, konnten dann wohl noch viel leichter die gesamte Macht im Staate usurpieren und die Hinwendung Griechenlands zu den Feinden Deutschlands beschleunigen.

Doch dann besserte sich das Befinden des Königs, und Eiselsberg reiste zurück.

Im Januar 1916 wurde der Arzt abermals zum König gerufen. An der alten Operationswunde hatte sich eine Fistel gebildet, und es war zu entscheiden, ob die Fistel chirurgisch angegangen werden solle. Eiselsberg riet von einer Operation ab und fuhr zurück.

Jetzt, 1917, in der Schweiz, war die Frage, ob man die Fistel operieren müsse oder nicht, erneut erörtert worden. Sie müsse wohl doch operiert werden, entschied von Eiselsberg. Ich war der gleichen Ansicht und sollte die Operation übernehmen.

Im Oktober nahm ich den Eingriff vor. Eiselsberg assistierte mir. Dem Kranken ging es danach einige Wochen hindurch nicht sehr gut, schließlich erholte er sich.

Alles wäre ganz normal und völlig üblich verlaufen, wenn mir nicht der König eines Tages frei und offen erklärt hätte, daß er nicht einen Pfennig Geld besitze. Ich tröstete ihn selbstverständlich und tat das lässig – noblesse oblige – mit der linken Hand ab, obgleich mir dieser Umstand viel zu schaffen machte. In unserer Klinik nämlich hielten König und Königin nach Genesung des Patienten einen richtigen Hof. Wir hatten endlose Barauslagen, und die Rechnungen stiegen erheblich an. Es sammelte sich um den König an, was sich an politischen Persönlichkeiten in der Schweiz aufhielt. Zunächst kamen natürlich die beiden Brüder des Königs mit ihren Kindern, darunter der jetzige Herzog von Edinburgh, ein Verwandter des Königs von

England. Es kam die schöne Infantin von Spanien, es kam der deutsche General von Falkenhayn. Nur so halb und halb begriff ich, daß diese Besuche nicht nur dem König selbst galten, sondern daß die große Politik hier ein wichtiges Spiel trieb. Die Mutter König Konstantins, eine russische Aristokratin, kam trotz aller Umstände und trotz des Krieges mit einem Sonderzug quer durch Europa angefahren, um ihren Sohn zu sehen, von dem sie glaubte, daß er sterbenskrank daniederliege. Sie hatte im Reisegepäck zwei Flaschen uralten griechischen Weines. Die eine war für den deutschen Kaiser, die andere für mich bestimmt.

Eines Tages, es ging ihm schon weitaus besser, erschreckte mich mein Patient. Er erzählte mir noch einmal, daß englische und französische Unterhändler fünfmalhunderttausend Francs in Gold angeboten hätten, wenn er auf den Thron verzichte. Die politische Lage mache ihm Sorge. Dann überfiel er mich mit einer direkten Frage:

„Was wissen Sie von dem Versuch des Kaisers Karl von Österreich, einen Sonderfrieden zu schließen und Deutschland allein seinen Feinden zu überlassen?“

Bei Gott! Davon wußte ich nichts. Die Frage entsetzte mich sehr. Der kranke König empfing, wie man mir berichtete, täglich Nachrichten durch die griechische Mission in der Schweiz. Das, was er sagte, mußte wahr sein. Als ich nun verstummte, wird ihm wohl zum Bewußtsein gekommen sein, daß ich doch wohl kein rechter Partner für ein so schwerwiegendes politisches Gespräch sei. Er änderte seine Taktik.

Kurzerhand erklärte er mir:

„Ich habe in einer sehr wichtigen politischen Angelegenheit einen Brief an den deutschen Kaiser zu schreiben, und ich bitte Sie, den Brief zu überbringen.“

Sofort protestierte ich! Das gehe nicht an. Ich habe in Zürich meine Kranken und der Schweizer Regierung versprochen, im Augenblick auf meinem Schweizer Posten zu bleiben.

Er aber appellierte an meinen Patriotismus. Das, was ich überbringen solle, werde meinem Lande nützen. Wie könne ich da zögern?

Nun wandte ich dieses ein: Um einen Brief an den Kaiser zu überbringen, um etwas derart verhältnismäßig Einfaches zu tun, dazu brauche er doch nun nicht gerade mich. Den könne ein Kurier oder, wenn es hoch kam, ein Botschaftsrat von der Deutschen Gesandtschaft in der Schweiz auch nach Berlin schaffen.

Mit großem Elan warf er sich meiner Ansicht entgegen: Die Schritte der Deutschen Gesandtschaft würden in einer Weise ausgekundschaftet, von der ich keine Vorstellungen hätte. Die Griechische Gesandtschaft könne er überhaupt nicht mehr bemühen, da sie nun offiziell auf seiten der Entente stehe. Wenn ich nach Berlin fahren werde, so habe das folgenden Vorzug: bei mir, einem Arzt, werde man keine diplomatischen Papiere vermuten. Es dürfe schon überhaupt nicht herauskommen, daß er mit dem deutschen Kaiser korrespondiere, schon das müsse ganz geheim bleiben.

Ich fand wenig Freude an der Sache, weil es noch einen ganz besonderen Umstand gab. Einen Umstand nämlich, der mit den schweizerischen chirurgischen Instrumenten und dem Pfeffersack des Herrn Haseneder einiges zu schaffen hatte.

Im Fortlauf des Krieges nämlich hatte ich, der ich ja ununterbrochen über die Grenze hin und her fuhr, der Schweizer Regierung, die das von mir verlangte, Erklärungen abgeben müssen und versprochen, niemals zu anderen Zwecken über die Grenze zu gehen und zu kommen, als um meine ärztliche Kunst auszuüben. Andernfalls würde ich die Neutralität der Schweiz verletzen.

Das alles sagte ich dem König. Für einen Kranken war dieser Mann aber von einer heftigen Verbissenheit, und schließlich einigten wir uns auf folgendes: Ich werde den Brief überbringen, müsse aber der Meinung sein, dieses Schreiben enthalte nichts anderes als eine Bitte um Geld.

Das sah er ein, stimmte mir zu, und ich formulierte so: Geldmangel schade einem Patienten, wenn ich ihm also Geld verschaffe, so kräftige ich seine Gesundheit, also sei die Überbringung des Briefes doch ein Akt ärztlicher Kunst.

Er schärfte mir ein: „Diesen Brief dürfen Sie nur dem Kaiser selbst übergeben! Nur er selbst darf ihn lesen.“

Am nächsten Tage konnte ich feststellen, daß der deutsche Kaiser zu dieser Zeit in Berlin war, was mir als glücklicher Umstand erschien, denn er weilte ja meistens in seinem Hauptquartier. An diesem Tage schrieb König Konstantin einen Brief, übergab ihn mir am Abend, und ich hatte ein umfangreiches und wohl auch inhaltsreiches verschlossenes und versiegeltes Kuvert in der Hand, auf dem nichts geschrieben stand.

Ich fuhr also nach Berlin.

Keineswegs zog ich wie sonst ins „Bristol". Ich suchte ein ganz kleines Hotel auf und verbot dem Portier, den Zeitungen zu melden, daß ich in Berlin sei. Die Blätter nahmen sonst regelmäßig davon Kenntnis.

Fröhlich und naiv ging ich am nächsten Morgen, korrekt gekleidet, in das Berliner Stadtschloß, wo der Kaiser war. Ich kam bis an einen sehr würdevollen Lakaien und bat, mich Seiner Majestät zu melden. Professor Sauerbruch sei mein Name, sagte ich. Der Lakai lächelte mitleidig und meinte, ich solle mein Gesuch schriftlich einreichen. Er kannte mich nicht, und ich machte so viel her, daß es mir schließlich doch gelang, bald vor die „oberstkommandierende Hofcharge" gebracht zu werden. Den Namen dieses Mannes habe ich leider vergessen, und das tut mir leid. Der Mann war nämlich gräßlich!

Er nahm kaum von mir Notiz, vermerkte nur knapp, daß es in dieser Form überhaupt nicht möglich sei, Majestät zu sprechen, ich solle wieder dahin fahren, wo ich hingehöre.

Ich hätte dem Kaiser einen Brief zu überbringen, sagte ich. Da schnauzte er:

„Was haben Sie? Einen Brief für Majestät haben Sie? Und da machen Sie solche Geschichten? Da bemühen Sie mich persönlich? Na, nun sind Sie einmal da, geben Sie den Brief her, ich werde ihn Majestät übergeben!"

Am liebsten wäre ich jetzt sofort auf- und nach Zürich zurückgefahren, aber in Zürich saß Konstantin ohne Geld, jedoch mit politischen Geheimnissen und Plänen, und so blieb ich freundlich.

Der Absender wünsche, daß ich den Brief Seiner Majestät dem deutschen Kaiser persönlich abgebe, war meine Antwort. Da wurde der Mann ganz wild und rief, meine

Ansicht von der Welt und ihren Dingen sei gänzlich irrig. Das Land befinde sich im Kriege. Seine Majestät habe anderes zu tun, als jeden Menschen zu empfangen, der einen Brief abgeben wolle.

Ich wurde böse und verließ ihn.

Am nächsten Tage dachte ich an Konstantin. Im Geiste sah ich ihn in seinem Bett liegen, ein schöner großer Mann, und die drei reizenden Damen saßen an seinem Bett und tranken Schokolade. Der König Portwein mit Ei.

Ich ging nochmals ins Schloß und kam zu der Hofcharge, mit der ich schon einmal verhandelt hatte. An Tatsächlichem erreichte ich auch diesmal nichts. Aber es ist mir doch gelungen, den Mann zu beeindrucken. Keineswegs im Einverständnis, sondern mit viel Gemurre und Geknurre auf beiden Seiten trennten wir uns.

Und siehe da! Am nächsten Tage kam der Mann zu mir ins Hotel in Zivil, da ich von einer „höchstvertraulichen Mission" gesprochen hatte, und versuchte nochmals, den Brief, von dem die Rede war, an sich zu bringen.

Ich lehnte schroff ab. Jetzt war es an ihm, traurig zu werden, und er bat: „Dann sagen Sie doch wenigstens, von wem der Brief ist."

Das tat ich noch immer nicht, aber insoweit kam ich ihm entgegen, als ich erklärte: „Von einem König."

Da wurde er aufgeregt. „Von einem König? Warum haben Sie das nicht gleich gesagt, das ändert doch die ganze Situation!"

Schnell eilte er davon. Bald war er zurück und vermeldete mir, Majestät habe befohlen, mich am nächsten Vormittag im Schloß Bellevue zu sehen.

Mir wurde klar, der Kaiser hatte begriffen, daß es hier etwas Ungewöhnliches gab. Ich habe oft bemerkt, daß Wilhelm II. über ein ausgeprägtes Kombinationsvermögen verfügte. So schien er auch in diesem Falle die Zusammenhänge in etwa zu überschauen. Er kannte mich aus Zürich und sagte sich wohl: Wenn der Sauerbruch aus der Schweiz hierherkommt und geheimnisvoll tut und was von einem Briefe – Absender: ein König – erzählt, dann will ich ihn nicht ins Stadtschloß holen, wo der ganze Hofstaat herumsteht und guckt und neugierig ist. Dann hole ich ihn mir nach Bellevue, wo er ungesehen hinkommen kann und wo der Hofstaat nur klein ist.

Zur befohlenen Stunde kam ich ins Schloß, wurde ohne Umstände und ohne Aufenthalt vor den Kaiser gebracht.

Er war ausgesprochen guter Laune, ja heiter und sehr freundlich, und fragte mich:

„Spreche ich mit dem Briefträger Sauerbruch?"

Ich lachte und übergab ohne Umstände das Schreiben des Königs von Griechenland.

Seine Majestät behielt mich zum Frühstück. Dann fuhr ich zurück nach Zürich und vermeldete dem König: Der Brief sei übergeben. Konstantin dankte sehr und ließ sich erzählen. Er schien nicht enttäuscht zu sein.

Nachdem ich aus Berlin zurückgekehrt war, wurde eines Nachts meine Privatklinik in Angst und Schrecken versetzt. Die ständig anwesende Geheimpolizei und ihre recht drastischen Schutzmaßnahmen hatten uns an den Gedanken gewöhnt, daß auf den König Konstantin ein Attentat versucht werden würde. So war tatsächlich niemand überrascht, als in der Nacht, von der ich spreche, im Souterrain des Hauses Lärm entstand. Dumpfes Gebumse wurde hörbar. Jedermann wurde wach, und jedermann war sich darüber klar, daß Mörder im Begriff standen, in die Klinik einzubrechen und den König umzubringen. Das ganze Haus lief zusammen.

Mit großer Mühe wurde der Detektiv geweckt, der den König beschützen sollte. Nach einigen Überlegungen drangen Beherzte ins Souterrain vor, dem Attentäter entgegen. Man fand einen solchen in der Gestalt eines Hahnes, der am Abend gebracht worden war, um am nächsten Morgen geschlachtet zu werden. Er war unter eine große umgekehrte Schüssel gesetzt worden. Um sich von ihr zu befreien, schleppte das arme Tier diesen Napf aus Blech über die Fliesen. Über diesen Lärm beschwerte sich sehr die Baronin Bleichröder, die ihre erkrankte Tochter in die Klinik begleitet hatte und böse auf mich war, weil ich mich weigerte, ihrer prächtigen Siamkatze ein eigenes Krankenzimmer einzuräumen.

Unvorhergesehen wurde ich Anfang 1918 nach Berlin geholt. Überrascht erfuhr ich in der Reichshauptstadt,

Seine Majestät der deutsche Kaiser wünsche mich zu sehen. Er empfing mich wiederum mit dem Satz: „Spreche ich mit dem Briefträger Sauerbruch?" und ersuchte mich dann, über Sofia nach Konstantinopel zu fahren, und zwar mit dem hochoffiziellen Auftrag, das Sanitätswesen in Bulgarien und in der Türkei zu inspizieren. Das habe aber nur als Vorwand für meine Reise zu gelten. Ihr wirklicher Grund und Anlaß lag in etwas ganz anderem. Seine Majestät händigte mir zwei Handschreiben aus. Das eine war für den König Ferdinand von Bulgarien, das zweite für den Sultan der Türkei bestimmt. Diese höchst vertraulichen und wichtigen Briefe habe ich unter allen Umständen persönlich an die hohen Adressaten zu geben, befahl mir der Kaiser und gestand ganz offen, daß er den Einfall König Konstantins imitiere. In mir, einem bekannten Arzt, werde niemand den Geheimkurier vermuten.

Dann zog mich der Kaiser ins Gespräch. Ich hatte den Eindruck, daß er es tat, um mich zu unterrichten und auf ein Gespräch mit dem Zaren von Bulgarien und dem Sultan der Türkei vorzubereiten.

Was mir der Kaiser in kurzen Sätzen erklärte, erschütterte mich gewaltig. Ich merkte gleich, besonders in der großen Politik gilt der Grundsatz, daß zum guten Teil nur das erheblich und folgenschwer ist, was nicht in den Zeitungen steht, was man also nicht weiß.

Ich war immer ein unpolitischer Mensch. Ich war und bin der Meinung: man muß seine Arbeit machen, seine Pflicht tun und sein Land lieben.

Für mich waren Deutschland und seine Verbündeten im Weltkrieg 1914/18, kurz die Mittelmächte genannt, ein festgeschmiedeter Block, verschanzt hinter den deutschen Waffen, dem deutschen Mut und Erfindergeist und dem deutschen Ethos.

Daß Österreich-Ungarn, die alte Donaumonarchie, von vielen Feinden nicht nur von außen, sondern auch von innen bedroht war, wußte ich. Aber Näheres wußte ich nicht, wollte es wohl auch nicht wissen.

Der Kaiser war es, der mir den Schleier wegriß.

Ich erfuhr: Schon seit Ende 1916 erstrebte der neuernannte österreichisch-ungarische Außenminister Graf

Czernin ebenso wie sein Monarch, der Kaiser Karl, ein rasches Ende des Weltkrieges. Im Frühjahr 1917 knüpfte Karl sogar durch Vermittlung seines Schwagers, des Prinzen Sixtus von Bourbon-Parma, geheime Verhandlungen mit Frankreich über einen Sonderfrieden an. Österreich wollte also Deutschland verlassen und verraten und durch Aufreißung seiner Ost-, Südost- und Südflanke dem Angriff des Feindes preisgeben. Das war die berühmte Sixtus-Affäre.

Sie bedeutete eine unerhörte Ermutigung für die Entente, stärkte die Kampfmoral unserer Feinde und war allein schon geeignet, der deutschen Position mehr zu schaden als eine Reihe von Niederlagen im Felde.

Der Kaiser verschwieg mir auch nicht, daß die österreichische Regierung und der junge Kaiser Karl, dieser völlig in der Hand seiner fanatischen, ehrgeizigen Gattin Zita, ihm nahegelegt haben, in den Verzicht auf Elsaß-Lothringen zu willigen.

Kaiser Karl habe von Sixtus einen Brief bekommen, in dem es hieß:

„Keiner will mit Deutschland verhandeln, bevor es geschlagen ist. In diesem Augenblick hast Du die Chancen; ein solcher Fall wird sich Dir nie mehr bieten, daß man Dir einen Frieden vorschlägt, ohne daß Du dabei etwas verlierst."

Aber der Kaiser wußte noch mehr. Er hoffe, diese Friedensfühler werden vergeblich bleiben, vor allem, weil Italien und Rumänien ihrerseits durch die Entente große Gebietserweiterungen auf Kosten Österreich-Ungarns zugesagt erhalten hatten.

Dem Kaiser lag alles daran, den schwachen Kaiser Karl zu ermutigen, zu ermuntern. Karls Stellung schien schon verzweifelt angesichts der zunehmenden revolutionären Stimmung der slawischen und romanischen Nationalitäten seines Staates, die sich anschickten, der alten Doppelmonarchie den Todesstoß zu geben.

Da saß ich, Professor Ferdinand Sauerbruch, von Beruf Chirurg, beim Kaiser in Berlin. Ich wurde über die geheimsten Intrigen der Weltgeschichte informiert, und zwar von Seiner Majestät persönlich. Es ist sagenhaft, in was man alles hineingeraten kann, wenn man anderen Leuten gefällig sein will. Mich durchfuhr der Gedanke, ob Konstantin von Griechenland mit der ganzen Geschichte etwas zu tun haben mochte.

Ich erfuhr es bald. Von Seiner Majestät.

Durch einen Informationsdienst, den der deutsche Reichstagsabgeordnete Matthias Erzberger während des Krieges unterhielt, war man hinter diese Dinge gekommen. Ganz erstaunlicherweise hatte Erzberger dem deutschen Kaiser sogar Abschriften des Sixtus-Briefes und der Antworten Kaiser Karls vorlegen können. Das war schon eine Leistung. Die deutsche Regierung mißtraute nun sämtlichen Verbündeten. Insbesondere glaubte man, daß Ferdinand von Bulgarien nach wie vor mit der Entente verhandele. Recht übereifrig hatte man deutscherseits sofort begonnen, die politischen Beziehungen zu Bulgarien zu vernachlässigen, was psychologisch sicherlich schlecht war. Man schickte der bulgarischen Armee ab sofort keine Waffen mehr.

König Ferdinand von Bulgarien war durch seine erste Ehe mit Marie-Louise von Parma mit dieser Fürstenlinie wie auch mit dem österreichischen Kaiser verschwägert. Politische Impulse und die Schwägerschaft gleichzeitig ließen angesichts der Entwicklung der Kriegslage trotz des Zusammenbruchs des russischen Kaiserreichs und des Scheiterns der großen Kerenski-Offensive 1917 befürchten, daß Bulgarien bei nächster Gelegenheit einen Sonderfrieden schließen werde.

Konstantin hatte Wilhelm II. in dem Brief, den er hatte überbringen lassen, dargelegt, so erfuhr ich nun, wie töricht die deutsche Meinung von dem Verhalten Ferdinands sei, und er hatte in seinem Brief insgesamt folgenden Plan geäußert:

Das Handschreiben Wilhelms II. sollte die Atmosphäre reinigen, Ferdinand stärken und ihn veranlassen, sein Land bei den Mittelmächten zu halten. Der deutsche Kaiser wollte persönlich sowohl dem Herrscher von Bulgarien und dem Herrscher der Türkei klarstellen, daß sie beide von sich aus für die Zukunft eine Verteilung der Balkaninteressen vornehmen sollten. Unter dem Gesichtspunkt des äußersten Notstandes! Sie müßten über den Krieg hinausdenken. Zwar sei Rußland durch den Sturz des Zaren und durch revolutionäre Umtriebe geschwächt, aber einmal werde es wieder eine Staatsform erhalten, die es zu Aktionen in Europa befähige, und eine Verbindung mit den Serben auf dem Balkan werde dann eine russische Herrschaft über freie Balkanstaaten herbeiführen.

Was Griechenland nun anbetraf, so hatte Konstantin folgendes geschrieben: Obgleich das Land augenblicklich von Entente-Truppen besetzt sei, könne doch er, der in dem Falle eines Sieges der Mittelmächte bestimmt auf den Thron zurückkehren werde, schon jetzt einiges anbieten. Nämlich das Desinteressement an einigen balkanischen Landstrichen und ein Bündnis mit der Türkei in bezug auf Konstantinopel, das durch russische Interessen gefährdet sei.

So, nun wußte ich also Bescheid. Ich würde als Geheimkurier reisen, um Intrigen der Entente zu bekämpfen. Nun, was sollte ich dagegen tun?

Der Kaiser machte im Gespräch einen Sprung. „Wie sieht man in der Schweiz die Chancen dieses Krieges?“ und weiter: „Ist man nicht in der Schweiz auch der Meinung, daß Frankreich bald zusammenbrechen muß?“

Wahrheitsgemäß antwortete ich ihm, daß man in der Schweiz davon überzeugt sei, daß Frankreich von Tag zu Tag erstarke. Er stand auf, ging ans Fenster und sah lange hinaus. Dann fragte er wieder:

„Glaubt man denn in der Schweiz, daß die Amerikaner tatsächlich auf europäischem Boden kämpfen werden?“

„Auch das glaubt man in der Schweiz“, antwortete ich.

Gott sei Dank kam er auf das erste Thema zurück und rief wiederum aus:

„Was für ein kluger Mann ist doch der Konstantin!“ Dann kam er auf meinen Auftrag zu sprechen.

Er detaillierte ihn so: „Sie bleiben zum Essen. Nach dem Essen plaudern Sie mit meinen Damen und Herren. Währenddessen schreibe ich die Briefe. Gleichzeitig wird auch veranlaßt, daß Sie Ausweise erhalten, die bescheinigen, daß Sie als Sanitätsoffizier der Armee nach Bulgarien und der Türkei reisen, um dort das Sanitätswesen zu inspizieren. Sie werden offiziell angemeldet werden. In Wirklichkeit aber erhalten Sie zwei Briefe. Sie haben neulich verstanden, mich unter vier Augen zu sprechen, also werden Sie es auch verstehen, den König von Bulgarien und den Sultan der Türkei ebenfalls allein zu sehen. Sie werden es schon schaffen. Natürlich ziehen Sie Uniform auf der Reise an, um so weniger wird irgend jemand vermuten, daß Sie geheime Aufträge haben."

Ich blieb also zum Essen. Die Kaiserin nahm an der Mahlzeit teil. Es gab Spiegeleier und nachher Obst. Ich war noch hungrig, nachdem wir gegessen hatten, und mit schlechtem Gewissen dachte ich an meine Mahlzeiten in Zürich.

Nachdem die Tafel aufgehoben war, gingen die Damen. Ich blieb mit den Herren beim Kaffee zurück. Aus der Kiste auf dem Tisch nahm ich eine Zigarre. Den Höfling, der mich vor wenigen Wochen abgewiesen hatte, sah ich streng an. Er gab mir Feuer.

Und am Abend fuhr ich im geheimen Auftrage Seiner Majestät des deutschen Kaisers nach Sofia und Konstantinopel ab.

Jeder, der damals aus der Schweiz durch Deutschland, durch Österreich und durch den Balkan – also durch das Territorium der Mittelmächte – fahren konnte, im Jahr 1918, muß diesen unheimlichen Eindruck gehabt haben, der mich überfiel. Die Schweiz war hell, warm, satt und völlig bürgerlich. Aber in dem Augenblick, in dem man ihre Grenze nach Norden überschritt, fuhr man durch Gebiete, in denen Bürgerlichkeit und Zivilisation im Sterben zu liegen schienen.

Das ist natürlich im zweiten Weltkrieg noch viel krasser gewesen. Schroffer war aber nur das äußere Bild. In den Jahren 1914 bis 1918 starben Bürgertum und Zivilisation im eigentlichen Sinne. Was nachher wieder aufgebaut wurde, imitierte nur noch die vergangene Zeit, und in den Imitationen aus Stuck, die den Marmor vortäuschten, saß schon das Gespenst, das die Vollendung der Katastrophe grinsend ankündigte. Die überfüllten, kalten und schmutzigen Züge, die aus Kohlenmangel dunklen Städte, das alles kennt die heutige Generation aus dem zweiten Weltkriege. Auf sie hat es keineswegs so gewirkt wie damals auf uns, die wir doch der Meinung waren, daß sich der Zustand der Welt vor 1914 verewigen würde.

Während ich auf meiner langen Reise nach Sofia dahinfuhr, wurde ich wohl versorgt von den jeweiligen Zugbegleitoffizieren und mit Auszeichnung behandelt, auch an jeder Grenze vom jeweiligen Kommandanten der Grenzstation begrüßt. Mit allem versorgt, was ich auf der Reise brauchte, dachte ich darüber nach, wie ich mich in Sofia verhalten sollte. Ich überprüfte, was ich von dem König der Bulgaren, von Ferdinand, wußte:

Er wurde 1861 in Wien geboren, und seine Mutter schien am stärksten seine geistige Haltung beeinflußt zu haben. Sein Vater, Coburger, heiratete seinerzeit eine Orleans, eine Tochter des ehemaligen Königs der Franzosen, eine Frau von ungeheuerlichem Ehrgeiz. Am Hofe hatte man mir 1915 gesagt, als einmal das Gespräch auf Ferdinand gekommen war und als es sich zu einer Darstellung des deutsch-bulgarischen Verhältnisses verdichtete: die ganzen Beziehungen zwischen dem Kaiser und Ferdinand und eine Charakterisierung des Verhältnisses der beiden zueinander gehe am plastischsten hervor aus einem Bericht, den der österreichische Botschafter Mensdorff in London vor Kriegsbeginn seinem Ministerium in Wien sandte. Durch eine Indiskretion hatte man in Deutschland von diesem Bericht Kenntnis genommen.

Damals las ich diesen Bericht. In meiner Bibliothek finde ich ihn innerhalb einer Sammlung diplomatischer Publikationen. Er lautet so:

„Streng vertraulich! Der Inzidenzfall, der sich im vorigen Jahre in Braunschweig zwischen Kaiser Wilhelm und dem König der Bulgaren abspielte, ist Euer Exzellenz bekannt. Der etwas derbe Scherz des deutschen Kaisers, König Ferdinand in Gegenwart zahlreicher Fürstlichkeiten mit einem rückwärts applizierten heftigen Schlag zu überrumpeln, wurde von dem äußerst empfindlichen hohen Herrn sehr übelgenommen, und Seine Majestät verließ damals Braunschweig, ohne sich von dem deutschen Kaiser verabschiedet zu haben. Diese Szene ist mir von König Ferdinand selbst in halb indignierter, halb humoristischer, jedenfalls aber unwiderstehlich komischer Weise beschrieben worden. Bei der diesmaligen Begegnung während der Trauerfeierlichkeiten kam es abermals zu einer kleinen Szene zwischen den hohen Herren, die König Ferdinand seinem Bruder Prinz Philipp und mir, als er Samstag vor seiner Abreise allein mit uns beiden hier dejeunierte, erzählte. König Ferdinand hatte die Absicht, bei einem demnächst – ich glaube noch Ende dieses Monats – in Berlin stattfindenden internationalen Ornithologen-Kongresse zu präsidieren. Wie Euer Exzellenz bekannt, ist König Ferdinand auf diesem Gebiete der Naturwissenschaft ein Fachmann ersten Ranges und hatte er bereits einen großen Vortrag auf deutsch und französisch vorbereitet. (Vogelwelt des Balkans oder etwas Derartiges.) Auch sind die Einladungen, wie Seine Majestät mir sagte, in höchstseinem Namen ausgegangen. König Ferdinand benützte nun seine hiesige Begegnung mit Kaiser Wilhelm, um Seiner Majestät zu melden, daß er demnächst nach Berlin zu kommen gedenke, worauf ihn der deutsche Kaiser sofort unterbrach und ziemlich barsch mit den Worten anfuhr: ‚Das geht nicht, du mußt mir zuerst deinen offiziellen Besuch machen, bevor du nach Berlin kommen kannst.‘ König Ferdinand entgegnete Seiner Majestät, daß er ja bereits wiederholt offiziell zu ihm gekommen sei, worauf er die Antwort erhielt: ‚Aber nicht, seitdem du König bist.‘ Der König replizierte weiter, er wäre bereit gewesen, einen neuerlichen offiziellen Besuch in Potsdam noch vor dem Zusammentritt des Ornithologen-Kongresses abzustatten, nachdem aber dies wegen der Trauer nicht möglich sei, könne er nicht einsehen, warum es ihm nicht möglich sein sollte, als ‚deutscher Gelehrter‘ nach Berlin zu kommen, wie er es im Laufe der Jahre häufig getan hatte. Kaiser Wilhelm blieb aber dabei, daß dies ganz untunlich sei, bevor nicht der offizielle Besuch des Königs der Bulgaren beim preußischen Hofe stattgefunden habe. Nun antwortete König Ferdinand, dies sei eine Einschränkung der persönlichen Freiheit, und unter diesen Umständen werde man ihn in Berlin überhaupt nicht wiedersehen. Worauf er den Kaiser stehenließ und Seiner Majestät den Rücken kehrte. König Ferdinand, in seiner gewohnten, etwas übertriebenen Sprache, beschreibt diese Szene in dramatischer Weise:

Ich habe ihm den Rücken gedreht und werde keinen Fuß mehr nach Berlin setzen. Das wird schwerwiegende Folgen haben, und ich weiß selbst nicht, wie unsere diplomatischen Repräsentanten in unseren beiden Hauptstädten bleiben können. Das ist alles Neid und Eifersucht. Er kann nicht ertragen, daß ein anderer einen Vortrag hält, den er selbst nicht imstande wäre zu halten."

Wenn ich nun darüber nachdachte, daß durch unzulängliche Berichterstattung Ferdinand von Bulgarien neuerlich gereizt war, so dachte ich mit Kummer an meine Mission. Auch ängstigte mich der Auftrag des Kaisers, alles im geheimen abzumachen, je näher ich Sofia kam.

Folgenden Plan machte ich mir: Ich würde, in Sofia angekommen, mich sofort ins deutsche Militärlazarett begeben. Auf dem Dienstwege mußte ich dort angemeldet sein, und an Ort und Stelle erst konnte ich mir überlegen, wie ich im einzelnen vorgehen mußte.

Ich sah Sofia zum ersten Male, fuhr am Schloß vorbei, fand dieses Schloß in der Größe eines feudalen mitteleuropäischen Landsitzes, aber umgeben von einem Park mit herrlichen Bäumen, prächtigen Sträuchern und schönen Blumen.

Kaum im Lazarett angelangt, ergab sich eine neue Schwierigkeit. Meine Kollegen waren geradezu begeistert von meiner Ankunft, hatten eine Vielzahl von Fällen vorbereitet, bei denen sie meinen eingehenden Rat wünschten. Es gab Operationen, die ich ausführen sollte und bei denen vor allen Dingen die jüngeren Kollegen zuschauen wollten. Ich fand mich herzlich begrüßt, prächtig aufgenommen. Alle Leute wurden sofort meine Freunde und waren der Meinung, daß ich so bald Sofia nicht verlassen könne oder besser gesagt: Bulgarien, denn es gab außer dem Hauptlazarett in Sofia noch viele im Lande. Die müßte ich doch alle inspizieren, meinte der leitende deutsche Sanitätsoffizier, goß mir prächtigen bulgarischen Wein ein und sagte: „Prost!"

Diesen Tag verbrachte ich im Lazarett. Am Nachmittag des nächsten Tages machte ich mich frei, weil ich mir „die Stadt ansehen" wollte; so sagte ich und hatte große Mühe, allein fortzukommen, denn natürlich wollten meine Kollegen es sich nicht nehmen lassen, mir „die Stadt zu zeigen". So, in der Uniform eines Oberstabsarztes also, ging ich umher und spazierte an den Gittern des Schlosses vorbei, meinen Brief natürlich in der Tasche. Ich war fest entschlossen, es ebenso zu treiben wie bei Wilhelm II. Dann überfiel mich Unsicherheit. Ich war schließlich auf dem Balkan. Würde nicht doch alles herauskommen, wenn ich es so machte wie in Berlin?

Mich peinigte diese Vorstellung. Hier blieb ich am Gitter stehen und dort. Es war viel zu sehen, außer Bäumen und Pflanzen gab es große Vogelkäfige mit Geschöpfen, die ich noch nie gesehen hatte.

Ich glaube, daß ich dreimal um den ganzen Schloßpark herumgegangen bin, voller Ängste. Schließlich befand ich mich an einem etwas abseitigen Teil des Gartens, dort blieb ich stehen, um zu einem Entschluß zu kommen, als über einen kleinen Fußweg durch die Sträucher mit einem Male und mit schnellen Schritten ein Herr bis ans Gitter kam. Ein Herr in Zivil, in einem grauen eleganten Anzug, mit hellen Gamaschen über den Schuhen, mit großem Kopf, Schnurrbart und Backenbart. Ich wußte sofort, denn ich hatte Bilder von ihm gesehen, das war König Ferdinand von Bulgarien! Schon wollte ich leise rufen: „Majestät" (ich habe die Könige nämlich nicht geduzt, das ist blanke Verleumdung!), als Ferdinand von Bulgarien schon am Gitter war und mich in deutscher Sprache fragte: „Suchen Sie jemanden?"

Ich antwortete: „Ich habe einen geheimen Brief Seiner Majestät des deutschen Kaisers für Eure Majestät."

Er bedeutete mich, etwa zehn Schritte weiterzugehen. Dort befand sich eine kleine Pforte, der König schloß auf, öffnete die Tür und ließ mich in den Park eintreten. Er brachte mich mit nur wenigen Schritten an einen Platz, der von Sträuchern dicht umschlossen war. Hier sah uns niemand. Er öffnete den Briefumschlag und las einen langen Brief. Nach dem ersten Satz aber schaute er auf, sagte:

„Das ist ja reizend! Also Sie sind Professor Sauerbruch!"

Er reichte mir die Hand, lüftete den Hut und sprach mit großer Höflichkeit weiter:

„Das ist wirklich reizend von Ihnen, daß Sie Briefträger spielen!"

Dann las er weiter. Als er fertig war:

„Sie sind als Geheimkurier hier, Herr Professor Sauerbruch! Ich nehme Sie infolgedessen nicht mit ins Schloß. Nun müssen wir es hier wohl stehend abmachen."

Und er las den Brief noch einmal. Dann faltete er aber das Schreiben zusammen, steckte es in das Kuvert, barg das Ganze in seiner Tasche, schaute mich an und sagte:

„Zu spät!"

Darauf ich: „Wünschen Eure Majestät, daß ich dem Kaiser eine Antwort überbringe?"

Er: „Ja, ich habe Ihnen die Antwort schon gesagt! Sagen Sie Seiner Majestät nur diese beiden Worte: zu spät!"

Jetzt war meine Mission eigentlich erfüllt. Aber nun plagte mich die Neugierde, und ich fragte den König, wie es dazu gekommen sei, daß er mich am Gitter angehalten und gefragt habe?

Er lächelte etwas melancholisch und sprach von einem sechsten Sinn, der ihn gelegentlich überfalle. In seinem Arbeitszimmer im ersten Stock des Schlosses habe er am Fenster gestanden und in nicht besonders heiterer Laune auf seinen Park geschaut. Da sei ihm ein deutscher Offizier aufgefallen, wie er in unschlüssiger Haltung durch das Gitter gespäht habe.

„Jetzt überfiel mich die Vorstellung, daß dieser Herr irgend etwas von mir wolle und sich nicht recht getraue einzutreten. Dann ging ich hinunter."

Wie ich gekommen, verließ ich den Park. (Jahre später sollte ich den König wiedersehen: als Patienten.)

„Zu spät!" hatte Ferdinand von Bulgarien gesagt. Mochte es nun zu spät, rechtzeitig oder zu früh sein: ich hatte nach Konstantinopel zu fahren!

Meine Kollegen waren konsterniert, als ich abreiste. Ich sagte ihnen, mich habe die Regierung ernannt, Kamele zu kaufen in Samarkand!

Kaum hatte ich die Stadt Konstantinopel betreten, als ich geradezu in eine gelinde Panik geriet. Denn das orientalische Bild, das sich mir darbot, belehrte mich sofort darüber, daß alles ganz anders sein würde als in Berlin und Sofia. Der Sultan würde nicht am Fenster seines Schlosses stehen und mit sechstem Sinn den Oberstabsarzt Sauerbruch betrachten. Ich würde nicht einmal durch die Kawassen gelangen, die das Tor des Sultanpalastes bewachten.

Am ersten Tag überließ ich mich persönlichen Neigungen, hoffend, daß sie mir den Weg zur Pflicht weisen würden. Zog ins Pera-Palast-Hotel, schaute auf den Bosporus und fragte den Oberkellner, welchen Champagner ein Herr trinke, der sich in ungewissen Vermutungen über den Verlauf der nächsten Tage befinde.

Der Kellner war ebenso ein Mann von Welt wie sein Kollege im Baur au Lac und riet mir zu einer Flasche Veuve Clicquot. Ich protestierte und meinte, jemand aus seiner Welt habe mir einmal gesagt, daß Veuve Clicquot derjenige Champagner sei, den man trinken müsse, wenn Damen winken. Er aber blieb bei seiner Meinung: Ich solle den Wein bestellen und ihn trinken; denn wahrscheinlich werde am Ende meiner ungewissen Vermutungen eine Dame stehen. Also, ich muß schon sagen: Dieser Kellner im Pera-Palast-Hotel war für mich der „größte" Prophet „aller Zeiten", um in den Stil einer jüngst vergangenen Epoche zu fallen.

Um meinen Auftrag zu erledigen, probierte ich es zunächst auf die Berliner Art. Ich versuchte also ganz einfach ins Schloß zu kommen, um den Sultan zu sprechen, kam aber trotz Uniform nicht über die Kawassen am Vorplatz hinweg.

Das Schloß, ein weißes Marmorgebäude – es hieß Palais Dolmâ-Bagdschê –, war weithin sichtbar. Um dieses Schloß konnte man nicht herumgehen wie um das Palais in Sofia. Was sollte ich tun?

Drei oder vier Tage waren wohl vergangen, Tage, in denen ich mir viel Sorgen gemacht hatte, als ich eines Abends ganz unerwartet in meinem Zimmer im Pera-Palast-Hotel einen Besuch erhielt. Ein unauffällig in Zivil gekleideter Herr stand plötzlich vor mir und eröffnete mir folgendes:

Der Chef der deutschen Militärmission, Exzellenz Generalleutnant Liman von Sanders, bitte mich am nächsten

Mittag zum Frühstück in das Gebäude der Militärmission.

Ich wurde etwas verlegen und meinte, ich sei inkognito in Konstantinopel, worauf der guterzogene junge Herr lächelte und meinte, „inkognito" sei für meine Anwesenheit in Konstantinopel wohl kaum der richtige Ausdruck.

Kaum traf ich am nächsten Mittag zur verabredeten Stunde bei Liman von Sanders in dessen Dienstwohnung ein, als er mich unter den Arm nahm, mich beiseite zog, mich scharf ansah und sprach:

„So, nun sagen Sie mir endlich die Wahrheit!"

Ich erschrak ganz schön! Der General fuhr fort:

„Mein Nachrichtendienst meldet mir, daß Sie, immer, wenn Sie Ihr Hotel verlassen, einen ganzen Schwarm von Nachrichtenagenten der Entente hinter sich her schleppen. Was, um Gottes willen, wollten Sie eigentlich von den Kawassen des Sultans? Und warum laufen Sie immer um das Palais Dolmâ-Bagdschê herum? Also, Herr Professor, beichten Sie, was wollen Sie in Konstantinopel? Zudem sind Sie zur Inspektion von größeren Kriegslazaretten hier angemeldet! Solche gibt es nicht in Konstantinopel! Was treiben Sie hier?"

Natürlich geriet ich jetzt in Verwirrung! Wahrheitsgemäß antwortete ich: „Das darf ich nicht sagen!"

Die Exzellenz sah mich eine Weile prüfend an, und dann erwiderte Liman von Sanders:

„Ich glaube aber, es wäre für Sie besser, wenn Sie es mir doch sagten!"

Da platzte ich heraus: „Exzellenz, ich muß den Sultan unter vier Augen sprechen!"

Er prustete los! Er lachte schallend!

„Wie Sie sich das vorstellen!" rief er über alle Maßen vergnügt, brach aber plötzlich im Lachen ab und sagte:

„Ich will Ihnen Ihre Situation nicht erschweren, sondern erleichtern. Können Sie mir sagen, worum es sich handelt?"

Ich antwortete:

„Nein, das kann ich nicht!"

„Sie können auch nicht sagen, wer Sie geschickt hat?"

„Nein", bedeutete ich wieder.

So standen wir uns gegenüber, das Glas mit Sherry in der Hand, als der Diener kam und meldete, es sei serviert.

Der General schien meiner Halsstarrigkeit wegen sehr verstimmt zu sein. Als wir die Suppe aßen, erzählte ich Liman von Sanders, ich sei noch vor wenigen Tagen bei Seiner Majestät dem deutschen Kaiser zum Frühstück gewesen. Es habe Spiegeleier gegeben.

Liman von Sanders war ein kluger Mann. Er begriff auf der Stelle. Denn jetzt und in diesem Zusammenhang mußten meine belanglos klingenden Worte eine tiefere Bedeutung haben, das sah er ein. Nach dem Essen, jetzt das Täßchen Kaffee in der Hand, verhielt er sich verständnisinnig und diplomatisch.

„Ich würde Ihnen raten", meinte er, „zu mir zu kommen. Ich habe Platz genug im Hause. Hier wohnen Sie unauffälliger. Von hier aus kann ich dafür sorgen, daß keine Schatten hinter Ihnen herlaufen."

Ich zog sofort um. Noch am Abend des Tages, an dem das geschehen war, brachte er mich mit einem hohen türkischen Offizier zusammen und ließ mich nicht im Zweifel darüber, daß ich diesem Mann klipp und klar sagen mußte, worum es gehe, sonst komme ich nicht zum Sultan.

Der Türke war ein eleganter Mann. Sein tiefschwarzes Haar glänzte wunderschön. An den Handgelenken hatte er goldene Kettchen. Das Parfüm war exzellent. In seinen prächtigen mandelförmigen Augen wohnte ein melancholisches Verständnis für alle Schwierigkeiten, denen Menschen in dieser Welt begegnen.

Exzellenz hatte mich mit diesem Manne allein gelassen, und so bat ich den Türken schlicht und einfach, mir eine Audienz unter vier Augen beim Sultan Mohammed V. zu vermitteln.

Türkische Hofchargen sind einsichtiger als deutsche, das muß ich sagen. Er machte überhaupt keinen Versuch, von mir zu erfahren, worum es ging, lächelte abgründig ins Leere, sagte auf französisch: „Es wird sich arrangieren lassen." Kam am nächsten Tage wieder und eröffnete mir, daß er mich morgen zu der gewünschten geheimen Audienz unter vier Augen zum Sultan bringen werde.

Am Abend fragte mich Exzellenz, wie weit ich sei, und als ich ihm eröffnete, daß ich am nächsten Tage den Sultan unter vier Augen sehen werde, lachte Liman von Sanders laut auf, ließ eine Flasche Veuve Clicquot bringen, und zwar diese, weil sein Nachrichtendienst ihm auch schon gemeldet hatte: diesen Champagner hat Sauerbruch im Pera-Palast-Hotel getrunken.

Ich erzählte ihm die ganze Geschichte und daß der Kellner in diesem Hotel folgendes geäußert habe: Wahrscheinlich würde am Ende meiner ungewissen Vermutung eine Dame stehen.

Der General lachte schrecklich und meinte, bei mir handele es sich wohl um einen Mann, dessen Vorstellungen allzu romantisch seien. Am Ende der Wege orientalischer Politik stünden niemals Damen, sondern irgendeine Gewaltsamkeit.

Zur festgesetzten Stunde holte mich der elegante Türke ab und brachte mich in das Palais Dolmâ-Bagdschê.

Seine Begleitung genügte, um die Wachen vor dem Palast zurücktreten und sie salutieren zu lassen. Zunächst befanden wir uns in einem großartigen, prunkvollen, modernen Treppenhaus, in dem es den ersten Aufenthalt vor einem Offizier der Leibwache gab. Mit Hilfe von geflüsterten Zauberworten – genau wie im Märchen, wie in einem orientalischen – half das „Sesam, öffne dich", und wir kamen weiter. Durch große Räume, kaum eingerichtet für unsere Begriffe, schritten wir abwechselnd über Parkett und Marmor, kamen durch Zwischengemächer, in denen an den Wänden kostbare Geräte aus Gold und Edelsteinen aufgestellt waren, gingen vorbei an Tischen, auf denen man in Schalen geschliffene, aber auch ungeschliffene, gefaßte und ungefaßte Edelsteine zur Schau gestellt hatte, und landeten schließlich – jetzt waren wir schon von einer ganzen Eskorte von Leibwächtern begleitet – in einem Vorzimmer.

Hier standen Leibwachen mit krummen Säbeln und mit großen Steinen am Turban vor der Tür. Ihre Augen flackerten geradezu vor Aufmerksamkeit und Argwohn – wie im Märchen! Hier aber warteten auch Generale und andere Würdenträger, führten flüsternd eine Unterhaltung und warfen schiefe Blicke auf mich, den Ungläubigen, der doch offenkundig zum Herrscher der gläubigen Moslems gerufen worden war.

Verstohlen fühlte ich mit der Hand in die Brusttasche meines Uniformrockes; mahnend knisterte der Brief Seiner Majestät. Dann nahm ich meinen mandeläugigen Türken beiseite und erinnerte ihn daran, daß ich den Sultan unter vier Augen sprechen müsse. Der Oberst, einen solchen Rang bekleidete er, nickte.

Plötzlich wurden wir vorgelassen. Ein Teppich riß auseinander, eine Tür öffnete sich, eine zweite, wiederum schwenkte ein Teppich zur Seite, und dann stand ich vor dem Sultan, meinen Oberst neben mir.

Der Anblick, der sich mir bot, verblüffte mich. Der Sultan saß auf einem Gebetsteppich, der auf der Erde lag. Er hatte die Arme über der Brust gekreuzt, hielt das Gesicht nach Osten und rührte sich nicht. Er verschwendete keinen Blick an uns.

In weitem Umkreis um den Herrscher hockten in derselben Manier und Haltung zwölf vollbärtige Männer. Mein türkischer Begleiter verneigte sich tief, auch ich machte meine Reverenz, und dann blieben wir beide stehen. Nach einigen Gesten der Hände und Arme begrüßte mich der Herrscher der Türkei mit einem leichten Nicken des Kopfes. Hinter meinem Rücken entstand eine leichte Bewegung. Ich fühlte mich angerührt, ein niedriger Sitz stand bereit. Ich nahm Platz, und auf dieselbe Weise ließ sich der türkische Offizier neben mir nieder. Dicht vor dem Herrscher, der auf seinem Gebetsteppich sitzen blieb, verharrten wir so, rechts und links von uns im Halbkreis die zwölf Türken. Der Sultan richtete zunächst das Wort an den Obersten neben mir. Ich verstand natürlich nichts, denn sie sprachen türkisch.

Auf die Worte des Sultans hin sprach mein Oberst mich an:

„Der Herrscher möchte wissen, warum Sie um diese geheime Audienz nachgesucht haben.“

Das sagte er auf deutsch, und ebenso antwortete ich: „Ich habe einen Brief zu übergeben.“

Der Oberst ungeduldig:

„Dann geben Sie den Brief schon her!“

„Durchaus nicht!“ antwortete ich leise, aber aufgeregt. „Das hier können Sie beim besten Willen nicht ‚unter vier Augen‘ nennen! Außer uns beiden und dem Herrscher sind noch zwölf Herren im Raume.“

„Diese zwölf Herren werden auch hierbleiben!“ zischte mein Begleiter. „Das sind die intimsten Ratgeber des Herrschers, für unsere Begriffe sind wir hier ‚unter vier Augen‘.“

Der Sultan fuhr, wie mir schien ungeduldig, dazwischen. Der Oberst übersetzte:

„Seine Majestät sind verstimmt! Aber wenn Sie darauf bestehen, wird er die zwölf Herren verabschieden, und dann sind wir ganz allein.“

Ich antwortete ihm darauf:

„Bitten Sie Majestät, nicht ungnädig zu sein. Er soll die zwölf Herren verabschieden.“

Nachdem der Oberst meine Worte übersetzt hatte, runzelte Majestät die Stirn, schien also entschlossen, ungnädig zu bleiben, folgte aber meinem Wunsche und verabschiedete mit einer Handbewegung die zwölf Herren. Als sie hinausgingen, warfen sie mir scharfe Blicke zu.

„Geben Sie mir jetzt den Brief, ich werde ihn Majestät vorlesen“, forderte der türkische Offizier.

„Aber nein“, flüsterte ich, „Sie müssen jetzt auch hinausgehen, wie die zwölf Herren, und dann erst gebe ich dem Sultan den Brief.“

Flüsternd, aber sehr eindringlich, fuhr er mich an:

„Also, jetzt ist Schluß, jetzt sind wir ganz allein. Jetzt sind wir wirklich unter vier Augen. Sie können doch nicht im Ernst glauben, daß unsere Sitten es dem Sultan erlauben, aus Ihrer Hand einen Brief zu nehmen. Wenn Sie nicht sofort das Papier hergeben, ist die Audienz beendet. Ich falle in tiefste Ungnade, und Sie fahren zurück nach Deutschland.“

Während er diese Worte auf mich hageln ließ, runzelte der Herrscher die Brauen. Ein Gewitter stand also über unseren Köpfen, gleich mußte der Blitz einschlagen. Ich zog den Brief heraus und hielt ihn mit einer, wie ich vermute, recht hilflosen Geste ins Leere. Der Offizier nahm den Brief an sich, hatte schon ein Messerchen bereit, öffnete das Kuvert und übersetzte mit maschinenschneller Sicherheit den langen Text. Der einzige im Raum, der nicht wußte, was der deutsche Kaiser an den Sultan der Türkei geschrieben hatte, war nun ich. Nach der Verlesung des Schreibens verblieb der Türkenherrscher für geraume Weile in tiefem Schweigen, dann sprach er ein paar Worte. Es war wohl die Aufforderung, den Brief nochmals zu lesen und zu übersetzen, denn das tat der türkische Offizier jetzt.

Blitzschnell dann – ganz unerwartet – ging die Audienz zu Ende. Durch Zeichen, die ich nicht wahrnahm, erschienen Hofbeamte, die dem Sultan etwas überreichten. Einen Orden in der Hand, verließ ich, etwas verwirrt, den Raum.

Draußen schoß ich auf den Offizier, der mit mir gegangen war, los und fragte: „Also, was ist denn nun? Was geschieht jetzt weiter?"

Der Mann lächelte und sagte: „Majestät war sehr gütig zu Ihnen. Sie haben eine sehr hohe Auszeichnung erhalten. Majestät nimmt selbstverständlich an, daß Sie sich in Zukunft der Auszeichnung würdig zeigen." Und mit einem kleinen, wie mir schien maliziösen Lächeln fügte er hinzu: „Vielleicht schon in naher Zukunft."

In mir brannte die Frage, ob ich mich richtig verhalten hatte; denn nun hatten der deutsche Kaiser und der Sultan der Türkei bei ihren Geheimnissen ja doch einen Mitwisser, und zwar den Mann, der neben mir stand und der sich jetzt eine Zigarette anzündete. Aus meiner recht zwiespältigen Stimmung heraus schnaubte ich:

„Was soll ich denn nun Seiner Majestät in Berlin sagen?"

„Seiner Majestät in Berlin brauchen Sie gar nichts zu sagen", erwiderte der Türke und zog die Augenbrauen hoch. „Sie hatten den Auftrag, einen Brief abzugeben ‚unter vier Augen', und das haben Sie getan!"

Ich fand, daß es keinen Sinn hatte, mich mit ihm über den Begriff „unter vier Augen" weiter zu unterhalten.

„Darf ich Sie jetzt begleiten?" fragte er und schritt mir voraus. Ich folgte ihm wie ein Mann, der nicht weiß, ob er seine Pflicht und Schuldigkeit getan hat.

So gingen wir dahin. Ich hatte Lust nach einem Glas Pilsener und einem Steinhäger, achtete zunächst nicht darauf, wohin wir gingen, entdeckte aber mit einem Male, daß wir uns in einem mir unbekannten Teil des Gebäudes befanden. Über diesen Weg waren wir nicht zum Sultan gekommen. Schließlich befanden wir uns in einem kleinen Raum, zwei türkische Sofas standen da, mein Oberst bat mich, mit der Hand winkend, Platz zu nehmen, und kaum saß ich, war das schönste Untier da, das ich je auf dieser Welt gesehen hatte, ein prächtig gekleideter Mohr mit breitem Maule, mit Ringen in den Ohren. In der Hand hatte er ein goldenes Kännchen, reichte uns Becher, mit Diamanten und anderen Steinchen besetzt, goß ein, und wir tranken Kaffee. Auf Drängen des Obersten, mit dem ich wieder allein war, nachdem der Mohr sich entfernt hatte, rauchte ich eine Zigarette, und dann kam die große Überraschung.

Der Offizier bereitete sie langsam vor. Er sagte:

„Seine Majestät der Sultan hat Ihnen, Herr Professor, eine weit höhere Auszeichnung verliehen, als es üblich ist."

Ich etwas bissig: „Ich bin Seiner Majestät dem Sultan untertänigst dankbar. Und Sie, Herr Oberst, sagten mir auch schon, oder Sie deuteten es wenigstens an, daß ich mich revanchieren müsse. Was nun also soll ich tun?"

Der Oberst: „Ich freue mich, in Ihnen einen Mann von so schnellem Verständnis gefunden zu haben. Es handelt sich um folgendes: Eine Dame, an deren Wohlergehen Seiner Majestät sehr liegt, ist schwer erkrankt. Und Seine Majestät bittet, daß Sie sie untersuchen."

Ich antwortete und meinte, dazu bedürfe es nicht eines hohen Ordens. Ich sei Arzt und immer bereit, Kranken zu helfen.

Und ich schloß: „Also, lassen Sie uns zu der Dame gehen!"

Sofort erhob er sich. Aber er konnte nicht umhin zu bemerken:

„Zu der Dame gehen! Wie Sie sich das vorstellen! Schließlich und endlich sind wir nicht in Berlin!"

Der Oberst ging voraus. Wir stiegen Marmorstufen

hinunter, standen plötzlich vor einem Gang, der wohl unter der Erde verlief, standen aber auch vor zwei Posten, die ihre Säbel gezogen hatten. Sehr unlustig traten sie auf einen Befehl des Offiziers zur Seite. Im Gange war die Luft schwül, brennende Dochte lagen, um ihn zu erleuchten, in Schalen, die mit parfümiertem Öl gefüllt waren.

Wieder im Tageslicht, fanden wir uns in einem Garten, in einem kleinen, der zwischen Mauern lag und der der Länge nach getrennt wurde durch ein prachtvolles Gitter aus Gold. In ihm befand sich eine kleine Tür.

Vor diesem schmalen Durchgang standen zwei Männer in seidenen Pluderhosen, roten Jacken und mit blankem, krummem Säbel Wache. Wie sie uns kommen sahen, rollten sie mit den Augen, hoben ein wenig die Waffe, nahmen insgesamt eine drohende Haltung an. Der Offizier zog aus seiner Tasche einen eckig geschnittenen Schein aus festem Papier und zeigte ihn der Palastgarde. Die sahen überrascht auf, traten langsam und mißtrauisch zur Seite, musterten uns böse, drückten auf einen verborgenen Hebel. Die Tür öffnete sich.

Überrascht befand ich mich in etwas, das ich eine halbe Halle nennen möchte. Ein weites Dach spannte sich über uns in einen Garten hinein, in dem die Springbrunnen plätscherten, in dem ein Pfau, der sein Rad geschlagen, dumm und würdig dahinschritt und in dem sich zwei kleine Kätzchen balgten.

Sofort aber war ein Mann bei uns, den ich für einen höheren Palastbeamten hielt. Hinter dem standen nun wiederum Gesellen, die ebenso gekleidet waren wie die grimmigen Wärter vor der schmalen Pforte. Ihre Säbel aber hatten sie nicht gezogen. Der Offizier zeigte wieder sein Papier. Mit dem Palastbeamten flüsterte er. Der Beamte blieb zurückhaltend und drückte durch seine Haltung aus:

Ich muß mich wohl dem Befehl beugen, obgleich ich ihn nicht verstehe und ihn auch nicht billige.

An Ende dieser türkischen Auseinandersetzung stand eine Geste des Palastbeamten, der nach rechts deutete. Nach rechts schritten wir in neue Gänge, in neue kleine Gärten, an neuen Pfauen und Katzen vorbei. Von den Gängen führten Türen ins Mauerwerk.

Ich hatte das Gefühl, daß viele Augen uns beobachteten. Vor einer Tür blieb der Oberst stehen. Wir waren jetzt in einem Gang, der wohl am prächtigsten ausgestattet war. Der Marmor, über den wir schritten, schien kostbarer als in den anderen Gängen. Das goldene Gitterwerk, das die Öffnungen der Arkaden zum Garten füllte, schien älter und feiner, als ich es bisher gesehen hatte.

Als mein Begleiter auf eine Tür zuging, erschien ein Wesen, das leibhaftige Abbild eines Eunuchen aus dem Bilderbuche, das Miene machte, sich auf meinen Obersten zu stürzen. Der warf ihn mit zwei Worten zurück, zeigte ihm ein Passepartout, ein anderes, als er bisher vorgewiesen hatte. Der Mann erstarrte und zog rückwärts schreitend ab. Der Offizier winkte mich heran, öffnete die Tür, schob mich halb hinein. Hinter mir klirrte es, die Tür war ins Schloß gefallen, und ich stand sprachlos. In einem hohen, türkisch und auf das prächtigste eingerichteten Raum lag auf breitem Bett eine weiße Frau. Sie erhob sich langsam, starrte mich mit großen Augen an und rief:

„Ferdinand!“

Ich stürzte hinzu und rief:

„Erika!“

Ich fühlte mich um Jahrzehnte zurückversetzt und sah die Frau, die jetzt vor mir im Harem des Herrschers der Türkei in ihrem Bett lag, wie sie mit ihren langen Hängezöpfen und in „züchtigen“, einengenden Kleidchen mit mir zusammen in meiner rheinischen Heimat über Zäune kletterte, wie wir uns den Ball zuwarfen, wie wir durch den Teich schwammen, wie sie mit Tränen in ihren großen Kinderaugen zu mir kam und inständig bat, diesen oder jenen der Burschen zu verhauen, der ihr ein Leid angetan hatte.

Ich eilte zu ihr, setzte mich aufs Bett, küßte ihr die Hand und fragte schnell:

„Was fehlt dir? Du bist sehr krank, wie man mir gesagt hat?“

Sie antwortete: „Mir fehlt gar nichts! Ich bin kerngesund!“

Ich überschlug schnell die Zeiten, vierzig Jahre mußte sie alt sein. Eine sehr schöne Frau lag hier im Bett, ein Wesen von geradezu klassischer Schönheit. Plötzlich umarmte sie mich, brachte ihren Mund nahe an mein Ohr und flüsterte:

„Es ist für mich ein unglaublicher Glücksfall, daß ich dich hier sehe."

Ich flüsterte zurück: „Wie bist du hierhergekommen? Meine Mutter hat mir von dir erzählt."

Hastig unterbrach sie mich, legte ihre Hand auf meinen Mund und flüsterte weiter:

„Das werde ich dir später alles erzählen! Verzweifelt suche ich nach einem Mittel, wieder zu meiner Freiheit zu kommen! Ich bin die Favoritin des Sultans! Er wird mich nie freigeben! Und so habe ich mich zu einer List entschlossen."

Noch näher rückte sie an mich heran, und während ich die Augen durch dieses orientalische Gemach voller Seiden, Teppiche, goldener Lampen, Geräte und Edelsteine schweifen ließ, berichtete sie:

Eine Krankheit mit sehr phantastischen Symptomen habe sie erfunden. Auch die Behauptung aufgestellt, es handle sich um etwas, von dem vermutlich nur Europäerinnen befallen werden, was gewißlich heller Unsinn sei. Sich dann die Vergünstigung ausgebeten, sich von einem europäischen Arzt untersuchen lassen zu dürfen; und wie sich also jetzt nun herausstelle, habe der Sultan ihr die Vergünstigung gewährt. Glücklicherweise sitze ich an ihrem Bett. Auf den günstigen Zufall, daß Professor Sauerbruch bei ihr erscheine, habe sie nicht hoffen können.

Niemand störte uns. Ich entwarf einen Plan. Meine Untersuchung werde den Befund ergeben: Geschwür an der Lunge, nur zu heilen durch eine Operation in Zürich. Die Symptome, an denen sie künftig zu leiden hatte, beschrieb ich ihr. Als ich sie verlassen wollte, richtete sie sich stürmisch in ihrem Bett auf und küßte mich. Bei Gott, Erika war eine sehr schöne Frau!

In Erfüllung dieses meines Planes aber kam ich sehr betroffen aus dem „Krankenzimmer", stürzte auf den Offizier zu, den ich wartend am Gitter fand, und eröffnete ihm:

Madame sei sehr krank, sie werde sterben, wenn man sie nicht in Zürich operieren lasse. In Zürich deshalb, weil man nur dort so komplett eingerichtete Operationssäle habe, daß man mit ihren Mitteln des schweren Leidens von Madame Herr werden könne.

Der Offizier zog die Augenbrauen hoch und meinte, seinen Herrscher werde das sehr betrüben.

Bei Exzellenz Liman von Sanders trank ich Pilsener Bier mit Steinhäger und dachte dabei an den Kellner im Pera-Palast-Hotel, der mir prophezeit hatte, daß „am Ende meiner Ungewißheit" eine Frau stehen werde. Es ist sagenhaft, was einem alles passiert, wenn man gezwungen wird, sich in die Geschäfte anderer einzulassen!

Ich fuhr zurück nach Berlin, übermittelte Seiner Majestät dem deutschen Kaiser die Antwort Ferdinands von Bulgarien und berichtete ihm, wie der Sultan seine Botschaft aufgenommen habe.

Ich konnte nicht glauben, daß ich meine Mission mit einem besonderen Erfolg beendet hatte, aber Seine Majestät verlieh mir den Hausorden der Hohenzollern.

Selbstverständlich überlegte ich mir in folgenden Zeiten oft, ob meine Freundin Erika dem Harem nun entkommen sei. In der Schweiz hörte ich nichts von ihr. Auf eine geradezu verblüffende Weise habe ich sie erst sehr viel später wiedergesehen – lange nach dem Kriege!

Da war ich in München und erhielt eines Tages die Aufforderung, an der Universität in Leipzig einen Vortrag zu halten. Die Zeitungen hatten meine Ankunft mitgeteilt und auch vermerkt, daß ich im Hotel „Astoria" wohnen werde.

Bei meiner Ankunft fand ich ein Briefchen. Als ich es geöffnet hatte, stellte es sich heraus, daß Erika die Absenderin war.

Mit meiner Hilfe sei sie damals dem Harem des Sultans entkommen, teilte sie mir mit. Mit reichlich Geld versehen, habe man sie nach Zürich geschickt. Sie habe mir nicht zur Last fallen wollen und sei bald an die Verwirklichung von Plänen gegangen, die ihr ein Vermögen einbringen sollten, damit sie ihren Lebensabend frei von materiellen Sorgen verbringen könne. Diese Pläne habe sie auch realisiert. Sie besitze ein eigenes Haus in Leipzig und bitte mich am nächsten Tage zu sich zum Abendessen. Ihre Adresse gab sie an.

Wie ich nun am nächsten Tage den Hotelportier nach dem Wege zu dieser Anschrift fragte, sah mich der verwundert und, wie mir schien, etwas indigniert an. Er meinte, ich solle ein Taxi nehmen, jeder Chauffeur kenne diese Adresse.

Ich wußte nicht, was der Mann hatte, stieg in einen Wagen, der Chauffeur grinste, und wir fuhren los.

Am Ziele angelangt, stellte ich zu meiner ungeheuren Überraschung fest, daß ich mich vor dem weltberühmten Leipziger Etablissement „Zum blauen Affen" befand, vor einem Haus also, in dem Kitharistinnen, gefällige Mädchen, gehalten wurden. Nun wußte ich nicht, was ich tun sollte. Professor Sauerbruch konnte schlecht in Leipzig in ein Bordell gehen, aber ich kam dann zu dem Schluß, daß Professor Sauerbruch doch wohl berechtigt sei, seine alte Jugendgespielin Erika aufzusuchen. So trat ich ein, wurde in dem prächtigen Hause sofort zu Madame gebracht, zu Erika also! Wir saßen uns gegenüber, aßen exzellent, tranken exklusiv, und ich befand mich also genau da, wo Platon mich nicht hinhaben wollte. In einem Hause also, in dem es nicht zu einem Gespräch ausschließlich unter Männern kam.

Als ich mich von Erika verabschiedete, hatte ich nicht das Gefühl, an ihr meine Leidenschaft ausüben zu müssen, andere Leute zu finanzieren. Mich plagte nur die Vorstellung, wie ich meiner Mutter erzählen konnte, unter welchen Umständen ich Erika wiedergefunden hatte.

Im Frühsommer des Jahres 1918 war König Konstantin so weit wiederhergestellt, daß er die Klinik verlassen konnte. Beim Abschied eröffnete er mir mit herzerweichenden Versicherungen seines allerhöchsten Bedauerns, daß er sich – im Augenblick wenigstens – außerstande fühle, die Rechnung zu bezahlen, die in meiner Klinik aufgelaufen war. Ganz zu schweigen von der Honorierung meiner Bemühungen um ihn. Im gleichen Atemzug tröstete er mich damit, seine Wiederbesteigung des griechischen Thrones sei eine Frage, die in absehbarer Zeit positiv beantwortet werde. Dann sei es ihm ein leichtes, woran ich nicht zweifelte, seine Schuld zu begleichen. Ich tröstete wiederum ihn, was blieb mir schon anderes übrig.

„Eure Majestät", sagte ich, „wollen sich bitte keine grauen Haare wachsen lassen. Ohne Zweifel steht die Thronbesteigung Ew. Majestät dicht bevor, und es ist mir eine Ehre, Ew. Majestät diese kleine Gefälligkeit erwiesen zu haben."

Majestät nahm meine Worte huldvoll auf. Mir war dabei weniger wohl.

Er verließ uns mit seinem Gefolge, und es wurde in der Privatklinik in der Carmenstraße wieder etwas ruhiger.

Ich geriet damals in einen hektischen Abschnitt meines Lebens. In Berlin hatte ich der Kaiserin einen Verwundeten mit meiner künstlichen Hand vorzuführen. Eine repräsentative Pflicht, der man sich nicht entziehen konnte. Der alte Kocher, dem seiner ganzen Wesensart nach der Krieg mit seinen Massenschlachtungen ein Greuel war, ließ es sich nicht entgehen, nach Singen zu kommen, um sich die „Hände" anzusehen. Für ihn mag diese winzige Oase in einer Wüste der Vernichtung ein Lichtblick gewesen sein.

Wir hatten vor kurzer Zeit eine Firma gegründet, die „DERSA". Ihr Programm war die Herstellung individuell anzupassender Prothesen. Karl Schnetzler, Generaldirektor von Brown, Boveri & Co., half uns dabei. Neue Aufgabenkreise kamen zu den alten. Die Interniertenlager in der Schweiz, jene Stätten, durch die im Austauschverfahren die Schwerverwundeten in die Heimat gebracht werden sollten, verlangten meine Aufmerksamkeit. Ich hatte den deutschen ärztlichen Dienst in ihnen zu organisieren. Meine Repräsentationspflichten verlangten auch von mir, daß ich in Opern, Theater und Konzerte ging, die in der Schweiz aus Propagandagründen von deutschen Truppen und Orchestern veranstaltet wurden. So lernte ich Tilla Durieux kennen und durch sie wieder den bekannten Berliner Kunsthändler Paul Cassirer. Beides Leute von Geist und Welt.

DEUTSCHLAND, DEUTSCHLAND

Als der Sommer herangekommen war, erhielt ich eine Anfrage aus München. Die Königlich Bayerische Regierung fragte mich, wie ich mich verhalten werde, wenn man mir die Stelle des Ordinarius für Chirurgie in München anbieten würde. Ich trug diese hochoffizielle Anfrage in der Tasche, als ich in den Zug stieg, der mich nach Davos bringen sollte. Als ich den Brief mit dem Amtssiegel öffnete, den Inhalt erfaßt hatte, war meine erste Regung: Ich denke ja gar nicht daran.

Ich fuhr nach Davos, weil ein reicher Mann von irgendwoher seinen Schweizer Arzt gebeten hatte, mich zu einer Konsultation herbeizurufen. Derartige Einladungen mußte ich damals notgedrungen annehmen, ohne viel nach dem Wieso und Warum zu fragen. Denn meine Privatklinik in Zürich bereitete uns allerhand finanzielle Sorgen, da der Patientenstrom des Krieges wegen sehr nachgelassen hatte.

Während ich in dem hellen, warmen, bequemen und bis zur Pedanterie sauberen Abteil saß, beschäftigte mich trotz meiner spontanen Ablehnung der Ruf in die Heimat. Ich dachte schlechten Gewissens an die kalten, schmutzigen und bis zum Bersten überfüllten Abteile der Züge zu Hause, ich dachte daran, wie sie in dem vom Krieg unterwühlten Land noch immer verkehrten. Ich wußte von dem nagenden Hunger in den Städten. Ich kannte auf meinem eigenen Gebiet die katastrophal mangelhafte Versorgung der Lazarette und Krankenhäuser mit Verbandmaterial, Medikamenten, Lebensmitteln. Die Kontraste zwischen dem Land, in dem ich lebte, und dem Land, das meine Heimat war und das nach mir rief, sprangen mir auf Schritt und Tritt in die Augen. Ich war selbst böse, daß ich so unbedenklich der primitiven Regung gefolgt war, dort zu bleiben, wo es einem gut geht.

Tief in der Nacht kam ich in Davos an. Der Herbst ist in den Bergen die schönste Zeit des Jahres. Die Luft war lind, und ich ging vom Bahnhof aus durch den Ort. Er war hell erleuchtet. Von den Sanatorien leuchteten Hunderte, oder waren es Tausende, heller Fenster herüber. Da und dort erklangen aus den Bars die Schlager der damaligen Zeit. Ich blickte hinaus zu den Sanatorien, den luxuriösesten der Welt. Ich kannte sie alle, in allen hatte ich beraten, konsiliert, untersucht. Es war mir auf dem Gang durchs nächtliche Davos, als könnte ich durch die Mauern dieser Forts des Zauberberges hindurchsehen. Ich sah die Pracht, den Komfort, den Luxus dieser Stätten, in denen der Tod mit allen Raffinessen der Zivilisation umgeben war. Ich dachte an die Spielsäle, in denen begüterte Opfer der Tuberkulose sich dem Rausch des Gewinnens und Verlierens hingaben. Ich gedachte der anderen Ausschweifungen, denen sie sich hingaben, um noch in letzter Stunde zu erhaschen, was das Leben noch zu bieten hatte. Es war ein langsames Sterben mit allem Komfort der Neuzeit. Die Auserwählten aus aller Welt fanden sich hier zusammen; auserwählt durch die Krankheit und durch das Geld. Ich ging an Läden vorbei, deren Schaufenster noch hell erleuchtet waren, etwas, das in Deutschland nicht mehr zu sehen war. Kostbare Blumen, Treibhausgewächse, künstlich am Leben erhalten, wie die Kranken in den menschlichen Treibhäusern. Ich gewahrte Schmuck, Modelle, Pelze, Waren, die nur an dieses Publikum, an dieses ganz besondere Publikum in Davos zu verkaufen waren. An diese Kranken, die sich noch jeden Wunsch erfüllen wollten und – das Geld dazu hatten.

Mir kam damals der Gedanke an den Kollegen Jules Péan, einen Pariser Chirurgen der zweiten Hälfte des 19. Jahrhunderts. Péan, ein ausgezeichneter Arzt und Chirurg, hatte den Tick, an seinem „Hospital international“ in Paris im Frack zu operieren. Wollte er die Größe des Augenblicks mit dem festlichen Gewand unterstreichen? Wenn er die Operation begann, band er sich eine Serviette vor das Frackhemd. Man behauptet, er habe niemals einen Blutspritzer auf seinem Anzug gehabt, was immer er auch operiert habe. Tatsächlich war er der Erfinder einer exakten Blutstillung.

Der Tod im Abendanzug und im Abendkleid – war das nicht Davos? Viele der Davoser Patienten kamen zu mir nach Zürich. Ich machte ihnen Thorax-Plastiken. Das hatte ich auch immer für die Armen getan, dem Vorbild getreu, das mir Mikulicz und, nebenbei gesagt, auch Kocher in Bern gegeben hatten.

Wie ich so durch Davos wandelte, war ich schon so halb und halb entschlossen, München anzunehmen. Was machte es schon für einen Unterschied, für wen man die Plastik machte, für einen Armen oder einen Reichen! Nachdem ich das Konsilium über den reichen Mann abgeschlossen hatte, war ich fest entschlossen, nach München zu gehen. Es wollte mir scheinen, als bedeute es doch einen Unterschied, ob man sein Können für den Armen oder den Reichen einsetzte.

Nach dem erwähnten Konsilium wußte ich, was ich zu tun hatte. Über Zürich fuhr ich nach kurzem Aufenthalt sofort weiter nach München.

Je mehr mir in der bayerischen Hauptstadt der Kontrast zwischen meinem Leben in der Schweiz und dem meiner Landsleute klar wurde, je mehr ich mit Lebensmittelkarten, ungeheizten Hotelzimmern, überfüllten Verkehrsmitteln und der Weltuntergangsstimmung der Bevölkerung konfrontiert wurde, um so mehr wußte ich, daß ich den Ruf nach München nicht ablehnen konnte. Und doch ließ mich ein Umstand zögern, nach München zu gehen, und das waren die räumlichen Verhältnisse in der Universitätsklinik. Ich wußte, daß ich viel Arbeit vorfinden würde. Außer den sonstigen Kranken forderten ja die zahllosen Verwundeten meine Arbeitskraft. Der Operationssaal war zu klein. Ich sah auch keine Möglichkeit, eine Druckdifferenzkammer einzubauen, und sagte offen, daß ich unter den gegebenen Umständen wenig Neigung verspüre, an einen Platz zu gehen, an dem ich mich nicht voll entfalten konnte.

Die bayerischen Behörden aber wußten selbst Bescheid. Ich rannte bei ihnen offene Türen ein. Sie versprachen mir den Bau eines neuen Operationssaales, den Einbau meiner Kammer – und sie hielten dieses Versprechen sogar. So kamen wir überein.

Als ich in Zürich um meine vorzeitige Entlassung bat, damit ich das Wintersemester schon in München würde lesen können, war man wenig erbaut. Anfänglich machte man mir Gegenangebote mit einer erheblichen Verbesserung meines Einkommens, jedoch fand ich sofort Verständnis, als ich daran erinnerte, daß man mir bei Kriegsausbruch gesagt habe, man werde die Achtung vor mir verlieren, wenn ich nicht freiwillig in den Krieg ziehe. Die Trennung von den ausgezeichneten Männern in der Schweizer Regierung wurde mir bitter schwer. Aber es half alles nichts, ich mußte in mein Vaterland zurück.

Professor Clairmont, ein Eiselsberg-Schüler aus Wien, kam als mein Nachfolger nach Zürich. Und ich fuhr nach Bayern. Meine Familie blieb zunächst in der Schweiz. Meine Frau mußte versuchen, mit dem Problem unserer Privatklinik fertig zu werden. Wir hatten sie Professor Clairmont angeboten, der aber wollte sich wirtschaftlich nicht mit ihr belasten, und sehr bald stellte sich heraus, daß überhaupt niemand sie haben wollte. Man antwortete uns, ihr Gedeihen sei allzusehr an meinen Namen gebunden, und so blieben wir tatsächlich auf ihr sitzen. Zwar konnten wir das Instrumentarium und die Einrichtung des Operationssaales später nach Deutschland schaffen, jedoch war alles für uns verloren, was wir eingebaut hatten, und das war das meiste. Als ich die Schweiz endgültig verließ, schuldete ich meiner Bank 80000 Franken, jedoch gab es noch die Hoffnung, daß König Konstantin wieder auf den Thron Griechenlands steigen und seine Rechnung bezahlen werde; dann werde sich diese Schuld erheblich vermindern.

Als ich meine Position in München antrat, wurde ich vom König von Bayern zum Geheimen Hofrat ernannt; zudem verlieh er mir den Titel eines Generalarztes in der bayerischen Armee. Man ersuchte mich, mir schnellstens eine Uniform machen zu lassen, da der König mich bald in Privataudienz zu sehen wünsche. Die Uniform ließ ich mir machen.

Blieben meine Kinder zunächst in Zürich, so kam meine Frau in kurzen Intervallen nach München. Wir mußten ja eine Unterkunft finden. Durch unsere Züricher Erfahrung gewitzigt, trachteten wir danach, in der Nähe der Klinik unterzukommen, und fanden dann auch schließlich hinter dem Bavaria-Keller eine Villa, die dem alten Herrn Pschorr, dem Beherrscher der gleichnamigen Brauerei, gehört hatte. Sie lag in einem großen Garten, und die Kinder des Brauers hatten sie nach dem Tode ihres Vaters so gelassen, wie sie war. Wir sprachen mit den Erben. Man vermietete uns das Haus. Es hatte außer den genannten noch manch andere, verborgene Vorteile.

Während ich vorläufig im „Bayerischen Hof" wohnte, nahm meine Frau den Umzug in die Hand. Das war eine fürchterliche Angelegenheit, denn die Entente hatte eine allgemeine Blockade Deutschlands auch bei den neutralen Ländern und Staaten durchgesetzt. In meinem Hause in der Florhofgasse in Zürich erschienen Zollbeamte und Beamte des politischen Überwachungsdienstes beim Einpacken, beim Verladen, bei jeglicher Hantierung, die mit dem Transport unseres Gutes nach Deutschland verbunden war. In komplizierten Listen mit zahllosen Kopien mußte jeder Gegenstand, den wir mitnehmen wollten, aufgeführt werden. Das Ganze war eine ebenso zeitraubende wie entnervende Angelegenheit. Meine Frau fuhr hin und her, sie richtete unser neues Haus hinter dem Bavaria-Keller ein, und sie bat mich, im Hotel zu bleiben, bis alles fertig sei. Ich tat das gern, denn ich fand überreichliche Arbeit vor in der Klinik und in den Kriegslazaretten, und ich muß gestehen, daß ich sie anfänglich in tiefer Depression verrichtete, denn der Übergang vom Hellen ins Dunkel war schroff. Entsprechend meiner Gewohnheit hatte ich auch diesmal viele meiner Herren mitgenommen. Mein Oberarzt, Dr. Stierlin, Dr. A. Brunner, der jetzige Professor in Zürich, Dr. Bösch, meine Sekretärin, Frau Leske, und die Pfleger Rhode und Kratzat, sie alle wirkten jetzt in München. Damit hatte ich meine Gruppe beisammen, wir konnten beginnen.

Ende Oktober war unser Haus hergerichtet, und meine Frau fuhr nochmals in die Schweiz, um die Kinder zu holen. Die Schweizer Kinderschwester, die sich von meiner kleinen Tochter nicht trennen wollte, sollte mit nach München kommen. Als ich wußte, daß meine Familie aus Zürich abgereist war, brach die Revolution aus. Zur Audienz beim König würde ich also nicht mehr erscheinen. Ich war der letzte Ordinarius und der letzte Geheime Hofrat, den die Königlich Bayerische Regierung ernannt hatte.

Meine Sorge, wie meine Familie, meine Frau mit vier Kindern und einer Kinderschwester, nach München kommen werde, war groß, denn in München tobte die Revolution. Am Abend sollte der Zug von der Schweizer Grenze kommen. Ich begriff, wie schwierig und gefährlich alles werden würde. Der Bahnhof und der Platz davor waren hell erleuchtet, die Menge demonstrierte. Erblickte sie irgendwo einen Offizier, so stürzte sie sich auf ihn, um ihm die Schulterstücke abzureißen und ihn zu mißhandeln. Es gab Verletzte. Ich versuchte mit Kollegen in den Bahnhof zu gelangen. Es war unmöglich. Rote Revolutionsformationen hielten die Eingänge besetzt. In Toren und Türen waren Maschinengewehre postiert.

In diesen Tumult hinein fuhr der Zug, in dem sich meine Familie befand. Er fuhr überall durch Aufruhr und Wirrnis. Unterwegs mußte er hier und dort halten. Manchmal stand er in der Kälte still ohne eine Lokomotive, dann ging es wieder weiter. Die Kinder waren müde und weinten. Die Schweizer Kinderschwester wurde sofort von wildem Heimweh nach ihrem ruhigen Zürich überfallen, so daß meine Frau mit ihr mehr Mühe hatte als mit den Kleinen. Als der Zug endlich in München einlief, befanden sich die Meinen in ernster Gefahr. Ganze Scharen wild gewordener Frauen stürzten sich auf die Abteile und rissen die Offiziere aus dem Zug.

Meine Familie stand auf dem Bahnsteig, umbraust von dem wilden Tumult, und als sich ihr jetzt ein wildaussehender Kerl näherte, begann die Schweizer Kinderschwester wütend zu schreien: Sie sei eine Bürgerin der freien Schweiz und wünsche auf der Stelle, zum nächsten Schweizer Konsul gebracht zu werden. Dieses Geschrei hatte augenblicklich Erfolg. Der böse Mann, der herangekommen war, stutzte, und jetzt hatte meine Frau einen Einfall. Sie stimmte in den Ruf der Kinderschwester ein, bezeichnete auch sich selbst und die Kinder als Schweizer Bürger. Der so wild aussehende Mann zog sein Bajonett vom Gewehr, befahl einem zweiten, ähnlichen, dasselbe zu tun, und mit dem Gebrüll: „Platz für die Frau mit den Kindern aus der Schweiz!" zogen sie vor meiner Familie her, fuchtelten mit den Bajonetten und brachten sie so aus dem Bahnhof. Draußen in der Menschenmenge standen die Meinen eine Weile hilflos herum, bis sie mich und meine Begleiter entdeckten, und zu Fuß kamen wir schließlich durch das aufgeregte München in unser Haus.

Bis zum März des Jahres 1919 blieb alles wirr und ungeordnet. Von einem geregelten Betrieb in der Universität konnte überhaupt nicht die Rede sein. Es bedurfte schon all meiner Energie, den Betrieb in Klinik und Lazaretten aufrechtzuerhalten. Meine beiden Kollegen Dr. Jehn und Dr. Birkelbach fanden sich in München ein. Sie waren eine willkommene Hilfe. Aber nichts wäre gegangen, wenn wir in der Klinik nicht die St.-Vinzenz-Schwestern gehabt hätten. Ihre selbstlose Aufopferung war beispielhaft. Sie waren Tag und Nacht zur Stelle in jenem Wirrwarr, der uns Tag für Tag im Bürgerkrieg Verwundete einlieferte. Sie nahmen sich meiner Frau, sie nahmen sich meiner Kinder, sie nahmen sich meiner selbst an; ich bin ihnen noch heute dankbar.

Eines Tages erschien in der Klinik, mitten in der schönsten Revolutionszeit, ein Mann, der in der Schweiz im Jahre 1910 bei mir Assistent gewesen war. Er hieß Brodsky, war ein kleiner rothaariger Herr israelitischer Religion und jetzt in hoher Position im Ministerium für Wohlfahrt in Moskau. Er überschüttete unsere Klinik mit allem, was wir brauchten, er überschüttete uns selbst mit herrlichen Dingen und war sehr nett zu unseren Kleinen. (Sechsundzwanzig Jahre später erlebte ich das Ganze noch einmal, riesenhaft gesteigert. Gespenstisch ...)

Eine Grippe-Epidemie brach aus. Sie wütete schrecklich unter den überarbeiteten Schwestern. Meine Ärzte lagen krank zu Hause. An den Folgen einer Grippe-Infektion aus dieser Zeit starb später mein guter Oberarzt und lieber Freund, Professor Dr. Stierlin.

Die Revolution 1918 war kein Erdbeben. Sie war nicht einmal eine richtige Revolte, sie war ein Teil des Zusammenbruchs. Mir hat es weh getan, wie wohl jedem national gesinnten Mann, als im November 1918 und den folgenden Wochen alles zusammenstürzte, von dem man früher geglaubt hatte, es werde noch Jahrhunderte leben.

Von Politik im weltweiten Sinn habe ich nie etwas verstanden, und das tut mir auch heute noch nicht leid. Ich habe in meinem Leben viel mit politischen Führern, Monarchen und anderen Repräsentanten staatlicher Ordnungen zu tun gehabt und habe mir, besonders wenn sie mich als Arzt brauchten, viel erzählen lassen über ihr Leben, ihre Ziele, ihre Erfolge. Man glaubt gar nicht, was einem Arzt alles von einem Patienten während einer Behandlung erzählt wird.

So habe ich manches gelernt, was nicht in den Zeitungen stand, und vielleicht auch manches gedacht, was nicht jeder hätte lernen sollen zu denken. Ich habe gesehen, daß auch ein Politiker ein Mensch ist, nicht schlechter und nicht besser als ein anderer, auch wenn er vielleicht manchmal lauter spricht und sich wichtiger nimmt, als er Grund dazu hätte.

Mit den neuen Leuten vom November 1918 habe ich wenig zu tun gehabt; sie waren nicht meine Patienten, und ich ging nicht in ihre Versammlungen.

Was mir erzählt wurde, genügte mir. Aber auch hierzu muß ich sagen, daß man nie auslernt. Ich habe in den späteren Jahren viele meiner vorschnell gefällten Urteile revidiert, und heute, Jahrzehnte später, scheint es mir manchmal, als wüßte man auch bei bestem Gedächtnis und größter Unterrichtung nicht, wie etwas wirklich war.

Eine große Abneigung hatte ich gegen einen Linkssozialisten namens Kurt Eisner, der eine führende Rolle im November 1918 in München gespielt hat, der ein Schriftsteller und Agitator war, von dem man wenig zu lesen, aber um so mehr zu hören bekam.

Große Umzüge wälzten sich in jenen Novembertagen durch die Stadt. Man sah rote Fahnen, Schilder mit politischen Sprüchen, Formationen, aber auch regellose Haufen meist junger Burschen, manche in abgerissenem Feldgrau, viele offensichtlich in der Heimat neu auf Frontsoldat ausstaffiert, oftmals zweifelhafte Weiber im Arm. Diese Demonstranten zogen durch München, dessen als königstreu geltende Garnison sich offenbar widerstandslos hatte entwaffnen lassen. Von den Monarchisten, die das angestammte Herrscherhaus bis zum letzten Blutstropfen zu verteidigen geschworen hatten, hörte man in jenen Novembertagen nur noch wenig.

Man ist vielleicht gewohnt, bei Revolutionen an Mord und Brand, vielleicht auch an Raub und jede schwere Missetat zu denken, an Hinrichtung politischer Gegner, an Neuorganisation des ganzen Staatsgefüges.

Ich habe 1918 nur gemerkt, daß die Alten abtraten. Die Regierungsmänner, die Minister, die Staatssekretäre verschwanden in der Versenkung und blieben ganz still; Agitatoren wie Eisner hingegen führten das große Wort. Sogenannte Arbeiter- und Soldatenräte bildeten sich, die sich, glaube ich, später zu einem Zentralrat vereinigten, in denen die Linkssozialisten und die Kommunisten ebenso wie auf der Straße das Übergewicht hatten.

Aber ich glaube, und das muß ich um der Gerechtigkeit willen hier sagen, daß wenig schwere Verbrechen von den Revolutionären begangen wurden. An Drohungen aller Art, wilden Parolen und Auftreten als Bürgerschreck konnte man freilich allerhand erleben.

Über Eisner hörte man die widerspruchsvollsten Gerüchte. Meine Assistenzärzte glaubten, daß er sich als kommunistischer Diktator ausrufen lassen wolle, von manchen Patienten hörte ich aber wieder, Eisner solle im linken Kommunistenflügel als Verräter gelten und heftigen Angriffen innerhalb seiner eigenen Reihen ausgesetzt sein.

Ich habe Eisner nie persönlich gesehen, und doch sollte das Schicksal mich auf eine sehr seltsame Art nicht mit seinem Leben, sondern mit seinem Sterben in Verbindung bringen.

Ein Arzt, wenn er seine Pflicht tut und dem leidenden Menschen hilft, müßte sich frei halten von unmittelbarer politischer Tätigkeit. Daß große Geister wie Rudolf Virchow eine Ausnahme machten, bedeutet nur wieder, daß für Ausnahmemenschen manchmal andere Regeln gelten. Ich habe mich nie als Ausnahmemensch gefühlt, und wenn das Schicksal mein Leben so geführt hat, daß meine Erfahrungen und Erkenntnisse einer Anzahl von Menschen nützen konnten, so ist das für mich immer Grund gewesen, eine sehr große Dankbarkeit zu empfinden gegenüber dem Walten der Macht, die uns lenkt.

Vielleicht hat Kurt Eisner sich als Ausnahmemensch gefühlt. Er hat es unternommen, den Hexenkessel der Revolution aufzurühren, aber er ist der Revolution selber zum Opfer gefallen.

So lebten wir dahin, ich leitete meine Klinik, und die Lasten und Aufgaben des Alltags füllten mein Leben vollständig aus. Da und dort hörte man auch wieder aus unseren Bezirken mutigere Töne, und ich zweifelte nicht daran, ohne mir über Einzelheiten Gedanken zu machen, daß es schon wieder recht werden würde.

Ende Februar 1919 wurde Eisner auf offener Straße auf dem Weg zum Landtagsgebäude durch Pistolenschüsse ermordet. Die Nachricht durcheilte mit Windeseile München, und größte Erregung, wilde Empörung und zaghafte Angst, je nach der politischen Einstellung des einzelnen, breiteten sich aus.

In der Klinik herrschte große Aufregung, viele ließen den Kopf hängen aus Angst vor dem Kommenden.

Eisner war von einem Angehörigen des nationalen Bürgertums erschossen worden, der sein junges zweiundzwanzigjähriges Leben daransetzte, den Usurpator zu töten.

Da ging es los. Versammlungen in Lokalen und unter freiem Himmel, Umzüge, wilde Demonstrationen, Sprechchöre, Fahnen, Aufrufe aller Art versetzten die Massen in Raserei. Die letzten Reste staatlicher Ordnung drohten zusammenzubrechen. Der Mob herrschte in den Straßen, und wie immer in solchen Fällen kam es zu Gewalttätigkeiten, über die dann die wildesten Gerüchte zu uns drangen.

Der Mörder Eisners, ein junger Leutnant namens Graf Anton Arco-Valley, wurde für das nationale Bürgertum zum Held und Märtyrer; für die Revolutionäre aber war er ein gemeiner Verbrecher, der, so hieß es, gleich nach der Tat an Ort und Stelle seinen verdienten Lohn empfangen habe und erschossen worden sei.

Ich kannte Graf Arco so wenig wie den von ihm erschossenen Eisner. Für mich war er verloren, ich bewunderte seine Tapferkeit, wenn ich auch die Tat als unüberlegt, folgenschwer und vielleicht verhängnisvoll empfand;

denn schon damals schien mir Eisner gegenüber den kommunistischen Agitatoren ungarischer und russischer Prägung für die Übergangszeit zu Ordnung und Gesetz noch als das geringere Übel.

Ich hörte, daß Graf Arco durch viele Schüsse aus allernächster Nähe niedergeschossen und getötet worden sei.

Wie erstaunt, betroffen und – ehrlich gesagt – beglückt war ich, als mir, ich traute meinen Ohren nicht, während wir alle Hände voll zu tun hatten und Verwundete operierten, ein Assistent zuflüsterte, eben sei Graf Arco schwerverletzt bei uns eingeliefert worden. Ich glaube, ich habe den Kollegen mit offenem Mund angestarrt und vielleicht an seinem Verstand gezweifelt, so unwahrscheinlich erschien mir die Nachricht.

Als Arco gleich darauf in den Operationssaal gebracht wurde, sah ich, daß er nahe daran war, zu ersticken. Er hatte einen Schuß durch den Hals bekommen, und die Blutung machte eine Atmung fast unmöglich. „Geben Sie ein Messer her", sagte ich, „der Mann erstickt ja." Mit einigen Schnitten spaltete ich die Halsmuskulatur, um angestautem Blut Abfluß zu geben. Sofort erholte sich der Patient zusehends.

Er ist einige Jahrzehnte später, ich glaube als ehrsamer Grundstücksmakler, in Ruhe in seinem Bett gestorben.

Aber damals glaubte ich nicht, daß Graf Arco am Leben bleiben würde. Fortwährend kamen verdächtige Telefonanrufe, Delegationen, Kommissionen und Abordnungen irgendwelcher Arbeiter- und Soldatenräte, oder wie sie sich sonst nannten, verlangten Einlaß in die Klinik, lärmten herum und forderten die Herausgabe Arcos.

Bei mir stand von vornherein fest, daß ich freiwillig Arco niemals herausgeben würde. Er war mein Patient geworden, stand unter meinem ärztlichen Schutz, und irgendwie fühlte ich mich beinahe väterlich verpflichtet, für diesen jungen Menschen in seiner verzweifelten Lage zu sorgen. Von Anfang an hatte ich gesehen, daß es mit Arco auf Biegen und Brechen stand.

Blutiger Schaum stand vor seinem Mund, als wir ihn auf dem Operationstisch hatten. Meine Helfer und die Schwestern entsetzten sich; denn ich hängte den Patienten an den Beinen auf. Ich glaube, daß diese Maßnahme seine Rettung war. Seine Atemwege konnten sich von Blut befreien, und er begann ganz unbeschwert zu atmen. Dann versorgte ich seine Wunden und ließ ihn ins Bett bringen.

Gegen Abend erlangte er das Bewußtsein wieder. Er bat um den Besuch eines katholischen Geistlichen, beichtete und betete mit dem Priester, der ihm auch die Letzte Ölung spendete.

Ich brauchte nichts zu seiner Sicherheit anzuordnen, unsere Pflegeschwestern brachten ihn im Dachgeschoß unter, so daß er nicht zu finden war, wenn nicht gerade dieses Versteck verraten wurde.

Neue Alarmnachrichten kamen. Es wurde in München auf Menschen geschossen. Aber nicht in den Straßen knallten die Schüsse, sondern im Landtag.

Noch am Abend des Einlieferungstages Graf Arcos, als ich vor Müdigkeit nicht mehr wußte, ob ich schon schlief oder noch wachte, so groß war meine eigene Erschöpfung, kam zu uns in die Klinik die Nachricht, daß ein Metzger Lindner von der Tribüne des Landtagssitzungssaales herab mit der Pistole auf die Abgeordneten gefeuert und einen Zentrumsabgeordneten und den Führer der Sozialdemokraten, Erhard Auer, erschossen habe. – Das war die Rache der Kommunisten. Bezeichnenderweise wüteten sie gegen ihre sozialistischen Brüder in gleicher Weise wie gegen das verhaßte Bürgertum, und viele von uns glaubten, das sei nun endgültig der Auftakt zu politischen Massenmorden als Rache für Eisners Tod.

Doch in den Bayern, mit denen ich mich mein Leben lang gut vertragen habe, steckt bei aller Wildheit, zu der sie fähig sind, viel Gutmütigkeit. Es ist auch sehr viel Bäuerliches in ihnen, ein gewisses schwerfälliges Beharren. Ihre politische Aktivität äußert sich mehr im Schimpfen als in Taten.

Es passierte in diesen Wochen weiterhin nicht viel Schlimmes. Und doch hatten wir alle das Gefühl, auf einem Vulkan zu sitzen, und waren jeden Augenblick eines vernichtenden Ausbruches gewärtig. Eine Kleinigkeit konnte ihn auslösen. Auch der Kampf um Graf Arco konnte ihn auslösen. Ich war fest entschlossen, ihn niemandem herauszugeben.

Die Kommissionen, die Arco abholen sollten, ließen sich immer schwieriger abfertigen. Eine Gruppe von vier Leuten, darunter zwei Schwerbewaffnete, ist mir noch besonders in Erinnerung. Die zwei Unbewaffneten waren die gefährlichsten. Sie waren höflich, zeigten ein verbindliches Lächeln; aber sie waren zäh, trotz ihrer Jugend sehr gewandt, ihnen haftete etwas Gefährliches an, ohne daß man wußte, warum.

Mit vollendeter Höflichkeit brachten sie zum Ausdruck, sie hofften nicht, daß ich Graf Arcos Schicksal auch zu dem meinen machen wolle. Sie blieben, begleiteten mich auf meinen Gängen in die Krankensäle, standen schweigend hinter mir, wie sonst meine Assistenten.

Ich mußte ein Äußerstes tun, ich mußte eine Gegenüberstellung mit ihrem Opfer wagen. Ich brachte die Männer in das Zimmer des Kranken. Graf Arco lag im Bett, sein junges Gesicht war greisenhaft vor Schmerz und Erschöpfung, er machte den Eindruck eines Sterbenden.

Darauf hatte ich spekuliert. Wie es sich herausstellte, mit Recht.

Auch diese Kommission, die gefährlichste von allen, ging, nachdem sie sich von mir noch den vermutlichen Todeszeitpunkt Arcos hatte sagen lassen, den sie fein säuberlich notierte. Die beiden jungen Herren ließen keinen Zweifel, daß ich für Graf Arco – tot oder lebendig – haftete.

Trotzdem überlegte ich mit einigen meiner Getreuesten, wie wir Graf Arco verschwinden lassen könnten. Ich hätte mit ihm fliehen müssen, hätte die Klinik, die Patienten und meine Familie im Stich lassen müssen, um damit mein Leben zu retten. Ob ich es geschafft hätte, weiß ich nicht.

In den folgenden Tagen kamen weitere Abholkommissionen zu den unmöglichsten Zeiten auf die Idee, festzustellen, ob Graf Arco noch da sei, und dazu brauchten sie immer mich selbst, gewissermaßen als Bürgen. So fuhren sie des Nachts oft vor meinem Hause hinter dem Bavaria-Keller vor, holten mich aus dem Bett, zwangen mich, in ein Fahrzeug zu steigen, auf dessen Trittbrettern wild aussehende Kerle mit Maschinenpistolen standen, und fuhren mit mir in die Nacht davon.

Meine Frau stand jedesmal am Gartentor und sah mir nach; denn sie wußte nie, ob sie mich je wiedersehen werde.

Wenn die Männer sich dann überzeugt hatten, daß Graf Arco noch immer schwerleidend im Bett lag, fuhren sie wieder davon, brachten mich auch einige Male in mein Haus zurück. Ich fühlte aber, daß ich Arco auf die Dauer nicht halten könnte.

Eines Morgens – ich operierte gerade – wurde mir gemeldet, daß mich eine Delegation Graf Arcos wegen sofort sprechen müsse. Als ich vor die Leute hintrat, eröffneten sie mir:

Die Regierung habe soeben ein Gesetz unterzeichnet, nach dem Graf Arco zum Tode verurteilt worden sei. Ich solle ihn herausgeben. Zur Hinrichtung.

Ich rief:

„Es wird jetzt niemand hingerichtet! Wir haben schon genug Tote! Wollt ihr gar keine Ruhe geben!"

Sie aber antworteten:

„Die Regierung hat es befohlen!"

Da konnte ich mich nicht mehr zurückhalten, und alle Qual, Verbitterung, Erschöpfung und Opposition mußte heraus.

Ich schrie zurück:

„Eure Sauregierung!"

Da war's geschehen. Sie stürzten sich sofort auf mich und schleppten mich, der ich noch den Operationsmantel trug, in ihren Wagen. Man fuhr mich in eine Schule in der Münchner Vorstadt Haidhausen. Man stieß mich in einen kleinen Raum. In dem saß schon der Maler Franz von Stuck.

Wie ich dann später erfuhr, ist unmittelbar nach mir Graf Arco von roten Soldaten aus meiner Klinik geholt worden.

Nachdem ich mich eine Weile mit Stuck unterhalten hatte, wurde die Tür aufgerissen, Soldaten kamen, schleppten mich über Flure und Korridore, erklärten, jetzt würde ich vor ein Revolutionsgericht gebracht.

Sie stießen mich in ein Schulzimmer, dessen Schulbänke entfernt waren. Ich stand, umgeben von schwerbewaffneten Wachen, vor einem Tisch, hinter dem ein Mann saß, der übernächtig aussah. Sein Haar war ungekämmt.

„Sie sind der Doktor Sauerbruch?" fragte er.

Schlicht antwortete ich mit „Ja".

Aber der Mann übertraf mich in der Schlichtheit der Sprache auf fürchterliche Art.

Er sagte ganz einfach: „Sie sind zum Tode verurteilt!" Die Wachen packten mich, zerrten mich hinaus und sperrten mich in einen der vielen leeren Räume. Da hockte ich, war zum Tode verurteilt und würde sicher erschossen werden. Die Zeit verging. Ich war verzweifelt. Dann wurde die Tür geöffnet, ein schlotterig aussehender Kerl steckte seinen Kopf herein und schrie:

„Heute nacht, Punkt zwölf Uhr, wirst du erschossen!"

Ich war ohne Hoffnung.

Um welche Stunde sich das ereignet hat, was ich jetzt erzählen will, weiß ich nicht, auf jeden Fall kamen aber so zwischen Nachmittag und Abend plötzlich ein paar Soldaten in den Raum, die von einem jungen Manne angeführt wurden.

Dieser junge Mann sah mich an, stutzte, sah auf meinen weißen Chirurgenmantel, starrte mir ins Gesicht, machte einen förmlichen Sprung zurück und schrie, als ob er am Spieß stäke: „Sauerbrucha!"

Ich saß auf einer Kiste, stand gar nicht erst auf, wußte nicht, was die russische Form meines Namens zu bedeuten haben konnte, und vermochte mich nicht von meinen schweren Gedanken zu trennen.

Der Mann aber erregte sich furchtbar. Er stürzte sich auf mich, zog mich hoch, umarmte mich, und völlig hektisch rief er:

„Du gutes Sauerbrucha, du gut in Zürich zu armes nihilistisches Student! Du mir sagen: Du armes Luder, in Hörsaal unten sitzen, daß du gut sehen kannst, du anderes faules reiches Luder nach oben!"

Großer Gott! Sein Gesicht kam mir irgendwie bekannt vor. Vor dem Kriege gab es in Zürich viel geistiges Proletariat, Studenten, die wegen ihrer kommunistischen oder nihilistischen Einstellung aus dem Zarenreich hatten fliehen müssen. Sie studierten oft Medizin, saßen hungrig auf den Bänken im Hörsaal und wurden von den Studenten reicher Eltern schlecht behandelt. Da hatte ich oft eingegriffen. Der Mann vor mir aber schrie weiter:

„Du gutes Sauerbrucha! Ich in Zürich zu dir kommen und sagen, arme alte kranke Mutter, jetzt ganz krank. Nix Geld. Überhaupt gar kein Geld! Du gutes Sauerbrucha kommen und Mutter gesund machen!"

Dann holte er tief Atem, sah mich mit seinen mandelförmigen Augen, in denen die ganze Wehmut des Ostens wohnte, erschrocken an, und es wurde mir klar, daß er jetzt begriff, wo ich mich befand und was mir bevorstand.

Die Gesichter seiner deutschen Begleiter waren stur und stumm, sie schienen sich keine Gedanken zu machen. Ich witterte Morgenluft.

Der junge Russe schien auch seinen Plan gefaßt zu haben, er überlegte, zischte mir zu: „Elf Uhr ich dich holen!" drehte sich um und verließ den Raum.

Zwischen zehn und halb elf Uhr in der Nacht wurde ich sehr unruhig. In dem Raum brannte kein Licht.

Es wurde elf Uhr. Kein Laut war im Hause zu hören, keiner in der Umgebung. Ich war ganz sicher gewesen, daß der Russe mich holen werde.

Um elf Uhr zwanzig verlor ich meine Sicherheit. Wieviel Umstände konnten ihn daran hindern, mich zu retten! Was konnte in der Zwischenzeit geschehen! Bitter fiel mir ein: Sicher auf dieser Welt ist nur der Tod! Um elf Uhr dreißig hatte ich meine Ruhe wiedererlangt. Nun galt es also zu sterben, das hatte man mit Anstand hinter sich zu bringen. Vorher mußte man sich in Gedanken von dem trennen, was einem auf dieser Welt lieb und teuer war.

Um elf Uhr fünfundvierzig aber dröhnten durch das Haus polternde Schritte. Stimmen klangen auf, der Schlüssel drehte sich im Schloß, Lichter blinkten, und mein russischer Freund stand da, umgeben von verstört aussehenden Deutschen in Uniform und Zivil. Der Kerl, der zu mir gesagt hatte: „Sie sind zum Tode verurteilt!", war unter ihnen. Der junge Russe vollführte eine satanische Komödie:

„Dieser da Arzt! Er unsere Leute verbinden!" brüllte er und sah wild um sich.

„Weg von der Tür!" schrie er drei Uniformierten zu. Sie stoben entsetzt auseinander. „Los, nun kommen!" brüllte er mir zu.

Er drängte mich aus dem Raum und aus dem Haus. Draußen stand ein Auto, er stieß mich hinein, holte eine Kurbel und mühte sich ab, den Wagen anzulassen. Er fluchte.

„Du entsetzliches Sauwagen!"

Da sprang der Motor an. Das waren fürchterliche sechs bis sieben Minuten. Langsam fuhr er los, da der Motor nicht auf Touren kommen wollte.

Schon an der nächsten Ecke, als er bremsen mußte, um nicht in einen parkenden Möbelwagen hineinzufahren, würgte er den Motor ab. Endlich sprang dieser wieder an.

„Ich dich in Klinik fahren, du da bleiben, bis alles vorüber. Ich dir Gutes wünschen im Leben", sagte er vor der Klinik und fuhr in das Dunkel der Stadt und in das Dunkel seines Lebens hinein. Er hat das höchste Honorar bezahlt, das ich je empfangen habe.

Den Grafen Arco befreite Dr. Jehn mit einem Bluff und mit gefälschten Papieren. Er erschien an dem Ort, an dem Arco gefangengehalten wurde, und verlangte seine Herausgabe, da sich die Regierung entschlossen habe, ihn noch strenger zu halten. Man lieferte den Gefangenen aus. Jehn brachte ihn in der Psychiatrischen Klinik unter, und dort konnte er verborgen gehalten werden, bis Ritter von Epp mit den Truppen der deutschen Republik einzog und die Münchner Räteregierung zerschlug. Worauf nach dem roten der „weiße" Terror begann.

Jetzt suchte man nicht mehr den Grafen Arco, aber den Schriftsteller Ernst Toller, der Mitglied der Räteregierung gewesen war, fand ihn jedoch nicht; denn er saß im Kleiderschrank der Tilla Durieux.

Mich hatte die Revolution den Balkon meines Arbeitszimmers gekostet. Eine Granate hatte ihn heruntergerissen. Auch konnte meine Familie das Wort „Schweizer Konsul" nun gar nicht mehr hören; denn bei jeder Granate, die in meinem Garten explodiert war – und deren waren viele –, hatte die Schweizer Kinderschwester empört nach ihm gerufen.

Die ersten Jahre meiner Münchner Zeit wurden durch die Inflation bestimmt. Ich hatte eine amtliche und eine private Sorge: ich mußte mich bemühen, den Verwundeten und Kranken, die als Patienten bei mir lagen, herbeizuschaffen, was für ihre Genesung erforderlich war. Im Privaten wurde ich bedrängt von meinen Schweizer Schulden. Beiden Problemen ging ich zu Leibe: die Schweizer Lungenärzte hatten mich keineswegs vergessen. Sie holten mich auch aus München zu den Operationen an ihren reichen Patienten in die Schweiz. Die Honorare bekam meine Bank. Aber es kamen auch viele ausländische Patienten in meine Privatklinik nach München, die in der Universitätsklinik selbst war. Sie zahlten in Devisen, und mit denen konnte ich wieder einkaufen, was die Klinik brauchte. War ich in der Schweiz und sprach mit meinen Freunden über die deutschen Nöte, so bestand der Erfolg in der Ankunft von Paketen, die einesteils für uns selbst bestimmt waren, zum anderen für meine Kranken.

Das äußere Bild der Kollegs jener Jahre wurde beherrscht von Studenten in umgearbeiteten Uniformen. Hatte das Jahr früher zwei Semester gezählt, so wurden jetzt drei eingerichtet, um die Kriegsteilnehmer schneller vorwärtszubringen.

Im Jahre 1920 kam meine Mutter nach München, natürlich zusammen mit Tante Mathilde; denn die alten Damen waren unzertrennlich. Beide hatten ihre Freude an den Enkelkindern, saßen auf Liegestühlen im Garten und wohnten in einem großen Fremdenzimmer, das einen schönen Balkon zum Park hin hatte. Meine Mutter war mittlerweile achtzig Jahre alt geworden. Sie litt seit einiger Zeit an einer Magenverstimmung, und die guten Vinzenz-Schwestern hatten eine der Ihren abgeordnet, um meine Mutter zu betreuen. Eines Morgens saßen die beiden alten Damen mit der Schwester einträchtig beim Frühstück. Sie labten sich an Weißbrot, an Butter und Kuchen, in der damaligen Zeit große Delikatessen, die die Oberin des Krankenhauses von Scheidegg im Allgäu am Tage zuvor meiner Frau geschenkt hatte. Plötzlich fiel meine Mutter im Stuhl zurück. Ein Schlaganfall hatte sie getroffen. Drei Tage lag sie zu Hause. Es geschah alles Menschenmögliche für ihre Rettung, jedoch nach diesen drei Tagen starb meine liebe alte Mutter.

Wir überführten ihre sterblichen Überreste nach Barmen und begruben sie an der Seite meines Vaters.

Tante Mathilde überlebte sie um zwei Jahre.

Bald nach dem Krieg ließ sich bei mir Dr. Georg Schmidt melden, der als Adjutant Schjernings mir seinerzeit bei der Einführung der „Sauerbruch-Prothese“ Beistand geleistet hatte. Nach dem Krieg hat er noch das Seine getan, um die Verwundeten und Kranken der alten Armee nach dem Zusammenbruch zu versorgen. Als Schjerning seinen Abschied nahm, bot man Dr. Schmidt die Leitung der Sanitätsversorgung der neugegründeten Reichswehr an. Er war Monarchist und von tiefem Kummer darüber erfüllt, daß dieses Regierungssystem abgeschafft worden war. Daher lehnte er die angebotene Stellung ab.

Zu mir kam er, um mich um eine kleine Position in meiner Klinik zu bitten, „und sei es ein Krankenwärter-Posten“. Ich beruhigte ihn und sorgte dafür, daß er Oberarzt an der Münchner Klinik wurde. Damit hatte ich einen guten Griff getan, denn der Wert seiner Mitarbeit an meinen wissenschaftlichen Arbeiten war unschätzbar. Die ganze Sache hatte nur einen Haken: das war sein Name. Auch mein Chauffeur hieß Georg Schmidt. Von meinem Kollegen Schmidt sprach ich in Zukunft anderen und ihm selbst gegenüber nur von „Schmidt“, von meinem Chauffeur jedoch immer von „Herrn Schmidt“.

Natürlich kamen dauernd Verwechslungen vor.

Einmal telegrafierte ich aus Davos: Schmidt möge mich am Münchner Bahnhof abholen. Und dann stand Dr. Schmidt da anstatt Chauffeur und Wagen.

Wir mußten ein Taxi nehmen und nach Hause zur Theresienhöhe fahren, wo man eifrig damit beschäftigt war, abzustauben. Kein Frühstück – das Haus hatte kalkuliert, daß der Hausherr und sein Mitarbeiter sich „sofort“ zu einer Operation begeben würden. Es soll einen stürmischen Krach gegeben haben.

Das Haus auf der Theresienhöhe war, wie man heute sagen würde, teils günstig, teils ungünstig bestrahlt. Von den Sternen meine ich. Es hatte ein günstiges Horoskop insofern, als man ungemein bequem frisches Bier in Maßkrügen mit drei Schritten nebenan holen konnte. Das Unglück des Hauses war der Hausherr.

Einmal verreiste Frau Ada für kurze Zeit. Bei ihrer Rückkehr fand sie die Behausung in unvorstellbarer Unordnung und den Hausherrn in einer Verfassung, die man bei anderen Leuten mit „leichter Verlegenheit“ bezeichnet hätte. (Zu Verlegenheit neigt mein Temperament im allgemeinen nicht.) Ich hatte in einer leichten Anwandlung von Mißstimmung das ganze Personal entlassen. Als treusorgender Hausvater aber hatte ich für meine Frau ein Pflästerchen bereit. Ich führte sie ins Wohnzimmer und zeigte ihr das herrliche Geschenk, das ich ihr zugedacht hatte.

„Ein Laubfrosch war doch immer dein sehnlichster Wunsch“, sagte ich hoffnungsvoll, „hier habe ich einen für dich besorgt. Schau mal, wie schön grün er ist!“

Dieser Wetterfrosch hatte die unter seinesgleichen seltene Gabe, Ungewitter abwenden zu können.

Freund Willstätter behauptet, daß Verabredungen mit mir immer eine zweifelhafte Sache gewesen seien. Ich habe das nie gefunden, aber der Nobelpreisträger Richard Willstätter ist ein sehr präziser Herr gewesen und wird wohl recht haben.

Seine Schilderung eines Ausfluges mit mir ist wohl bezeichnend. Deshalb darf ich sie hier aus seinen Lebenserinnerungen (Richard Willstätter: „Aus meinem Leben“, Verlag Chemie GmbH, 1949) zitieren:

„Von unseren Autoreisen verlief nicht jede pedantisch nach Programm. Einmal war ich in Berlin-Wannsee bei meiner alten Freundin Frau Margarethe Oppenheim zu Gast, deren Nachbarn Sauerbruchs geworden waren. Eine schöne Autofahrt durch Thüringen nach München wurde für den nächsten Tag verabredet. Abreise sechs Uhr früh, aber pünktlichst. Schon um zwei Uhr gingen wir zu Bett. Um vier Uhr fünfundvierzig stand ich eilig auf und stand gegen sechs Uhr an dem dunklen frostigen Märzmorgen vor der Sauerbruchschen Gartentür. Um sieben Uhr erschien die Frau Geheimrat mit den Hunden und Katzen, nach halb neun stürzte der Chef zum Frühstück herunter. Dann los zur Charité. Man lieferte eben einen verunglückten Knaben ein, für den es keine Rettung mehr gab. Der Chef blieb lange in seiner Klinik, dann brauste er heraus und rief: ‚Anhalter Bahnhof!' Der FD-Zug setzte sich eben in Bewegung, als wir ohne Fahrkarten eintrafen und aufsprangen, desgleichen am vorderen Waggonende die Sekretärin und ein Assistent, die ängstlich gewartet hatten. Bis Halle diktierte der Chef, während ich das Menü fürs Abendessen komponierte und aus dem Zug meiner Köchin nach München telegrafierte."

Uns Chirurgen wird nur zu gerne nachgesagt, wir seien „operationswütig" wie hysterische Damen – nur aktiv und nicht passiv wie diese. Dieser gute Freund hänselte mich Jahre hindurch auf jeder Gesellschaft, auf der wir uns trafen, indem er zahllose Variationen einer Scherzfrage ersann und sie dann den Anwesenden stellte. Natürlich kam niemand, der den Witz nicht schon kannte, auf die Antwort, wie das ja bei solchen paradoxen Fragen üblich ist. Eine der Scherzfragen, die mir in der Erinnerung geblieben ist, lautet:

„Welches ist der Unterschied zwischen einem Finanzamt und einem Chirurgen?"

Und die Antwort:

„Keiner – das Finanzamt sucht aus den Leuten soviel wie irgend möglich herauszuholen und sie gerade noch am Leben zu lassen ..."

Dieser mein bemerkenswerter Freund von einer anderen Fakultät versuchte es, auch noch auf anderem Wege mein Mißfallen zu erregen und mich zum Ausbrechen zu verleiten, nach dem Satz: „Wer übelnimmt, hat unrecht." Aber ich bemerkte die Absicht und wurde guter Laune. So trieb er Schindluder mit meinem guten Namen und wandelte ihn in unglaublich vielen Varianten ab. Als er dahinterkam, daß ich eine Leidenschaft für das Bauen hatte, taufte er mich für den Rest seines Lebens um. Wenn ich eine neue Stelle antrat, mußte gebaut und als Einleitung dazu etwas Altes niedergerissen werden. Das hatte er herausgefunden.

„Da kommt Mauerbruch", kündigte er nach seiner Entdeckung an, wenn er mich kommen sah.

Seine Lieblingstheorie – er glaubte natürlich in Wirklichkeit kein Wort davon – war, Namen seien bedeutungsvoll für das Schicksal eines Menschen. „Nomina sunt omina" lautet das alte lateinische Wort. Er brachte hierzu immer neue Unwahrscheinlichkeiten mit. Offenbar opferte er seinem Steckenpferd, die Ärzte im allgemeinen und mich im besonderen auf den Arm zu nehmen, einige Zeit. So konnte er aus dem Stegreif einen mit Ironie, Witz und Satire gewürzten Vortrag über den Ärzteberuf halten, der einen zur Verzweiflung treiben konnte. Er bewies spielerisch mit Dutzenden von Beispielen, inwiefern ein bestimmter Name für die Berufswahl bestimmend sei.

„Wie würden Sie, meine Herren, einen Frauenarzt nennen, wenn Sie als Schöpfer vor die Aufgabe gestellt würden?"

„Damenschneider!" rief ich, ihn plagiierend, dazwischen und hoffte damit, ihm die Pointe zu verderben.

Er winkte souverän ab. „Mein lieber Mauerbruch", sagte er, „lassen Sie sich etwas Eigenes einfallen, den ‚Damenschneider' haben Sie von mir. Außerdem ist diese Bezeichnung ein Witz, kein schöpferischer Einfall."

„Ich sehe schon, Sie wissen es nicht", fuhr er fort, meine Vorlesungsgewohnheiten parodierend, „ich werde es Ihnen sagen. Was würden Sie von ‚Zangemeister' halten?"

Es war schrecklich. Der Mann hatte recht. Es hatte wirklich einen bekannten Frauenarzt gegeben, der ausgerechnet „Zangemeister" hieß.

„Sie müssen sich daran gewöhnen, meine Herren", fügte er herablassend hinzu, „die Dinge etwas mehr vom Spirituellen, weniger vom Handgreiflichen, vom Chirurgischen her zu sehen . . ."

(„Chirurgie" bedeutet leider „Handarbeit". Das rieb er uns bei dieser passenden Gelegenheit unter die Nase.)

Er war ein wirklich außerordentlicher ordentlicher Professor. Ich konnte ihm später in seiner Emigration einen letzten Dienst erweisen, den er mit bemerkenswerter Haltung in Anspruch nahm.

Obgleich dieser Freund zu seinem Thema des Chirurgenhasses einen bewunderungswürdigen Reichtum an Erfindungsgabe entwickelte, konnte ich mich für seinen Witz nie so recht begeistern. Weniger, weil ich die Zielscheibe war, als weil die Definition unseres Standes, die da besagt, daß „ein Chirurg ein Mann sei, der sich täglich darüber wundere, wieviel man von einem Menschen wegschneiden könne, ohne ihn umzubringen“, in einer schnoddrigen Art ein philosophisch-ärztliches Problem berührt. Ich muß da an einen meiner Vorgänger in Berlin denken, den Professor Dieffenbach, der in der ersten Hälfte des vorigen Jahrhunderts einer der größten Chirurgen der Welt war. Zu seiner Zeit wurde der Äther als erstes brauchbares Narkosemittel in die Chirurgie eingeführt. Dieffenbach war davon begeistert. Und dennoch sagte er eines Tages: „Eigentlich werden wir durch den Äther um eine der schönsten Seiten unseres Berufes gebracht: die Einwirkung der Persönlichkeit des Arztes auf seinen Patienten – das Operieren ist so leicht geworden!“

„Operieren ist so leicht geworden!“ – Darin liegt auch eine große Verführung, der die modernen Chirurgen erliegen können, wenn zum Können nicht das Erkennen tritt. Operieren ist vielleicht nicht leichter geworden, aber viel gefahrloser als selbst zu der Zeit, da ich begann. Und deshalb besteht immer die Möglichkeit, daß man sich leichter, leichtfertiger als früher dazu entschließt.

An Beispielen fehlt es nicht. Da haben wir heute die Tendenz, sogenannte „streuende Herde“ rücksichtslos auszurotten. Zähne, Mandeln, Gallenblasen, Eierstöcke und „Blinddärme“ fallen ihr in Massen zum Opfer. Es gab eine Zeit, da entfernte man bei Leuten, die länger und gesünder leben wollten, Teile des Darmes, weil, nach Metschnikow, „im Darm der Tod sitzt“. Ich glaube allerdings nicht, daß der Eingriff in Deutschland jemals aus diesem Grunde ausgeführt wurde.

Ich kann mich nur eines einzigen Menschen erinnern, den ich chirurgisch behandelte, obgleich ich halb überzeugt war, daß ihm nichts fehle. Es handelte sich um ein älteres Fräulein aus sehr guter Familie. Sie klagte über unklare Beschwerden in der Magengegend und bildete sich felsenfest ein, einen Magenkrebs zu haben. Sie bestand darauf, operiert zu werden. Nur davon versprach sie sich Rettung.

Sie war nach allen Regeln der Kunst untersucht und behandelt worden, ohne daß es einem der Ärzte gelungen wäre, etwas Ernsthaftes zu finden oder die Befürchtungen der Patientin zu zerstreuen. Auch an meiner Klinik konnte keinerlei Befund erhoben werden. Die Dame machte einen durchaus vernünftigen und klaren Eindruck, so daß es mir schwerfiel, an eine „Operations-Hysterie" zu glauben. Immerhin zog ich diskret den Kollegen von der Psychiatrie hinzu, der zu einer Aufnahme in seine Klinik riet.

„Wenn Sie das nicht durchsetzen, Herr Collega", meinte er schmunzelnd, „so operieren Sie sie halt. Es gibt immer zwei Möglichkeiten, solche ‚Hypochondrien' – nennen wir es einmal mangels einer genaueren Diagnose so – zu beeinflussen. Einmal durch psychiatrische Behandlung und zum anderen Male, indem man ihnen den Willen tut."

Natürlich dachten sowohl er als auch ich an einen der keineswegs seltenen Fälle von „Operationslust" bei Frauen, die wohl alle auf den unbewußten Wunsch dieser vom Leben unbefriedigten Frauen zurückzuführen ist, wenn nicht im Leben, so doch in einer chirurgischen Klinik Mittelpunkt des Interesses zu sein, Aufmerksamkeit, Sorge und Besorgtheit um ihr Wohlergehen zu erfahren. Daß die Fürsorge im wesentlichen Teil von Männern ausgeübt wird, dürfte nicht zuletzt eine Rolle spielen.

Meine Patientin geriet keineswegs in Erregung, als ich ihr vorsichtig eine „Nervenbehandlung" vorschlug. Sie sah mich traurig an und sagte:

„Ich weiß, was Sie denken, Professor – genau dasselbe wie all die anderen. Ich bin wirklich magenkrank, bitte, überzeugen Sie sich doch wenigstens davon – Sie sind meine letzte Hoffnung."

Damals entschloß ich mich denn, von der Kranken und den Angehörigen breitgeschlagen, die zweite Alternative meines Kollegen, des Psychiaters, durchzuführen und eine, wie ich sicher annahm, völlig überflüssige sogenannte Probelaparotomie bei der Dame auszuführen. Ich sollte eine Überraschung erleben.

Mein erster Assistent und ich sahen uns fassungslos an, als wir es gleichzeitig erblickten. Kaum hatten die Wundhaken in den Händen der Helfer die Wundränder auseinandergezogen, als uns klar wurde, daß die Patientin mit ihrer eigenen Diagnose recht gehabt hatte. In der Magenwand saß ein kleines Carcinom, das aber bereits untrennbar auf die Umgebung übergegriffen hatte. Es konnte nicht mehr entfernt werden.

Die Operationswunde heilte tadellos ab, die Patientin fühlte sich wohl und war so glücklich und zufrieden, geheilt zu sein, daß ich es trotz „grundsätzlicher" Bedenken nicht übers Herz brachte, sie über ihren Zustand aufzuklären. (Meine Bedenken bezogen sich auf meine Überzeugung, daß jeder Patient ein Recht darauf hat, zu wissen, was ihm fehlt, und daß ihm der Arzt die Wahrheit nicht vorenthalten darf. Ich habe mich bemüht, diesem Standpunkt so oft als möglich zu entsprechen.)

Als die Patientin uns verließ, sah sie strahlend aus und dankte mir überströmend. Ich hatte ein ungemein schlechtes Gewissen. – Sie starb nach fünfzehn Monaten, die sie glücklich und ohne jegliches Wissen um ihr furchtbares Schicksal verbrachte, an ihrer Krankheit, die natürlich unaufhaltsam fortschritt.

Ich habe diese Geschichte hier erzählt, obgleich sie vom Standpunkt des Fachmannes nicht besonders bemerkenswert ist. Wenn ich aber daran zurückdenke, so fällt mir mit einem Befremden meine damalige Bereitwilligkeit auf, die Frau zu behandeln. Ist mir nicht doch an ihr etwas aufgefallen, das die klinische Untersuchung nicht zu erfassen mochte? Röntgen- und Magensaftuntersuchung zeigten nichts. Tastbefund und Blutbild waren normal. Ich wußte damals und weiß heute nicht anzugeben, was mich zu meinem Vorgehen veranlaßt hatte.

Wie oft solche „Intuitionen" – ein Begriff, von dem der Wissenschaftler nicht viel hält – beim ärztlichen Wirken eine Rolle spielen, vermag ich nicht zu sagen. Um aber dem Nichtfachmann einen Blick in chirurgisches Denken zu vermitteln – es kann nach der Sachlage nur ein mit dem Zeitraffer aufgenommenes Bild sein –, möchte ich hier eine Vorlesung mit Patientenvorstellung einsetzen, die ich vor fünfundzwanzig Jahren in München für meine Studenten hielt. Sie zeigt, daß sich das Wirken des Arztes, der als Chirurg arbeitet, keineswegs auf das blutige Handwerk beschränkt. Im Gegenteil haben Chirurgen sich eingehend um die Ursachen oder, sagen wir besser, die seelische Kulisse des Krankheitsgeschehens bemüht, die sich so oft der klinischen Untersuchung entzieht. Ausgerechnet Chirurgen waren frühzeitig Anhänger der Lehre von der seelischen Bedingtheit zahlreicher körperlicher Krankheiten. Man nennt die Lehre heute „Psychosomatische Medizin".

Ich erinnere mich der Patientin, die damals in der Vorlesung vorgestellt wurde, noch recht gut. Sie war an nervösen Störungen erkrankt, klagte über Schweißausbrüche und Herzklopfen. Wir hatten schnell heraus, was ihr fehlte: ihre Schilddrüse hatte begonnen, Überstunden zu machen und ihren Körper systematisch zu vergiften. Ich konnte sie von ihrem Basedowkropf durch eine Schilddrüsenoperation befreien, und wir hatten die Genugtuung, sie wieder wohl und munter zu erleben. Diese Vorlesung, in der damals, wie bei vielen meiner Münchner Vorträge, zahlreiche Laien zuhörten, zeigt, mit welchen Gedankengängen, welchen Voraussetzungen wir an die Operation herangingen, welches Ziel wir uns steckten und wie wir uns der Grenzen unseres Handelns wohl bewußt waren.

Sie hat damals so viel Interesse gerade auch bei Laien gefunden, daß ich mir vorstellen könnte, daß auch manche meiner Leser diese Vorlesung kennenlernen wollen. Ich empfehle aber allen denen, die eine solche medizinische Abhandlung nicht besonders interessiert, auf Seite 271 weiterzulesen.

VORLESUNG ÜBER DIE BASEDOWSCHE KRANKHEIT

Meine Damen und Herren!

Sie sehen hier vor sich eine achtundzwanzigjährige unverheiratete Angestellte, die aus gesunder Familie stammt. Sie war bis vor dreiviertel Jahren wohlauf und frisch, ging ihrem Berufe unbehindert nach und trieb auch viel Sport. Da erkrankte und starb ihr Bruder, der ihr recht nahestand, an Rippenfellentzündung und schwerem Lungenabszeß. Das hat sie sehr mitgenommen und sehr aufgeregt. Seitdem ist in ihrem körperlichen und seelischen Verhalten eine Veränderung eingetreten. Sie wurde zu jener Zeit zum ersten Male von Bekannten darauf angeredet, daß ihre Augen weit heraustraten. In den folgenden Wochen machte sich eine leichte Verdickung des Halses bemerkbar. Zugleich stellten sich Kribbeln in den Händen und Füßen sowie lebhaftes Herzklopfen ein. Bei solchen Palpitationen fühlte sie den Stoß des Herzens gegen die Brustwand und seine Schläge bis zum Halse herauf, so daß sie körperlich darunter litt und nicht schlafen konnte. Die Stimmung war veränderlich. Stumpfe Schwermut wechselte mit lebhaften Unruheempfindungen, Angst- und Erregungszuständen. Sie wurde bald rot, bald wieder blaß und schwitzte in letzter Zeit stark. Die Augen quollen immer mehr hervor. Schließlich vermochte sie ihren Dienst nicht mehr auszuüben und mußte die Klinik aufsuchen.

In dieser für den Erfahrenen so eindeutigen Vorgeschichte beachten Sie schon jetzt vor allem die Tatsache eines psychischen Traumas.

Und nun werfen Sie einen Blick auf das Fräulein. Sie erkennen sofort den ausgeprägten Exophthalmus, die klassischen „Glotzaugen". Dieser Eindruck wird noch dadurch vermehrt, daß die aus den vergrößerten Lidspalten weit hervorquellenden Augen weniger benetzt werden, weil der Lidschlag seltener erfolgt, so daß die Hornhaut geradezu austrocknen kann. Ganz anders kommt das „Maskengesicht" zustande beim Tetanus. Bei Basedowleidenden hingegen steht die Herabsetzung der Mimik in scharfem

Gegensatz zu ihrer sonstigen großen Beweglichkeit und Hast. Beim Blicke nach unten bleibt das obere Augenlid zurück (eine Beobachtung des Berliner Augenarztes von Graefe), und bei der Einstellung auf die Nähe finden Sie mangelhafte Konvergenz der Augäpfel (ein Symptom, das Moebius zuerst beschrieb).

Am Halse nehmen wir eine nach Lage und Form der Schilddrüse entsprechende Anschwellung wahr. Sie ist aber hier nicht erheblich, jedenfalls nicht beträchtlicher als bei vielen anderen Menschen auch. Das würden wir auch gar nicht besonders betonen, wenn die Kranke eben nicht noch eigene Merkmale aufzuweisen hätte. Es ist ja ihr selbst aufgefallen, daß das Herz bis zum Halse herauf schlägt. In der Tat fühlen Sie, wenn Sie die Hand auflegen, sehr starkes Klopfen, und zwar nicht bloß an den großen Halsgefäßen, sondern vor allem auch über dem weichen Kropfe. Diese Schilddrüse ist also noch viel ausgiebiger mit Blut versehen als schon eine gesunde mit ihren vier dicken Hautarterien, und zwar deshalb, weil sie eine höhere Leistung vollbringt, wobei wir die zeitliche Reihenfolge zwischen dem Mehr an Blutversorgung und der gesteigerten Tätigkeit offenlassen. Die Gefäße sind zahlreicher, sie haben ein weiteres anatomisches Kaliber; sie sind aber auf vasodilatatorische Nervenanreize hin auch funktionell ausgedehnt. Die Häufigkeit des Pulses von 120 geht über die gewöhnliche Beschleunigung bei durch die klinische Vorstellung hier aufgeregten Kranken hinaus. Die sonderbare Marmorierung der Hände, die gewiß viele Menschen haben, gewinnt in Verbindung mit unseren sonstigen Wahrnehmungen Bedeutung als vasomotorisches Zeichen. Die ausgestreckten Fingerspitzen zittern, und zwar so feinschlägig, wie etwa bei Paralysis agitans, und nicht so grob, wie z. B. bei chronischem Alkoholismus.

Während die Ernährung anderer derartiger Kranker oft hochgradig gestört ist, so daß man geradezu von einer Kachexie spricht, hat dieses Fräulein etwas an Gewicht zugenommen. Aber das Gefühl der Angst, der nervösen Labilität, hält doch an, obwohl in den Wochen, die sie nun bereits in der Klinik verbringt, durch unsere beruhigende

Behandlung, auf unseren Zuspruch hin und durch ihre eigene Einsicht die Bewegungsunruhe schon erheblich nachgelassen hat.

Somit steht klassisch die Krankheit vor uns, die sich nach dem Physikus Basedow von Merseburg (1840) nennt. Das Leiden, das Jugendliche bevorzugt, ist im voraus dadurch gekennzeichnet, daß es häufig an ein psychisches Trauma anknüpft. So hier an die sorgenvolle schwere Erkrankung des geliebten Bruders und seinen Tod. Erst von da an traten mit der seelischen Veränderung, den Schwankungen im Nervensysteme die vier Hauptzeichen: pulsierender, blutreicher Kropf, Glotzaugen, vermehrte Herztätigkeit, Zittern sowie die übrigen mannigfaltigen körperlichen Merkmale, hervor, die wir festgestellt haben. Es ist ein sehr vielseitiger Krankheitszustand, mit einer ganzen Reihe von Äußerungen. Davon brauchen nicht immer alle lehrbuchmäßig gleichzeitig ausgeprägt zu sein. Es genügen eine oder zwei, das Glotzauge, das Zittern der Finger, die Palpitationen. Ja, es kann z. B. der Kropf ganz fehlen oder doch erst wenig deutlich sein, während Herzstörungen und Zittern schon vorhanden sind. Der Schweizer Chirurg Kocher legte auch noch Wert auf ein eigenes Blutbild (Leukopenie; Verminderung der polynukleären Leukocyten, relative Vermehrung der Lymphocyten). Wichtiger ist, daß der Blutdruck in der Systole stark erhöht, in der Diastole herabgesetzt ist und daß das Blut Basedowkranker später gerinnt, was wir in der Züricher Klinik bestätigen konnten. Heute betont man zudem den gesteigerten Grundumsatz.

Über die Entstehung der Basedowschen Krankheit, die zum Teil in das Gebiet der inneren Medizin, zum Teil in das der Neurologie, zum wesentlichen Teil aber auch zur klinischen Chirurgie gehört, gehen die Ansichten auseinander. Moebius (1880) erklärte das bis dahin dunkle Leiden als Folge einer hyperplastischen und damit auch hyperfunktionierenden Schilddrüse. Schon das Sekret der normal arbeitenden Glandula thyreoidea beeinflußt ja die nervöse, besonders die sympathische Regelung der Organtätigkeit. Es ist ein wichtiges Zusatzmittel, das alle Gewebe sensibilisiert. Der Basedowkropf überschwemmt nun den

Körper mit seiner vermehrten und vielleicht auch veränderten Absonderung und vergiftet ihn dadurch gewissermaßen. Um Ihnen das klarzumachen, sei ein Beispiel aus der Ernährung angeführt. Für diese ist Kochsalz unentbehrlich. Durch ein Zuviel davon könnten wir aber einen ernsten Zustand, ja vielleicht eine Vergiftung hervorrufen.

Die Moebius-Lehre ist nun zu jener Zeit, als man glaubte, kausal naturwissenschaftlich alles restlos erklären zu können, wie eine Erlösung empfunden worden. Die neue Anschauung wurde dadurch gestützt, daß man eine pathologisch-anatomische Eigenart des Basedowkropfes zu erkennen glaubte: eine parenchymatöse glanduläre Wucherung mit auffallendem Reichtum an Zellen und Zellteilungsbildern, wie wir es in ähnlicher Weise bei der milcherzeugenden weiblichen Brustdrüse sehen; mit zahlreichen Drüsenacini, deren Epithel gequollen und in Desquamation begriffen ist; sowie (nach Albert Kocher) zwischen den Parenchymknoten mit außerordentlich vielen kleinsten Lymphfollikeln, entsprechend den beim Basedowleiden nicht seltenen Veränderungen anderer lymphatischer Organe, der Mandelhyperplasie, der Thymusvergrößerung.

Diese noch heute von einzelnen Internen und Chirurgen (Fr. v. Müller, Klose) verteidigte Annahme eines der Basedowstruma eigenen Gewebsbildes besteht aber doch wohl nicht zu Recht. Die geschilderten histologischen Abweichungen sind nämlich durchaus nicht in jedem Basedowkropfe vorhanden. Zudem ergibt sich aus Wahrnehmungen schweizerischer Forscher und aus unseren Erfahrungen, daß die für das Basedowleiden in Anspruch genommenen Gewebsveränderungen auch bei dem gewöhnlichen parenchymatösen Kropfe vorkommen. Sie werden gelegentlich auch bei Schwangerschaft angetroffen.

Schon eher ließe sich für Moebius' Lehre die Tatsache verwerten, daß mancher Träger eines gewöhnlichen endemischen Kropfes eine Art Basedowsche Krankheit erwirbt, wenn er regelmäßig und längere Zeit Thyreoidin oder Jod zu sich nimmt. Das Jod reizt die Schilddrüse zu vermehrter Tätigkeit; der von ihr abgesonderte Jodeiweiß- oder anorganische Jodkörper überschwemmt den Körper, und

Tachykardie, Tremor, nervöse Störungen stellen sich ein. Freilich sind solche Veränderungen auch durch Verabfolgung von Thymus-, Nebennieren-, Keimdrüsensaft zu erreichen. Doch entziehen sich hier die näheren Zusammenhänge unserer Kenntnis.

Schließlich hat man angeführt, daß das Basedowleiden das Spiegelbild des Myxödems sei, das ja an Schilddrüseneinbuße geknüpft ist und mit Schlaffheit und Trägheit einhergeht.

Es ist aber erstaunlich, daß, als Moebius mit seiner Lehre hervortrat, nicht ein einziger Kliniker die Frage aufwarf: „Wie kommt es denn nun aber, daß die Schilddrüsenvergrößerung, die ja so viele Menschen haben, nur bei diesem oder jenem nach Moebius zum Ausgangspunkte von Basedowerscheinungen wird?"

Französische Ärzte hatten freilich schon vor Moebius immer wieder darauf hingewiesen, daß bei der Basedowschen Krankheit eine Neurose der allerbeste Anlaß sei. Wenn aus irgendeinem Grunde das Nervensystem, insbesondere das sympathische, stärker erregt wird, so werden seine vermehrten Antriebe in den von ihm abhängigen Organen, also auch in der Schilddrüse, ergiebigere Arbeit und anschließend Hyperplasie hervorrufen. Nun gelang es dem Schweizer Physiologen Schiff in Genf, auf dem Wege von lange Zeit hindurch fortgesetzten galvanischen oder faradischen Reizungen des Halssympathicus bei Tieren kräftigere Durchblutung und schließlich Wucherung der Schilddrüse zu erzeugen. Es kann also nicht daran gezweifelt werden, daß auch aus funktioneller Ursache heraus, durch primäre Reizung der sympathischen Nerven der Schilddrüse eine anatomische Vergrößerung dieses Organes eintreten kann.

Und dann hat der Krieg, wie bei so manchem unserer anscheinend gesicherten allgemeinpathologischen, klinischen und therapeutischen Besitze, so auch hier als großer Lehrmeister umwälzend gewirkt und dazu beigetragen, daß wir uns von dem herrschenden Gedanken der kausalen Bedeutung des Hyperthyreoidismus bei der Basedowschen Krankheit frei machten. Wir erlebten, daß junge, ganz gesunde Männer, die nicht nervös waren und keinen

Kropf hatten, die mit Begeisterung für das Vaterland im Felde standen, unter dem Eindrucke irgendeines furchtbaren Erlebnisses, eines Überfalles im Schützengraben, einer unerwarteten Beschießung mit Granaten, kurz, unter dem Einflusse einer Aufpeitschung ihres Nervensystems plötzlich Zeichen von Basedowscher Krankheit, Glotzaugen, Zittern usw. bekamen. Es wäre doch ganz ungewöhnlich, wenn eine Schilddrüse von einem zum anderen Tage derart mehr leistete, daß dadurch der Körper so schnell und so stark vergiftet würde.

Hierzu eine eigene Erfahrung. Bei einer an einem Panaritium längere Zeit poliklinisch behandelten, sonst bisher gesunden Frau traten die ersten Zeichen einer schweren Basedowschen Krankheit hervor, als sie, anläßlich eines Brandes in ihrem Zimmer abgesperrt, den Feuerwehrmann ihr Kind vom Fenster heraus in das Rettungstuch hinabwerfen gesehen hatte und ihm nachgesprungen war.

Schließlich ist die Moebiussche Auffassung auch noch durch neuere Erfahrungen auf dem Gebiete der gesamten inneren Sekretion erschüttert worden. 1911 wurde aus der Garréschen Klinik darauf hingewiesen, daß beim Basedowleiden nicht nur die Schilddrüse, sondern auch der Thymus ungemein vergrößert sei. Man glaubte, daß der hyperplastische Thymus durch Überarbeit die Schilddrüsentätigkeit beeinflusse. Den ersten beiden durch solche Erwägungen veranlaßten Thymusentfernungen in Bonn und Zürich folgte eine operative Flut allerwärts, die freilich bald wieder zusehends abebbte. Nun zeigte sich, daß der Gehalt des Blutes Basedowkranker auch an Adrenalin öfters vermehrt ist, was auf Hyperfunktion seines Bildungsorganes, der in der Tat häufig vergrößerten Nebennieren schließen läßt. Dazu kommen Hyperplasien der Keimdrüsen, bei Frauen insbesondere der Eierstöcke, ferner der Hypophyse, ja auch der Zirbeldrüse. Demgemäß können ja vegetative Veränderungen und Tachykardie durch Verabfolgung nicht nur von Jod oder von Thyreoidin, sondern auch von Thymus-, Nebennieren-, Eierstock- oder Hodensaft hervorgerufen werden.

Doch selbst bei diesen endokrinen und vagosympathischen Störungen bleibt es nicht. Oft verlieren Basedowkranke dazu noch die Haare, Nägel, Zähne, wie etwa Kretinoide. Ihre Haut, die sich bald umschrieben rötet, bald wieder auffällig blaß wird, hat Neigung zum Schwitzen, woraus sich ihre vermehrte Leitfähigkeit für den galvanischen Strom erklärt. Ferner ist der Stoffwechsel in Unordnung geraten, so daß die Kranken trotz bester Kost nicht zunehmen. Der Reiz einer Mahlzeit wird nicht ausgeglichen; schon eine halbe Stunde später setzen Durchfälle ein. Viel zu lebhaft geht der gesamte Nahrungsumsatz vor sich, gerade wie die Herzarbeit und die psychische Tätigkeit.

Somit sind der ganze Stoffwechselapparat und mehrere Blutdrüsen am Basedowleiden beteiligt. Man wird also nicht berechtigt sein, von der Hyperplasie allein der Schilddrüse als Krankheitsursache zu sprechen, ebenso wie wir heute in dem Ulcus ventriculi nicht die Grundlage, sondern auch nur ein hervorstechendes Zeichen einer abwegigen Gesamtstörung des Vagosympathicus, eben der Ulcuskrankheit, sehen.

Da aber alle endokrinen Drüsen und auch der Stoffwechsel vom sympathischen Nervensystem abhängen, ist hiermit ein Weg gefunden zu der alten französischen Auffassung der Basedowschen Krankheit. Denn das vagosympathische System ist wiederum gebunden an das Nervensystem überhaupt und vor allem auch an zentrale seelische Vorgänge.

So ergibt sich eine lückenlose Kette vom psychischen Trauma bis zu den Organen der inneren Sekretion, einschließlich der Glandula thyreoidea.

Wenn demnach die vergrößerte Schilddrüse ihrer alleinigen kausalen Bedeutung im Sinne von Moebius jetzt entkleidet ist und nur mehr eine Erscheinungsform der Krankheit darstellt, wie stimmt aber damit überein, daß dem Basedowkranken doch die Strumektomie (Kropfoperation) nützt? Unkritische Chirurgen berichteten sogar von postoperativen Heilungen im Laufe von vier Wochen; kritische gaben freilich zu, daß nicht alle Merkmale, so gut wie nie die Glotzaugen und das feinschlägige Zittern, völlig beseitigt werden. Nur Besserungen wurden erreicht. Damit stimmen die Ergebnisse von Nachuntersuchungen überein, die wir an von uns oder von sehr erfahrenen anderen Chirurgen Operierten angestellt haben.

Mein Lehrer v. Mikulicz hatte gleichfalls der Moebiuslehre vertraut, aber mit weitem Blicke und hervorragender Beobachtungsgabe doch nach seinen Basedowkropf-Resektionen bald erkannt, daß, trotz unbestreitbarer Teilerfolge, viele Krankheitszeichen unberührt blieben.

Das Dunkel dieser Widersprüche klärte nun v. Mikulicz auf: Schon die normale Schilddrüse beeinflußt ja so nachhaltig wie kein anderes Organ Herztätigkeit und Stoffwechsel, ja den ganzen Lebensablauf. Wenn sie nun unter dem Drucke des primär gestörten zentralen Nervensystems, insbesondere des in Verwirrung gebrachten Vagosympathicus, wuchert und mehr schafft, so muß diese Überarbeit klinisch auffällig in Erscheinung treten, und zwar vorzugsweise als vermehrte Leistung der Erfolgsorgane der Schilddrüsenresektion, als Unruhe der Vasomotoren (der Nerven des Adernsystems), als beschleunigte Tätigkeit des Herzens, als überstürzter Stoffwechsel. Die Schilddrüse wirkt also wie ein Stromverstärker; sie betont alle Abweichungen noch besonders. Wenn nun v. Mikulicz – schon lange vor Kocher – diesen von ihm sogenannten „Multiplikator“ verkleinerte, so verringerte sich auch wieder der Zuwachs an Krankheitsäußerungen. Wir befreien in der Tat damit den Körper meist von der lästigen Tachykardie, von den Herzpalpitationen (vergößerte Pulszahl und Herzklopfen), von der inneren Unruhe und geben ihm im ganzen günstigere Aussichten auf Ausheilung auch der primären, der ursächlichen Störung.

Obwohl wir also aus dem früheren engen Anschauungskreise heraustreten und das Wesen des Basedowleidens in einen viel größeren Rahmen fassen, halten wir doch an der der Moebiusschen Lehre entsprungenen Schilddrüseneindämmung fest, zwar nicht durch Röntgenbestrahlung, wie einige wollen, und nicht durch Sympathicusexstirpationen am Halse (Jonnesco, Jaboulay), wohl aber mit Hilfe der Resektion des Kropfes, die wir auch bei unserer nunmehr bereits gut vorbereiteten Kranken demnächst ausführen werden. Freilich bewerten wir nicht mehr den Grad des Erfolges nach der Menge des weggenommenen Kropfgewebes. Auch bilden wir uns nicht mehr ein, mit diesem den Krankheitsgrund zu zerstören. Es wird vielmehr nur ein Symptom entfernt, der „Multiplikator“, der sich bestimmt erfassen läßt. Mit der gefäßreichen Struma entfallen freilich auch unmittelbar ein guter Teil reflektorischer Übererregbarkeit und das Gefühl behinderter Atmung, das den empfindlichen Basedowkranken viel mehr ängstigt als andere Träger eines die Luftröhre ein- oder beiderseitig mechanisch bedrückenden Kropfes. Damit werden auch der erhöhte Widerstand im kleinen Kreislaufe sowie die Mehrarbeit der rechten Hälfte des Herzens herabgesetzt, das schon unter den allgemeinen Einflüssen des Basedowleidens Übermäßiges leistet. Zweifellos muß operiert werden, wenn die Beengung der Luftröhre sehr ausgesprochen ist. Dagegen werden wir uns da zurückhalten, wo statt der Beeinträchtigung von Herztätigkeit und Atmung die Kachexie und die nervöse Erregbarkeit, also mehr die Störung im gesamten Sympathicusgebiete, voranstehen. Denn die Kropfresektion beim Basedowkranken ist immerhin ein besonders ernster Eingriff, auch wenn wir ihn zur Ausschaltung des seelischen Schocks in Ätherallgemeinnarkose sowie im übrigen schnell, schonend, vorsichtig, blutsparend ausführen. Plötzliche Todesfälle infolge von unberechenbaren nervösen, meist Vagusreflexen, sind beobachtet worden, so bereits beim Hinlegen auf den Operationstisch. Selbst der Thymus spielt dabei eine Rolle; wohl nicht so sehr wegen der angeblichen, aber noch dunklen schädlichen Einflüsse jedes „Thymus persistens“, als vielmehr deshalb, weil der Antagonist, die Schilddrüse, wegfällt und die Mehrleistungen des hyperplastischen Thymus nicht mehr ausgleicht.

Auch nach dem Eingriff ist noch nicht jede Gefahr vorüber. Das Trauma der Operation schädigt gerade den Basedowkranken besonders nachdrücklich. Ferner geht ihm bei der Resektion der gefäßreichen Drüse eine Menge Blut verloren. Schließlich wird vielleicht während der operativen Hantierungen reichlich Drüsensaft in den Kreislauf und die Lymphbahnen eingepreßt, der dann plötzlich den Körper überschwemmt. So ist es nicht ungewöhnlich, daß am dritten, vierten oder fünften

Tage die Pulszahl auf 200 und mehr – vorübergehend – ansteigt.

Mit Rücksicht auf alle diese Umstände wahren manche Ärzte für innere Krankheiten den Standpunkt, Basedowkranke überhaupt nicht operieren zu lassen. Man bringt sie dahin, wo sie nicht gestört werden durch Verwandtschafts- und Freundschaftsbesuche, wo sie in günstigem Klima für sich leben, sich gut nähren, sich pflegen, sich ausruhen können. Wir selbst sahen zwei Schwerkranke nach sechsmonatigem Aufenthalte im Hochgebirge restlos ausheilen. Es kommt eben schließlich darauf an, durch Gegeneindrücke das wettzumachen, wovon wir auch bei unserer Kranken ausgingen, nämlich das erschütternde, das Basedowleiden zum Durchbruch bringende seelische Erlebnis.

Die Beziehungen der verschiedenen naturwissenschaftlichen Institute untereinander waren in München nicht sehr glücklich. Wir hatten uns bei einem Patienten, der ein Panzerherz und schwerste Krankheitserscheinungen hatte, zu einer Operation entschlossen, die mit dem Druckdifferenzverfahren durchführbar sein mußte. Ich sollte zum erstenmal in München während einer Operation ein menschliches Herz freilegen. Ich glaubte, es müsse die Kollegen vom Physiologischen Institut sehr interessieren, sich das anzusehen. Es war Aberglaube. Der betreffende Vorstand teilte mir kurz mit: „Ich kann mir nicht vorstellen, daß sich aus dieser Operation neue physiologische Gesichtspunkte ergeben könnten.“

Als wieder einmal eine solche Gelegenheit kam, forderte ich denselben Vorstand auf, einen seiner Assistenten sich die Herzoperation ansehen zu lassen. Ich wußte, daß einer der Herren großes Interesse daran hatte. Es wurde ihm rundheraus verboten, im Operationssaal zu erscheinen.

Die Physiologen hatten sich wirklich etwas entgehen lassen, als sie auf die Zuschauerrolle bei dieser Herzoperation verzichteten. Sicher hatten sie oft ihre Tierherzen gesehen, sowohl im lebenden Körper als auch ausgeschnitten und dennoch lustig weiterpulsierend in ihren Experimenten. Zwischen einem Tier- und einem Menschenherzen aber, so will mir scheinen, besteht doch ein gewaltiger

Unterschied, der ins Auge springen müßte, selbst wenn die Physiologie über die seelischen Einflüsse auf die Herztätigkeit noch nicht viel weiß.

Sicher bekommt man bei der Öffnung des Brustkorbs, zum Beispiel bei Lungenplastiken, tief da drinnen gelegentlich das schlagende menschliche Herz in seinem Beutel zu sehen. Aber es ist ganz etwas anderes, wenn man direkt über dem Herzen ein Fenster in die Brust schneidet und nun das quicklebendige Lebenszentrum vor sich hat und zusehen kann, wie es, von magischen Kräften angetrieben, auf und ab wogt, getreu und – beinahe – rastlos seine Herkulesarbeit vollbringt.

Es ist nun nicht so, daß Operationen am Herzen technisch besonders schwierig wären. Ein gesundes Herz hält es ohne weiteres aus, daß man in seine Wand eine Naht aus seidenen Fäden legt, wenn beispielsweise ein Messerstich es verletzt oder eine Kugel es durchbohrt hat. Tatsächlich würden nun derartige Wunden, wenn sie nicht zu groß und klaffend sind, glatt ausheilen. Aber die Blutungen aus der Herzwunde in den Herzbeutel sind es, die auch kleine, die Herzwand durchdringende Verletzungen lebensgefährlich machen. Diese Blutergüsse stauen sich im Herzbeutel und bremsen mit ihrem Fortschreiten in zunehmendem Maße die Herzarbeit ab. Sie „tamponieren" das Herz und „ersticken" seine Bewegungen. Vergeblich bemüht es sich, mit seiner Riesenkraft gegen den wachsenden hydraulischen Druck im Herzbeutel anzukämpfen. Der knöcherne Käfig der Rippen läßt es nicht zu, daß der Herzbeutel sich in dem nötigen Maße ausdehnen kann. Das Herz erlahmt und stirbt. Man kann ihm aber auf verschiedenen Wegen Entlastung verschaffen.

Dem bedeutenden Chirurgen Ludwig Rehn in Frankfurt a. M. sind schon in den Anfängen unseres Jahrhunderts Herzoperationen geglückt. So gelang ihm als erstem schon lange vor dem ersten Weltkrieg das damals ungeheure Wagnis der Naht einer Stichverletzung der rechten Herzkammer.

Bei unserem Patienten, zu dem wir die Kollegen von der Physiologie vergeblich gebeten hatten, handelte es sich ebenfalls um ein verzweifeltes Unterfangen.

Sein Herz saß, durchaus wörtlich genommen, in einem steinernen Panzer. Es ist nun nicht so, daß die Menschen, deren Herz von einem Kalkpanzer eingeschnürt ist, sich so benehmen, wie dies Hauff in einem seiner Märchen berichtet hat, im Gegenteil, es sind arme und todgeweihte Wracks.

Der Mann war zu uns in die Klinik gekommen mit einer mächtigen Leberschwellung, Wassersucht und einer hochgradigen Störung der Herzarbeit. Ich ließ ihn röntgen, und wir sahen in seiner Brust das „steinerne Herz", das die Röntgenstrahlen nicht durchdringen konnten.

„Das ist ein Panzerherz, Herr Professor", sagte mein Röntgenassistent.

Wir setzten uns mit zwei anderen Ärzten der Klinik zusammen und sprachen über den Patienten. Ich fragte den Oberarzt:

„Glauben Sie, daß wir den Mann operieren können?"

Der schüttelte zweifelnd den Kopf.

„Sein Allgemeinzustand", sagte er, „ist schlecht."

Auch der Kollege von der Inneren, den wir zugezogen hatten, glaubte nicht, daß der Patient eine Operation überstehen würde. Die anderen Anwesenden waren derselben Meinung, und einer äußerte:

„Ich glaube nicht, daß es gelingen wird, den Mann zu retten."

„Gut", sagte ich, „wenn ihr wollt, dann warten wir ab. Der Mann wird behandelt – entwässern, Herzmittel, Diät. Nach zwei Wochen werden wir weitersehen, haltet mich informiert."

Nach der festgesetzten Zeit meldete mir der Stationsarzt des Patienten, daß sich der Allgemeinzustand gebessert habe, daß man aber in der Klinik noch immer der Meinung sei, daß eine Operation völlig ausgeschlossen wäre. Ich sagte:

„Wir können doch den Mann nicht einfach sterben lassen. Natürlich operieren wir ihn. Ich werde ihn mir gleich ansehen." –

Ich öffnete den Brustkorb über dem Herzen und legte ein großes Fenster in die Brustwand, den einzigen Flügel dieses Fensters nach links herüberklappend. Dann war ich gleich am Herzen angelangt.

Langsam schälte ich dann den Herzbeutel ab, und wir waren an der Kalkschicht angelangt, die das Herz einhüllte. Vorsichtig löste ich stückweise den Panzer ab und sah mit staunenden Augen, wie sich das Herz unter meinen Händen aufblähte, mächtig anschwoll und kräftig zu pulsieren begann. Ich richtete mich auf und deutete auf dieses Wunder, um es den Assistenten und Zuschauern zu zeigen, diesen Anblick eines zu neuem Leben erwachenden Herzens, den auch ein vielbeschäftigter Arzt an einer großen Klinik höchstens einige Male während seiner Laufbahn zu sehen bekommt.

Aber die Operation war noch nicht beendet. Es harrte unser eine grauenvolle Überraschung.

Wir erkannten, daß weiter oben, im Bereich des rechten Herzvorhofes, eine besondere Einengung bestand. Das war zwar nicht gerade eine Überraschung, so etwas Ähnliches hatten wir wegen der bestehenden „Einfluß-Stauung" erwartet. Die Einengung war so stark, daß sie beseitigt werden mußte, wenn unser Erfolg nicht in Frage gestellt werden sollte.

Und nun geschah es.

Bei der Abhebung der noch vorhandenen Kalkplatten von dieser Stelle riß das ganze rechte Herz vom Vorhof bis hinunter zur Spitze der Kammer breit klaffend ein. Blutmassen sprudelten hervor.

Wir hatten versagt.

Ich brauchte nichts zu sagen. Der Assistent griff in den Brustkorb hinein und hob mir das Herz leicht entgegen. Die Operationsschwester reichte mir Nadel und Faden, und ich begann, zunächst ohne jede Sicht, nur auf das Tastgefühl angewiesen, diese riesige Herzwunde zu nähen. Der Assistent war mit der Beseitigung des Blutmeeres beschäftigt.

Niemand, zuletzt ich, glaubte an einen Erfolg, aber die erste Chirurgenregel heißt: „Gib dich nie geschlagen!" So nahm ich denn die kleine Chance wahr, die bestand.

So schnell wie möglich nähte ich, ohne übertriebene Hast. Das ist das Schwierigste bei solchen Zwischenfällen, dem quälenden Drang nach immer größerer Eile erfolgreich zu widerstehen.

Es gelang mir, den Riß mit einer Anzahl von Nähten zu schließen. Nachdem das Blut weggetupft worden war, legte ich noch einige abdichtende Nähte an. Die Wunde blutete nicht mehr; aber ob das jemals halten würde?

Ich schloß den Brustkorb. Der Kranke wurde auf die Wachstation gebracht. Er war völlig ohne Puls, und die Herzaktion war nur ganz leise vernehmbar. Offenbar ein hoffnungsloser Fall.

Aber es kam anders. Schon am Abend war der Puls wieder fühlbar, achtundvierzig Stunden später kam der Kranke zu Bewußtsein, schlug die Augen auf. Nach einigen Wochen war er so weit, daß er das Bett verlassen konnte. Nach acht Wochen zeigte sich eine völlig regelmäßige und normale Herztätigkeit. Der Kranke konnte seine Arbeit wiederaufnehmen.

Hatten sich die Physiologen nicht doch eine ganze Menge entgehen lassen?

Wenn ein Kranker am Oberschenkel an einer bösartigen Geschwulst erkrankt, so muß man ihm das ganze Bein im Hüftgelenk abnehmen. Dasselbe ist beispielsweise auch bei schweren Verletzungen des Oberschenkelknochens der Fall, die sich einer Ausheilung mit den üblichen Methoden widersetzen.

Eines Tages stellte sich mir ein junger Mann aus Berlin vor, der in München arbeitete, und sagte: „Herr Professor, ick soll mir mal von Ihnen untersuchen lassen. Mein Arzt hat jesagt, det er nich weiß, wie der Oberschenkel hier weiterbehandelt werden soll."

Na, ich sehe mir den Oberschenkel an und dann die Röntgenbilder. Offenbar ein Sarkom. Der Knochen schon zerfressen.

Ich sagte: „Mein lieber junger Freund, da wird uns wohl nichts anderes übrigbleiben, da mußt du dich mit dem Gedanken vertraut machen, daß wir dir das ganze Bein wegnehmen."

„Um Jottes willen", jammerte der junge Mann, „wie soll ick denn dann weiterleben, wie soll ick denn dann weiterarbeeten. Ick bin Metallarbeeter, ick muß doch meine Beene bewejen können."

Ich sagte: „Mein lieber Freund, du wirst ja vielleicht später einen anderen Beruf ergreifen können. Du kriegst später eine Prothese."

„Aber mit det Ding, Herr Professor, kann ick doch nich mein'm Beruf nachjehn."

„Na ja", sagte ich, „aber die Hauptsache ist doch, daß du erst mal die Operation überstehst, daß diese Sache da in Ordnung kommt."

Da meinte der junge Mann: „Herr Professor, kann ick mir det nich noch eenmal überlejen?"

Ich sagte ihm: „Natürlich kannst du dir das noch einmal überlegen. Aber es wird keine andere Möglichkeit geben. Es ist eine schwere Operation. Aber sie muß gemacht werden. Du bist ein junger Mann, kräftig, du wirst sie überstehen. Und später wird das Leben auch weitergehen."

„Herr Professor, muß denn det jleich jemacht werden?"

„Nein", sagte ich, „das kann auch in der nächsten Woche gemacht werden. Aber zu ändern ist es leider nicht."

„Ja", antwortete der junge Mann, „Herr Professor, denn möchte ick mir det aber doch noch eenmal bis morjen überlejen."

„Ja", sagte ich, „überlege es dir bis morgen. Mach dich mit dem Gedanken, daß es nicht anders geht, vertraut."

Da meinte der Junge:

„Herr Professor, jibt et denn jar keene andere Möglichkeet?"

Ich sagte ihm:

„Es gibt bestimmt keine andere Möglichkeit."

Aber der junge Mann sagte wieder:

„Herr Professor, können Sie nich ooch noch darüber nachdenken? Vielleicht fällt Ihnen wat ein."

„Na ja", sagte ich, „ich werde noch einmal darüber nachdenken. Aber ich glaube es nicht."

Am nächsten Morgen war der junge Mann als erster Patient da, und seine erste Frage war:

„Herr Professor, haben Se noch eenmal darüber nachjedacht?"

Da antwortete ich ihm:

„Ja, ich habe darüber nachgedacht. Ich habe die halbe Nacht darüber nachgedacht."

„Na – und, Herr Professor, is Ihnen wat injefallen?"

„Ja", sagte ich, „mein lieber Freund, mir ist etwas eingefallen!"

„Ja, denn machen Se det doch, Herr Professor."

Ich sagte: „Ja, mein lieber Junge, ob das aber gehen wird, was mir eingefallen ist, das weiß ich nicht. Das, was ich mir ausgedacht habe, was man vielleicht probieren kann, das ist nämlich, das mußt du wissen, noch nie gemacht worden. Also, paß mal auf und erschrick nicht! Wir nehmen hier oben über der Hüfte den Oberschenkelknochen heraus, und das gleiche tun wir am Knie. Dann schneiden wir ganz unten den Fuß ab, den brauchen wir nämlich nicht, und dann nehmen wir den ganzen Unterschenkel und legen ihn oben in das Haut- und Muskelbett, das im Oberschenkel stehengeblieben ist. Das nähen wir alles fein zusammen, und dann wächst der Unterschenkelknochen, das ist so, da oben ein, und wenn wir Glück haben, dann übernimmt der Unterschenkelknochen die Arbeit, die bisher dein Oberschenkelknochen geleistet hat. Dann wird nämlich der neue Knochen in der Pfanne da oben ein Gelenk bilden, und dann sind wir fein heraus. Nach einem Jahr oder so ist dann alles verheilt, und du kriegst dann vom Knieende ab eine Unterschenkelprothese mit Kniegelenk, und dann kannst du gehen und arbeiten wie jetzt."

Na, und das haben wir dann auch gemacht, und es ist tatsächlich gutgegangen. Später haben wir das noch öfter ausgeführt. Man nannte das dann die „Umkipp-plastik".

Kurz darauf vertraute man mir in der Inflationszeit ein dreizehnjähriges Mädchen zur Behandlung an, das einen schweren Leidensweg hinter sich hatte. Das Kind stürzte mit sieben Jahren aus dem ersten Stockwerk eines Hauses, schlug auf das Pflaster. Die Kleine erlitt einen schweren komplizierten Bruch des linken Oberschenkels. Trotz fachgerechter ärztlicher Hilfe entstand am Oberschenkel eine langwierige Eiterung. Die Mutter der Kleinen berichtete von schwerem Fieber und einer „allgemeinen Blutvergiftung".

In den folgenden Jahren wurde eine Reihe von Operationen ausgeführt, Metallschienen angelegt, Knochentrümmer blutig entfernt – alles half nichts, die Nachgiebigkeit und Haltlosigkeit des Beines wurden immer größer. Außerdem verschlechterte sich der allgemeine Gesundheitszustand der Kleinen. Sie erhielt einen Schienenhülsenapparat, der zwar dem Bein einen gewissen Halt verlieh, aber nicht seinen Gebrauch erlaubte.

Wieder folgten Operationen, Knocheneinpflanzungen in den haltlosen Oberschenkel. Der einzige Erfolg war eine schwere Eiterung, und der Zustand des Beines verschlechterte sich erheblich.

Die Kranke wurde mir nach weiteren drei Jahren vorgestellt, und ich wurde gefragt, ob eine nochmalige Knocheneinpflanzung in den Oberschenkel die Ausheilung des Knochendefekts erreichen könnte.

Es handelte sich um ein blasses, ein wenig unterentwickeltes Mädchen, dessen innere Organe gesund waren. Das linke stark verkürzte Bein hing beim Stehen wie ein schlaffes Anhängsel herunter. Beim Gehen mit den Krücken baumelte es, ohne sich an der Funktion zu beteiligen, kraftlos hin und her.

Die Maße des Beines, sofern man hier noch von einem Bein sprechen konnte, ergaben eine Verkürzung von etwa zwanzig Zentimetern. Davon entfielen auf den Unterschenkel etwa acht, die durch Wachstumshemmung zustande gekommen waren.

Ich brauche wohl nicht hinzuzufügen, daß das ganze Bein nach den vielen Eiterungen und Operationen einfach schauerlich aussah. Es war nichts als eine schwere Last, die zudem zu immer neuen erschöpfenden Krankheiten führen mußte.

Ich brachte es nicht übers Herz, der Kleinen das ganze Bein im Hüftgelenk auszulösen oder den Oberschenkelknochen dicht überm Hüftgelenk abzusägen. Da bei Kindern die Heilung von Knochenbrüchen gewöhnlich ausgezeichnet vonstatten geht, beschloß ich, an dem Mädchen die gleiche Operation wie am vorhin erwähnten Patienten vorzunehmen.

Das Bein heilte tadellos, der neue Oberschenkelknochen wurde fest, und das Mädchen konnte eine Prothese mit künstlichem Kniegelenk tragen.

Vielleicht wird der Leser meine Befriedigung nicht verstehen. Ein Mädchen mit einer Prothese – das scheint auf den ersten Blick kein sehr großartiger Erfolg zu sein. Aber betrachten wir einmal die andere Seite: ein Mädchen ohne Bein, zeitlebens an Krücken gebunden, das ist die Alternative. Das Mädchen mit der Unterschenkelprothese kann sich frei bewegen, kann gehen, tanzen, Kinder haben, kann auf Berge steigen und, man hat Beispiele dafür, sogar Sport treiben. Es kann ein vollwertiges Leben führen. Im Beruf des Chirurgen ist die Wahl des kleineren Übels eine der hauptsächlichsten Aufgaben.

Ich hatte einen ereignisreichen Tag hinter mir, als ich eines Abends völlig überarbeitet und sehr müde auf dem Münchner Hauptbahnhof in den Zug nach Davos stieg, wohin man mich wieder einmal gerufen hatte. Im Abteil versuchte ich zu schlafen. Obgleich ich allein im Coupé war, gelang mir das nicht, vermutlich hatte ich zuviel Kaffee getrunken. Grimmig lehnte ich in meiner Ecke und las in medizinischen Zeitschriften, von denen ich einen ganzen Packen mitgenommen hatte.

Auf einer Station – wir waren schon in der Schweiz – stieg ein Passagier zu mir ins Abteil. Ein Passagier, der sich zu langweilen schien und der offenkundig entschlossen war, mich zu stören. Er irritierte mich, denn er scharrte immerzu mit den Füßen, bewegte die Beine, zupfte an seinen Kleidern und erfüllte den ganzen kleinen Raum mit seiner Unruhe.

Bald machte er den ersten Versuch, mit mir ins Gespräch zu kommen. Ohne sich darum zu kümmern, daß ich las, fragte er:

„Fahren Sie auch nach Davos?"

Ich knurrte:

„Ja!"

Lange gab er nicht Ruhe, dann wollte er wissen:

„Fahren Sie als Kranker nach Davos?"

Schon schärfer knurrte ich:

„Nein!"

Damit hoffte ich ihn eingeschüchtert zu haben.

Eine kleine Weile schwieg er und studierte die Titel

der Fachblätter, die zerstreut auf meiner Bank lagen. Mit leiser Hoffnung, doch noch ins Gespräch zu kommen, stellte er fest:

„So, dann sind Sie also ein Arzt und fahren nach Davos!"

„Ich bin kein Arzt", fauchte ich und hoffte, ihn damit abgeschüttelt zu haben.

Doch jetzt rief er:

„Gott sei Dank, daß Sie kein Arzt sind! Die Ärzte können nichts! Mit einer einzigen Ausnahme!"

Wir ratterten durch die Nacht. Ich war müde zum Sterben. Das Lesen erfreute mich nicht mehr. Meine Augen schmerzten. Der Mann mir gegenüber hielt nichts von Ärzten – mit einer Ausnahme. Ich war dann doch neugierig, diese „Ausnahme" zu erfahren. Und so gab ich seinem Mitteilungsdrang eine leichte Hilfe, und schon legte er seine Geschichte hin.

„Was habe ich hier im Gesicht?" fragte er als erstes. Ich sah ihn an, bedachte, daß ich bestritten hatte, Arzt zu sein, und erklärte leichthin:

„Brandwunden!"

„Brandwunden?" rief er aus. „Das sind keine Brandwunden, es sind die Narben einer Hauttuberkulose, von der mich ein Arzt befreit hat."

„Was?" rief ich ungläubig, legte aber gleich meinem Erstaunen Zügel an. Ich hatte ja bestritten, Arzt zu sein.

Hauttuberkulose; Lupus, eine scheußliche Krankheit, gegen die es kein sicheres Mittel gab. Ich war der Überzeugung, daß der Mann, der mir da gegenübersaß, von einer lächerlichen Renommiersucht befallen war. So antwortete ich also:

„Hauttuberkulose? Dagegen gibt es kein Mittel!"

„Es gab kein Mittel!" rief er und betonte das „gab" triumphierend. „Das Mittel ist gefunden! Sehen Sie her, ich bin geheilt!"

Und ehe ich ihn daran hindern konnte, riß er Rock und Weste vom Leibe, ließ die Hosen herunter – immerhin waren wir ja allein im Abteil – und demonstrierte mir zahllose Stellen tadellos abgeheilter Hauttuberkulose.

Ich sah mir den Mann an. Schon an seinem scharf akzentuierten Deutsch hatte ich gemerkt, daß er Russe war.

Nachdem er seine Kleider wieder in Ordnung gebracht hatte, mußte ich ihn nicht erst auffordern, seine Geschichte zu erzählen. Mit lebhaftem Temperament begann er zu sprechen.

In seiner Heimat von der Krankheit überfallen, habe er die berühmtesten Ärzte des Landes aufgesucht.

„Ich bin ein wohlhabender Mann“, versicherte er mir, „aber obgleich ich viel Geld bot, konnte mir keiner der Ärzte meiner Heimat helfen. Dann ging ich nach Deutschland. Ich suchte die Kapazitäten auf. Vergeblich! Ich bot ein Vermögen für meine Gesundheit. Denn, sehen Sie, was war mein Los? Wenn ich nicht gesund wurde, wäre ich wie ein Lepröser im Mittelalter gemieden worden und zuletzt kläglich zugrunde gegangen. Verzweifelt und dem Selbstmord nahe war ich, als ich von einem Leidensgenossen hörte, daß in Bielefeld ein Arzt lebe, der über eine Heilmethode für mein Leiden verfügen solle. Mit Gewißheit war nichts zu erfahren, nur den Namen des Arztes konnte ich feststellen. Dr. Gerson hieß er.“

Nach kurzer Atempause erzählte mein Gegenüber eifrig weiter:

„Ich fuhr nach Bielefeld. Warum sollte ich nicht auch nach Bielefeld fahren? Es war ja gleichgültig, wohin ich fuhr bis zu dem Tage, an dem man mich einsperren würde. Die Wunden, die die heimtückische Krankheit in meine Haut fraß, wurden immer größer. Mein Anblick war mir selber schon lange unerträglich. Immer deutlicher merkte ich, daß die Leute auf der Straße vor mir erschraken. Schon mußte ich mich bemühen, ein Hotel zu finden, das mich aufnahm. Also fuhr ich nach Bielefeld. Den Dr. Gerson fand ich leicht im Adreßbuch. Das war ein bescheidener Mann mit einer – wie es mir schien – sehr kleinen Praxis. Er war nicht einmal in Bielefeld bekannt, geschweige denn in der Welt. Als Dr. Gerson mich in sein Sprechzimmer eintreten sah, war er sofort interessiert: ‚Lupus‘, rief er, ‚Lupus vulgaris!‘

‚Können Sie mich heilen?‘ rief ich.

‚Natürlich kann ich Ihnen helfen‘, erwiderte er lächelnd. Ich schwankte einen Augenblick und wäre beinahe in Ohnmacht gefallen, denn jeder Arzt, bei dem ich auch war, hatte von vornherein erklärt, daß eine Ausheilung sehr unwahrscheinlich sei. Und hier nun, in Bielefeld, saß ein Arzt, unscheinbar, unbekannt, der ganz einfach erklärte:

‚Natürlich kann ich Ihnen helfen.'

Und dann heilte er mich wirklich."

Mein Reisegefährte warf sich in die Ecke des Abteils und sah mich triumphierend an.

Ich war keineswegs mehr müde.

„Das ist eine ganz unwahrscheinliche Geschichte", sagte ich ungläubig. „Was stellte er denn mit Ihnen an?"

„Er setzte mich monatelang auf Diät."

Diät? dachte ich. – Ist der Mann nicht ganz bei Trost? – Es gab in der medizinischen Literatur keine Hinweise darauf, daß auch nur ein Versuch in dieser Richtung gemacht worden war.

Vorsichtig meinte ich:

„Dieser Dr. Gerson hat Sie also mit einer Diät geheilt, wenn ich Sie recht verstanden habe? Das müßte aber doch die Ärzte außerordentlich interessieren. Was taten Sie denn, als Sie wieder gesund waren?"

Er lachte ironisch:

„Was ich tat? Ich fuhr zu allen berühmten Ärzten Europas."

„Und was sagten diese Ärzte?"

„Die Ärzte!" rief er aus und legte eine ungeheuerliche Verachtung in seinen Ton. „Wenn ich einem erzählte, daß ich durch eine Diät von meiner Hauttuberkulose befreit worden sei, bekamen sie alle den mitleidigen Blick und komplimentierten mich hinaus."

Ich wollte wissen, bei welchen Ärzten er gewesen war, und er nannte mir eine Anzahl prominenter Kollegen. Ich konnte mir schon vorstellen, wie es ihm ergangen war.

Dann fragte ich:

„Waren Sie auch bei Sauerbruch?"

„Das hat ja doch keinen Zweck!" erwiderte er achselzuckend.

„Warum denn nicht?" wollte ich wissen.

„Zu dem gehe ich unter keinen Umständen", wehrte er ab. „Ich habe mich informiert. Er sitzt in München. Das ist der Gröbste von allen. Der hat schon in der Schweiz immer Krach mit seinen Assistenzärzten gehabt. Jetzt in München brüllt er sie ebenso an und tobt mit den Krankenschwestern herum. Deshalb versuche ich es bei dem gar nicht erst.“

Jetzt behauptete ich, den Professor Sauerbruch zu kennen, und sagte:

„Das ist natürlich ein grober Klotz. Das ist ein ganz bissiger Kerl. Aber trotzdem. Wenn Sie zu dem kommen und sagen: ‚Ein Mann, dessen Hauttuberkulose durch Diät geheilt wurde, möchte sich zeigen‘, dann empfängt er Sie sofort!“

Der Russe war sehr erstaunt. Dann sagte er ungläubig:

„Kennen Sie ihn wirklich so gut, daß Sie garantieren können, daß er mich empfängt?“

Ich garantierte es ihm.

In München werde er zu Sauerbruch gehen, kündigte er an und verbreiterte sich nun über den Zweck seiner Reise in die Schweiz. Dort wolle er Baulichkeiten für zwei große Sanatorien erwerben, in denen Lupuskranke umsonst behandelt werden sollten. Das Opfer gedachte er aus seinem Vermögen zu bringen, weil er selbst von dieser schrecklichen Krankheit genesen sei. Er brauchte jedoch den Namen eines berühmten Arztes, damit Ärzte und Patienten Vertrauen zu der neuen Methode faßten. Der Name Dr. Gerson genüge nicht, da ihn niemand kenne.

Noch auf dem Bahnsteig in Davos, als wir uns trennten, rief er mir zu: „Sie sind also sicher, daß Sauerbruch in München mich empfängt?“

„Ich bin sicher!“ schrie ich zurück und stieg in den Wagen, den man mir geschickt hatte.

Nach etwa zwei Wochen erschien in meinem Arbeitszimmer der Sekretär und meldete einen Herrn, der behauptete, er habe Hauttuberkulose gehabt, sei durch Diät geheilt worden und bäte, mich sprechen zu dürfen.

Als er mich sah, schrie er vor Verwunderung auf:

„Sie sind also der Sauerbruch selber!“

Er konnte sich nicht darüber beruhigen, daß er mir aufgesessen war. Hinter ihm aber kam sofort ein zweiter Mann in den Raum – ein bescheidener Herr mit klugem

Gesicht. Das war, wie sich sogleich herausstellte, der Dr. Gerson.

Den fragte ich nun aus. Er setzte mir auseinander, daß er mittels einer von Kochsalz völlig freien mineralhaltigen Kost mehrere Lupuskranke geheilt habe, unter ihnen jenen Herrn aus Rußland, der mir gegenübersaß.

An der Richtigkeit des Tatbestandes war kaum mehr zu zweifeln, so erstaunlich das auch beim damaligen Stand der Medizin war. Zwar vermochte ich die Zusammenhänge zwischen Salzentziehung und Heilung der Hauttuberkulose nicht zu durchschauen, aber das konnte kein Grund sein, sich nicht in ein Experiment zu stürzen, sondern nur ein Grund, es augenblicklich zu tun.

So ordnete ich auf der Stelle an: In einem Flügel der Klinik wurde eine Lupusstation eingerichtet. Mein Assistent, Dr. Hermannsdorfer, wurde mit der Leitung des Experiments beauftragt. Die Kranken sollten nach den Vorschriften des Dr. Gerson ernährt werden.

Die Lupuskranken zogen ein. Wir verrammelten Türen und Fenster. Hinaus konnten sie nicht. Wir mußten damit rechnen, daß sie versuchen würden, auszurücken. Ein Mensch, dem man plötzlich das Kochsalz völlig entzieht, leidet sehr darunter, und es war zu erwarten, daß die Kranken kein Mittel unversucht lassen würden, sich entweder Salz zu verschaffen oder das Weite zu suchen.

Dr. Gerson fuhr nach Bielefeld zurück. Ich versprach, ihn über den Verlauf des Experiments zu unterrichten.

Der Verlauf des Versuches aber war katastrophal. Viele Wochen hielten wir die Kranken eingeschlossen. Viele Wochen aßen sie jetzt völlig salzfrei. Aber es war nicht nur keine Besserung zu verzeichnen, im Gegenteil, die Krankheit nahm ihren langsamen, aber ständig fortschreitenden Verlauf. Dr. Hermannsdorfer und ich waren fassungslos. Wir dachten an den Mann aus Rußland, den wir doch gesehen hatten und der doch tatsächlich geheilt worden war. Wir dachten an den bescheidenen und gescheiten Dr. Gerson, der uns seine Erfolge glaubwürdig geschildert hatte.

Schließlich mußten wir uns entschließen, das Experiment abzubrechen. Ich schrieb an Gerson einen traurigen Brief, schilderte ihm die Mißerfolge und kündigte an, daß ich die Lupusstation auflösen müsse.

Den Brief diktierte ich an einem Morgen, er ging den üblichen Weg in den Briefkasten. Am Nachmittag desselben Tages – ich arbeitete gerade in meinem Zimmer in der Klinik – stürzte eine Schwester zu mir herein und alarmierte mich: ein frisch operierter Patient hatte eine Nachblutung erlitten. Ich eilte über Treppen und Gänge an das Bett des Kranken und ordnete die nötigen Maßnahmen an.

Langsam ging ich dann durch die Gänge zurück und traf dabei eine Krankenschwester, und zwar die dickste, die wir in der Klinik hatten; sie schleppte ein riesengroßes Tablett, auf dem sich ein Berg Weißwürste, ein großer Napf mit Senf und ein paar Maß Bier befanden.

Es war gegen vier Uhr nachmittags, in einem Krankenhaus gerade nicht die Zeit für umfangreiche Schlemmereien. Ich blieb deshalb erstaunt stehen und fragte:

„Wohin bringen Sie denn das?“

Sie starrte mich ängstlich an, hielt zitternd das schwere Tablett in den Händen und wollte nicht mit der Antwort heraus. Eine furchtbare Ahnung erfaßte mich. Ich fuhr sie barsch an, und sie gestand nun:

„Ich konnte es nicht mehr mit ansehen, Herr Geheimrat. Die lassen ja diese armen Menschen auf Haut-Tb verhungern! Das, was die bekommen, kann doch niemand essen...“

Das Tablett verließ nach diesem Geständnis plötzlich ihre Hände und landete mit schauerlichem Krach auf dem Boden. Ich war wohl etwas böse geworden. Und dann gestand sie weiter, daß sie den Kranken immer nachmittags gegen vier Uhr, wenn die Gänge der Klinik ganz leer waren, ein reichliches und gut gewürztes Essen gebracht habe.

Ich telegrafierte sofort an Dr. Gerson, er möchte den Brief, den ich an ihn geschrieben habe, nicht öffnen.

Wir verschärften jetzt auf der Tb-Station die Bewachung. Ein Gefängnis war in der Folge ein Vergnügungspark dagegen. Und wir fingen noch einmal von vorne an. Und dann stellte sich heraus, daß der Dr. Gerson recht gehabt hatte. Fast alle Patienten genasen, ihre Schwären heilten zusehends ab.

Bei einem Experiment, das mit einer großen Anzahl von Patienten durchgeführt wurde, konnten von 450 mit salzloser Diät behandelten Kranken nur vier nicht gebessert werden.

Im Jahre 1925 kam mein fünfzigster Geburtstag heran, und es war mir klar, daß ich jetzt ein großes Fest geben mußte. Bereits einmal, in der Inflationszeit, hatte ich das getan. Ausländische Spenden hatten mir die Beschaffung von echtem Bier und richtigen Würstchen möglich gemacht. Ich feierte mit meinen Studenten im Garten. Es ging heiter zu.

Jetzt, bei meinem fünfzigsten Geburtstag, mußte das alles sehr viel großzügiger geschehen. Am Vorabend dieses Tages brachte mir die Studentenschaft einen Fackelzug. Sie war sehr stolz darauf, daß er so lang war. Eine Zeitung meldete:

„Fackelzug für Geheimrat Sauerbruch legt Münchener Verkehr völlig lahm!"

Ich hatte natürlich in den Tagen vorher nicht daran gedacht, das Nötige vorzubereiten, und die entsprechenden Anordnungen erst am Tage selbst gegeben. Meinen Assistenten und den anderen Mitarbeitern der Klinik teilte ich um fünf Uhr mit, daß um sechs Uhr das Fest in meiner Villa auf der Bavariahöhe in München steigen werde. Immerhin hatte ich daran gedacht, meiner Frau schon gegen Mittag durchsagen zu lassen, abends um sechs Uhr würden etwa sechzig Personen zum Essen und zwei Stunden später etwa 200 Personen zu einem abendlichen Gartenfest erscheinen.

Tatsächlich war mit Hilfe der Münchener Hotels und Lastwagen pünktlich um sechs Uhr alles bereit.

Diesmal kamen aber nicht nur meine Studenten. Die Regierung erschien und viele andere Offizielle. Ich hatte beschlossen, eine Bowle zu machen, und übertrug diese Aufgabe Gustav Kratzat. Dessen Erzählungen über dieses Ereignis waren noch nach Jahren prächtig anzuhören:

„Für den ersten Ansatz, Herr Geheimrat, brauchte ich allein einhundertundachtzehn Flaschen Weißwein. Auf zehn Flaschen kamen eine Flasche Rotwein, zwei Flaschen Selter, zwei Pfund Walderdbeeren, eine Flasche Sekt und ein Schuß Angostura. Alle Räume des Hauses standen offen. Aus der gesamten Umgebung hatten wir Stühle und Bänke geholt und auf dem Tennisplatz aufgestellt. Die Musik spielte, und die Studenten sangen. Es war wunderschön, und dann kam – die Polizei!

Zuerst waren es vier. Sie erklärten, die Nachbarschaft schicke sie her, man könne in der Umgebung unseres Hauses nicht schlafen. Ich gab den Polizeibeamten Bowle zu trinken und verlor sie dann aus den Augen. Später entdeckte ich sie wieder. Sie saßen unter den Studenten und sangen kräftig mit. Auf diese Weise hatten wir gegen fünf Uhr, als ich den letzten Bowlenansatz machte, etwa zwanzig Polizisten im Garten."

Als die Morgenstunde herannahte, versuchten die älteren Herrschaften aufzubrechen. Da ich das aber voraussah, hatte ich alle Tore schließen lassen, und keiner konnte entkommen. Erst als die Morgensonne schon schön warm war, öffnete sich ein Tor, ein Wagen mit Kaffee und Kuchenbergen erschien, und erst nach abschließender Kaffeetafel wurden die Gäste um sechs Uhr morgens in Gnaden entlassen.

Um acht Uhr hatte ich eine wichtige Operation. Einige der Gäste ebenfalls. –

In München ging es meinen Familienangehörigen genauso, wie es ihnen in Zürich ergangen war: Sie wurden mit den Menschen meiner beruflichen Umgebung völlig verquickt. Mein privates Leben tauchte in meinem ärztlichen Pflichtenkreis unter. Davon profitierten am meisten meine Söhne. Man rief mich in fast alle bayrischen Städte zu Konsultationen. Ich hatte mir einen Mercedeswagen angeschafft, und bei diesen Fahrten nahm ich meine Kinder mit. Wir standen dann vor den Gotteshäusern unserer neuen Heimat. Stets, wenn wir in Ulm waren, gingen wir in das Münster. Ich kannte den Organisten. Er spielte jedesmal für uns auf der wunderbaren Orgel. Auch durch das Schloß Schleißheim streifte ich mit meinen Jungen.

Das war eigentlich eine schöne Zeit, wenn ich so mit den Meinen durch das Land fahren konnte. Mich plagte dann auch kein schlechtes Gewissen, ich fuhr ja zu Konsultationen und Operationen. Die Fahrten jedoch bedeuteten Ferien für mich, und ich hatte die Meinen bei mir. Im Anfang meiner Münchner Zeit fuhr Lux immer mit; er gehörte dazu. Später wurde er alt und krank, und man erlöste ihn von seinen Leiden, während ich einmal auf Reisen war.

Zu unserem häuslichen Umgang gehörten die Kollegen Haberer aus Innsbruck, Perthes aus Tübingen und Breidner aus Wien. Der Maler von Stuck, die Familie des Malers Zumbusch kamen gleichfalls viel zu uns ins Haus, und ich verkehrte mit Münchner Künstlern.

Der Sonntag war für uns am schönsten. Wenn ich meinen morgendlichen Besuch in der Klinik hinter mir hatte, so packte ich meine Familie ins Auto, und wir fuhren ins Isartal. Meine Frau blieb mit der Tochter im Wagen in der Sonne, und mit meinen Jungen lief ich weit in die freie Natur hinein. An solchen Tagen steuerte ich den Wagen selbst. Die Meinen hatten es lieber, wenn der Chauffeur fuhr, jedoch scheuten sie sich, mir zu sagen, ich führe schlecht; sie formulierten: „zu genial!".

Ganz besonders regen Umgang hatten wir mit dem großen Chemiker Richard Willstätter. Er war am 4. September 1915 zum Münchner Ordinarius und Direktor des Chemischen Laboratoriums des „Staates" ernannt worden, war also schon länger in Bayern als ich. Als Dienstwohnung hatte er ein prächtiges Haus in der Arcisstraße. Ich behandelte einmal seine Tochter, bei dieser Gelegenheit lernten wir uns kennen. Wir schlossen uns sehr aneinander an. Sein Schäferhund hieß Bobby, und Willstätter liebte ihn heiß. Lux und Bobby freundeten sich auch an, jedoch war Bobby im Gegensatz zu Lux ein lautes Tier. Er bellte bei jeder Gelegenheit, und stets tadelte Geheimrat Willstätter ihn, das sei kein Benehmen für einen „Geheimen Hofhund".

Willstätter hat mit Ärzten schreckliche Erfahrungen gemacht. In Zürich war seine junge Frau akut an Blinddarmentzündung erkrankt. Der behandelnde Arzt sah wohl die alarmierenden Signale der Krankheit, wußte sie aber nicht zu deuten. Erst achtundvierzig Stunden nach den ersten Anzeichen kam die arme Frau spätabends in die Klinik Krönleins, meines Vorgängers in Zürich, von dem ich schon erzählt habe.

Professor Krönlein verschob die Operation auf den nächsten Morgen – nachts wurde grundsätzlich nicht operiert, da gab es keine Ausnahme. (Ich hatte es in Zürich zuerst schwer, nachts zu operieren.)

Willstätters Frau starb. Er hat nicht wieder geheiratet.

Im ersten oder zweiten Kriegsjahr, Willstätter war damals in Berlin am Kaiser-Wilhelm-Institut in Dahlem tätig, erkrankte sein Sohn. Der Arzt stellte keine besondere Erkrankung fest. Willstätter untersuchte endlich den Knaben selbst und fand im Urin die Zuckerprobe stark positiv. Darauf brachte er den Jungen in ein Berliner Krankenhaus. Dort starb er im diabetischen Koma.

Diese Tragödien haben sein Leben zerstört, nicht seine Arbeitskraft. In seinen Memoiren hat er mir einige Seiten gewidmet und darüber berichtet, wie wir zusammensaßen – bis drei Uhr fünfzehn morgens – an seinem Schreibtisch, mit anderen Flüssigkeiten als mit Tinte, und ich Geschichten erzählte. Er schreibt da auch, er sei sehr neugierig auf die Fassung, die ich meiner Geschichte vom alten Rothschild in meinen Memoiren geben werde. Er lernte sie leider nicht mehr kennen.

Wir saßen oft in seiner großen Bibliothek, in die er ein Kirchengestühl hatte einbauen lassen, in das er seine Gäste vor den Pfälzer Wein zu placieren pflegte.

Sein Haus war gefüllt mit Kostbarkeiten, sein Keller mit Pfälzer Spitzenweinen. Er besaß ein großes Privatvermögen, stiftete hohe Summen in die Fonds für Studierende, half zudem auch noch jungen Chemikern, wo er nur konnte, und stiftete viele Freiplätze an der Universität. Geistig ein ungewöhnlich hochstehender Mann mit genialem Kopf, war er zugleich von einer mimosenhaften Empfindlichkeit.

Richard Willstätter war Jude und litt sehr unter den antisemitischen Strömungen, die seinerzeit in München grassierten. An den Mauern der Universität klebten vielfach Plakate wie: „Kein deutscher Jüngling darf künftig zu Füßen eines jüdischen Lehrers sitzen“ oder „Deutsche

Studenten, laßt euch nicht von fremdländischen Lehrern unterrichten", und so fort. Über die geplante Berufung eines Hochschullehrers, den Willstätter vorgeschlagen hatte und der auch Jude war, kam es zum Eklat. Die Wahl wurde abgelehnt. Es war am 14. Juli 1924, als Willstätter an das Dezernat der Universität schrieb und ersuchte, ihn aus dem bayerischen Staatsdienst zu entlassen.

Ich war nicht der Meinung, daß Willstätter kapitulieren solle. Zusammen mit dem Kliniker Friedrich von Müller verhandelte ich mit Willstätters Studenten. Sie waren meiner Meinung. Nun gingen wir, von Müller und ich, einige Tage nachdem Willstätter seinen Abschiedsbrief geschrieben hatte, am Abend zu ihm. Er ahnte von nichts und holte eine Flasche Pfälzer. Nachdem wir sie ausgetrunken hatten, baten wir ihn, mit uns zu gehen, und brachten ihn in seinen Hörsaal. Da fand er seine Assistenten und Studenten, fast vierhundert an der Zahl. Sein Praktikant der organischen Abteilung, Helmut Firgau, ein ehemaliger Marineoffizier, trat vor und verlas eine Adresse, die sie alle unterschrieben hatten. Ich glaube, es ist gut, wenn man diese Adresse im Wortlaut wiedergibt:

Hochverehrter Herr Geheimrat!

In großer Sorge hat die Studentenschaft des Instituts gehört, daß Sie die Absicht haben, Ihr Amt niederzulegen. Wir alle haben daher das Bedürfnis, Ihnen unser Vertrauen, unsere Verehrung und unsere Treue zu bekunden. Wir sehen in Ihnen, sehr verehrter Herr Geheimrat, nicht nur den großen Forscher, der mit zäher Energie in unbekannte Gebiete dringt, nicht nur den großen Lehrer, der jährlich in vielen Hunderten von Studenten Begeisterung für unsere Wissenschaft weckt und dem jeder von uns viel zu danken hat! Wir sehen vor allem in Ihnen die große und gütige Persönlichkeit, die in opferfreudiger Weise ihre ganze Kraft der Pflichterfüllung und nur dieser weiht. Wir sehen in Ihnen eine seltene Führerpersönlichkeit, zu der wir ausnahmslos als zu einem unerreichbaren Vorbild aufsehen, und wir sind tief erregt in dem Gedanken, daß Sie Ihre Führerschaft niederlegen wollen. Wir Jungen fühlen uns in dieser Zeit tiefer Erniedrigung des Vaterlandes so arm an Führern, so arm an Vorbildern, so arm an reinen, guten und großen Menschen, daß wir die wenigen nicht entbehren können, die wir haben. Sie, hochverehrter Herr Geheimrat, sind einer der wenigen, und wir bitten Sie von Herzen, das vielleicht größte Opfer Ihres Lebens zu bringen und unser Führer zu bleiben.

Vor kurzer Zeit haben Sie uns erst gesagt, daß Sie für Ihr Wirken das Bewußtsein brauchen, vom vollen Vertrauen Ihrer Schüler getragen zu sein. Jetzt drängt es uns, hochverehrter Herr Geheimrat, Ihnen nicht nur unser rückhaltloses Vertrauen, sondern auch unsere Verehrung und das Gelöbnis unserer Treue zu bekunden.

München, den 27. Juni 1924

Willstätter wurde trotz dieser Akklamation nicht umgestimmt. Von Müller und ich sprachen mit Rektor und Senat der Universität. Der Rektor, von Kraus, schrieb ihm diesen Brief:

Hochverehrter Herr Kollege!

Die überraschende Kunde, daß Sie sich mit dem Gedanken tragen, Ihre Wirksamkeit an unserer Hochschule aufzugeben, hat bei Rektor und Senat die Gefühle der Trauer ausgelöst. Seit Sie als würdigster Nachfolger Ihres großen Lehrers auf Grund einstimmigen Vorschlags hierher berufen wurden, haben wir uns Ihres Besitzes erfreut als des eines Forschers von Weltruf, eines begeisternden Lehrers und zielbewußten Leiters eines unserer bedeutendsten Institute. Als die größte Hochschule des Reiches Sie für sich zu gewinnen suchte, waren Unterrichtsverwaltung, Lehrkörper und Studentenschaft einmütig in dem Bestreben, unserer Universität diesen kostbaren Besitz zu wahren. Daß es gelang, erfüllte uns mit der Hoffnung, Sie nunmehr dauernd zu erhalten.

Die von Ihnen kundgegebene Absicht trifft uns auch nach der persönlichen Seite hin überaus schwer. Denn wir sahen Sie gemeinsam mit uns in der harten Zeit des Krieges und der Folgejahre unter dem Schicksal des Vaterlandes schwer leiden, wir sahen mit innerer Freude und Bewegung, wie Sie Ihre geniale Begabung und Ihre eiserne Willenskraft dem großen Ziel widmeten, diesem Vaterlande zu dienen, indem Sie unserem Heer chemische Schutzwaffen schufen und unserer Heimat neue Lebensquellen erschlossen und durch Ihre Leistungen dem Ausland Achtung vor Deutschland und seiner Wissenschaft abzwangen, wir haben Sie, den in akademischen Vertrauensstellungen Bewährten, ob der Verbindlichkeit Ihrer Formen und der Lauterkeit Ihrer Gesinnung wahrhaft hochschätzen gelernt.

Hochverehrter Herr Kollege! All dies steht uns lebendig vor Augen. Und so bitten wir Sie in dieser Stunde dringend, sich zu einem Verzicht auf Ihre Rücktrittsabsichten bewegen zu lassen. Sie würden sich dadurch um unsere Universität ein neues Verdienst erwerben.

Und in diesem Sinne richten wir an Sie die herzliche Bitte: Bleiben Sie der unsere!

Der Rektor:
gez. von Kraus

Trotz allem blieb Willstätter fest und trat zurück. Er räumte seine Dienstwohnung, nachdem er sich in der Möhlstraße ein Haus gebaut hatte, das in einem kleineren Maßstab dem Haus in der Arcisstraße nachgebaut worden war.

Wir sahen uns auch danach oft und verbrachten manchen Urlaub gemeinsam.

So weilten wir auch einmal in den „Drei Mohren“ in Lermoos, und ich hatte meine Jungen mitgenommen. Unter dem Personal des Hotels befand sich ein ganz alter Mann; der erzählte anschaulich und spannend von dem unglücklichen König Ludwig von Bayern, wie der immer mit Fackeln und Schlitten durch die nächtliche Bergwelt gefahren sei. Meine Buben hingen an seinen Lippen, und der arme König spielte daraufhin eine große Rolle in ihrer Vorstellung von der Welt.

Willstätter emigrierte während des Dritten Reiches in die Schweiz und starb im Jahre 1942.

Wenn ich an Willstätter denke, kann ich den Geheimrat Carl Duisberg, den Herrscher im Reich der IG.-Farben, nicht vergessen. Zu dritt waren wir vielfach zusammen. Duisbergs Tochter hatte ich schon im Jahre 1919 operiert, und so kamen wir seit dieser Zeit schnell in ein enges Verhältnis. Er besuchte mich oft in der Klinik – es war in der Verfallzeit der deutschen Mark –, und er unterstützte das Krankenhaus sehr. Vor allen Dingen war er fasziniert von meinen Parabiose-Versuchen, auf die ich noch zu sprechen komme. Wir erprobten manches Präparat der Bayer-Werke. Er sandte uns auch von den zahlreichen Erzeugnissen seiner Firma, was wir benötigten, und war darin sehr großzügig.

Auch er stammte aus dem Bergischen Land. Dort bei uns gibt es eine bestimmte Art von Hähnen, deren Stimmen besonders kräftig sind. Man nennt diese Tiere „Bergische Kräher". Wenn Duisberg und ich im Zwiegespräch beisammen waren, so redeten wir emsig, laut und deutlich. Die Umstehenden sagten dann gern:

„Hört die Bergischen Kräher!"

In München las ich über Allgemeine Chirurgie. Viel Überlegungen hatte ich darauf verwandt, wie ich meinen Studenten das Thema klar aufzeigen könne. Bald fand ich meinen Hörsaal überfüllt. Kranke aus meiner Privatstation, die nicht bettlägerig waren, Ärzte aus der Stadt, sie alle kamen, um mich zu hören. Die kleine Loge, die ursprünglich für Angehörige des Bayerischen Hofes eingebaut war, füllte sich stets mit Prominenten. In den ersten Semestern, die ich las – meistens abends von sechs bis acht –, hatte ich vor mir ein Auditorium von Studenten, die krank und elend aussahen. Dieses Bild änderte sich erst allmählich.

In meine Klinik kam als Nachfolger für meinen verstorbenen Oberarzt Dr. Stierlin Professor Rudolf Haecker, mit dem ich lange in Greifswald zusammen gearbeitet hatte.

Seine liebe Not hatte man auch in München mit Examenskandidaten.

Schwitzende Opfer bemühten sich ängstlich, meine Fragen zu beantworten. Mit mehr Ruhe würden sie mir viel mehr imponieren; aber darauf kommen nur die wenigsten. Die Szene wird zum Tribunal, wenn ein „Notfall" eingeliefert wird. Solche Ereignisse sind beim Examen immer Glücksfälle. Nie lernt man besser einen im allgemeinen und einen Arzt im besonderen beurteilen, als wenn man ihn einer unvorhergesehenen Situation gegenüberstellt.

Ich ließ den fünfzehn- oder sechzehnjährigen Jungen

auf den Untersuchungstisch legen und forderte einen Kandidaten auf, ohne den Patienten zu befragen, festzustellen, was hier der Fehler sei. Fassungslos schaute sich der cand. med. den Patienten an, ohne sich zu äußern.

„Sieht denn Ihr Adlerauge nicht“, fragte ich ihn, „daß der Fuß des Patienten nach außen gekippt liegt?“

Wortlos machte sich der Kandidat daran, den Oberschenkelbruch abzutasten, tat dies aber so ungeschickt, daß der Kleine zu weinen begann.

Mich packte der Ärger, und ich sprach einen Monolog:

„Herr Kollege, wäre dieser Patient, was er nicht ist, ein erwachsener Mann, so hätten Sie es jetzt neben einem Oberschenkelbruch noch mit einem Schädelbruch zu tun. Und jetzt machen Sie bitte, daß Sie hier hinauskommen, und lassen Sie sich nicht unter vier Wochen wieder sehen.“

Virchow hätte in solch einem Falle gesagt:

„Es laufen so viele dumme Ärzte herum, daß es auf einen mehr oder weniger nicht ankommt – Sie haben bestanden.“

In jener Zeit lag der blinde Landgraf von Hessen bei uns. Er war blind geboren worden und lebte infolgedessen im Akustischen. Die alte Königin von Neapel, eine entzückende schmale schwarzhaarige alte Dame, las ihm wie im Kriege erblindeten Soldaten vor. Der Landgraf hatte sich einen Musiker engagiert, der auf das Notenblatt übertrug, was er komponierte. Mit unseren Schwestern, der Oberin Ladislawa, der Schwester Tetwina und der Schwester Liberata, stand er auf herzlichem Fuße. Für die Schwesternschaft komponierte er eine Messe, die zum ersten Male auf einer neuen Orgel gespielt wurde, welche durch Spenden angeschafft worden war.

Meine Schwesternschaft geriet in der Klinik aber völlig durcheinander, als ein indischer Maharadscha zur Behandlung kam. Er brachte eine junge wunderschöne Frau mit, von der wir alle sehr eingenommen waren. Wer beschreibt das Entsetzen der Schwestern, als am ersten Abend des Aufenthaltes in der Klinik – der Patient war ins Bett gesteckt worden – die Inderin vor dem Krankenzimmer erschien, eine winzige Bastmatte vor der Tür ausbreitete und sich auf ihr zur Ruhe begab. Es bedurfte großer Anstrengungen, den Schwestern klarzumachen, daß in anderen Ländern andere Sitten herrschten. Doch gerieten sie immer aufs neue außer sich, wenn die indische Dame sich, auf der Matte vor der Tür zusammengekauert, zur Ruhe begab.

Sie waren damals sowieso etwas verstört, und daran trug ich die Schuld. Bei einem plötzlichen Ereignis, ich glaube, es war bei einer Nachblutung eines frisch Operierten, warf ich jemanden hinaus und die Tür des Krankenzimmers hart zu und drehte den Schlüssel von innen herum, um bei meiner Arbeit nicht gestört zu werden. Dabei klemmte ich, ohne es zu merken, die Röcke der Schwester ein. Sie stand auf dem Flur, ihr eines Bein war sichtbar, und das für eine ganz geraume Weile, denn sie wagte nicht, an die Tür zu klopfen. Die Oberin war sehr böse auf mich.

Als unser neuer Operationssaal fertig geworden war, kam es zu einer sehr schönen und würdigen Feier. Erzbischof Faulhaber erschien und segnete ihn ein.

Daß man im Leben nicht auslernt, ist eine Binsenweisheit. So war ich fassungslos erstaunt, als eines Tages in München ein katholischer Priester zu mir kam und mich bat, etwas für ihn zu tun. Ich kannte den Mann. Er war im Krieg beim Versehen eines Sterbenden an der Front verwundet worden und hatte einen Unterarm verloren. Ich hatte ihm einen wunderschönen „Sauerbruch-Arm“ gemacht und war überzeugt, daß er wieder seinem Beruf nachgehen könne. Er belehrte mich eines anderen.

Nur der Priester kann eine Messe lesen, der körperlich vollkommen unversehrt ist. Das wußte ich natürlich nicht. Ich mußte bis zum Papst gehen, damit der Priester mit dem künstlichen Arm wieder in sein Amt eingesetzt werden konnte.

Das nächste Mal hatte ich schon Übung. Ich operierte einen anderen katholischen Pfarrer, der einen Zungenkrebs hatte. Keinerlei Sprachstörungen blieben zurück, und es gelang mir, auch ihn wieder in sein Amt zurückzubringen.

Hatte ich seinerzeit dem König von Bayern meinen Antrittsbesuch nicht machen können, weil die Revolution es verhinderte, so sah ich ihn jetzt in dem Coupé eines Zuges, der mich zu einem kurzen Besuch in die Schweiz führen sollte. Nachdem wir ins Gespräch gekommen waren, fragte er mich zaghaft:

„Meinen Sie, sie holen mich bald wieder?"

Ich wußte das nicht so recht zu beantworten.

Einen anderen Fürsten aber lernte ich in der damaligen Zeit kennen, der in späteren Zeiten sehr hoch aufstieg: Den damaligen päpstlichen Nuntius bei der bayerischen Regierung, Pacelli. Im Verständnis für die deutschen Belange schien er mir immer besonders aufgeschlossen. Die großen Möglichkeiten der Katholischen Kirche in der Fürsorge für Leidende und Kranke warf er seinerzeit sehr zu deren Gunsten ins Gewicht. Ich sah ihn dann auch später in Berlin wieder.

Und wiederum ein Fürst bereitete mir in München eine große Freude.

König Konstantin von Griechenland bestieg wieder den griechischen Thron und dachte danach sofort an mich. Er bezahlte seine Rechnung aus unserer gemeinsamen Züricher Zeit. Das war großartig. So konnte ich den Rest meiner Schweizer Verbindlichkeiten regulieren. Er tat des Guten noch mehr. Er schickte mir einen reizenden persönlichen Brief und verlieh mir seinen höchsten Orden am Bande, den „griechischen Erlöser-Orden". Der Titel Exzellenz ist mit ihm verbunden, und so redete man mich eine Weile in meiner Münchener Klinik an, bis man es, Gott sei Dank, vergaß. Zugleich erhielt ich auch den erblichen Adel. Wer immer aus meiner Familie nun nach Griechenland kommt: dort unten sind wir Baron und Baronin Sauerbruch. Immerhin . . .

Eine wirkliche Erholung bedeutete es, als mich die Universität Upsala nach Schweden einlud, und eine große Freude war es für mich, als sie mir den Doktorhut ehrenhalber verlieh. Ich verlebte herrliche Tage in Stockholm, sah mir alle Kliniken an, beobachtete die Operationsmethoden meiner schwedischen Kollegen, fand im Hotel Telegramme, die mich zurückriefen, eilte mit Windeseile zurück nach München und stürzte mich wieder in meine Arbeit.

Kurz darauf mußte ich meine Tätigkeit abermals unterbrechen, denn der Chirurgenverband Argentiniens rief mich ins Land, damit ich meine Methoden der Thorax-Chirurgie demonstrieren solle. Ich folgte dem Rufe und bat auch Professor Nissen, meinen damaligen Oberarzt, mitzufahren. Er übernahm die Aufgabe, meine Seekrankheit während der Reise zu bekämpfen. Aber auch meinen Aufenthalt in Argentinien mußte ich abkürzen, denn meine Klinik rief dringend nach mir. Vor der Abfahrt schenkten mir die argentinischen Kollegen ein prächtiges Geschöpf, einen wunderschönen Affen. Ich nannte ihn „Max". Professor Nissen mußte auf der Rückfahrt nicht nur meine, sondern auch des Affen Seekrankheit behandeln.

Für Max richteten wir in unserem Hause hinter dem Bavaria-Keller ein eigenes Zimmer ein, ein altes Badezimmer, aus dem die Wanne entfernt wurde und in dem er es sehr bequem hatte. Damit er kein Unheil anrichten konnte, sperrten wir den alten Wasserhahn mit einem Schraubschlüssel fest zu. Bald nach seiner Ankunft begann Max durch das Haus zu spazieren. Er war so groß, daß er, wenn er sich auf die Hinterbeine stellte, auf unsere Tische sehen konnte. Er tat es besonders gern, wenn wir beim Essen saßen. Mit Genauigkeit betrachtete er, was wir speisten, wie wir Messer und Gabel anwendeten, und ging dann wieder weg.

Ging weg und verfiel in Melancholie. Nach unserer Überzeugung nur deshalb, weil er sich so allein fühlte. Wir lasen im „Brehm" nach und fanden die Bemerkung, daß sich Affen besonders gern mit Schweinen anfreunden. Ein Schwein konnten wir ihm doch in unserem Hause nicht halten. So kamen wir auf die Idee, ihm ein Meerschweinchen zu beschaffen. Das liebte er auf Anhieb abgöttisch. Kam man in sein Zimmer, so fürchtete er wohl, man wolle es ihm wegnehmen, und so brachte er es hoch oben auf dem Gardinenbrett in Sicherheit. Er ging mit seinen Freunden etwas gewalttätig um. Auch mit unserem Papagei Zacharias. Dem knickte er die Schwanzfedern. Um ihn zu erfreuen, schafften wir auch noch die Schildkröte Margarete an. Zu der benahm er sich höchst unartig. Als er eines Tages eine Büchse mit Lack fand, lackierte er sie völlig und wälzte sie dann in der Asche eines Ofens. Wir mußten die arme Schildkröte in warmes Wasser legen und den Anstrich mühselig abschrubben. Ein Wunder, daß sie diese Prozedur überlebte.

Als es Max gar nach angestrengter Arbeit gelungen war, den fest zugeschraubten Wasserhahn in seinem Zimmer zu öffnen, und zwar eines Nachts, so daß unser Parterre schwamm, schenkte ich ihn dem Münchner Zoologischen Garten. Hin und wieder besuchte ich ihn dort. Wenn ich kam, drehte er mir verächtlich die Kehrseite zu. Den Hinauswurf konnte er mir anscheinend nicht vergessen. –

In meiner Münchner Zeit hatte ich einen jungen Assistenzarzt an der Klinik, der ein großes Geheimnis wenigstens zum Teil löste.

Ich hatte mich immer verwundert gefragt, nach welchen Gesichtspunkten die Verfasser der Gesetzbücher ihre vermutlich als heilsam angesehenen Medikamente dosieren. Sie schienen mir da Geheimformeln zu haben, nach denen sie die Dauer der Haft ausklügelten.

Der erwähnte Assistenzarzt hatte lange Zeit die Unfallstation der Münchner Universitätsklinik zu versorgen. Er verstand es, höchst anregend über seine Erfahrungen zu berichten. Bis zwölf Uhr nachts kamen eingeschlagene Schädel mit Platzwunden oder mehr oder weniger leichten Schädelbrüchen zur Versorgung. Die rührten von den geschwungenen Maßkrügen her. Nach zwölf kamen die Messerstiche.

Der Assistent mußte, wenn solch eine Rauferei mit Messerstichen zur gerichtlichen Verhandlung kam, als Sachverständiger fungieren. Dabei fiel es ihm auf, daß ein alter Richter beim Strafgericht in der Au, der meist diese Fälle verhandelte, ihn nach Beendigung seiner Aussage regelmäßig fragte, wie tief das Messer in die Brust oder den Bauch eingedrungen sei. Der Sachverständige war über die Frage, die ihm nicht so wesentlich erschien, erstaunt, antwortete aber jeweils der Wahrheit gemäß. Er gab also an, die Länge des Stichkanals sei ein oder zwei oder vier Zentimeter gewesen.

In der Klinik verbreitete sich das Gerücht, unser junger

Assistenzarzt sei ein Hellseher. Er könne mit nachtwandlerischer Sicherheit seinen „Messerpatienten“ angeben, was für eine Strafe ihr Gegenpaukant erhalten werde. Er schloß mit Kollegen sogar Wetten darüber ab und gewann immer. Eines Tages, nachdem er eine besonders ausgiebige Wette gewonnen und konsumiert hatte, verriet er uns sein Geheimnis.

„Das ist ganz einfach“, rief er, triumphierend wie weiland Archimedes, als er das spezifische Gewicht entdeckt hatte. „Sage ich bei der Verhandlung, der Messerstich sei drei Zentimeter tief gewesen, so bezieht der Täter drei Monate multipliziert mit zwei, also sechs Monate, und wenn es ein Zentimeter war, so gibt's einen Monat mal zwei.“

„Und warum haben Sie nicht einmal versucht, einen Bruch anzugeben, sagen wir zweieinhalb Zentimeter?“ fragte ich ihn. „Jaja“, meinte er zögernd, „daran habe ich auch schon einmal gedacht. Aber ich fürchtete, wenn ich die Rechnung zu kompliziert für ihn mache, springt er mir ab.“ –

Ich bin nie dahintergekommen, warum es soviel billiger ist, einen Menschen mit der Messerspitze zu punktieren als beispielsweise eine Brieftasche zu klauen. Ich fürchte, Justitia hat mit der Kunst des exakten Wägens nur eine flüchtige Zunickbekanntschaft. Oder ihre Gewichte sind nach verschiedenen Systemen geeicht.

Herr Dr. N. hatte mir bei einer Operation assistiert und war schrecklich angepfiffen worden. Obgleich seine Identität durch die Vermummung der Chirurgen ausgeschaltet war, war ihm dies vor den zuschauenden Gästen unangenehm, was man trotz gnädig verhüllter Gesichtsmaske seinem roten Kopf ansah. Sein korpsstudentisches Ehrgefühl hatte einen Knacks abbekommen; er fühlte sich verpflichtet, nachdem der Vorhang über dem Schauspiel gefallen war, sich bei mir melden zu lassen und mich über den Zwiespalt seiner Gefühle zu unterrichten.

„Denn“, so erklärte er mir, „eigentlich weiß ich ja, daß es nicht so gemeint war, aber eigentlich kann ich mir einen solchen Anpfiff auch nicht gefallen lassen.“

Ein Operationssaal ist keine Sonntagsschule. Und Lehrjahre sind keine Herrenjahre. Die „Operationswanzen" bekommen das zuweilen zu spüren.

„Mein lieber N.", sagte ich zu dem Beschwerdeführer, „ich antworte Ihnen mit zwei Fragen:

Erstens: ich bin jetzt fünfzig Jahre alt, glauben Sie, daß Sie mich noch anders machen können, als ich bin?"

N., zögernd: „Nein, Herr Geheimrat!"

Ich: „Gut, so müssen Sie mich wohl nehmen, wie ich bin. Und die zweite Frage: es gibt zwei Sorten von Chefs. Die einen sagen geradeheraus, was gesagt sein muß, und explodieren auch zuweilen. Ein Explosion schafft bekanntlich reinen Tisch, danach ist alles wieder in Ordnung. Die andere Sorte sagt zwar wenig, aber sie trägt nach. Welche Art von Chefs ist Ihnen lieber?"

N., lächelnd: „Ich glaube doch, die erste Sorte, Herr Geheimrat."

Trotz aller Vorsichtsmaßnahmen gelang es dem einen oder anderen zuweilen doch, mich hinters Licht zu führen.

Einer meiner Assistenten in München war mit einer Mitarbeiterin gut befreundet, das wußten wir. Selbst die engsten Freunde des Assistenten aber ahnten die Wahrheit nicht. Erst als er seine Facharztausbildung abgeschlossen hatte und die Klinik verließ, stellten sich die beiden als langvermähltes Ehepaar vor. Ich beglückwünschte die beiden herzlich und ohne Hintergedanken.

Gefürchtet waren jeweils meine Chefvisiten. Es ist wohl selbstverständlich, daß es in so einem großen Krankenhaus manches zu tadeln gibt. Ich begleitete solche Tadel an die Adresse der Schuldigen gewöhnlich mit dem Satz:

„In meinem Schreibtisch liegen stets mehr als fünfzig Gesuche junger Ärzte um Einstellung in meine Klinik, die ich bisher nicht berücksichtigen konnte. Vielleicht ist unter diesen fünfzig einer, der das Zeug zu einem künftigen großen deutschen Chirurgen hat, dem Sie aber vielleicht den Weg versperren."

Chefvisiten dauerten immer lang und waren besonders im Sommer auch für mich recht anstrengend. Ich wurde dabei zuweilen recht nervös. Zum Abschluß wurden in

München jeweils die beiden Leichtkranken-Stationen von mir besucht, die von jüngeren Ärzten geführt wurden, die als Anfänger („Lehrbuben“) erstmalig Dienst als Stationsärzte taten. Diese beiden Stationen waren die „Majorsecken“ der Klinik, an denen mancher Nachwuchsassistent gescheitert ist.

Ein schlauer Bursche, der fest gewillt war, unter keinen Umständen an der Majorsecke hängenzubleiben, führte einen ingeniösen Plan durch, dies fertigzubringen. Er stand mit meinem Privatsekretär besonders gut, und die beiden schmiedeten ein Komplott. Jedesmal, wenn ich mich bei der Chefvisite diesen beiden Stationen näherte, erschien der Bundesgenosse und meldete mir, daß ein Privatpatient auf den Herrn Geheimrat warte. Natürlich brach ich dann vor diesen Stationen die Chefvisite ab, um den wartenden Patienten aufzusuchen. Dieser Privatpatient war natürlich extra zur vorher errechneten Zeit bestellt worden. Ich bin beiden nie hinter die Schliche gekommen.

In dem Jahrzehnt nach dem ersten Weltkrieg, also bis etwa 1928, wurden wir Chirurgen noch gelegentlich zu Konsultationen in die psychiatrische Klinik aufgefordert, auch wenn es sich nicht nur um Schäden und Leiden außerhalb der inneren Schädelkapsel handelte. Seitdem die Psychiater und Neurologen dazu übergegangen sind, dieses Gebiet für ihre operativen Versuche in Anspruch zu nehmen, ist dies selten geworden.

Zu meiner Münchener Zeit war der alte Kraepelin noch Ordinarius für Psychiatrie in München. Als er einmal verreist war, kam eines Tages der Stationsarzt der epileptischen Abteilung – natürlich war nicht die Abteilung epileptisch, sondern die Kranken, die auf ihr lagen – erregt in den Operationssaal gestürzt, um sich einen Rat zu holen. Ich war noch mit meiner Operation beschäftigt und hatte Mühe, ihn bis zur Beendigung des Eingriffs zur Ruhe zu bringen. Dann teilte er mir den Grund für seine aufgeregte Hilflosigkeit mit: Der Oberarzt war verreist, er selber wußte nicht Bescheid und die jüngeren Assistenten noch viel weniger. Er wollte meinen Rat einholen in bezug auf eine operative Intervention bei einer epileptischen Frau. Er erzählte mir die Krankheitsgeschichte:

Sie wurde seit sieben Jahren in der Klinik wegen einer sogenannten genuinen Epilepsie betreut. Ihr Mann hatte sich von ihr scheiden lassen, weil die Krankheit zu einem Dauerzustand geworden war. Vor zwei Tagen hatte die Frau nun wieder einen Anfall bekommen, der dieses Mal nicht mehr weichen wollte. Es trat ein sogenannter Status epilepticus auf.

Ich begleitete ihn in die psychiatrische Klinik und sah mir die Frau an. Es ist dies ein entsetzliches Bild, Tage und Nächte krampfen die Menschen in diesem Zustand. Mir war nicht bekannt, daß man einen Status epilepticus operativ beeinflussen könne. Meistens blieben diese Menschen in einem solchen Anfall. Natürlich hatte ich keine Sekunde einen Zweifel daran, daß dies eine echte, eine genuine Epilepsie sei.

Gleich dem Stationsarzt griff mir der grauenhafte Anblick ans Herz, und ich erklärte mich unter allen Vorbehalten bereit, einen Eingriff zu versuchen. Pathologisch-anatomisch liegt bei der Epilepsie, dem Morbus sacer („Heilige Krankheit"), keine Veränderung des Gehirns vor. Man kann nur, und daran hat sich nichts geändert, „funktionelle Veränderungen" annehmen.

Beim näheren Studium der Krankheitsgeschichte und des neurologischen Befundes hatte ich den Eindruck, daß sich die Störung, wenn eine solche überhaupt vorlag, in den rechten Zentralwindungen des Gehirns finden lassen müsse. Wir nahmen die Kranke in unsere Klinik, und ich öffnete ihr den Schädel. In den rechten Zentralwindungen des Gehirns fand sich eine Geschwulst, die etwa die Größe einer Kirsche hatte. Ich konnte den gutartigen Tumor restlos entfernen, und die Frau hatte von diesem Augenblick an keine epileptischen Anfälle mehr.

Die Ehe mit ihrem Mann, der schon seit mehreren Jahren von ihr geschieden und wieder verheiratet war, konnte sie leider nicht wiederaufnehmen.

Ich habe seitdem noch drei Fälle von sogenannter genuiner Epilepsie gesehen, die jahrelang erfolglos behandelt worden waren, bei denen sich aber lokale Veränderungen in der Hirnsubstanz fanden. Man hat inzwischen gelernt, die Unterscheidung zwischen der genuinen und der traumatischen – durch Verletzungen oder anatomische Veränderungen hervorgerufenen – Epilepsie mit größter Sicherheit zu treffen. Das Röntgenbild in Verbindung mit Luftfüllung oder Adernkontrastdarstellung hat dabei geholfen.

Vor allem aber hat man herausgefunden, daß zur echten Epilepsie auch immer eine sogenannte epileptische Persönlichkeit gehört, während bei der anderen Form – wir nennen sie Jackson-Epilepsie – ein gesunder Mensch durch ein lokales Ereignis an oder in seinem Gehirn eine Veränderung erfährt.

Die echten epileptischen Charakterveränderungen beginnen oft mit einem Dämmerzustand, die Menschen wandern ziellos ohne Ende herum, vergewaltigen Frauen, zünden Scheunen und Häuser an und verkommen in ihrem Äußern. Die Epilepsie muß sich nicht unbedingt in den typischen Krampfanfällen äußern.

Merkwürdigerweise aber bleiben Charakterveränderungen, die durch eine traumatische Hirnblutung oder dergleichen hervorgerufen werden, auch nach der Ausheilung dieser Schädigung bestehen. Man kann an den Taten, am Benehmen und an den Krampfanfällen eines Kranken nicht unterscheiden, an welcher Form der Epilepsie er leidet, so daß also unter Umständen, wenn die Erkrankung längere Zeit bestanden hat, auch nach einer Operation die epileptischen Charakterveränderungen unverändert bestehen bleiben.

Ich habe einmal ein erschütterndes Erlebnis gehabt, das mir diesen Zusammenhang mit unerwünschter Deutlichkeit vor Augen führte.

Ein guter Bekannter hatte als Offizier im Kriege einen Kopfschuß erhalten. In der Folge hatte er epileptische Anfälle, also eine Jackson-Epilepsie. Ich riet ihm eindringlich:

„Lassen Sie sich operieren, das ist die einzige Möglichkeit."

Er hat es abgelehnt.

Er war ein sehr zuverlässiger, durch und durch anständiger, ich möchte fast sagen, ein hervorragender Mensch. Er erhielt eine gute Stellung, aber er konnte sie nicht lange halten, er hatte sich schwere Verfehlungen zuschulden kommen lassen, die ihn zwar nicht mit dem Strafgesetz in Konflikt kommen ließen, weil der medizinische Gutachter ihn rettete, aber ihn gesellschaftsunfähig machten. Seine frühere lautere Charakterstruktur hatte sich verändert, er war zur „epileptischen Persönlichkeit" geworden.

Unter den zwei Milliarden Menschen auf der Welt gibt es keine Uniformität, jeder unterscheidet sich von jedem, keiner steht im Lehrbuch, jeder ist ein Sonderfall. Dies zeigt sich vor allem uns Chirurgen, die wir in unseren Operationssälen immer wieder absolut einmalige Beobachtungen machen können.

Auch wir Chirurgen haben gelegentlich die Genugtuung, daß uns einzigartige Operationen gelingen; manchmal sogar, ohne daß wir es selber merken.

In der Geschichte der Magenchirurgie war damals noch nicht ein halbes dutzendmal eine Totalexstirpation des gesamten Magens ausgeführt worden. (Totalexstirpation bedeutet die Entfernung eines ganzen Organs.) Eine davon war vor meiner Zeit in Zürich gemacht worden.

Krönlein, mein Vorgänger in Zürich, war krank und mußte die Klinik meiden. In der Zwischenzeit hatte der Oberarzt, ein Mann, der im Betrieb einer chirurgischen Klinik genausogut operieren kann und muß wie der Chef, auftragsgemäß seine Stelle vertreten. Er bekam einen Kranken, bei dem die Diagnose Ulcus callosum eingetragen war, und operierte ihn.

Als Krönlein zurückkam, zeigte ihm sein Oberarzt – den Namen habe ich vergessen – ganz nebenbei das Operationspräparat. Krönlein riß die Augen auf, schlug seinem Oberarzt auf die Schulter – wenn die Klinikvorstände leutselig sind, ist Gefahr im Verzug – und sagte:

„Mein lieber Freund, du gehörst zu den Glücklichen, die Großes vollbringen, ohne es zu wissen. Du hast den ganzen Magen exstirpiert und noch einen kleinen Teil der Speiseröhre!"

Das war eine der ersten Totalexstirpationen eines Magens. Übrigens war die Operation von gutem Erfolg begleitet.

Ich habe mich immer bemüht, meine Kinder nie vor den Kopf zu stoßen. Es war in München, als ich mich stark an Erna Hanfstaengl anzulehnen begann. Sie war es, die mich in die großartige lichte Welt der Künste einführte, ein Gebiet, das mir vorher ziemlich fremd geblieben war. Ich verbrachte alle meine freien Abende in der Staatsoper. Noch heute bin ich Erna Hanfstaengl von Herzen für die Erschließung dieses neuen Lebensgefühls dankbar. Damals dachte ich an eine Scheidung. – Aber meine Kinder! Sie erschienen eines Tages alle vier in der Universitätsklinik. Die Jüngste, meine Tochter, führte das Wort. Sie sagte:

„Vater, das geht nicht. Das darfst du erst tun, wenn ich mündig bin."

Und, wie gesagt, ich habe mich immer bemüht, meine Kinder nie zu schockieren.

Die Münchner Zeit war auch der Beginn meiner Wanderjahre, wenn man es so nennen will. Kollegen in fast allen Erdteilen riefen mich zu Konsultationen nicht nur dann, wenn sie eine schwierige Operation bei einem der Großen oder einem „Plutokraten" auszuführen hatten; ich galt als Spezialist auf dem Gebiet der Brustchirurgie, und ich bin es wohl auch gewesen, trotz meiner Abneigung gegen alles Spezialistentum. Aber auch bei jeder anderen Art chirurgischer Eingriffe wurde meine Hilfe in Anspruch genommen.

Ich bin kein Mann, der „Reisebilder" zu malen vermag. Immer kam ich im letzten Augenblick zum Zug oder aufs Schiff. Selten vergaß ich den Koffer mit der neuesten Fachliteratur, oft dagegen die Frackhemden. Ich habe auf Reisen und in allen Ländern den Stil meines Tageslaufs kaum verändert. Auf den Schiffen habe ich mich tagsüber durch die Fachliteratur gearbeitet, glücklich, endlich einmal die Muße dafür zu haben. Abends habe ich mich vergnügt unter die Fröhlichen gemischt. – Tages Arbeit! Abends Gäste! Saure Wochen! Frohe Feste! – Der Mensch ist immer mein liebstes Forschungsobjekt gewesen, ob festgehalten in den beinahe abstrakten Formeln eines

Operationsprotokolls oder im bacchantischen Überschwang eines Tanzsaales, womit wohl auch gesagt ist, daß ich durchaus nicht immer und ausschließlich naturwissenschaftlich-medizinischer Beobachter gewesen bin.

Da sei Gott vor!

Natürlich werde ich oft gefragt: „Wie war das denn, als Sie jenen König, diesen Diktator oder jenen Multimillionär operiert haben?"

Nichts ist mir verhaßter als solche Fragen. Es ist völliger Unsinn, zu glauben, daß man auf zweierlei oder dreierlei Arten operieren könne. Ebensowenig etwa, wie man für die Därme eines Königs andere Messer und andere Scheren benutzt als für die des Erwerbslosen Müller. Sonderbestecke für reiche Kundschaft haben nur Barbiere. Wer glaubt, daß ein Reicher besser operiert wird als ein Krankenkassenpatient oder ein Wohlfahrtsempfänger, ist völlig schief gewickelt. Es ist auch grundfalsch, anzunehmen, ein Chirurg könne bei dem reichen Kranken irgendwie behutsamer oder vorsichtiger vorgehen als bei einem armen. Man kann doch immer nur sein Bestes geben, und Bedenken, die man bei einem renommierten Patienten beispielsweise hinsichtlich des eigenen „Renommees" hegt, können nur allzuleicht zum Nachteil des „reichen Kranken" ausschlagen.

Mein Freund Gosset, ein ungemein erfolgreicher französischer Chirurg, erzählte mir einmal von seinen Erlebnissen mit Clemenceau, der von einem Attentäter angeschossen worden war. Die Revolverkugel war am rechten Rand der Aorta steckengeblieben. Der Chirurg hatte den Mut, den über Siebzigjährigen einem Eingriff zu unterziehen. Als der Patient außer Gefahr war, sagte dieser mit jener berühmten Offenheit, der er in allen Lebenslagen huldigte, seinem Arzt ins Gesicht: „Daß Sie mich operiert haben, ist ja ein recht schlechtes Geschäft für Sie. Wenn ich gesund werde, denkt kein Mensch mehr daran, daß Sie es waren, wenn ich aber draufgehe, schreit die ganze Welt, Sie hätten mich umgebracht."

Wie recht Clemenceau hatte, erfuhr Gosset, als er den französischen Präsidenten Doumer behandeln mußte, auf den ein Attentat verübt worden war. Gosset wurde im

Frühling 1932 in ein Pariser Krankenhaus zum schwerverletzten Präsidenten gerufen, der von zwei Kugeln getroffen worden war. Die eine hatte die Schulter durchschlagen, eine Arterie verletzt und eine Blutung hervorgerufen, die auf dem Parkett, auf dem der Verletzte zu Fall gekommen, eine riesige Blutlache gebildet hatte. Diese Wunde war leicht zu versorgen und nicht lebensgefährlich gewesen. Die zweite Kugel aber war in die linke Ohrmuschel eingedrungen, hatte den ganzen Schädel durchschlagen und war auf der anderen Seite zwischen Auge und Ohr wieder ausgetreten. Nach dem Verlauf der Geschoßbahn war es sicher, daß eine der inneren Hirnschlagadern getroffen sein mußte. Gegen acht Uhr abends – das Attentat hatte am frühen Nachmittag stattgefunden – begann das rechte Auge des Verletzten stark hervorzutreten, das untrügliche Zeichen einer durch eine Blutung bewirkten Druckzunahme auf dieser Seite im Schädelinnern. Wie zu erwarten war, starb der Präsident im Laufe der Nacht. Gosset hatte sicher nicht, als er die langen Stunden hindurch am Bett seines Präsidenten wachte, an die eigene Person gedacht. Ich glaube aber kaum, daß er es bei einem weniger prominenten Patienten fertiggebracht hätte, Stunden und Stunden tatenlos dem Sterbenden zuzusehen. Er hätte wahrscheinlich den Schädel geöffnet und versucht, die tödliche Blutung zu stillen. Die Chance eines Erfolges wäre sehr, sehr gering gewesen, vielleicht eins zu zehntausend, aber ich glaube, daß er es wohl gewagt hätte.

Ein Arzt des Altertums, Herophilos (3. Jahrhundert v. Chr.), hat uns ein schönes Wort hinterlassen: „Vor allem muß der Arzt die Grenzen seiner Macht kennen; denn nur wer das Mögliche vom Unmöglichen zu unterscheiden weiß, ist ein wirklicher Arzt."

Gosset hatte bei seinem hohen Patienten die Grenzen des Möglichen scharf erkannt und hatte vollkommen richtig gehandelt. Dennoch entging er natürlich nicht den insgeheim geflüsterten hämischen Bemerkungen, die auf sein „Versagen" bei der Behandlung des Präsidenten Doumer zielten. Wie aber wären sie erst ausgefallen, wenn er versucht hätte einzugreifen und – unglücklich gewesen wäre.

Gedenkt man in diesem Zusammenhang der traurigen Geschichte des Sohnes Wilhelms I., Friedrich III., und seiner Ärzte – unter ihnen der große von Bergmann –, die wohl allgemein bekannt ist, so ist damit in kurzen Strichen die Lage umrissen, der sich ein Chirurg bei „prominenten“ Patienten gar nicht selten gegenüber sieht. Clemenceau hatte sich in seiner rauhen Art klar ausgedrückt, woraus aber nur hervorgeht, daß sich der Chirurg von der Stellung des Patienten im Leben nicht im mindesten beeinflussen lassen darf. Daß diese Einstellung nur sehr schwer einzuhalten ist, das geht schon daraus hervor, daß Ärzte seit alters mit hochstehenden Patienten Unglück gehabt haben. Oder waren es vielmehr die Patienten, die das Pech hatten, zuviel Geld zu haben oder zu mächtig zu sein? –

Habe ich schon gesagt, daß der Ton bei einer chirurgischen Klinik rauh, aber herzlich ist? Auf meine Kliniken traf das jedenfalls immer zu, und ich bin hinreichend verdächtig, die Hauptursache dafür gewesen zu sein.

Ich mache in München Visite, gehe von Bett zu Bett, hinter mir den üblichen Kometenschweif von Oberärzten, Ärzten, Famuli, Volontärassistenten, Kandidaten, Schwestern und Gästen. Als Train folgt der Verbandstisch mit dem Troß.

Der Stationsarzt stellt mir einen im Bett liegenden Löwenbändiger vor – jawohl, einen Löwenbändiger! –, der am Abend zuvor von einer Löwin angefallen worden war. Der Dompteur hatte neben einem Prankenschlag, der einige Muskeln aus ihrem Sitz herausgerissen hatte, eine Bißwunde an der rechten Schulter davongetragen.

Es ging dem Patienten gut. Da aber derartige Fälle selten sind, wollte ich den Zuschauern Wunde und Wundversorgung demonstrieren. Ich ließ den Verband öffnen.

Der betreffende Stationsarzt war am Vortag bei der Aufnahme des Löwenbändigers dienstfrei gewesen, das muß hier eingeflochten werden. Ein junger Arzt vom Nachtdienst hatte ihn vertreten, aber das alles wagte er natürlich jetzt nicht zu erklären.

Als er bei der Abnahme des Verbandes die letzten Kompressen von den Bißwunden nahm, erbleichte er sichtlich.

Die Wunden waren zwar chirurgisch richtig ausgeschnitten, aber der unglückselige Wundarzt hatte sie genäht. Man bedenke, tierische Bißwunden waren zugenäht worden, ein absolut unverzeihliches Chirurgenverbrechen, unentschuldbar!

Natürlich wischte ich mit dem Ärmsten sozusagen den Boden des Krankensaales auf.

Da kam ihm in höchster Not jemand zu Hilfe. Der Patient mischte sich ein und fuhr mich an:

„Wenn ich an einer Sache so unschuldig wäre wie der Doktor da, der mich überhaupt nicht operiert hat, und mein Chef täte mich unschuldig so anranzen wie Sie Ihren Doktor, dann täte ich ihm meine Löwen auf den Hals hetzen."

Ich sah das Dutzend Gesichter um mich erstarren. Aber Patienten haben, wie Kunden, immer recht, und ich mußte furchtbar lachen.

„Es ist nur gut, daß die Löwen nicht da sind", sagte ich zum Auditorium.

Und zum Patienten:

„So ganz unschuldig, wie Sie meinen, ist der Doktor ja nun auch nicht. Er hätte schon heute morgen vor der Visite zu dem Arzt gehen müssen, der Sie operierte, um sich bei ihm über den Verletztenbefund zu orientieren. Dann hätte er vielleicht erfahren, daß Ihre Wunde vernäht worden war, was ein wirklich ernsthafter Fehler ist, und hätte die Nähte entfernen müssen. Es soll ihm dies eine Lehre sein, daß die kleinste Unterlassung in der Chirurgie schwere Folgen nach sich ziehen kann."

Nissen war in München einer meiner Lieblingsschüler. Ich nahm ihn, wie ich schon berichtete, als einzigen Assistenten auf meine Südamerika-Reise im Jahre 1927 mit. Wir fuhren von Triest aus mit einem italienischen Sonderschiff nach Südamerika. Es war die Jungfernfahrt dieses Schiffes, weshalb wohl auserwählte italienische und südamerikanische Gäste sich an Bord befanden.

Als das große offizielle Bankett an Bord stieg, war die Tafel im Speisesaal den Herren vorbehalten, während auf der Galerie für die Damen gedeckt war.

Der Abend wurde, je länger er dauerte, immer angeregter. Dicht vor mir landete, etwa auf dem Höhepunkt des Festes, ein mächtiger Strauß blutroter Rosen, der in einer eleganten Parabel von der Galerie heruntergekommen war. Ich nahm natürlich an, diese Ovation gelte mir, denn ich war ja der Chef. Ich sah hinauf und wollte mich bei der Dame mit einer Verbeugung bedanken. Doch die schüttelte unmißverständlich den Kopf und deutete mit dem Zeigefinger energisch auf Nissen, der mir gegenübersaß.

Kirschner war Ordinarius für Chirurgie in Heidelberg und Vorsitzender des Deutschen Chirurgen-Kongresses von 1934. Ich hatte die Ehre und auch das Vergnügen, ihn bei dieser Gelegenheit durch eine Rede zu würdigen. Nachher saßen wir noch zusammen, und es wurde sehr lustig. Ganz außerhalb des Programmes wurde Kirschner, der sich angeregt mit einem meiner Assistenten unterhalten hatte, nachdenklich und einsilbig. Ich rief ihm zu: „Kirschner, du hast an deinem heutigen Ehrentag wirklich keinen Grund, ein betrübtes Gesicht zu machen! Was geht dir denn im Kopf herum?"

„Jaja", sagte Kirschner, „ich habe mir da eben überlegt, daß ich eigentlich mein ganzes Leben lang unter einem Minderwertigkeitskomplex zu leiden hatte, der von dem Tage an datiert, an dem ich im Abiturium durchfiel."

„Auch du, mein Sohn Brutus?" sagte ich, und lachend stießen wir an, wobei uns merkwürdigerweise schon damals die Schulerfahrungen Winston Churchills tröstlichen Gesprächsstoff gaben.

Ich habe es nie gern gesehen, wenn meine jungen Assistenten sich verlobten oder gar verheirateten. Ich war immer der Meinung, die auch in meinen Anfängen v. Mikulicz vertreten hatte, daß die jungen Ärzte mit ihrer Klinik verheiratet seien. So galt in meiner Klinik in München das ungeschriebene Gesetz des Zölibats, das nicht ungestraft durchbrochen werden durfte. Dabei war nicht an Priestertum, sondern an Zeit und Arbeit gedacht.

Ein junger Assistent hatte sich sozusagen unter meinen Augen verlobt, als ich in Urlaub war. Anscheinend war er der Meinung, daß meine Mitwisserschaft bei diesem Vorgang ihm einen Freibrief verschaffen würde. Ich empfing ein Telegramm von ihm, das mir die Verlobung mitteilte.

Ich kam vom Urlaub zurück, gebräunt, frisch, tatendurstig, und betrat zum erstenmal wieder den Waschraum, in dem sich unter anderen Damen und Herren auch mein heiratslustiger Assistent befand. Ich setzte mich zu den Waschzeremonien nieder, nachdem ich die Anwesenden mit einem „Morgen, Morgen" begrüßt hatte. Dann blickte ich auf den Assistenten, von dem hier die Rede ist, und rief ihm zu:

„Ich danke Ihnen sehr für Ihre Verlobungsanzeige!"

Während ich weiterwusch, merkte ich, wie alle die Ohren spitzten. Dann sagte ich:

„Ich wußte gar nicht, daß Sie uns so schnell verlassen wollen."

Der Assistent verließ nach einigen Monaten die Klinik.

Man mag diese Haltung vielleicht für übertrieben scharf halten, aber es gehört zu einem angehenden Chirurgen, daß er seine Ausbildungszeit ohne zukunftträchtige Ablenkungen hinter sich bringt. Die Chirurgie ist eine eifersüchtige Geliebte.

Röntgen war in München einige Jahre vor seinem Tod (1923) mein Patient. Er hatte eine kleine Geschwulst im Gesicht, von der er selbst annahm, daß es Krebs war. Ich schnitt das Gebilde aus, und Freund Borst, der berühmte Münchner Pathologe, mit dem ich so manchen wissenschaftlichen Strauß in aller Freundschaft ausfocht, erklärte Röntgens Geschwulst später für harmlos. Mit Röntgen unterhielt ich mich über seine Erfindung. Ich war böse auf die Strahlen, die uns Ärzte dazu verleiten, die hohe Kunst der Diagnose zu vernachlässigen und sie einem Foto zu überlassen.

„Ein Röntgenbild", sagte ich, „soll die Bestätigung einer klinischen Krankheitsdiagnose sein, nicht ihr Ausgangspunkt. Mit seinen Sinnen, seinen Händen und seinem Kopf muß der Arzt die Diagnose machen, nicht mit einem toten Mechanismus!"

Röntgen, damals schon ein tiefgebeugter, weltabgewandter Mann, lächelte leise über meinen Eifer.

„Jaja“, meinte er, „wo viel Röntgenlicht ist, muß auch Röntgenschatten sein.“ –

SPREEATHEN

Im Jahre 1927 fragte das Preußische Kultusministerium bei mir an, ob ich nach Berlin kommen wolle. Das war eine schwere Entscheidung! August Bier, älter als ich, war in Berlin Chirurg, jedoch gab es zwei Ordinarien für Chirurgie an der Berliner Universität.

In München hatte ich mich eingelebt. München lag nahe der Schweiz, nahe den Lungensanatorien, nahe einem Aufgabengebiet, das ich zu meinem speziellen erkoren hatte. Und es gab dort nur einen Ordinarius.

Berlin aber war die Reichshauptstadt. Der Lehrstuhl in Berlin war in Deutschland die erste Stelle, an die man gelangen konnte. Ich fuhr also nach Berlin, um zu verhandeln. Mein erster Weg führte mich zu Bier. Der empfing mich herzlich und redete mir zu. Ich war unentschlossen, und schließlich erbat ich mir vom Kultusministerium eine Probezeit. Für ein halbes Jahr wollte ich meine Zeit zwischen München und Berlin teilen, um mich erst nach diesem halben Jahr zu entscheiden. Darauf ließ sich das Ministerium ein.

Dieses halbe Jahr verlangte mir viel ab. Am Montag, Dienstag und Mittwoch jeder Woche las und operierte ich in Berlin, donnerstags, freitags und sonnabends in München. Die Nächte zwischen München und Berlin verbrachte ich im Schlafwagen. Weihnachten 1927 lief ich Ski in Davos, um mir die Sache zu überlegen, und im Frühjahr 1928 trennte ich mich endgültig von München, um die Position in Berlin anzunehmen.

Zum Abschied brachten mir die Studenten einen Fackelzug. Im Preysing-Palais gab ich ein großes Abschiedsdiner für die Prominenz. Professor Nissen und Dr. Frey waren die ersten, die aus meinem Stabe nach Berlin übersiedelten. Viele andere folgten. Wie wir es schon einmal gehalten hatten, blieb meine Familie in München, bis in Berlin Unterkunft beschafft worden war. So sah ich mich also nach einem Hause für uns um. In der großen Stadt konnten wir nicht in der Nähe der Klinik wohnen. Eines Tages besuchte ich Frau Oppenheim, die wir durch Willstätter kennengelernt hatten, in ihrem Hause am Wannsee. Im Winter lebte sie in der Stadt, im Sommer zog sie hinaus, wie es damals viele Berliner Familien hielten. Wechselte die Jahreszeit, so fuhr ein Möbelwagen vor und brachte im Frühjahr die Einrichtungsgegenstände, die Teppiche und Bilder, die man nicht entbehren wollte, in die Sommerwohnung. Dunkelte der Herbst, so kam derselbe Möbelwagen wieder und schaffte die Sachen in die Stadtwohnung.

Ich fand Frau Oppenheim in ihrem großen Garten inmitten der berühmten Blumenzucht, bewunderte in ihrem Hause die Bilder, unter ihnen einen wundervollen Renoir. Die Lage in Wannsee gefiel mir ausgezeichnet. Frau Oppenheim machte mich auf ein in der Nähe liegendes altes leerstehendes Haus aufmerksam, das vielleicht etwas für uns sei. Ich sah mir das Gebäude an, und meine Familie behauptete später, ich hätte es nie besichtigt, sondern es sofort gemietet, als ich einen ungewöhnlich geräumigen Pferdestall entdeckt und erkannt hätte, daß man im großen Garten eine Reitbahn anlegen könne. Wie es nun auch sei, ich mietete es tatsächlich.

Vielleicht hat wirklich der Pferdestall den Ausschlag gegeben, denn ich kaufte in München Pferde und ließ sie nach Berlin schicken. Darunter einen Wallach, den ich schon in der bayerischen Hauptstadt gern geritten hatte. Er hieß Artur. Dieses gute, harmlose Tier wurde in München immer von der Oper ausgeliehen, wenn ein Pferd gebraucht wurde, beispielsweise in der „Walküre". Es hatte die Bühne liebengelernt und litt in Berlin darunter, daß es nicht mehr im Rampenlicht stehen konnte.

Erhielten wir in Wannsee Besuch, von dem wir annehmen mußten, er könne singen, so holten wir Artur aus dem Stall, hießen den Sänger, seinen Kopf an Arturs Hals zu legen und loszuschmettern. Das gefiel dem Pferde sehr, Artur bekam träumerischen Glanz in seine Augen. Er schwelgte in alten Erinnerungen.

Wir waren noch nicht ganz eingerichtet, da füllten schon Hunde und Katzen unser Anwesen. Mein Kollege, Paul Gohrbandt, schenkte mir etwas Köstliches, das Wildschwein Eberhard.

Im ersten Winter in Berlin 1928/29 glaubten wir nach Sibirien geraten zu sein.

Er überfiel uns mit einer für diese Breiten ungewöhnlichen Kälte. Unser Haus kam uns wie ein Eiskeller vor. Es besaß keine Doppelfenster, und wir froren alle sehr. Jedoch war das Winterbild in Wannsee prächtig. Der See war zugefroren. Ich holte die Skier vom Boden und die Pferde aus dem Stall. An den Ufern und auf dem See standen staunende Menschen und sahen zu, wie die Pferde uns auf Skiern über das Eis zogen. Das „Ski-Jöring" war in Berlin ein unbekanntes Vergnügen. Wir hatten einen Heidenspaß daran.

Auch im Sommer war Wannsee köstlich. Mit Söhnen und Assistenten ritt ich durch die Wälder, und wenn ich einmal spazierenging, so stieß ich sicher auf meinen Nachbarn, den Maler Max Liebermann. Der schritt nachdenklich daher, meist im dunkelblauen Anzug, den großen Panama auf dem Kopf, gefolgt von seinem Dackel. Es entwickelte sich sehr bald ein freundschaftlicher nachbarlicher Verkehr. Bei Frau Oppenheim hatten wir ihn kennengelernt, und nachbarlich war er uns deshalb, weil sein berühmt schönes Haus in unserer Nähe, am Ufer des Wannsees, lag. Im Winter zog Liebermann in seine „Stadtwohnung"; sie lag dicht neben dem Brandenburger Tor. Befand man sich in deren Mauern, so war man im echtesten Berlin. Sie war mit kostbaren alten Berliner Stücken eingerichtet. Im Hause Liebermann zu essen, war ein großes Vergnügen. Mit Recht galt er als ein großer Feinschmecker. Spargel à la Liebermann war ein unübertroffenes Glanzstück des Hauses. Frau Julie Elias widmete ihr berühmt gewordenes Kochbuch dem Maler. Abwechselnd saßen wir in seinem oder in meinem Hause zusammen. Seine Gattin, die ihren Mann abgöttisch liebte, achtete sorglich auf seine Gesundheit. Wenn wir uns ins Gespräch verbissen hatten – und worüber hatten wir nicht alles zu sprechen –, wenn ihre leisen Mahnungen, den Tag zu beenden, nichts gefruchtet hatten, so erhob sie sich und sagte:

„Max, du mußt ins Bett!"

Dann ging sie mit ihm davon.

Nun – eines Nachts drang alarmierend bei uns die Hausklingel durch die Stille. Jemand kam an die Tür meines Schlafzimmers und rief mir zu:

„Herr Professor Liebermann ist plötzlich und schwer erkrankt. Frau Liebermann bittet den Herrn Geheimrat, eilig zu erscheinen."

Ich warf mir Kleider über, lief ins benachbarte Haus, fand ihn im Bett und bereits zwei Ärzte bemüht, ihm zu helfen. Ein Leistenbruch, an dem der Maler seit langer Zeit litt, hatte sich plötzlich erheblich vergrößert. Ich erschrak sehr. Liebermann war über achtzig Jahre alt. Ich überprüfte seinen Zustand und bat meine Kollegen, von allen Versuchen abzusehen, den eingeklemmten Bruch wieder zurückzubringen. Liebermann mußte sofort ins Krankenhaus, der Bruch war offensichtlich irreponibel.

Die weinende Frau, der ihr Mann alles bedeutete, was sie auf Erden liebte – ich habe niemals wieder eine so gute Ehe gesehen –, war völlig verzweifelt. Sie nahm mich beiseite und fragte zitternd:

„Muß er sterben?"

Ich tröstete sie und ließ einen Krankenwagen kommen. Im Morgengrauen fuhren wir in die Stadt. Ich auf dem schmalen Sitz des Krankenwärters neben ihm.

Nach Dieffenbach soll man über einem eingeklemmten Bruch nicht die Sonne untergehen lassen.

Wir hatten kein Bett frei. Deshalb ließ ich den Freund in meinem Arbeitszimmer in der Charité auf die breite Liegestatt legen, und kaum hatten wir ihn gebettet und ich mich über ihn gebeugt, sah er mich mit merkwürdigem Ausdruck an und flüsterte:

„Mensch, Sauerbruch, hab'n Sie eene Visage!"

„Was?" fragte ich verdutzt. „Was habe ich?"

Liebermann: „So eene Visage wie die hab' ick noch nie jesehn! Det is die vertrackteste Visage uff der Welt. Die Visage muß ick zeichnen. Jeben Se ma Papier un Bleistift!"

„Lieber Meister“, sagte ich, „wir wollen uns erst einmal um Ihren Bruch kümmern!“

„Jeben Se ma erst mal wat zum Zeichnen!“

Da man gegen Patienten nachgiebig sein soll, ließ ich kommen, was er verlangt hatte.

Ich mußte mich neben ihn setzen. Er zeichnete. Nach einer Weile legte er das Blatt weg und sagte:

„Nu hab' ick Ihre Visage im jröbsten festjehalten.“

Dann kam ihm wohl zum Bewußtsein, weshalb er in die Charité gebracht worden war, und er fragte:

„Wat jeschieht nu mit mein' Bruch? Wat machen Se denn so mit Brüchen?“

Als ich etwas weitschweifig ausholte und einen Satz mit „dem heutigen Stand der Wissenschaft“ begann, wehrte er ab.

„Wat hat man denn früher mit so 'nem Bruch jemacht?“ wollte er wissen.

„Im Mittelalter“, dozierte ich, „ging man mit dem Patienten schonungslos um. In Ihrem Falle würde man Sie an den Beinen aufgehängt haben.“

„Mensch, Jeheimrat!“ rief er. „Det is' ne Idee! Da rutscht det alles von alleene wieder rin. Det seh' ick in! Det is jroßartig! Also, hängen Se mir an de Beene uff!“

Ich wehrte ab. Er gab nicht nach. Ich holte meinen Orthopäden Biedermann. Kaum sah Liebermann ihn, schrie er:

„Nu man los! Ihr sollt ma an de Beene uffhängn!“

Mein Herz war voll Sorge. Liebermann war über achtzig. Während wir ihn auf der Bahre in den Operationssaal brachten und ich neben ihm her schritt, flüsterte er noch einmal:

„Mensch, Jeheimrat, Ihre Visage! So wie jetzt ha' ick Ihre Visage noch nie jesehn!“

Und dann hängten wir ihn an den Beinen auf, und ich stand mit klopfendem Herzen daneben und beobachtete sein Gesicht. Auf einmal schrie er freudig:

„Mensch, Jeheimrat, Se merken ooch jar nischt!“

„Was?“ fragte ich. „Was soll ich merken?“

„Et is alles wieder rinjerutscht!“ rief er.

Wir nahmen ihn ab, bandagierten ihn, und ich rief Frau Liebermann an, sie möge sich keine Sorgen mehr machen, ihr Liebermann sei wieder in schönster Ordnung.

Einige Zeit lag Liebermann in der Charité, dann nahm ich ihn eines Tages mit in meinem Wagen nach Haus, als ich zum Mittagessen fuhr.

Ich setzte ihn vor seinem Haus ab. Einige Stunden später wurde ich zu Hause geweckt: Frau Liebermann habe angerufen. Sie wollte wissen, wie es ihrem Mann gehe.

Ich rief bei ihr an, und sie fragte mich, wo ihr Mann sei.

Ich sagte: „Bei Ihnen."

Sie hielt diese beiden Worte für einen schlechten Scherz und begann zu schluchzen. Vergeblich versuchte ich sie zu beruhigen.

„Mein Mann kann doch nicht verschwunden sein", sagte sie. „Ihm muß etwas passiert sein, und Sie versuchen es mir zu verschweigen."

Schließlich fuhr ich zu ihr und war auch besorgt. Ich konnte mir nicht erklären, was vorgefallen war.

Frau Liebermann erwartete mich zitternd. Ich erklärte, ihr Mann müsse hier sein. Ich hätte ihn selbst vor wenigen Stunden hierhergebracht.

Wir gingen ins Haus. Ob er nirgendwo sein könne? Frau Liebermann schüttelte den Kopf. „Und im Atelier?" fragte ich.

„Ausgeschlossen. Ich müßte ihn ja auch gehört haben!"

Aber ich hatte plötzlich das Gefühl, ich sollte doch oben nachsehen. Ich stand vor der Ateliertür, Frau Liebermann hinter mir. Man hörte nichts. Ich drückte auf die Klinke. Die Tür war verschlossen. Die gute Frau Liebermann sah mich an. Ich klopfte. Nichts. Ich klopfte wieder. – Eine Stimme knurrte: „Ick will nich jestört wern!"

Schließlich öffnete er. Er hatte an meiner „Visage" gearbeitet.

Seine Frau ließ er nicht in das Atelier, wenn er malte. Sie sah mich flehend an. Da hatte ich einen Einfall:

„Sie haben vergessen, daß Sie mich zum Essen eingeladen haben. Wir wollten doch feiern, daß Sie wieder zu Hause sind."

Da blieb ihm ja nun nichts anderes übrig. Wir saßen sehr lange und unterhielten uns. Ich fing manch dankbaren Blick der Frau auf.

Einige Tage später erklärte er mir, ich müsse ihm jetzt sitzen. Das tat ich auch, aber dann nahm es mir zuviel Zeit weg, und ich murrte. Er jedoch meinte: „Et jeht ja mal nich anders. Wenn Se 'n Fehler machen, denn deckt ihn andern Tags der jriene Rasen. Aber 'n Fehler von mir sieht man über hundat Jahr an de Wand hängn."

So malte er mich in Öl, wie er sich ausdrückte. Zuerst fertigte er eine große Ölskizze, dann begann er noch einmal.

Das fertige Bild nannte er „Der Chirurg" und stellte es aus. Das Britische Museum kaufte das Werk. Die Skizze vollendete er und schenkte sie mir.

Auch von dieser Geschichte hat Willstätter mir einmal vor seiner Emigration gesagt: „Ich möchte erleben, welche Fassung die Liebermann-Erzählung einmal in deinen Memoiren haben wird."

Meine Kinder flogen in Berlin aus dem Nest.

Mein Sohn Hans weigerte sich, Arzt zu werden. Das verstand ich natürlich nicht.

Schon in seiner frühen Jugend hat er mir erklärt, er wolle Maler werden. Daran hielt er die ganze Zeit fest. Als wir in Berlin lebten, gab ich mir Mühe, ihm die höchst unsichere wirtschaftliche Situation warnend zu erklären, in der ein Maler lebt, wenn er nicht sehr bekannt ist. Hier stieß ich auf didaktische Schwierigkeiten, zum ersten, weil meinem Sohn der Begriff „wirtschaftliche Situation" schwer erklärbar war, und weil er sich zum zweiten bedauerlicherweise nicht dafür interessierte. Nach diesem Mißerfolg nahm ich ihn also bei der Hand – ich glaube, er war auf Sekunda – und ging mit ihm und seinen Zeichnungen und Bildern zu unserem Nachbarn Max Liebermann. Der sah sich die Bilder meines Sohnes stirnrunzelnd an und sagte trocken:

„Is nischt!"

Hans ging also weiter aufs Gymnasium.

Nach dem Abitur ritt er wiederum eine Attacke auf das weiche Vaterherz. Wir gingen abermals zu Liebermann, und der sagte:

„Kann valleichte wat wern. Is aba nich sicher."

So hatten denn mein Sohn und ich eine lange Unterredung miteinander. Ich bat ihn, es doch einmal mit der Medizin zu versuchen. Wenn er wirklich eine unüberwindliche Abneigung gegen sie habe, so könne man immer noch über den Kunstmaler reden.

Er zog auf die Universität nach Freiburg, schrieb auch regelmäßig und behauptete, es gehe ihm ausgezeichnet. Er finde es bemerkenswert interessant. Darob war ich sehr glücklich. Denn, wenn der Hans die Sache interessant fand, war schon viel gewonnen.

Am Ende des Semesters kam er nach Hause.

Als er mich zum erstenmal allein erwischte, legte er mir einen ganzen Packen Kollegheftе auf den Tisch:

„Da, Vater, sieh dir das mal an!“

Ich meinte: „Später. Das ist ja eine ganze Menge. Du bist ja erschreckend fleißig gewesen.“

Als er aber sehr drängte, schlug ich die Hefte auf – und was fand ich? Lauter Viecher: Ratten, Mäuse, dezerebrierte Frösche – nur Zeichnungen von Labortieren! Er hatte alle Versuchstiere gezeichnet! Was die Versuche bedeuteten, die man mit ihnen anstellte, davon hatte er keine Ahnung. Das hatte ihn auch gar nicht interessiert. Nur das Bild der Opfer festzuhalten, war seine Leidenschaft.

Also gingen wir schon wieder zu Maxe Liebermann.

Der sagte: „Det Brot kann er sich schon vadienen. – Wie et mit die Butter is – det weeß ick nich so jenau.“

Hans wurde also Maler und verdiente sich neben dem Brot Schinken und Wurst. Wie es mit der Butter ist, weiß ich nicht.

Ich hatte ihm seinen Willen gelassen, wie es sich gehört. Natürlich hat da meine Frau mitgespielt. Mit leichter weiblicher Hand lenkte sie selbstverständlich die Geschicke längst vor meinem Eingreifen.

Unser Friedel studierte Medizin, und Peter war in Bamberg bei dem dortigen Reiterregiment eingerückt, er wollte Offizier werden.

Zur Freude meiner Söhne schaffte ich mir in Berlin ein wahres Ungetüm von Automobil an, einen Mercedes-Kompressor. Ich brauchte einen schnellen Wagen, wurde noch immer viel in die Schweiz geholt, legte die Strecke oft im Auto zurück und murrte mit meinem neuen Chauffeur, wenn er zu langsam fuhr. Mein neuer Fahrer war Herr Adolf Elbell. Die Autofirma hatte ihn mir geschickt. Von ihm sagte man: „Was Sauerbruch unter den Chirurgen, ist Elbell unter den Chauffeuren." Er selbst formulierte stets so: „Ick un der Herr Jeheimrat." Er sorgte prächtig für mich und war ein glänzender Fahrer. Wenn er mit einer Stundengeschwindigkeit von 130 „Sachen" durch die Landschaft brauste, so hatte ich immer das Gefühl, wir reisten wohl nur mit 90 Stundenkilometern. Erst sehr viel später bin ich dahintergekommen, daß Elbell, meiner ewigen Mahnungen, schneller zu fahren, überdrüssig, einfach das Tachometer anders übersetzt hatte. Ich war ihm glatt aufgesessen.

Er war auch sonst ein einfallsreicher Mann. Ich befand mich einmal mit einem meiner Söhne auf einer weiten Reise, und dabei gingen mir die Zigaretten aus. In einem Dorf vor einem Krämerladen ließ ich halten, bat meinen Sohn, auszusteigen und mir Zigaretten zu kaufen, aber nur solche „ohne Mundstück"; denn die anderen konnte ich nicht leiden. Mein Sohn kam zurück und erklärte, es gebe nur Zigaretten mit Mundstück. Das verstimmte mich. Sofort stieg Elbell aus, ging in dasselbe Geschäft und kam mit einer Schachtel Zigaretten ohne Mundstück wieder. Erst als ich die Zigaretten aufgeraucht hatte, gestand Elbell mir, er habe im Geschäft die Mundstücke mit einer Schere abgeschnitten.

Waren wir im Theater oder auf einer Einladung, ganz gleichgültig, wo wir auch waren – sobald wir das jeweilige Gebäude verließen, stand Elbell mit dem Wagen unmittelbar vor der Tür. Diesen Platz ließ er sich von niemandem streitig machen.

Wir veruneinigten uns nur manches Mal, wenn ich im Auto die Zeitung las und sie mit beiden Händen ausbreitete. Dann wurde er ungemütlich und rief:

„Herr Jeheimrat, nehmen Se de Zeitung weg! Ick soll nich lesen, ick soll fahren!"

Elbell hielt sehr auf meine Würde. Eines Abends wurde ich zu einem offiziellen Empfang eingeladen. Es wäre sehr unhöflich gewesen, unpünktlich zu kommen. Im letzten Augenblick stieg ich vor der Charité in den Wagen. Zeit zum Umziehen hatte ich nicht gehabt, so ließ ich mir meinen Frack mit allem, was dazugehörte, ins Auto reichen. Im Wagen zog ich mich um. Als wir vor der Verkehrsampel an der Gedächtniskirche halten mußten, also im hellsten Licht der Bogenlampen und der Schaufenster, sahen die Passanten in einem großen Auto mitten im Winter einen Herrn in Unterkleidung. Ich glaube, das hat Elbell mir nie wirklich verziehen.

Auf meiner schönsten Tour jedoch – während meiner Berliner Zeit – bin ich nicht gefahren, sondern geritten. Die Pferde ließ ich nach München verladen und ritt mit meinem Sohn Hans durch die Schweiz.

Ich hatte mich in Berlin einigermaßen orientiert, als mir klar wurde, daß ich hier in einer ganz anderen Welt lebte als in München oder Zürich. In beiden Städten war es mir gelungen, mich etwas abseits zu halten. Niemand verübelte es in München und in Zürich einem vielbeschäftigten Chirurgen, wenn er seine Zeit nicht auf offiziellen Gesellschaften und Empfängen verbrachte. Dort hatte ich nur mit wenigen Menschen vertrauten gesellschaftlichen Umgang. Das war in Berlin ganz unmöglich. Hier gab es eine offizielle große „Gesellschaft", die an jedermann, der „dazugehörte", wie mein Großvater das schon ausgedrückt hatte, ihre Anforderungen stellte. Lud der englische, russische oder französische Botschafter uns ein, so konnten wir nicht ablehnen. Und so ist es unausbleiblich gewesen, daß ich noch weniger zu einem Privatleben kam als früher, denn der Universitätsbetrieb und die Klinik, beides viel umfangreicher als in früheren Wirkungskreisen, erforderten sowieso schon die ganze Zeit. Gott sei Dank hatte ich einen ausgezeichneten Stab von Assistenten; er war sehr groß, und diejenigen, mit denen ich näher zusammen arbeitete, bat ich am Nachmittag in meinen Garten nach Wannsee, um so wenigstens während der Arbeit unter Bäumen im Freien sitzen zu können. Mit der Zeit sehnte ich mich sehr nach einem Rest von Privatleben, denn meine Arbeit in Berlin wurde dadurch noch kompliziert, daß ich im Anfang meiner Berliner Zeit in der Charité keinen Platz für meine Privatpraxis hatte. Zuerst legte ich meine Patienten ins West-Sanatorium in der Joachimsthaler Straße. Als diese Möglichkeit nicht mehr ausreichte, pachtete ich eine Etage in der Landhaus-Klinik, bis ich mir dann endlich eine Privatstation in der Universitätsklinik aufbaute.

Eines Tages erhielt ich eine in herzlichster Form gehaltene Einladung, nach Ägypten zu kommen. „The Egyptian Medical Association" und die Medizinische Fakultät der Universität Kairo mit ihrem Dekan, Professor Aly Pascha Ibrahim, baten mich, Gastvorlesungen über die Chirurgie im allgemeinen, hauptsächlich aber über die Thorax-Chirurgie, zu halten. Von anderer Seite wurde mir zudem zugeflüstert, der Herrscher des Landes, König Fuad, sähe es gern, wenn ich einmal durch das Land reisen und ihm nachher sagen würde, was ich von der öffentlichen Hygiene und den gesamten medizinischen Einrichtungen in Ägypten halte.

Gern nahm ich diese Einladung an, bat meinen Assistenten Dr. Rütz mitzufahren und war im Dezember des Jahres in Alexandria. Der ägyptische Arzt Professor Dr. Papayoannou – wir waren von früher miteinander befreundet – holte uns vom Schiff ab und brachte uns nach Kairo.

Dem König Fuad I. lag der Gesundheitsdienst sehr am Herzen, und er hatte, unterstützt von der „Rockefeller Foundation", in kurzer Zeit eine gewaltige Aufbauarbeit geleistet. Die bäuerliche Bevölkerung des Landes, die Basis seines Reichtums, litt an zwei Krankheiten: der Bilharziose und der Ankylostomiasis, beides Krankheiten, die durch Schmarotzer hervorgerufen werden. Besonders unter den „Nilbauern" war die Bevölkerung bis zu achtzig Prozent davon befallen. Als ich in Ägypten war, wurde eben damit begonnen, die befallenen Gebiete zu sanieren. Das Geld dazu kam zum Teil aus Amerika, die Medikamente dafür kamen aus Leverkusen am Rhein.

Meine Zeit war natürlich auch in Ägypten wieder einmal viel zu knapp bemessen und wurde zudem noch von einem Übermaß an Arbeit ausgefüllt. Nicht nur die Chirurgen, die ganze internationale medizinische Welt Kairos und natürlich alle Studenten überfüllten in beängstigender Weise den Hörsaal bei allen meinen Vorlesungen. Auch einige Mitglieder des Diplomatischen Korps hörten zu. Nach schmeichelhafter Begrüßung hielt ich den ersten Vortrag über mein ureigenstes Gebiet, die Entwicklung der Brustraum-Chirurgie in den letzten zwanzig Jahren. Aus Berlin hatte ich umfangreiches Lehrmaterial, wie Tafeln, Statistiken, Fotografien, Röntgenbilder und Präparate, mitgebracht, um meine Vorträge lebendiger zu gestalten. Für Ägypten war die Thorax-Chirurgie noch Neuland; daher auch der unglaubliche Andrang zu den Operationen, die auch viele Chirurgen und Praktiker aus der Provinz anlockten. Die Operationen, die ich in der chirurgischen Klinik ausführte, waren Thorax-Plastiken, Lungenplomben und Lungenabszeß-Eröffnung. In der chirurgischen Klinik Professor Papayoannous führte ich eine Dickdarm- und Knochenoperation aus.

In der zweiten Vorlesung sprach ich über die Chirurgie der Lungentuberkulose.

Die dritte Vorlesung widmete ich wieder meinem eigenen Schaffen in der Gliedmaßen-Chirurgie, sprach zuerst über die Operation des Ersatzes des Oberschenkelknochens durch den Unterschenkel nach Resektion des Oberschenkelknochens, der sogenannten Umkipp-Plastik, und belegte meinen Vortrag mit mehreren Röntgenbildern gelungener Operationen. Das zweite Thema betraf die Entwicklung der künstlichen Hand; ich demonstrierte das Verfahren an einem aus Deutschland mitgebrachten Kranken. Die Zuhörer schienen mir beeindruckt, als der künstliche Arm mit den beweglichen Fingern viele schwierige Proben seiner Gelenkigkeit ablegte. Nach einigen Tagen fanden sich schon mehrere armamputierte Ägypter ein, die von mir operiert werden wollten; leider mußte ich sie auf mein Wiederkommen vertrösten.

Kein Tag verging, an dem ich nicht zu irgendeiner mir zu Ehren gegebenen Veranstaltung erscheinen mußte. Eine besonders herzliche Note hatte der Tee, der mir zu Ehren von der Vereinigung deutschsprechender ägyptischer Akademiker gegeben wurde. Drei ehemalige Schüler aus meiner Münchner Zeit, die damals aus Ägypten gekommen waren, sprachen schmeichelhafte Worte. Ich improvisierte eine lange Rede und bat sie, den Geist der Wissenschaft und besonders der Medizin stets lebendig und wahr zu erhalten, um ihn vor drohenden Abwegen zu bewahren. Später im Gespräch hörte ich, daß die wissenschaftliche Arbeit in Ägypten unter einem Umstand litt, den ich nicht bedacht hatte. Gegen mannigfache Hindernisse und Vorurteile war anzukämpfen. Der Islam verbietet streng anatomische Studien am Kadaver. Menschliche Leichen zu sezieren war ein Verbrechen.

Die Abschiedsvorlesung, der auch der Unterrichtsminister und der Unterstaatssekretär für öffentliche Gesundheit beiwohnten, war besonders feierlich. Zuerst sprach ich selbst über Ausblicke in die Zukunft der Chirurgie und behandelte dabei eingehend die Carcinom- und Tuberkulosefrage. Dann nahm Aly Pascha Ibrahim das Wort. Er feierte mich sehr und bedankte sich für meinen Besuch. In einer prachtvollen Kassette, einem Meisterstück orientalischer Kunst, überreichte er mir eine Dankesurkunde. Er vergaß auch Dr. Rütz nicht, beschenkte ihn ebenfalls und sagte von ihm, er sei das „leuchtende Beispiel eines äußerst fähigen, stramm disziplinierten Assistenten und dabei ein überaus liebenswürdiger, zuvorkommender Kollege".

Nie werde ich die Silvesternacht 1930 vergessen. Ich verbrachte sie in einem Hotel, das den großen Pyramiden in der Nähe Kairos gegenüberliegt. Zusammen mit Dr. Rütz trat ich aus dem Bankettsaal des Hotels in die Nacht. Groß und leuchtend standen über uns die Sterne, und vom bleichen Mondlicht übergossen, schauten die Pyramiden, schauten die Jahrtausende auf uns herab.

Am 3. Januar empfing mich König Fuad in einer langen Privataudienz. Ich verhehlte ihm meine Bewunderung über seine sanitären Maßnahmen im Lande nicht. Er war sehr herzlich zu mir und bat mich, bald wiederzukommen.

Rührend war der Abschied, den man mir in Port Said gab. Professor Papayoannou hatte uns bis zu dieser Hafenstadt begleitet. Im Grand Hotel, den Sueskanal rechts und das Meer vor uns, gaben uns Seine Exzellenz der Gouverneur der Stadt und Dr. Maleotis, als Alterspräsident der

Port Saider Ärzte, ein festliches Mahl. Als wir uns erhoben, weil es höchste Zeit für uns war, aufs Schiff zu gehen, spielte die zum Festmahl beorderte ägyptische Musikkapelle das Deutschlandlied.

Im Anschluß an den Besuch in Ägypten weilte ich mit guten Freunden und Freundinnen an der Riviera. Die Franzosen verhafteten mich, weil ich in einem Festungsbereich fotografierte. Pariser Freunde holten mich heraus. Das waren Zeiten! –

Meine Kollegs in Berlin waren bewegter als die früheren in München und Zürich. Hier einige Proben.

„Zunächst zeige ich Ihnen ein Präparat. Was ist das?"

Kandidat schweigt.

„Ja, sagen Sie doch, was Sie sehen; ihr müßt sehen lernen, hören tut ihr ja sowieso nichts. Wenn ich einen der Wärter herhole, wird er das in seiner Einfalt prachtvoll beschreiben."

Praktikant inspiziert schwitzend das vorgelegte Präparat und sagt unsicher:

„Eitriges Gewebe."

„Wo sehen Sie Eiter und wo Gewebe? Sie sollen nicht mit der Pinzette stochern, sondern sehen! Zunächst sehe ich, daß das eine Appendix ist, ein Wurmfortsatz; außerdem sehe ich, daß die Appendix ein sehr verschiedenes Volumen hat. Sie ist an der Basis eng, während das Ende kolbig aufgetrieben ist. Sie ist ödematös geschwollen und hat an verschiedenen Stellen einige Eiterpünktchen. Außerdem sehen Sie, daß auch das Mesenterium ödematös geschwollen ist und an einer Stelle die Appendix schwärzlich ist, das ist eine beginnende Nekrose.

Sehen Sie, so beschreibt man das! Laßt euch einpacken und werdet Apotheker!"

Das Auditorium scharrt mit den Füßen.

„Lassen Sie das Scharren, es ist mir Ernst. Man ist erschüttert über die Interesselosigkeit und mangelnde Begabung der angehenden Ärzteschaft."

Wiederholtes Scharren und Lachen im Auditorium.

Ich breche die Vorlesung ab.

*

„Nun zeige ich Ihnen hier einen Buben, der an einer Ostitis fibrosa leidet, und ich habe Ihnen schon früher einmal erzählt, daß die Träger dieser Krankheit ganz besonders häufig spontanen Knochenbrüchen ausgesetzt sind. Sie sehen hier im Röntgenbild sehr schön das große Loch im Oberarm, und hier sehen Sie am Arm des Patienten eine Narbe, die von einem Versuch herstammt, auf chirurgischem Wege die Ostitis fibrosa zu beeinflussen. Wir hatten die Höhle ausgekratzt und einen Knochenspan zur Überbrückung des Defektes eingesetzt.

Der Junge hat beim Spiel seinen Arm angestoßen. Infolgedessen ist eine Fraktur entstanden und eine kolossale Anschwellung, die heruntergeht bis zum Ellenbogen als Zeichen eines Blutergusses. Es ist natürlich ein Bruch, der sich von einer gewöhnlichen Fraktur unterscheidet, denn bei dieser Höhle im Knochen können Sie sich vorstellen, daß schließlich kaum mehr etwas anderes übriggeblieben ist als die Knochenhaut. Als drittes charakteristisches Zeichen der Fraktur kam der Schmerz hinzu.

Nun, prüfen Sie die Fraktur, wie fühlt sich der Knochen an?“

Praktikant: „Er fühlt sich fest an.“

„Nee! Seht, das ist das Schlimme, daß diese wunderbaren Dinge, die den alten Ärzten eine Selbstverständlichkeit waren, durch diese verfluchte Röntgenerei verlorengegangen sind, und das ist sehr traurig. – Die Kunst des Arztes besteht darin, daß wir mit unseren unmittelbaren Sinnen wahrnehmen. Untersuchen Sie mal . . .“

Praktikantin untersucht.

„Mit dem Daumen mußt du drücken, nicht mit deinen Pfoten!“

Praktikantin: „Es ist verschieblich!“

„Werden Sie Dichterin! Das kommt daher, weil viel zuwenig im Examen durchfallen. Der Krauß und die anderen, die lassen gar keinen mehr durchfallen – was fühlst du nun?“

Praktikantin: „Hitze.“

„Hitze sagt se, Hitze hätt' se. Ist ein Examenskandidat da?“ Niemand meldet sich.

„Nun, dann will ich mir selbst einen Konsilarius aussuchen.“ Ich gehe ins Auditorium, verbeuge mich vor einer Dame, reiche ihr den Arm und führe sie nach unten.

„Ich tanze mit Ihnen am 15. Februar (Medizinerball), aber nur unter der Voraussetzung, daß Sie hier jetzt das Richtige feststellen. Hier handelt es sich um ganz klare Begriffe.“

Praktikantin untersucht und sagt dann: „Crepitation.“

„Wenn du das dir nicht eingebildet, sondern richtig gefühlt hast, bist du die Königin des heutigen Morgens!“

Zum ersten Praktikanten: „Tasten Sie nach – was fühlen Sie?“

Praktikant: „Crepitation.“

„Schwören?“

Praktikant: „So hundertprozentig nicht.“

„Das habe ich Ihren flatternden Augen angesehen. – Tasten Sie noch einmal nach! – Also, jetzt ernst: man fühlt den Tumor, schließlich Crepitation, Druckschmerz besteht. Das kann nur eine Fraktur sein. Nun, was werden Sie mit dem Buben machen? Denn er ist ja nicht ins Spital gekommen, um hier vorgeführt zu werden. Sie würden, wenn Sie das Glück hätten, daß es sich nur um eine gewöhnliche Fraktur handelt, den Arm eingipsen; aber da es kein einfacher Knochenbruch, sondern ein Knochenbruch auf einem Träger einer Ostitis fibrosa ist, so entstehen Ihnen zwei Aufgaben: Erstens die Grundkrankheit zu beeinflussen. Dies können Sie tun, indem Sie die Epithel-Körperchen operieren. Zweitens die akuten Folgen zu beseitigen durch Ruhigstellung. Wir werden aber auch daran denken können, die beiden Fragmente des Knochens wieder zu vereinen. Durch einen Span. Aber Knochen wächst nur an, wenn er vom Körper nicht als Fremdkörper betrachtet wird. Es besteht die Gefahr, daß die Schiene einfach resorbiert wird, der Span ist verschwunden, und das alte Leiden beginnt von neuem.“

„Hier stelle ich Ihnen wieder unseren Patienten mit dem Spontan-Pneu vor, den Sie gestern schon gesehen haben.“

Einige Praktikanten untersuchen den Patienten, darunter sehe ich einen, der einen Karbunkel unter dem linken Auge hat.

„Hören Sie, mein Lieber, damit müssen Sie sich sofort in klinische Behandlung begeben. Alle entzündlichen Erkrankungen des Gesichts sind gefährlich durch die große Neigung zu Thrombophlebitiden. Vor allem aber die Oberlippenfurunkel. Ich will Ihnen ein entsetzliches Erlebnis aus meiner Marburger Zeit erzählen: Am selben Tage kamen der Geldbriefträger mit einem Furunkel an der Oberlippe zur Begutachtung in die Klinik und ein Student vom Gymnasium, der gerade im Abitur stand und sich deshalb nicht in klinische Behandlung begeben wollte. Der Student war innerhalb zweier Tage tot, während der Briefträger mit dem Leben davonkam. Es ist das falscheste, Heftpflaster darauf zu tun."

Der Student wird klinisch aufgenommen.

„Ich will Ihnen noch in Abwesenheit des Kollegen Näheres über die Sterblichkeit bei Gesichtsfurunkel sagen. Sie sind deshalb so gefährlich, weil im Gesicht eine sehr reiche Gefäßversorgung ist, die Thromben können über die Vena angularis in die Vena magna des Gesichts und von da zu dem großen Sinus des Schädels kommen. Die Mortalität des Oberlippenfurunkels ist (1936) vierzig bis fünfzig Prozent. So ist man verpflichtet, für die richtige Pflege eines jungen Kollegen zu sorgen."

Sechs Wochen später:

Vorstellung eines Mannes mit einem Krebsleiden. „Wir haben die Operation vorgenommen, es geht dem Patienten soweit gut. Es ist eine Entschädigung für alle die Nackenschläge, die wir in der Chirurgie erleben, und gibt uns neuen Mut für die Arbeit."

Ich stelle dann einen Patienten mit einem Schiefhals vor und zeige den Studenten dabei ein Instrument, das Tenotom, das bei der Operation des Schiefhalses ausgezeichnete Arbeit leistet. Um diese Wirkungsweise zu demonstrieren, nehme ich das Messer und stecke es unter den Schlips des aufgerufenen Kandidaten. Er hält meine Hand fest und sagt:

„Nein, nein, so geht das ja nicht!"

Ich tat, als falle ich aus allen Wolken, und sagte:

„Daran sehe ich wieder einmal den Unterschied der Zeiten und der Generation! In meiner Jugend wäre ich dankbar gewesen, wenn mir mein Lehrer eine neue Methode am eigenen Leibe demonstriert hätte."

Darauf führte ich dennoch das Kappen der Krawatte durch und ließ dem Geschädigten eine Auswahl meiner eigenen Krawatten aus meinem Zimmer holen, unter denen er sich eine aussuchen durfte.

Das waren kleine Ruhepunkte in den Kollegs, die meist voll gespannter Atmosphäre waren.

WELTPROBLEM DER GESUNDHEIT: DER KREBS

Auch in der Aufklärung der breiten Öffentlichkeit habe ich mich mit zweifelhaftem Erfolg versucht. Der folgende Rundfunkvortrag über das Krebsproblem war der erste und letzte, den ich je gehalten habe. Als ich ihn mir jetzt wieder durchlas, bemerkte ich, daß er noch immer modern ist. Einiges Theoretische ist wohl hinzugekommen, einiges Heilerische scheint in den Kinderschuhen zu stecken. Die Grundlagen aber haben sich nicht geändert. Das Krebsproblem ist noch nicht gelöst. Hier ist der Vortrag:

„Vor einigen Tagen erhielt ich einen Brief, und dieser Brief war aus Berlin. In diesem Briefe stand: ‚Sehr geehrter Herr Geheimrat, es ist eine unerhörte Anmaßung und Unverschämtheit, einen Vortrag über den Krebs zu halten, wo Sie genauso wenig darüber zu sagen haben wie irgendein Arzt sonst. Ihr Ärzte seid die größten Pfuscher und versteht von Krebs gar nichts. Meine Mutter, meine Schwester und mein Mann sind an Krebs gestorben, und alle Ärzte, die die Behandlung geleitet haben, haben gezeigt, daß sie Ignoranten sind.‘ So ging es noch eine Weile weiter. Die Frau ersparte mir nichts.

Dieser Brief ist nicht gerade ein Muster an Liebenswürdigkeit und Takt, aber dieser Brief enthält doch einen Kern Wahrheit insofern, als wir Ärzte in der Tat über den Krebs nur wenig wissen. Wir können kaum bei einer anderen Krankheit so wenig über die Entstehung sagen und wissen so wenig über das Wesen, und dennoch ist die Grundlage erfolgreichen Handelns immer die Kenntnis der Krankheit, die Kenntnis der Bedingungen, unter denen sie entsteht, und gerade durch Änderung der Bedingungen sind uns die Mittel in die Hand gegeben, Besserungen, ja Heilungen zu erzielen.

Was wir aber doch vom Krebs kennen, das ist das klinische Bild in seiner Schwere, in seinem Ernst, in seiner Tragik. Das Leiden, das wir hundertfältig erleben, das uns immer wieder unsere Ohnmacht zeigt, das Bild des Krebses, das in den letzten Stadien der Erkrankung alle Schwermut und alle Einsamkeit, alle Verzweiflung und oft Auflehnung gegen das Schicksal bei den Menschen entstehen läßt. Und dabei ist es ein Leiden, das schleichend, geheim, mit verdecktem Visier wie der Dieb in der Nacht, den Menschen überfällt, nicht mit Schmerzen und Störungen der Gesundheit sich einstellt, sondern zunächst nur in der Form, daß es da ist, daß es beginnt, daß es eine zerstörende Wirkung aufzieht. Und wir wissen, daß dieses furchtbare Leiden häufiger ist, als die meisten ahnen. Die Zahl der Todesfälle an Krebs wird nur noch von der an Herz- und Kreislaufkrankheiten übertroffen. Die Zahl der Kranken, die ihm erliegen, wechselt nach einzelnen Ländern. Es gibt Gegenden, z. B. bei bestimmten Negervölkern, wo der Krebs selten ist, und wiederum hochkultivierte Gebiete, wie z. B. die Schweiz, wo seine Häufigkeit die der Tuberkulose überwiegt.

Ein Siebentel aller Menschen-Todesfälle sind dem Krebs zuzuschreiben. Und weiter wissen wir, daß der Krebs ein Leiden des mittleren Lebensalters darstellt, daß er seine Opfer aber verlangt bis ins Greisenalter und selbst die früheste Jugend nicht verschont.

Aber auch bei Tieren ist der Krebs verbreitet. Kaltblüter und Säugetiere können an Krebs erkranken, und zwar ist er bei Haustieren häufiger als bei wildlebenden Tieren. Diese Beobachtung bringt uns den Gedanken nahe, ob nicht in den Kulturgewohnheiten der Menschen eine Ursache der Krebskrankheit verborgen liegt und zu suchen ist.

Viel besprochen wurde in letzter Zeit die Frage, ob der Krebs im Laufe der Zeit zugenommen hat. Es läßt sich nicht leugnen, daß sich fast in jeder Todesursachenstatistik eine solche Zunahme angegeben findet. Dem ist jedoch entgegenzuhalten, daß die vermeintliche Zunahme auch in besserer Erkenntnis der Krankheit, in der besseren Schulung der Ärzte, in der Vermehrung der Krankenhäuser, in häufiger durchgeführten Obduktionen, also in einer schärferen diagnostischen Erfassung zu suchen ist. Sicher ist, daß durch erfolgreiche Bekämpfung der Epidemien, der Säuglingssterblichkeit, der Blinddarmerkrankungen und anderer frühzeitiger Todesarten sehr viel mehr Menschen als früher ein höheres und damit ein „krebsfähiges" Alter erreichen.

Die Bedrohung durch Krebs ist heute also mit der höheren Lebenserwartung gewachsen. Auf Grund großer Statistiken berechnet man auf eine Million Einwohner einer Stadt im Jahre etwa 1300 Todesfälle an Krebs. Demnach würden in Deutschland jährlich etwa hunderttausend Menschen an Krebs sterben. Die Berechnung des Verhältnisses der Krebstodesfälle zu anderen Todesursachen aller Altersklassen ergibt durchschnittlich 9%. In Amerika hatte eine große Lebensversicherungsgesellschaft in zwölf Jahren 90175 Krebstodesfälle unter ihren Versicherten. In Bayern sind in einem Zeitraum von zwölf Jahren vor dem Krieg 50233 Menschen an Krebs gestorben. Nordamerika, Italien und Belgien haben etwa 50 bis 60 Krebstodesfälle auf hunderttausend Lebende; für die Schweiz beträgt diese Zahl mehr als das Doppelte, ebenso für Dänemark.

Und dieses so häufige Leiden ist alt wie die menschliche Kultur. Es liegen Berichte aus der ägyptischen und indischen Medizin vor, und die alexandrinische Schule hat über den Brustkrebs der Frauen Krankengeschichten veröffentlicht von einer Gründlichkeit, deren wir uns heute nicht zu schämen brauchten.

Hippokrates kannte den Krebs und wußte auch, daß er gewöhnlich unheilbar ist. Wie der Name Krebs entstand, ist schwer zu sagen. Die einen glauben, daß in ihm zum Ausdruck kommen soll, daß die Geschwulst im Gewebe so fest sitzt, daß man sie, ähnlich wie sich anklammernde Krebse, nicht mehr losreißen kann. Vielleicht ist auch die

Auffassung richtig, daß der Name sich herleitet von der Form des Krebses, soweit er an der Oberfläche sitzt, indem man beobachten kann, wie Fortsätze von dem Zentrum ausgehen, wie die Beine des Taschenkrebses vom Körper. Charakteristisch ist die Zeichnung der prallgefüllten Venen bei einem Krebs der weiblichen Brust – möglicherweise war es auch dieses Bild, das der Krankheit den Namen gab.

Eine klare anatomische Vorstellung vom Wesen des Krebses verdanken wir erst den Untersuchungen des bekannten Anatomen Virchow. Er lehrte uns, daß der Krebs eigentlich eine abwegige Wucherung von Körperzellen darstellt. Ein jedes Organ ist aufgebaut aus einer diesem Organ charakteristischen Zellart, die umschlossen ist von einer überall vorkommenden Gewebsart, dem Bindegewebe. Unter normalen Verhältnissen ist eine scharfe Abgrenzung dieser einzelnen Gewebsarten gewährleistet. Die Lebenstätigkeit der Zellen ist mit ihrer Abnutzung verbunden. In einer gewissen Zeit gehen sie zugrunde; sie haben aber ein Eigenleben insofern, als sie sich aus sich selbst vermehren und wiederherstellen können. Das bemerkenswerte ist, daß bei diesem Arbeits-, Lebens-, Sterbe- und Ersatzprozeß die angeborene Ordnung nicht unterbrochen wird. Man kann mit Fug und Recht von einem Zellenstaat sprechen und mit diesem Worte zum Ausdruck bringen, daß jeder Zelle, jeder Zellgruppe ihre Funktion zuerteilt ist und auch der Raum, auf dem ihr Leben sich abspielt, bestimmte Grenzen nicht überschreitet. Es ist einer der bewundernswertesten Vorgänge im Körper, daß diese Ordnung immer in derselben Weise sich vollzieht und daß sie trotz aller Umgestaltungen, die der Körper von der Geburt durch die Entwicklung bis zum Abbau durchmacht, unverändert fortbesteht.

Wir können uns keine klaren Vorstellungen davon machen, welche ordnenden Kräfte diesen wunderbaren Vorgang regeln. Man kann daran denken, daß es Nerveneinflüsse sind, man kann sich aber auch vorstellen, daß bestimmte Stoffe, die mit der Blutbahn an die einzelne Zelle herangebracht werden, sie umspülen und ernähren, daß sie diesen ordnenden regulierenden Einfluß besitzen, oder es mögen Zellbestandteile selbst sein. Das Wesentliche ist der Grundsatz der Gegenseitigkeit, des Altruismus, des Lebens und Arbeitens für die anderen. In dem Augenblicke, wo eine Krebsgeschwulst nun anfängt sich zu entwickeln, wird dieses grundlegende Prinzip im Aufbau und in der Funktion unseres Körpers gestört. Das Wesen ist hemmungsloses Wachstum ohne Rücksicht auf anatomische Begrenzung und ohne Achtung vor der Eigenart des umgebenden Gewebes. Die Krebszelle kennt keine Grenzen. Rücksichtslos bricht sie ein an Orte anderer Struktur. Und so finden wir denn, daß weit vom Ursprungsort der Krebszelle ihre Ableger sich vorschieben bis tief in die Umgebung hinein. Aber damit nicht genug. Nicht nur örtliches rücksichtsloses Wachstum, sondern auch Verschleppung in weit entfernt liegende Körperteile. Sie brechen in die Lymphbahnen ein und werden mit dem Lymphstrom verschleppt. Sie stürzen sich in die Blutbahn und werden weit vom Entstehungsort in andere Zonen fortgetragen. An diesem neuen Orte fassen sie Fuß und beginnen ihr verderbliches Wachsen und Wirken von neuem. Immer das gleiche Bild: hemmungsloses, rücksichtsloses Wachstum, ohne Anpassung an räumliche und funktionelle Notwendigkeiten der Umgebung, schrankenloses Eigenleben, und es ist begreiflich, daß dieses gewaltige Wachsen und der damit verbundene Stoffwechsel die Kräfte aufzehrt und verbraucht, die den normalen Lebensvorgängen entzogen werden. Diese kommen zu kurz, und schon dadurch erklärt sich ohne weiteres eine Herabminderung der Lebens- und Leistungsfähigkeit des Körpers im ganzen.

Aber noch andere Vorgänge kennzeichnen das verderbliche Wesen des Krebses. Sobald die Zellen und Zellgruppen im Krebs eine gewisse Etappe erreicht haben, sobald die Geschwulst, die sie aufbauen, eine bestimmte Größe überschreitet, zerfallen die zu schnell entwickelten Krebszellen. Sie sterben ab, sie zerfallen, und dort, wo nun die abgestorbenen Massen sich befinden, dringen bereits wieder aus der Umgebung neue, junge Gewebsteile vor, die das Abgestorbene verdrängen.

So entsteht das Krebsgeschwür, das namentlich an der Oberfläche des Körpers dem Arzte die eindeutige Beurteilung des Befundes ermöglicht.

Dieses Verhalten erklärt uns aber auch eine wichtige Eigenschaft der allgemeinen Wirkung des Krebses. Diese zerfallenden Massen bilden Eiweißstoffe, die wie Gifte auf den Körper wirken. Sie werden in die Blutbahn aufgenommen, allgemein im Körper verschleppt, und es entsteht auch dadurch eine Fernwirkung der Geschwulst. Man darf bei manchen Kranken, die von diesem Leiden befallen werden, geradezu von einem Vergiftungszustand sprechen. Das fahle gelbe Aussehen, die Abmagerung, all das ist schließlich dadurch bedingt. Das Tempo des Wachstums und des Zerfalles ist nicht bei allen Krebsen gleich. Es hängt sehr viel von dem Boden ab, von der Eigenart des betreffenden Kranken, der befallen wird; auch die Eigenart des Ursprungsortes übt Einfluß aus.

So sehen wir bald große, bald kleine, bald früh, bald spät zerfallende Krebse. Ihr Aussehen ist verschieden, oft nur eine kleine Warze oder eine beetartige Verdickung, dann wieder eine mehr als faustgroße Geschwulst ohne scharfe Angrenzung gegen die Umgebung. Bald zerfällt die Geschwulst an der Oberfläche, so entstehen Geschwüre; bald im Innern, so entstehen Hohlräume.

Eine rein anatomische Auffassung des Krebses, die darauf verzichten muß, zu erklären, warum diese krankhafte Wucherung auf einmal beginnt, wird in dem Krebs eine örtliche Erkrankung sehen, und diese Auffassung ist die Grundlage einer rationellen Behandlung. Sobald es gelingt, die ersten Anfänge dieser Geschwulst radikal aus der gesunden Umgebung herauszuschneiden, wird der Krebs an seiner Weiterentwicklung gehindert, und eine Heilung ist zu erwarten. Und schon hier sei es gesagt, daß wir in dem wenigen, was wir von dem Wesen des Krebses wissen, diese Wahrheit, die allerdings hie und da eine Einschränkung erfährt, in den Vordergrund unserer heutigen Besprechung stellen müssen, die Tatsache, daß der Krebs zunächst als ein örtliches Leiden beginnt und darum auch örtlich zu behandeln ist.

Er tritt an ganz umschriebener Stelle auf. Als solches ist jeder Krebs, rechtzeitig erkannt, örtlich entfernbar, vorausgesetzt, daß ihn der Chirurg seiner Lage nach erreichen kann. Diese Tatsache ist der Maßstab unseres ärztlichen Handelns, sie muß aber auch ein Kardinalpunkt der Aufklärung sein. Nur der zu spät erkannte und zu spät behandelte Krebs ist ein mit Sicherheit tödliches Leiden.

Ziemlich schnell brechen vom ursprünglichen Herd aus die Krebszellen in die Lymphgefäße ein und können dann die benachbarten Lymphdrüsen befallen. So schwellen beim Brustdrüsenkrebs nach einiger Zeit die Drüsen in der Achselhöhle an. Die Lymphdrüsen, die als Filterorgane wirken, können die Krebszellen eine Zeitlang festhalten. Auch in diesem Stadium ist dann noch Heilung möglich, wenn die Tochtergeschwülste mit den Lymphdrüsen operativ entfernt werden. Schließlich gelangen die Krebszellen auch in die Blutbahn und können nun zahlreiche Tochtergeschwülste in entfernten Organen, z. B. Leber, Lungen, Knochen, bilden. In diesem Augenblick ist der Krebs ein allgemeines Leiden geworden, das einer wirksamen Behandlung nicht mehr zugänglich ist.

Wer diese Zusammenhänge richtig erkennt, der wird auch als Laie begreifen, warum die Ärzte stets und ständig auf frühzeitig radikale Behandlung drängen.

Aber die anatomische Auffassung allein kann nicht befriedigen. Immer und immer wieder werden wir uns fragen, wie es kommt, daß nun an bestimmten Stellen des Körpers auf einmal dieses krankhafte krebsige Wachstum beginnt. Auch darauf gibt es, wenn auch keine abschließende Antwort, so doch bestimmte Erfahrungstatsachen, die eine gewisse Klärung bringen können, zum Beispiel die Erkenntnis, daß bestimmte Körperstellen eine besondere Neigung zu dieser krebsartigen Entartung haben, die unter den normalen Lebensbedingungen besonders stark mechanisch beansprucht werden. Der Magenkrebs sitzt gewöhnlich an den Stellen, wo an seinem Ausgang eine Verengung sich befindet und die Speisen hart an der Wand des Magens vorbeistreichen, oder der Krebs der Speiseröhre sitzt dort, wo besondere Engen ein Reiben beim Hinunterschlucken der Bissen verursachen.

Ein besonders eindrucksvolles Beispiel ist der Zungenkrebs, der dort entsteht, wo lange Zeit ein spitzer, zackiger Zahn die Zunge reizt; oder der Lippenkrebs, der sich dort lokalisiert, wo der Druck der Pfeife seit langem Jahr und Tag die Schleimhaut der Lippe mechanisch gereizt hat. Es sei auch daran erinnert, daß der Krebs besonders da gerne entsteht, wo chronische Entzündungen, das heißt Entzündungen, die immer und immer wieder aufs neue angefacht werden, weil ein bestimmter Reiz auf das Gewebe wirkt, entstehen. Je mehr man die Krebskrankheit von diesem Gesichtspunkte aus erforscht, desto häufiger finden sich Unterlagen für diese mechanische Reiztheorie.

Und doch kann diese einfache mechanische Reiztheorie nicht genügen, denn es sind doch immer nur besondere und vereinzelte Menschen, die das Carcinom bekommen, und so dürfen wir wohl vermuten, daß in der angeborenen oder erworbenen Eigenart des Krebskranken eine weitere Bedingung für die Krebsentstehung liegen muß.

Es ist selbstverständlich, daß die medizinische Wissenschaft nach den Ursachen des Krebses seit langem geforscht hat. Neben dieser Reiztheorie, die ich kurz schilderte, hat man lange Zeit geglaubt, daß es sich bei dem Krebs um eine Art Infektionskrankheit handeln könne.

Alle Beobachtungen am Menschen, die anscheinend für eine infektiöse Natur des Krebses sprechen, lassen bei kritischer Prüfung eine andere Deutung zu. Bei den Kontakt- oder Abklatschkrebsen an gegenüberliegenden Schleimhaut- oder Hautstellen handelt es sich um Einpflanzung von Krebszellen, nicht von Erregern. Auch die gleichzeitig bei Eheleuten auftretenden Krebse können unmöglich als Beweis einer Infektiosität angesehen werden, da bei der großen Häufigkeit der Krankheit gewiß gelegentlich Ehegatten an der gleichen Geschwulstart erkranken können. Auch wurde die indirekte Übertragung von Krebs nach Art anderer Infektionen, zum Beispiel bei Ärzten, namentlich Chirurgen, noch nie beobachtet.

Das Suchen nach krebserregenden Bazillen fand immer wieder in der vermeintlichen Beobachtung Nahrung, daß es sogenannte Krebshäuser gebe, Häuser, deren Bewohner im Laufe der Jahrzehnte immer wieder an Krebs erkranken. Man beschrieb Krebshäuser, Krebsstraßen, Krebsdörfer; doch sind diese Beobachtungen durchweg falsch gedeutet. (In alten Häusern wohnen alte Leute – und alte Leute erkranken häufig an Krebs. Im Jahre 1955, unter völlig anderen Wohnverhältnissen, dürfte es schwieriger sein, „Krebshäuser" in Großstädten zu finden.)

Am meisten wurde diese Anschauung erschüttert durch die moderne experimentelle Krebsforschung, welche die Verpflanzbarkeit der Krebse durch Übertragung von Krebszellen im Tierexperiment sicher nachgewiesen hat. Ebenso sprechen zahlreiche andere Ergebnisse der experimentellen Forschung und ein großes klinisches Beobachtungsmaterial gegen ihre allgemeine Gültigkeit. Auch der Vergleich mit den Geschwulstkrankheiten der Tiere und Pflanzen, der häufig zur Stütze der Theorie herangezogen wird, ist nicht stichhaltig, da die bösartigen Geschwülste der Tiere durchaus nicht ohne weiteres denen der Menschen gleichzusetzen sind.

Ebenso erwiesen sich aufsehenerregende Nachrichten von der Entdeckung eines neuen Krebserregers immer wieder als unrichtig. Es stellte sich nach kurzer Zeit heraus, daß der betreffende Bazillus gelegentlich als Hilfsfaktor bei der Entstehung eines ganz bestimmten Tierkrebses betrachtet werden kann, daß er jedoch keinesfalls „der" Krebserreger ist.

Wenn so die Lehre von dem lebendigen Krebserreger in ihrer Verallgemeinerung als ganz unbewiesen gelten darf, so muß mit ihr auch die Sorge vor dem ansteckenden Charakter des Leidens endgültig fallengelassen werden. Nach unseren heutigen Kenntnissen besteht keine Gefahr der Ansteckung eines Menschen durch einen krebskranken Mitmenschen. Auch die Möglichkeit der Übertragung lebender Krebszellen von oberflächlich liegenden Geschwüren auf einen anderen Menschen muß abgelehnt werden, da diese Zellen unter Vermeidung jeglicher Verunreinigung in Wunden geimpft werden müssen, um sich weiter zu vermehren.

Es wird nun vielfach von Laien die Frage gestellt, ob einer Körperverletzung, also einem einmaligen Reiz, eine ursächliche Bedeutung für die Krebsentstehung zuzumessen ist. Meist wird der Zusammenhang falsch beurteilt; denn häufig lenkt die Verletzung nur zum erstenmal die Aufmerksamkeit auf die schon vorher bestehende Geschwulst.

Wir kommen nun zu einer weiteren Krebstheorie, zur Lehre von der Entstehung durch Keimverlagerung. Wir wissen, daß manche Krebse auf dem Boden von Gewebsmißbildungen entstehen können, wie zum Beispiel ein Muttermal der Haut den Ausgangspunkt einer bösartigen Geschwulst abgeben kann. Wir stellen uns vor, daß hier Zellmaterial, welches für den Aufbau der normalen Gewebe nicht verbraucht wurde, eine erhebliche Wachstumsenergie aufgespeichert hat, die sich nach Jahren noch geltend machen kann. Solche überschüssigen Zellhaufen sind als Keime verschiedener Geschwülste, auch gutartiger, wohlbekannt, doch müssen die betreffenden Zellen erst noch ihren Charakter ändern, oder es müssen Wachstumswiderstände wegfallen, bevor sie in bösartige Wucherungen übergehen.

Störungen im Gleichgewicht der Gewebe, Wegfall von Zellwachstumswiderständen hat man auch dafür verantwortlich gemacht, daß der Krebs meistens eine Krankheit des späteren Alters ist. Die Deckzellen, die in die Tiefe wuchern, sollen nicht mehr denselben Widerständen begegnen wie in den früheren Jahren. Dabei hat man nicht nur an mechanische, sondern auch an chemische Widerstände gedacht. Neuere Untersuchungen sprechen dafür, daß Stoffe, die das krebsige Wachstum der Deckzellen verhindern, bei jungen Menschen auch im Blute und in den Geweben vorhanden sind, während sie nach dem fünfundvierzigsten Jahr sehr oft verschwinden.

Viel erörtert ist auch die Frage, ob der Krebs zu den erblichen Krankheiten gehört, die von den Eltern auf die Kinder übertragen werden können. Tatsächlich ist das häufige Auftreten von Geschwülsten in manchen Familien höchst auffallend. Gewiß ist diesbezügliche Vorsicht am Platz, da ja Geschwülste sehr häufig vorkommen und es daher nicht wundernehmen kann, wenn sich auch innerhalb der Familie mehrere Fälle ereignen. Es liegen aber genügend Beobachtungen vor, die die Annahmen einer Erblichkeit von Geschwülsten in höchstem Grade wahrscheinlich machen. Wir wissen von der familiären Magenkrebserkrankung der Familie des Kaisers Napoleon. In solchen Fällen wird aber offenbar nicht die Geschwulst, sondern die Veranlagung vererbt. Dafür spricht auch, daß in sogenannten Krebsfamilien meist Geschwülste verschiedener Art oder in verschiedenen Organen auftreten. Nach einer Berechnung könnten aber solche familiären Häufungen mit Rücksicht auf die absolute Häufigkeit der Krebserkrankung auf Zufall beruhen. Man muß ferner in Betracht ziehen, daß bei Familienmitgliedern, die unter den gleichen äußeren Bedingungen leben, das gehäufte Auftreten von Krebs auch durch gleichartige äußere Schädlichkeiten erzeugt werden kann.

Umfangreiche Tierversuche haben ferner gezeigt, daß das Gegenteil von Krebsdispositionen, also die Krebsimmunität, ebenfalls vererbt werden kann. Die Ursachen der Immunität sind noch nicht geklärt. Die meisten Warmblüter sind unempfindlich gegen Krebsinfektion, die von anderen Tieren stammt. Das Blutserum krebsimmuner Tiere schützt andere artgleiche Tiere nicht gegen Krebsübertragung. Erworbene Unempfänglichkeit entsteht im Experiment z. B. bei Tieren dadurch, daß man ihnen einen Krebs einimpft; dann ist es im allgemeinen zunächst gegen neue Geschwulstinfektionen gleicher Art immun. Beim Menschen entspricht diesen Tatsachen die Beobachtung, daß primärer Krebs, an mehreren verschiedenen Stellen des Körpers gleichzeitig entstanden, sehr selten ist.

Von Wert sollte die Immunitätsforschung für die Frühdiagnose des Krebses werden. Diese Hoffnung hat sich bis jetzt aber nicht erfüllt, weil die charakteristischen Reaktionen im Blutserum nicht im Frühstadium auftreten.

Über das Kapitel der Krebsursachenforschung kann man also zusammenfassend sagen: Die wirkliche, allgemeingültige Krebsursache ist unbekannt, auch heute noch, nachdem viele wichtige Tatsachen entdeckt sind. Innere Ursachen können eine Veranlagung für Krebs schaffen, jedoch erinnert uns die Tatsache, daß der Krebs als örtliches Leiden mit Vorliebe an ganz bestimmten Stellen des Körpers auftritt, wieder an die große Bedeutung örtlicher Reizzustände. Sind diese lange genug wirksam und ist die innere Disposition gegeben, so wird sich die schrankenlose Zellwucherung des Krebses einstellen. Es läßt sich also der Krebs als ein Produkt äußerer und innerer Ursachen erklären.

Zum Unterschied von ähnlichen Zuständen, wie sie beispielsweise bei der Entzündung beobachtet werden, ist die Krebsgeschwulst vom Standpunkt des menschlichen Individuums nicht bloß zwecklos, sondern stets eine ernste Gefahr für das Leben. Doch stehen wir glücklicherweise nicht ohnmächtig der Krebsgefahr gegenüber. Welche Wege die ärztliche Kunst eingeschlagen hat, um die Krebskrankheit zu bekämpfen, werden wir in folgendem sehen.

Halten wir vor allem die Tatsache fest, daß bösartige Geschwülste allmählich entstehen und in den ersten Anfängen weder Schmerzen noch irgendwelche andere auffallende Erscheinungen bedingen. Der Befallene fühlt sich nicht ausgesprochen krank, merkt aber doch, daß in seinem Gesundheitszustand ganz allmählich eine Änderung vor sich geht. Erst wenn die Geschwulst in die Nachbarschaft eindringt und ihre Umgebung zerstört, erst dann kommen die Schmerzen. Dann ist es aber oft auch zu spät. Schon bei den ersten Anzeichen sollte der Arzt aufgesucht werden. Oft genug wird der richtige Augenblick auch deshalb versäumt, weil die bösartige Erkrankung ihre harmlosen Doppelgänger hat, d. h. weil sie in ihren Erscheinungen Krankheitszuständen gleicht, die keine ernste Bedeutung haben und die der Kranke vielleicht öfters in seinem Leben ohne irgendwelche schwereren Folgen durchgemacht hat.

Werfen wir mit Rücksicht hierauf einen raschen Blick auf einige der wichtigsten Geschwulstformen. Von den selteneren wollen wir hier absehen.

Im Rachen und Kehlkopf äußert sich der Krebs wochenlang bloß durch die Erscheinungen eines chronischen Katarrhs, also besonders durch anhaltende Heiserkeit und Fremdkörpergefühle im Schlund. Dies sind aber Erscheinungen, die gerade bei starken Rauchern und bei Gewohnheitstrinkern, also bei denjenigen, die ganz besonders zu diesen Krebsen veranlagt sind, auch ohne Krebs vorkommen. So geschieht es denn, daß in der Mehrzahl der Fälle der Beginn der bösartigen Erkrankung übersehen wird und der Kranke häufig erst dann zum Arzt kommt, wenn eine wirksame Hilfe nicht mehr möglich ist. Sorgfältige

Selbstbeobachtung hätte ihm gezeigt, daß der Katarrh langsam seinen Charakter änderte, daß im Auswurf Blutspuren vorhanden sind, daß Schlingbeschwerden auftreten, die der Kranke bisher nie verspürt hatte.

Der Magenkrebs beginnt mit den Erscheinungen chronischer Verdauungsstörungen, wie sie viele Kranke jahrelang aufweisen, ohne an Krebs zu leiden. Auch gehen harmlosere Magenleiden so unvermerkt in Krebs über, daß nicht nur der Kranke von dieser Verwandlung keine Ahnung hat, sondern daß selbst der Arzt vor der Operation nicht immer entscheiden kann, ob das Übel noch gutartig oder schon bösartig ist.

In sehr vielen Fällen läßt sich das bösartige Leiden aber doch viel früher erkennen. Ein Mensch, dessen Magen bis in das vierte und fünfte Jahrzehnt hinein normal arbeitete und bei dem dann ohne Grund Beschwerden wie Appetitmangel, Magendruck, Aufstoßen, Erbrechen auftreten, der ist einer bösartigen Geschwulst zumindest so verdächtig, daß er sich an den Arzt wenden sollte.

Dasselbe gilt vom Darmkanal. Es gibt Leute, die ihr ganzes Leben lang über ihren Darm klagen, ohne je ernstlich krank zu sein. Wer dagegen aus voller Gesundheit heraus von allmählich zunehmender Darmstörung irgendwelcher Form, seien es nun anhaltende Kolikschmerzen, Durchfälle, abnorme Verhaltung des Stuhles, befallen wird, der ist ebenfalls einer bösartigen Erkrankung verdächtig. Der Verdacht steigert sich noch, wenn der Magenkranke schwärzliches Blut erbricht, wenn der Darmkranke blutige Entleerungen von sich gibt.

Der häufige Mastdarmkrebs gibt sich bisweilen während Monaten bloß durch häufiges und oft erfolgloses Bedürfnis nach Stuhlentleerung zu erkennen. Dazu gesellen sich meist Blutabgänge, die leicht mit Hämorrhoidalblutungen verwechselt werden. Diese Verwechslung ist den Kranken schon oft verhängnisvoll geworden, weil man die Hämorrhoiden als unangenehme aber nicht gefährliche Beigabe zum Leben hinnimmt, ohne für sie den Arzt zu Rate zu ziehen.

In der Brustdrüse gibt es harmlose Anschwellungen, kleine oder größere Geschwülste, die jahrelang bis ans

Lebensende gutartig bleiben können. Sie gehen aber bisweilen in ein bösartiges Stadium über, so daß sie beseitigt werden sollten, sobald sie erkannt sind. Im übrigen ist jede allmählich eintretende Anschwellung oder Verhärtung der Brust auf Bösartigkeit verdächtig, gleichviel, ob sie sich äußerlich als Geschwulst darstelle oder ob sie im Gegenteil von einer Schrumpfung der Gewebe begleitet sei. Der Brustkrebs ist ein so leicht zu erkennendes Übel, daß es kaum begreiflich ist, daß uns Kranke erst in vorgerückterem Stadium des Leidens zugehen.

Bösartige Knochengeschwülste äußern sich durch eine allmähliche Verdickung und Auftreibung eines Knochens, so z. B. des Schienbeins, des Oberschenkels usw. Auch sie sind in diesem ersten Stadium meist schmerzlose Gebilde. Käme der Kranke im Beginn des Leidens, wenn er die Anschwellung zum erstenmal entdeckt hat, zum Arzt, so könnte ihm mit einer umschriebenen Operation geholfen werden. Wartet er aber monatelang zu, weil die Anschwellung nicht schmerzhaft ist oder weil die leichten Beschwerden als ‚Rheumatismus' erklärt werden, so kann er schließlich nur mehr durch die Amputation gerettet werden. Leider kommt auch sie oft noch zu spät, weil sich das Übel durch den Blutstrom schon im Körper verbreitet hat.

Es ist nicht möglich, alle Formen von Krebs durchzusprechen, denn es gibt keine Stelle des Körpers, kein Organ, in dem nicht eine bösartige Geschwulst entstehen kann. Wenn sich der Kranke für alle diese der Bösartigkeit verdächtigen Leiden zum Arzt begeben soll, so hat dies einen doppelten Zweck. Einmal soll die Untersuchung das bösartige Leiden in seinen frühesten Anfängen erkennen lassen, oder sie soll wenigstens, wenn eine bestimmte Diagnose noch nicht möglich ist, zu einer fortgesetzten ärztlichen Beobachtung Veranlassung geben, bis die Diagnose klargelegt ist. Sie hat aber auch einen anderen Zweck, und der ist zum Glück sehr häufig das Endergebnis der Untersuchung: den Kranken über seinen Zustand zu beruhigen und ihn von einer unbegründeten Krebsfurcht zu heilen. Aber die Angst vor der Wahrheit verhindert oft den Weg zum Chirurgen, der allein helfen kann. Unnütze Versuche mit unzureichenden Mitteln vergeuden kostbare Zeit.

Einige Anhaltspunkte sollten die Kranken in erster Linie beachten, wenn sie sich vor erschreckenden Überraschungen bewahren wollen. Wunden, die trotz richtiger Behandlung nicht heilen, Gewächse, die schon lange bestanden und plötzlich anfangen, schnell zu wachsen; Knoten, die an Stellen auftreten, die von Natur glatt sind; Blutabgänge in Harn, Stuhl, Auswurf sowie blutige Ausflüsse; Störungen des Allgemeinbefindens, Gewichtsabnahme und Krankheitsgefühl sind so verdächtig, daß keine Zeit unnütz verstreichen darf; es muß sofort der Arzt aufgesucht werden.

Von der modernen Krebsbehandlung soll hier nur das Grundsätzliche gestreift werden. Radikal heilbar ist ein Krebs nur, solange er nur als örtliches Leiden zu betrachten ist. An die Frühdiagnose schließt sich die Forderung der Frühbehandlung, die nur eine operative sein soll. Auch heute noch steht die Operationsbehandlung weit über allen anderen Heilversuchen. Ist der Krebs einmal erkannt, so ist keine Zeit zu verlieren, es muß sofort, und zwar nachdrücklich, gehandelt werden. Die Neubildung muß mit Stumpf und Stiel bis in die feinsten Wurzeln hin ausgerottet werden. Diese Forderung ist nur auf dem Wege einer restlosen chirurgischen Entfernung aller Krebszellen zu erreichen. Daher bedeutet die Anwendung jener Mittel, die die laienhafte Naturheilkunde und sonstige Kurpfuscher aller Art bisher empfehlen, einen Schlag ins Wasser. Man kann diese Behandlungsarten nur als Betrug den Krebskranken gegenüber bezeichnen. Dieses Urteil ist nicht zu scharf, wenn man, wie ich, im Laufe der Jahre so viele Krebskranke in völlig hoffnungslosem Zustande aus den Händen solcher Personen hat übernehmen müssen.

Die Heilmittel der früheren Zeit, Ätzen mit dem Glüheisen, finden heute nur mehr in beschränktem Maße Anwendung. Diese Mittel reichen nicht weit genug in die Tiefe, ihr Wirkungskreis ist örtlich stark eingeschränkt, und sie lassen sich in ihrer Tiefenwirkung nicht genug übersehen.

Anders steht es mit der chirurgischen Behandlung. Man weiß genau, wie weit man vordringen kann; man kann die Neubildung mit Einschluß der krebsverdächtigen Umgebung umschneiden und damit ausrotten. Die praktische Chirurgie kennt hierüber ganz bestimmte Regeln, die für jede Krebsart und jedes krebskranke Organ ständig weiter ausgearbeitet und in ihren Ergebnissen verbessert werden.

Im allgemeinen ist ein Krebskranker von seinem Leiden geheilt, wenn er die Krebsoperation zwei Jahre lang überlebt hat. Die chirurgische Wissenschaft ist vorsichtiger und fordert eine Beobachtungsfrist von drei bis fünf Jahren. Um Ihnen einige Belege für die Operationsresultate zu bringen, sei folgendes Zahlenbeispiel genannt:

Die Brustkrebsoperation der Frau ergibt bei einer ganz geringen, nur wenig Prozent betragenden Operationssterblichkeit vierundvierzig Prozent Heilungen über drei Jahre, etwa vierzig Prozent Dauerheilungen über fünf Jahre hinaus.

Die meisten krebsheilenden Mittel versanken wieder in Vergessenheit. Das gilt besonders von der Behandlung mit chemischen Mitteln; das lehren vorläufig noch die unermüdlichen Arbeiten auf dem Gebiete der Immunsera; dies gilt von allen Mitteln, die als Reizkörper wirken sollen. Vielleicht bringt uns die Zukunft auf diesem Wege weiter vorwärts. Im vollendeten Stadium des Krebses passen sich schließlich die Krebszellen allen feindlichen Giften, auch den Röntgenstrahlen, an und weichen nur dem Messer des Chirurgen.

Ich hoffe, Ihnen in meinen Ausführungen gezeigt zu haben, zu welcher Auffassung des Krebsproblems die klinischen wie die anatomischen Erfahrungen und die Ergebnisse der experimentellen Krebsforschung uns heute führen. Mancher von Ihnen wird vielleicht erleichtert aufatmen, der bisher uns Ärzte für wehrlos und den Krebs für unheilbar hielt. Der vermeintlichen Zunahme der Gefahr halten wir die umstrittene Wirksamkeit operativer Maßnahmen entgegen und ebenso die rastlose Weiterarbeit der Wissenschaft. Was wir erreicht haben, ist schon viel, aber viel mehr noch ist zu leisten. Sollte es mir heute gelungen sein, das Vorurteil, der Krebs sei unheilbar, zu brechen und Sie zu überzeugen, daß eine frühzeitige operative Behandlung die besten Dauerheilungen sichert, dann wäre der Zweck dieses Vortrages erreicht."

EINE LANZE FÜR AUGUST

Ich habe es oft gesagt: Die Medizin ist eine Naturwissenschaft; aber das Arzttum ist keine Naturwissenschaft, sondern das Arzttum ist das Letzte und Schönste und Größte an Beziehungen von Mensch zu Mensch. Das Arzttum ist das Königliche; die Naturwissenschaften sind die Minister dieses Königs, die dienen müssen und nicht herrschen dürfen, und in dieser glücklichen Vereinbarung zwischen Arzttum und Wissenschaft, in dieser künstlerischen Vereinigung in der Person des Arztes entsteht das, was wir wieder brauchen: der große Arzt, der Verständnis für alles Gewaltige an Wundern, Schönem und Großem hat, was uns im Leben und im kranken Leben klinisch, ärztlich und menschlich begegnet.

Ein großartiger Vertreter vorbildlichen Arzttums ist August Bier gewesen. Ich habe öfters für ihn in Vorträgen eine Lanze gebrochen, als er von Fachkollegen angegriffen worden war. August Bier zum Gedenken will ich eine dieser Reden hierhersetzen:

„Am 15. 7. 1925 fand im Ärztlichen Verein zu München ein Vortrag des Herrn Professor Straub statt, der den charakteristischen Titel ‚Das Mysterium der kleinen Dosen' führte. Der geistvolle, in seiner Beschränkung maßvoll und erschöpfend gehaltene Vortrag ließ eine Aussprache nicht zu. Die zahlenmäßigen, pharmakologisch-chemischen Feststellungen über die Unwirksamkeit homöopathischer Dosen waren zu überzeugend, als daß zu ihnen der Kliniker, am allerwenigsten der Chirurg, hätte eine Stellung einnehmen können. Dennoch dürfen einige kritische Bemerkungen zu diesem Vortrag nicht unterdrückt werden, selbst dann nicht, wenn sie nur von einem Chirurgen herrühren, der von diesen Dingen sehr wenig versteht.

Der Vortrag Straubs war eines der vielen Echos, die der Biersche Aufsatz über die Homöopathie in der Münchener Medizinischen Wochenschrift hervorgerufen hatte. Er war – darüber besteht kein Zweifel – als eine Erwiderung auf die Bierschen Ansichten über die Homöopathie und als ein Abtun derselben gedacht. Er war, genauso wie die Protestversammlung in Berlin, ein Aufruf der Allopathie zum

Kampf gegen die Homöopathie und war, genauso wie die Abhandlung Heubners in der Münchener Medizinischen Wochenschrift, gedacht als ein Mittel, die Homöopathie endgültig niederzukämpfen.

Was mich in dem Straubschen nach Form und Inhalt glanzvollen Vortrag nicht zur Ruhe kommen ließ, war die Tatsache, daß er als Pharmakologe, ebenso wie sein Amtsgenosse Heubner, die klinische Homöopathie nicht kennt und daß sich also die Pharmakologie mit dieser Seite der Homöopathie wissenschaftlich recht wenig befaßt hat.

Weder die Protestversammlung in Berlin noch der Aufsatz Heubners, noch der Vortrag Straubs sind angetan, die Homöopathie als eine Form der ärztlichen Kunst zu erledigen. Diese Veröffentlichungen haben nur Einzelheiten vorgebracht und wesentliche Dinge unberücksichtigt gelassen. Geschichtlich gesprochen, war die Homöopathie in ihrer Entstehung eine Abwehrreaktion gegen eine Form der Heilkunst, die aufgefrischt werden mußte und die sich verbraucht hatte.

Die Homöopathie entstand aus dem Herzen und dem Verstand eines routinierten Praktikers, der als Arzt – darüber dürfte wohl kaum ein Zweifel sein – in der Geschichte der Medizin nur wenige seinesgleichen hat. Mit der ganzen Leidenschaft und auch Einseitigkeit, mit denen neue Ideen von solchen Persönlichkeiten in die Welt gesetzt und verfochten werden, hat auch Hahnemann sein Organon verfaßt, ein Buch, das neben sehr vielen Unrichtigkeiten sehr viele Wahrheiten enthält, die namentlich der Praktiker anerkennen und schätzen sollte. Daß der Zeitablauf von 100 Jahren heute vieles als unrichtig, als falsch, als unwissenschaftlich abtun wird, ist etwas, was nicht gegen die Homöopathie als Ganzes spricht. Denn in 100 Jahren werden unsere Erklärungen und unsere Auffassungen von einer modernen Zukunftswissenschaft ebenso abgefertigt und erledigt sein.

Wenn man aber weiß, daß die Homöopathie schon vor 100 Jahren die Behandlung des Kropfes mit kleinsten Joddosen als wirksam bezeichnete und daß 100 Jahre vergehen mußten, bis die Schulmedizin auf langen Um- und Irrwegen zu derselben Auffassung kam, so darf doch wohl das

Mysterium der kleinen Dosen nicht als so ganz nebensächlich hingestellt und unrichtig und lächerlich gemacht werden, wie es heute von manchen Pharmakologen geschieht. Und wenn wir daran denken, daß unsere modernste Tuberkulose-Behandlung mit Verdünnungen arbeitet, wie sie bisher eigentlich nur die Homöopathie kannte, so wird auch da das Mysterium der kleinsten Dosen als wirksames Prinzip restlos anerkannt werden müssen.

Die Schulmedizin und die Pharmakologie in ihrer naturwissenschaftlichen Einstellung haben dazu lange gebraucht, bis die von August Bier bereits vor 35 Jahren eingeführte Reizkörpertherapie ihnen wichtig genug erschien, um sie wissenschaftlich aufzunehmen. Und es ist leicht und billig, eine Methode, die von einem Praktiker intuitiv gefunden ist, die vielleicht aber naturwissenschaftlich, chemisch-physiologisch nicht scharf erfaßt wurde, nun rein spezialistisch richtiger zu beurteilen, als es von ihm geschah.

Beide Pharmakologen, Heubner sowohl wie Straub, und wohl auch viele andere, haben das Wesentliche der Bierschen Abhandlung verkannt. Ich selbst habe in einem Brief an August Bier die Vermutung ausgesprochen, daß wohl die meisten ihn mißverstehen würden und daß ich von diesem Standpunkt aus eine Veröffentlichung bedauern müsse. Wer aber Bier und seinen Kampf gegen die moderne, allzu spezialistische Heilkunst kennt und versteht, der wird anders urteilen. Auch heute leben wir wieder in einer Zeit der Umstellung. An tausend Symptomen merkt man, daß etwas Neues kommen wird und muß, und einer derjenigen, der das schon früher begriffen und erfaßt hat, ist August Bier gewesen.

Er hat für sich den klaren Blick in eine neue Zeit, gegen sich aber alles, was ihm nicht folgen kann und was in der einseitigen Auffassung und Wertschätzung der heutigen Heilkunde erstickt. Die Schulmedizin mit ihrer ablehnenden Haltung gegenüber der Homöopathie übersieht sehr viel Gutes, was die Homöopathie als Arznei*kunst* enthält. Sie übersieht aber auch die vielen Anregungen, die aus der Homöopathie als einer Wissenschaft – vielleicht einer Afterwissenschaft – entsprungen sind. Sie vergißt vor allem auch, daß die Form der praktischen Ausübung der Pharmakologie, wie sie heute geübt wird, noch viel weniger Wissenschaft ist als das, was die Homöopathie treibt. Von chemischen Fabriken werden unzählige Mittel auf den Markt geworfen und kritiklos angewendet. Und die ganze Menge chemischer Präparate, die die Ärzte, ohne selbständig zu denken, heute verordnen, sind wirklich ein trauriges Zeichen dafür, daß die moderne Pharmakologie, bei aller Anerkennung ihrer Leistungen auf experimentell-physiologisch und experimentell-pathologischem Gebiete, nur sehr bescheidene Erfolge in der praktischen Heilkunst zeitigte.

Für mich hat aber der ganze Kampf – und das ist ein weiterer Grund, warum ich in dieser Frage das Wort zu ergreifen mir erlaube – auch eine persönliche Seite erhalten. Man hat sich nicht gescheut, in Form und Ausdruck einem Manne wie August Bier gegenüber aufzutreten, die bedauert werden müssen, wobei ich ausdrücklich betone, daß mein Kollege Straub in dieser Beziehung durchaus maßgehalten hat. Die Verständnislosigkeit, die die ganze Persönlichkeit Biers und seine Ideen fanden, erklärt dieses Verhalten. Es ist Bier nicht anders ergangen als anderen Pfadfindern, die bekämpft und abgelehnt wurden. Die viel zu vielen, die heute über die Homöopathie triumphieren und die Leute bekämpfen, die das Gute, und nur das Gute der Homöopathie anerkennen und verteidigen, die sollten aus der Geschichte lernen, daß es immer so war, wenn einer gegen den Strom schwamm und eigene Auffassungen zu vertreten wagte.

Mir scheint es aber ehrlicher und besser zu sein, für einen Mann wie August Bier, der durch seine Originalität und durch seine grundlegenden Arbeiten wie selten einer die Chirurgie und die ganze Heilkunde befruchtet hat, in diesen Kampf einzutreten. Es handelt sich hier nicht um Homöopathie und um Allopathie, sondern es handelt sich um eine Persönlichkeit, und solche sind wahrlich selten.

Weder August Bier noch ich noch andere, die etwas Gutes an der Homöopathie finden, sind Anhänger dieser Lehre. Wir wissen alle zu genau, wieviel Geschäftssinn, Unwahrhaftigkeit sich hinter dem Schleier der Homöopathie verbergen. Aber ich bin mit August Bier überzeugt, daß wir in anderer Richtung auch von ihr lernen können und daß diese Form der Arzneikunst manche Prinzipien der Heilbehandlung vorausschauend, wenn auch nicht wissenschaftlich, so doch ahnend erfaßt hat, die wir heute anerkennen und täglich gebrauchen.

Ob im einzelnen das Prinzip der kleinen Dosen zutrifft oder nicht oder ob die Lehre ‚similia similibus' falsch oder wenigstens ergänzungsbedürftig ist, darauf kommt es nicht an. Man sollte gerade in naturwissenschaftlich denkenden Kreisen Verständnis und Dankbarkeit für große Ideen und auch für große Persönlichkeiten haben, wenn sie sich auch im einzelnen irrten.

In diesem Sinne müssen die scharfen Angriffe und Kritiken des Bierschen Aufsatzes, der ganz gewiß in vielen Punkten angreifbar ist, abgelehnt werden. Man sollte verstehen, daß Bier etwas Gutes wollte, wenn er darauf hinwies, daß die Allopathie von der Homöopathie sehr viel lernen kann. Erleichtert wird diese Auffassung, wenn man daran denkt, wie viele Irrtümer auch unsere Schulmedizin in sich birgt, die erst später entdeckt wurden, und wie viele sie noch trägt, die erst eine spätere Zeit erkennen wird."

IM DRITTEN REICH

Mit der Zeit drang das Dritte Reich auch in die stille Insel unserer Chirurgischen Klinik ein. Im Jahre 1933 – ich weiß nicht mehr, welcher der vielen nationalen Feiertage es war – bekam ich ein amtliches Schreiben, in dem zu lesen stand, ich habe an diesem Tag zu flaggen, was für uns bedeutete, daß wir auf dem Dach unseres Hauses, wo sich eine Fahnenstange befand, eine Flagge in die Höhe zogen. Da ich dem Dritten Reich bisher nicht vorgestellt worden war, ordnete ich (ich glaube, man sagt in so einem Falle: befehlsgemäß) die Beflaggung der Klinik mit der Reichsflagge an. Die Klinik hatte 1918 eine wunderschöne Fahne angeschafft und von Zeit zu Zeit erneuert. Diese Fahne von 1918 wurde auf meiner Klinik gehißt.

Der einfache Vorgang der Beflaggung eines öffentlichen

Gebäudes erregte bemerkenswertes Aufsehen. Ich wurde von allen Seiten angefleht, das Ärgernis – auf einmal war es ein solches – zu entfernen, wobei man nicht nur mir, sondern auch sich selbst die grauenhaftesten Folgen dieser Schreckenstat ausmalte.

Einige Tage später kamen tatsächlich ein paar Jüngelchen in brauner oder schwarzer Uniform, das weiß ich nicht mehr so genau, und riskierten eine Lippe. Sie waren schnell wieder draußen, und die Sache ging wie das Hornberger Schießen aus. Ein paar Jahre später, nach dem Tode Hindenburgs, hätte ich das alles nicht riskieren können.

Mein langjähriger Mitarbeiter Oberarzt Professor Nissen, den ich von München mit nach Berlin genommen hatte, war Jude. Es war mir gelungen, ihn trotz nicht gerade kleiner Schwierigkeiten bei uns zu behalten; aber diese Stellung war zweifellos sehr unsicher, und er drängte hinaus.

Ich wurde um die damalige Zeit in die Türkei eingeladen und fand eine so herzliche Aufnahme, daß ich beschloß, den zuständigen Stellen in der Türkei Professor Nissen warm zu empfehlen. Und da man an einem Mann interessiert war, den ich als hervorragenden Könner bezeichnete, siedelte Professor Nissen nach Istanbul über. Sein Weg führte ihn von dort aus ohne alle Fährnisse nach New York, wo er hochangesehener Chirurg wurde.

Das Angebot, das mir Berlin damals in München gemacht hatte, war verlockend genug. Es sah vor, daß ich Mauern brechen und neue dafür hinstellen konnte. Allerdings waren diese Versprechungen über einen längeren Zeitraum hinweg einzulösen, was ganz einfach dazu führte, daß man sich auf seiten des staatlichen Vertragspartners Zeit, sehr viel Zeit ließ.

Sehr bald, nachdem ich die Chirurgische Universitätsklinik in der Charité übernommen hatte, kam ich dahinter, daß die Fonds nicht den modernen Anforderungen entsprachen. Mein Einspruch wurde kurz dahingehend beschieden, daß keine weiteren Mittel verfügbar seien.

Habe ich nicht schon einmal gesagt, daß es von mir ungezählte mehr oder weniger wahre Anekdoten gibt?

Hübsch ist diese:

Als die Chirurgische Klinik, Vorstand Prof. Dr. Sauerbruch, kein Geld mehr hatte, ging er, der Chef, nach einer Operation im blutbefleckten Chirurgenkittel ins Finanzministerium, vertrieb alle anderen Besucher und zum Teil die Beamten durch sein Aussehen und seine grimme Miene dergestalt, daß er ungehindert zum Minister vordringen konnte. Zu diesem sagte er barsch und ohne die geziemende Verbindlichkeit:

„Du gibst mir sofort zwei Millionen, so kann das nämlich nicht weitergehen!"

Mit einem von akuter Todesfurcht gezeichneten Gesicht schrieb der Minister einen Scheck aus. Sauerbruch entnahm leihweise dem Vorzimmer des Ministers dessen höchsteigenen Reisekoffer, begab sich damit zur Reichsbank, kassierte zwei Millionen Mark ein, füllte sie in den Koffer und brachte sie in die Charité. –

Wie sich die Leutchen so was vorstellen! Um aus einem Finanzminister Bargeld zu extrahieren, muß man ganz anders vorgehen. In Wirklichkeit hat sich die Sache so abgespielt:

Ich glaubte endlich in die Verwirklichung meines Vertrages dringen zu dürfen. Ich wollte nämlich – und das war mir zugesichert worden – einen neuen Operationssaal bauen und eine Privatstation in der Klinik selbst einrichten.

Ich ging also an einem Abend im Frack auf eine Gesellschaft, an der der Herr Minister teilnahm, faßte ihn mit zwei Fingern am seidigen Frackrevers und sprach Sauerbruchsche Fraktur:

„Du bist wohl irrsinnig geworden! Wenn ich nicht sofort einen Scheck über zwei Millionen bekomme, mache ich Krach in der Öffentlichkeit."

Man behauptet von den Ministern einer Republik, daß sie eine Höllenangst vor der Öffentlichkeit haben. Ob das stimmt, weiß ich nicht. Jedenfalls erhielt ich nach einiger Zeit einen Sonderetat von zwei Millionen Mark, mit dem ich mir einen Operationssaal bauen und eine Privatstation einrichten konnte. Ich habe nie den Koffer geklaut, ich habe Staatsgelder nie eigenhändig bei der Reichsbank abgeholt. Ich glaube, die Reichsbank hat mit der ganzen

Geschichte überhaupt nichts zu tun gehabt. Auf alle Fälle ist das Flüssigmachen einer ministeriellen Anweisung eine hanebüchene Angelegenheit, der gegenüber die schwerste Operation ein Spaziergang ist.

Eine weitere Anekdote oder, sagen wir besser, eine Zeitungsente machte einen gewaltigen Orkan. Ich lasse mir die Geschichte auch noch heute gern erzählen, und wenn ich, Hand aufs Herz, gefragt werde, ob sie wirklich nicht so war, wie sie erzählt wird, antworte ich immer wieder:

„Zu schön, um wahr zu sein."

Diese Story, die ungefähr durch alle Zeitungen der Welt gegangen ist, will es, daß ich den König von England erfolgreich operiert habe und für diese ärztliche Leistung ein Honorar von einer Million Goldmark erhielt, um damit meine Klinik auszubauen und Forschungen zu betreiben. Zudem erhielt ich einen fabelhaften Rolls Royce geschenkt. Leider hat sich diese rührende Geschichte – viel Rauch und ein ganz klein bißchen Feuer – sehr anders abgespielt.

Von einem englischen Arzt erhielt ich eines Tages einen Brief. Darin hieß es, daß König Georg V. bedenklich erkrankt sei und nach der Meinung eines ärztlichen Gremiums operiert werden müsse. Da es sich um eine Brustwand-Operation handle, hätte man sehr gern die Sauerbruchsche Ansicht über die Erkrankung des Königs und die Art und Weise der Operation eingeholt. Natürlich könne man keinen deutschen Arzt nach London bitten, um den hohen Patienten zu operieren. „Der Mann auf der Straße", so deutete man an, würde das vielleicht in die falsche Kehle bekommen. Und so ging es nicht anders, als daß der König von England von einem nichtkontinentalen Arzt zu schneiden sei.

Aus all diesem ergebe sich logisch die Folgerung, daß der Kollege Sauerbruch zwar nicht für die Operation in Frage komme, daß aber sein Rat in jeder Hinsicht „appreciated" werden würde, und ob ich bereit sei, mir die Geschichte anzusehen und meine Meinung zu sagen. Falls liebenswürdigerweise ja, so würde man mir sofort Röntgenbilder und Krankengeschichte per Luftpost übersenden. Ich drahtete zurück:

SENDET STOP SENDET RUFZEICHEN

Ich erhielt die angekündigten Dokumente. Für unsere heutigen Begriffe war die Krankheit des King George V. keine schlimme Sache. Damals aber, in den zwanziger Jahren, war so etwas ein Problem, nicht nur beim King, sondern auch bei Oskar Meier. Sollte man nur punktieren oder sollte man öffnen, sollte man, wenn man geöffnet hatte, drainieren oder nicht – das waren alles wahrhaft „homerische" chirurgische Streitfragen. Mein Gutachten stimmte dem der englischen Kollegen zu.

Meine Tätigkeit bei der Erkrankung des englischen Königs bestand also lediglich in einigen Sätzen und einer Skizze der chirurgischen Strategie, die beim Eingriff anzuwenden war. Ich hatte den Bescheid kaum fertig, als ein Herr von der Britischen Botschaft erschien und sich das Sauerbruchsche Gutachten ausbat. Es wurde ihm ausgehändigt, und ich hörte zunächst aus London nichts weiter.

Ein paar Tage später läutete bei uns mitten in der Nacht das Telefon. Am Apparat meldete sich der Sekretär eines Vetters des englischen Königs, des Duke of C., der verkündete, His Royal Highness ließe den Herrn Geheimrat Sauerbruch eilig an den Apparat bitten. Der Herzog bat mich, ich möchte doch schleunigst, sofort, augenblicklich, sozusagen vorgestern zu ihm kommen, da seine Frau bedenklich erkrankt sei. Nach Meinung des behandelnden Arztes wäre eine Operation angezeigt. Der Herzog hielt es für unbedingt notwendig, daß ich mir die Patientin ansehen und gegebenenfalls die Operation ausführen solle.

Anscheinend galt für die Vettern des Königs nicht das „Never, never, never" hinsichtlich kontinentaler Chirurgen.

Ich flog am nächsten Tag ab und wurde in Croydon abgeholt. Der Sekretär des Herzogs begleitete mich. Das Haus in London, das mich aufnahm, lag gänzlich unter dem Schatten der Erkrankung der Herrin. Man bewegte sich auf dicken Teppichen auf den Zehenspitzen, und die Bedienten zeigten Leichenbittermiene. Der Herzog begleitete mich zur Patientin. Nach englischer Sitte zog es in dem Zimmer wie Hechtsuppe von allen Seiten. Im Bett lag die Herzogin, eine junge, recht hübsche Frau, leidenden Angesichts. Ich setzte mich neben das Bett der Patientin und stellte die üblichen Fragen. Ihre Antworten ergaben ein äußerst unklares Bild. In jedem anderen Hause hätte ich mich rundweg geweigert, in diesem Kap der Stürme, das Zimmer meine ich, einen Menschen zu untersuchen. Ich begann also, die nötigen Vorkehrungen zu treffen. Die Patientin zitterte wie Espenlaub vor Kälte, nicht vor Angst. Kein Wunder, ihre Bettlaken fühlten sich an wie nasse Handtücher, meine Hände waren klamm. Daraufhin wurde ich böse und forderte mit erheblicher Lautstärke, daß die Patientin sofort in ein vernünftiges, menschenwürdiges Gemach zu verbringen sei, widrigenfalls . . .

Das machte einen furchtbaren Wirbel im ganzen Hause, aber die Operation des Umzuges der Patientin in ein anderes Zimmer, in dem man wenigstens einen kleinen elektrischen Strahlofen aufgestellt hatte, kam zustande. Jetzt konnte ich meine Patientin wenigstens untersuchen, und es stellte sich heraus, daß der Chirurg hier keinerlei Chancen hatte. Es gelang mir, die Patientin davon zu überzeugen, daß alles von selber wieder gut werde. Ich riet ihr, sich eine Dampfheizung einbauen zu lassen, und sagte noch beim Abschied, daß ich stark damit rechne, sie morgen außer Bett begrüßen zu dürfen.

Die angebotene Gastfreundschaft des Herzogs lehnte ich ab und zog ins „Savoy“. Tags darauf besuchte ich die Herzogin noch einmal und fand sie wohlauf. Die Blitzkur hatte im Hause eine Art Freudentaumel ausgelöst. Der Herzog unterzog mich der Ehre, mich zu umarmen – wer behauptet, die Engländer seien steif? –, und war nur mit Mühe davon abzubringen, mir seine berühmte Meute von Jagdhunden zu schenken. Er trommelte so viele Freunde, wie er auftreiben konnte, zu einem Gastmahl zusammen, bei dem die wiedergenesene Herzogin die Honneurs machte. Um sieben Uhr abends saßen wir alle in der Halle, tranken Cocktails, es gab eine einzige Ausnahme – neben einem der Gäste war unauffällig eine Flasche Whisky hingestellt worden. Der Gast bediente sich reichlich daraus. Nach englischer Art bemerkte niemand diese Exzentrizität. Der exzentrische Herr war Winston Churchill. Ich hatte ihn interessiert beobachtet, er nahm die ganze Zeit über die Zigarre nur aus dem Mund, um aus seinem Glas zu trinken und um seiner Nachbarin offenbar boshafte Anmerkungen zuzuflüstern. Ich bot einem Nachbarn von mir eine Wette an, daß Winny auch während des Essens rauchen würde, aber er grinste nur und sagte: „You win." Es war spät in der Nacht, als die Gesellschaft sich aufzulösen begann und ich ins Hotel zurückkehrte. Dort fiel mir auf, daß sich die Clerks hinter der Portierstheke ehrfurchtsvoll, für kontinentale Verhältnisse beinahe höflich, verneigten. Ich sah mich um, konnte aber niemand anderen sehen als den herzoglichen Sekretär, dachte mir: Snobs sind diese Engländer, sogar die Sekretäre der Aristokratie empfangen königliche Ehren! –

Im Laufe meines Lebens habe ich mir eine kleine Reihe lieber Gewohnheiten zugelegt. Bevor ich ins Bett gehe, trinke ich eine Flasche Selterswasser, bevor ich in den Operationssaal gehe, esse ich eine halbe Birne – die andere Hälfte bekommt ein Gast, wenn gerade einer da ist, oder die Sekretärin – und trinke dazu eine Pikkoloflasche Sekt.

So begab ich mich also an diesem Abend noch in die Hotelhalle, um meine Flasche Sodawasser zu trinken. Hinter mir ging ein Clerk und wies mich an einen Tisch; der Herr Ober erschien mit so erstaunlich freundlicher Miene, daß ich mir dachte: Der Kerl ist blau, oder er hat im Rennen gewonnen! – und brachte mir in Windeseile meine kleine Bestellung. Die Gäste starrten mit lächelnden Gesichtern und völlig unenglischer Aufdringlichkeit zu meinem Tisch herüber, so daß ich mir verlegen an die Krawatte faßte und diskret meinen Anzug musterte. Zum Teufel! Was hatten die Leute! – Verlegenheit ist keine besonders entwickelte Eigenschaft bei mir. Aber ich zog mich dennoch recht plötzlich zurück. Meine Flasche Wasser ließ ich mir aufs Zimmer bringen und legte mich einigermaßen verwirrt ins Bett. Auf dem Tisch lag eine jener hektographierten Publikationen, die in England so sehr beliebt sind und die damit prahlen, sie verfügten über sämtliche „inside"-Informationen in Wirtschaft, Sport, Gesellschaft und vor allem Klatsch. Ich las einigermaßen verwundert, daß der King am Nachmittag dieses Tages erfolgreich operiert worden sei, und zwar von dem German surgeon Sauerbruch, der im Savoy-Hotel abgestiegen sei und in aller Heimlichkeit die Operation durchgeführt habe. Jetzt konnte ich mir auf einmal das befremdliche Benehmen der Engländer erklären. Ich zuckte die Schultern und schlief ein, ungerührt von der erstaunlichen Kombinationsgabe der Zeitungsleute.

Bei meinem Aufbruch am nächsten Morgen schüttelten mir unbekannte Leute die Hand, und die Bedienten waren höflich, ungemein flink und hatten alle das heimliche Grinsen eingeweihter Verschwörer im Gesicht.

Auf dem Flugplatz wurde ich mit der Diskretion, die man einem inkognito reisenden höheren Herrn entgegenbringt, den jedermann genau kennt, ins Flugzeug verfrachtet. Wieder schüttelten mir alle möglichen Herren die Hand, die Damen besahen mich mit großen Augen.

Man behandelte mich auch im Flugzeug mit so großer Zuvorkommenheit, daß mir öfters der Gedanke kam: Mensch, Sauerbruch, vielleicht hast du doch den King operiert, ohne es zu wissen! –

Die englischen Zeitungen haben die Story von dieser königlichen Operation nie aufgegriffen, aber die amerikanischen Blätter posaunten sie in alle Welt, und sie stand auch in deutschen Zeitungen. Ich habe mir nie die Mühe gemacht, die Sache zu dementieren – wer glaubt denn schon einem Dementi! – Ich tat also nichts, aber das Finanzamt unternahm etwas. Ich wurde aufgefordert, mein Einkommen vollständig anzugeben, nichts zu verschweigen, denn eine Entscheidung, ob eine Einnahme steuerpflichtig sei oder nicht, stehe allein dem Finanzamt zu. Und ich möge an einem Vormittage zu einer Besprechung aufs Finanzamt kommen.

Ich gehorchte diesem Ruf pflichtschuldig und fuhr mit meinem verrückten Mercedes vor. Ich wurde zu einem Regierungsrat geführt. Der stand am Fenster, als ich eintrat, zeigte auf meinen Wagen und sagte:

„Da ist er ja, der Rolls Royce.“

Und dann interpellierte er böse und eindringlich und kam sich offenbar vor wie ein Polizist, der zufällig einmal etwas herausgefunden hat. Nicht ohne Drohung in der Stimme fragte er mich:

„Wo ist die Million, die Ihnen der König von England für die Operation gezahlt hat? Sie haben sie nicht in Ihrer Steuererklärung aufgeführt, Sie wissen, daß neben den steuerlichen auch devisenrechtliche Bestimmungen hier hereinspielen. Auch wenn Sie den Betrag zur Ausgestaltung Ihrer Klinik oder für Forschungszwecke erhalten haben, müssen Sie ihn angeben."

„Müßte ich denn im Ausland verdientes Geld bei Ihnen versteuern?" fragte ich unschuldig.

„Die Entscheidung darüber steht uns zu", sagte die Amtsperson in anmaßendem Ton.

Es war schwierig, den Herrn Regierungsrat davon zu überzeugen, daß er mit all seiner Findigkeit – ungefähr die halbe Welt kannte die Geschichte – einer Zeitungsente aufgesessen sei. Ich versicherte ihm wiederholt, daß ich a) den König von England nicht operiert, b) keinen Pfennig von ihm verlangt und c) keinen roten Heller dafür erhalten habe. Ich versicherte das schriftlich. Als ich ihn verließ, zeigte seine Miene in aller wünschenswerten Deutlichkeit, daß er sich dachte: Der Mann hat mir faustdicke Lügen aufgebunden! – Ich aber dachte an Freund Bonhoefer, den großen Berliner Psychiater, der oft sagte:

„Nur die Ansichten von Idioten und Polizisten sind unerschütterlich."

Trotzdem war man in „Amtskreisen" felsenfest davon überzeugt, daß ich die Million des Königs von England irgendwo sicher im Ausland deponiert hätte, wie ich später noch erfahren sollte.

Nach dem Zusammenbruch des Dritten Reiches stellte man mich vor ein Entnazifizierungsamt und warf mir allen Ernstes vor, daß ich erstens im Dritten Reich den Titel eines Staatsrates erhalten habe und zweitens nicht ausgewandert sei. Da man mich mit einer saftigen Geldstrafe belegen wollte, erkundigte man sich eingehend nach meinen Vermögensverhältnissen. Ich antwortete wahrheitsgemäß, daß ich so gut wie nichts mehr besitze – und da tauchte die verfluchte Million wieder auf. Einer der Entnazifizierungsmänner fragte mich, die Augen heimtückisch gesenkt:

„Und wo, Herr Geheimrat, ist die Million geblieben . . ." – bei dem Wort Million riß er in bester Polizeimanier die Augen auf und starrte mir drohend ins Gesicht – „. . . die Ihnen der König von England für eine Operation gezahlt hat?"

Wenn er gehofft hatte, in meinem Gesicht Schuldbewußtsein zu lesen, mußte ich ihn enttäuschen.

Übrigens scheinen sich fast alle Leute, die Chirurgen selbst ausgenommen, über Chirurgenhonorare phantastischen Vorstellungen hinzugeben. Selbst Galen im alten Rom, der vielleicht der bestbezahlte Arzt der Welt war, dürfte kaum jemals auch nur annähernd diesen Betrag für eine Behandlung erzielt haben, so saftig seine Rechnungen waren. Seit der Zeit nach dem ersten Weltkrieg und besonders heutzutage erlebt man es gar nicht selten, daß selbst gutbemittelte Leute einem nach der Behandlung einen Krankenschein vorlegen.

Das also war die Geschichte der teuersten Behandlung, die ich je ausgeführt habe. Von ihr war viel die Rede. Von einer anderen, die ich an einem Privatpatienten ausführte, soll des Kontrastes wegen hier erzählt werden.

Ich saß oft im Hotel „Bristol" in Berlin. Sobald ich im Speisesaal erschien, schoß der alte würdige weißhaarige Weinkellner, Herr D., auf mich zu. Hatte das Hotel Neues, Beachtliches eingekauft, brachte er mir den erlesenen Tropfen. Mit einem Male aber wurde er langsam, weniger heiter, und meine Mahlzeiten wurden nicht gerade würziger, als er damit begann, mir die Symptome einer Krankheit zu schildern, die ihn befallen hatte. Ich unterbrach seinen Monolog mit Sätzen wie:

„Da müssen Sie mal zu einem tüchtigen Arzt gehen!"

Aber er machte kein Hehl daraus, daß er von Ärzten wenig halte. Von mir, dem Arzt, denke er als Gast gut, auch das brachte er zum Ausdruck. Aber fast traute ich mich nicht mehr ins „Bristol", weil der den Ärzten abgeneigte Weinkellner mir mit seiner Krankheitsgeschichte langsam auf die Nerven fiel. Eines Abends riß mir die Geduld, und ich befahl:

„Sie melden sich morgen früh um elf Uhr bei mir in der Charité! Ich will Sie untersuchen und nachsehen, was Ihnen fehlt! Wenn Sie nicht kommen, wünsche ich nicht, Sie je wieder an meinem Tisch zu sehen!"

Der Mann erwiderte: „So viel verdiene ich nicht, daß ich mich von Ihnen, Herr Geheimrat, behandeln lassen kann."

„Über das Honorar können wir nachher reden!" schnaubte ich und beendete die Unterhaltung mit einem erpresserischen Befehl:

„Morgen früh um elf Uhr – oder wir sind geschiedene Leute!"

Er erschien. Nachdem ich ihn untersucht hatte, mußte ich ihm eröffnen, daß er schwerkrank sei und nur durch eine schnelle Operation geheilt werden könne. Verzweifelt rief er:

„Aber, wer soll mich denn operieren?"

„Natürlich ich selbst!" fuhr ich ihn an, und noch immer verzweifelt, stöhnte er:

„Aber das kann ich doch niemals bezahlen!"

Der Mann war in Lebensgefahr. Ich ordnete seine Aufnahme in meine Privatklinik an, operierte ihn schon am nächsten Tage und hatte die Freude, ihn nach vier Wochen gesund die Charité verlassen zu sehen. Dann vergaß ich ihn, denn ich ging auf Reisen.

Zurückgekehrt, sagte mir meine Sekretärin:

„Der Weinkellner aus dem ‚Bristol' ruft immerzu an, er will seine Rechnung haben."

„Nun ja", murmelte ich, „ich muß mir mal überlegen, was wir ihm abnehmen sollen."

Am Tage darauf aß ich im Hotel zu Abend. Kaum erblickte mich der alte Weinkellner, stürzte er auf meinen Tisch zu und fragte:

„Haben der Herr Geheimrat an meine Rechnung gedacht?"

Nachdem er mich im Verlaufe einer Woche viermal an diese Rechnung erinnert hatte und sein wortreiches Lamento stets mit dem kummervollen Satz beendete: „Das quält mich sehr, Herr Geheimrat, denn es ist ja bekannt, wie teuer der Herr Geheimrat sind!", schickte ich sie ihm zu. Ich zählte alles auf, was ich an ihm getan hatte – es war eine ganze Litanei –, und dann setzte ich den Betrag der Rechnung mit „Fünfzig Reichspfennig“ an. Er überreichte mir das Geld auf einem Teller unter einer Serviette, und ich steckte es ernsthaft in die Tasche. Als ich das nächste Mal zum Essen kam, hatte ich aber doch den Eindruck, daß ich ihm etwas unheimlich geworden war. Wahrscheinlich hielt er mich für verrückt. Er sprach nie wieder ein vertrauliches Wort zu mir.

Es gibt Berichte darüber, daß ich Hitler behandelt hätte. Diese Geschichten sind frei erfunden. Ich habe ihn weder operiert noch jemals ärztlich behandelt. Ich habe ihn überhaupt in meinem ganzen Leben nur viermal gesehen. Niemals war ich in seinem Hause, niemals sein Gast.

Göring habe ich nur im Zusammenhang mit meiner Ernennung zum Staatsrat gesprochen. Im Hause von Goebbels war ich zweimal, und das auch nur, weil Frau Goebbels einen schweren Autounfall hatte.

Rust, den Kultusminister, habe ich in dessen Wohnung operiert. Er war außerhalb aller Gefahr, als ich ihn wohl eine Woche nach der Operation besuchte. Zu einer Krankenvisite. Als ich eintrat, erwiderte er meinen Gruß nicht, sondern nahm die Uhr von seinem Nachttisch und hielt sie mir schweigend entgegen.

„Ja und . . .?“ fragte ich.

„Ich habe Sie auf sechs Uhr bestellt, und jetzt ist es gleich sieben Uhr“, sagte der Mann. Ich erwiderte ihm:

„Erstens, Herr Rust, können Sie mich gar nicht bestellen. Zu sich bestellen tut man Kammerjäger und dergleichen. Und zweitens, Herr Rust, will ich Ihnen eine Geschichte von Hindenburg erzählen. Als ich einmal zwei Stunden zu spät zur Visite beim Reichspräsidenten erschien, bat ich ihn um Entschuldigung. Wissen Sie, was Hindenburg antwortete? ‚Ich habe mich bei Ihnen zu entschuldigen, daß ich alter kranker Mann Ihnen so viel von Ihrer kostbaren Zeit wegnehme, die doch allen gehört.‘“

Das war Rust.

Mit Goebbels ist es mir so gegangen: Er hatte eine Blinddarmreizung und erschien in der Charité. Er wurde ins Bett gelegt und blieb zehn Tage bei uns. Ich riet zur Operation, jedoch zeigte er wenig Neigung, sich den Blinddarm herausnehmen zu lassen. In diesen zehn Tagen erhielt ich zwei Telegramme an meine Adresse in die Charité. Beide Telegramme zeigten keinen Absender. Das eine hieß:

„Ferdinand, Du weißt, was wir von Dir erwarten", und das andere lautete:

„Ferdinand, tu Deine Pflicht."

Eine Burleske war unser Erlebnis mit Dr. Robert Ley. Der kam eines Tages auch in die Charité. Es ging ihm schlecht. Er konnte nicht mehr sitzen, denn er litt sehr an einer unterirdischen Krankheit. Ich erklärte, daß ich ihm da einiges wegschneiden müsse. Er war auch ganz einverstanden. Und am Operationstag geriet er natürlich in unsere tägliche Routine. Er wurde aus seinem Bett geholt, bäuchlings auf einen fahrbaren Tisch gelegt und in einen jener kleinen Räume gefahren, die neben dem Operationssaal liegen und in denen die Kranken für ihre Operation vorbereitet werden. Ein Assistent machte die Lokalanästhesie. Der Einstich tat Ley weh. Er fing an zu jammern. Beim zweiten Einstich brüllte er wie am Spieß. Die Patienten in den anliegenden Räumen wurden unruhig. Ley schimpfte fürchterlich und verlangte gebieterisch, daß der Geheimrat Sauerbruch „persönlich" die Injektionen machen solle.

Der Auftritt wurde so schlimm, daß man mich holte. Ich kam hinzu. Er lag nackt auf dem Bauch, und als er mich sah, holte er tief Luft, anscheinend, um sich noch mehr zu echauffieren. Mir ging der Gaul durch, und ich fuhr ihn an:

„Benehmen Sie sich anständig, Herr Ley! Sie sind hier nicht auf einem Ihrer KdF-Dampfer!"

Das verschlug ihm den Atem. Er gab keinen Laut mehr von sich. Ich operierte ihn und verordnete ihm für die Nacht eine Morphiumspritze. Die Stationsschwester allerdings meinte, das sei nicht nötig, und schlug vor, ich solle mir den Patienten noch einmal ansehen. Das tat ich. Er schlief mit einem glücklichen Lächeln auf dem Gesicht. Im Bett lag eine geleerte Kognakflasche, eine zweite stand angebrochen bequem zur Hand auf dem Nachttisch.

Das dicke Ende der „Operation Ley" kam hinterher, als der hohe Patient die Klinik bereits verlassen hatte. Ich kriegte eine geharnischte Anfrage von der Verwaltung der Charité, die wissen wollte, wie es möglich sei, daß die Verpflegungskosten der Privatstation derartig in die Höhe schnellten. Der Verpflegungssatz war von 4,50 auf fast 6,– Mark angestiegen. Meine Recherchen ergaben leider, daß dies auf ein außerordentliches Anwachsen des Sektkonsums in der Privatstation zurückzuführen war. Alle meine Patienten – auch die in der dritten Klasse und die Freibetten – bekamen nämlich, nachdem sie operiert waren, Sekt in Pikkoloflaschen. Nicht etwa, um die Klinik in eine angeregte optimistische Stimmung zu versetzen, sondern weil Sekt ein hervorragendes unschädliches Anregungsmittel des Kreislaufs ist. Herr Ley hatte nun seine zahlreichen Krankenbesuche mit dem Klinik-Sekt bewirtet und sich auch selbst reichlich damit bedient. Wir konnten leider keine Nachforderung an KdF stellen, da der Sektverbrauch nach den Kliniksatzungen „inbegriffen" war.

Meine liebste Patientin ist Adele Sandrock gewesen. Das arme alte Mädchen hatte das Unglück gehabt, sich den Oberschenkel zu brechen. Sie kam zu mir in die Charité, und ich brachte ihr das Bein wieder in Ordnung. Wir duzten uns. Lange lag sie bei uns. Auf die Visite freute ich mich jedesmal. Trat ich ins Zimmer und fragte:

„Liebe Adele, wie geht es dir?", so antwortete sie tief und feierlich mit großem Pathos, wie auf der Bühne:

„Ich danke dir, lieber Ferdinand, es geht mir gut."

Sie lag noch bei uns, als Weihnachten herankam. Am Nachmittag des Heiligen Abend besuchte ich noch einmal alle Kranken. Für diejenigen, die außerhalb des Bettes sein konnten, war in einem großen Saal ein schöner, mächtiger Tannenbaum geschmückt worden; ein Chor sang Weihnachtslieder, und die Kapelle spielte dazu. Für jeden Patienten lag ein kleines Weihnachtsgeschenk bereit. Als ich ins Haus kam und das Fest beginnen sollte, kam mir die Oberin entgegen und sagte:

„O Gott, Herr Geheimrat, wir haben schrecklichen Ärger mit Frau Sandrock. Sie tobt. Und sie hat den kleinen Weihnachtsbaum, den wir ihr ans Bett gestellt haben, wieder hinauswerfen lassen. Sie schreit, wie wenn sie auf der Bühne sei. Sie wird unsere ganze Weihnachtsfeier stören."

Ich ging zu Adele hinein und sprach:

„Aber, liebe Adele! Wie kannst du dich so schlecht benehmen! Du darfst doch unsere Weihnachtsfeier nicht stören. Und warum hast du denn den reizenden kleinen Tannenbaum wieder hinausgeworfen?"

„Ach, Ferdinand", klagte sie, „wenn du wüßtest, was mir einmal unter einem Weihnachtsbaum passiert ist . . ."

Unethisch war eine andere Operation, die ich an einem „Privatpatienten" ausführte.

Bis nach zwei Uhr hatte ich wieder einmal gearbeitet und war im Begriff, nach Hause zu gehen, als man mir sagte:

„Da sitzt schon den ganzen Vormittag ein älterer Mann auf der Bank im Flur. Ich kann nicht herausbekommen, was er von Ihnen will, aber er will etwas von Ihnen, Herr Geheimrat."

Als ich den Operationssaal verließ, sah ich ihn dort sitzen, grau, alt und – sichtlich mit dem Leben hadernd. Ich fragte ihn, was er wünsche. Er fragte zurück, ob ich Geheimrat Sauerbruch sei. Und erst nachdem ich ihm das zugesichert hatte, sagte er sorgenvoll:

„Herr Geheimrat, ich habe mir eine Katzenzucht zugelegt."

Ein armer Irrer? Mit so was können wir uns nicht abgeben, dachte ich und grobste ihn an:

„Herr, eine Katzenzucht! Was habe ich, was hat die Chirurgische Universitätsklinik mit einer Katzenzucht zu tun?"

Er antwortete scharf pointiert:

„Sie, Herr Geheimrat, und die Chirurgische Universitätsklinik können mich vor Hunger und Elend bewahren."

Ich betrachtete mir den Mann genauer. Er war tiefernst. Was soll man da tun? Ich hörte mir die intimeren Einzelheiten dieser Katzenzucht an und erfuhr, daß es Siamkatzen waren, die er aufzog. Um aber diese Katzenart zu züchten, braucht man einen Kater. Der Mann gestand mir, streng vertraulich, daß er von dem Verkauf der bildschönen jungen und echten siamesischen Katzen lebe und daneben auch noch davon, daß er den Kater an Leute ausborge, die wohl eine Katze, aber keinen Kater hätten und dem geliebten Haustier gerne Mutterfreuden bereiten wollten.

Nun aber könne der Kater seine Pflicht nicht mehr erfüllen. Eine Veränderung seiner Leibesarchitektur sei vor sich gegangen. Der Kater versage restlos in seiner Lebensaufgabe. Das sei ein schwerer, ein vernichtender Schlag für ihn, denn Siamkater, die befähigt wären, ihren Pflichten nachzukommen, seien Raritäten.

„Tierarzt“, murrte ich. Er hob jedoch beschwörend die Hände:

„Bei mehreren Tierärzten bin ich gewesen, alle haben schulterzuckend gesagt: ‚Nix zu machen, der Kater muß umgebracht werden!‘ Ich bin ein ruinierter Mann . . .“

Ich besaß selbst zu Hause einige sehr hübsche Katzen und begann weich zu werden.

„Na schön“, unterbrach ich ihn, „bringen Sie das Tier morgen hierher! Ich werde es mir ansehen.“

„Um Gottes willen!“ schrie er schmerzzerrissen auf, „Morgen – jede Sekunde ist kostbar!“ Und er griff unter die Bank, zog einen kleinen Korb hervor, öffnete den Deckel und nahm eine wunderschöne, aber schmerzlich miauende Katze mit aller Behutsamkeit heraus. Der Kater litt. Er ließ sich von mir ohne Widerstand auf den Schoß nehmen und betasten. Die Diagnose war nicht schwierig. Das arme Vieh hatte einen schweren eingeklemmten Bauchbruch und würde sterben, wenn man es nicht sehr schnell operierte.

Als ich dann meine Gedanken laut äußerte, rief mein „Kunde“ erfreut:

„Ich habe es ja gewußt, daß Sie meinen Kater operieren würden, Herr Geheimrat!“

Na ja, was sollte man da schon machen.

Ich hieß ihn das Tier wieder in den Korb legen und mir folgen. Und so gelangte die kleine Prozession in einen Operationssaal. Die noch anwesende Schwester sah erstaunt auf, ich aber sagte kurz:

„Ich muß noch einmal operieren.“

Mit der Wirkung dieser Worte hatte ich nicht gerechnet, denn die Schwester fiel augenblicks in die übliche Routine und drückte auf den Alarmknopf. Jetzt, am Nachmittag, gegen drei Uhr, zu einer Zeit also, zu der nur operiert wird, wenn ein eiliger lebensgefährdeter Patient eingeliefert wird. Ein Glockenzeichen kann man nicht mehr ungeschehen machen. Es stürzten alle anwesenden Ärzte und Schwestern herbei, die sich in der Klinik befanden, und in fassungslosem Staunen sahen sie auf dem Operationstisch den armen Kater, der sich schon mit Hilfe von Äther im siebenten Katzenhimmel befand, als sie eintrafen. Wir operierten das liebe kostbare Tier ohne sonderliche Schwierigkeiten. Tierversuche kommen eben keineswegs nur den Menschen zugute, keineswegs.

Es belastet noch heute mein Gewissen, daß ich, entgegen den Gesetzen der ärztlichen Ethik, einem Kollegen von der tierärztlichen Fakultät diesen „Fall" weggeschnappt habe.

Nach der Operation lachte der Besitzer:

„Herr Geheimrat. Ich möchte gern meine ‚Schuldigkeit' bezahlen. Wie soll ich das machen?"

„Dergestalt", antwortete ich, „daß Sie mir das Tier, wenn es sich von der Operation erholt hat, in mein Haus bringen. Ich habe auch zwei Katzen, er soll der Vater einer tollen Mischlingsgeneration werden."

Das tat er auch und kam nach einer Weile mit seinem Schatz an, der wirklich ein Prachtexemplar war. Unsere beiden Katzen betrachteten ihn erstaunt und, wie mir schien, skeptisch. Und dann stellte sich alsbald heraus, daß er von ihnen keine Notiz nahm. Sie mochten sich noch so sehr bemühen.

Ich gab dem Manne Nachricht. Er kam, schüttelte den Kopf und erklärte: „Ich sehe, Herr Geheimrat, daß Sie keine Ahnung vom Seelenleben der Katzen haben. Bei diesen Tieren ist es so, daß ihre Liebe um so größer wird, je mehr Hunger sie haben. Also, jetzt sperren wir einmal den Kater mit den beiden Katzen zusammen ein. Und sie bekommen so lange nichts zu fressen, bis es passiert ist."

Der Mann hatte recht. Und nun benachrichtigten wir ihn wieder, er solle seinen Kater abholen. Unglücklicherweise kam er nicht gleich. Als er dann aber schließlich erschien, war der Kater nicht mehr da, er war über Hecken und Mauern gegangen. Wahrscheinlich hatte er es uns übelgenommen, daß wir ihn so lange hatten hungern lassen.

Der Mann machte mir eine großartige Szene.

„Da bringe ich Ihnen nun, Herr Geheimrat", rief er, „das einzige, was ich auf dieser Welt besitze, und das, wovon mein Leben abhängt! Und Sie passen gar nicht darauf auf und lassen es ganz einfach weglaufen! Das hätte ich nie von Ihnen gedacht!"

Dann wurde er friedlicher und erklärte, ein Mittel zu kennen, um das Tier wieder herbeizuschaffen. Er verschwand. Am Abend kam er zurück und brachte in einem Korbe zwei wunderschöne Siamkatzen, die sich in der einschlägigen Verfassung befanden.

„Das sind seine Lieblingsfrauen", sagte er ganz zärtlich. „Er ist natürlich noch in der Nähe. Heute nacht kommt er. Ich werde hierbleiben."

Der Kater kam in der Nacht.

Später bekamen wir sehr schöne Tiere, eine Mischung von Siam und Wannsee, sie waren wirklich reizend.

Derselbe Operationssaal wurde leider auch der Schauplatz einer schrecklichen Katastrophe. Eine spanische Familie brachte mir ihren zwölfjährigen Jungen in die Charité, weil wegen einer Lungenkrankheit eine Operation angezeigt war. Selbst die heutige Technik ist nicht fehlerlos. Es passieren tückische, heimtückische Zwischenfälle genau dann, wenn man sie am wenigsten erwartet.

Durch Mängel, die hinterher nicht mehr aufzuklären waren, setzte das glühende Brenneisen, das bei diesem Eingriff angewandt wurde, die Ätherdämpfe der Narkose in Brand. Eine wilde Explosion donnerte im ruhigen Operationssaal los. Im nächsten Augenblick barst eine Sauerstoffflasche unter furchtbarem Getöse. Der kleine Patient wurde auf der Stelle getötet, Schwester und Assistenten wurden verletzt, mir selbst wurde das Trommelfell eines Ohres zerrissen.

In einer großen Klinik bekommt man in einem Monat mehr ausgefallene Krankheitsbilder zu sehen als in einer Praxis in zehn Jahren. Dennoch gibt es selbst hier noch Überraschungen, Seltenheiten, große Raritäten und absolut einmalige Fälle. Es ist wohl auch dem Nichtfachmann begreiflich, daß man an diesen Exzentrizitäten Freude hat.

Der wissenschaftlich arbeitende Arzt, ganz neben seiner Sorge für den leidenden Kranken selbst, hat auch ein brennendes Interesse für die Krankheit an sich. Und wenn es eine ganz besondere, seltene Krankheit ist, wird sie in ihm auch ein besonders freudiges Interesse wecken. Er wird immer alles tun, was in seiner Macht steht, um dem Kranken, jedem Kranken, zu helfen – aber er wird nicht umhin können, entzückt zu sein, wenn er etwas Neues findet, etwas, das sein ganzes Können und sein ganzes Wissen herausfordert und auf den Plan ruft.

Man mag das Jagdinstinkt nennen oder einfach Neugier, Wissensdurst oder Entdeckerfreuden, oder man mag es mit dem Drang des Bergsteigers vergleichen, dem es keine Ruhe läßt, bevor er einen noch nie bestiegenen Berggipfel bezwungen hat. Jedenfalls erblicke ich darin die eigentliche Würze eines Forscherlebens.

Es begann damit, daß wir in der Klinik wieder einmal die berühmte „Duplizität der Fälle“ erlebten. Ein vielzitierter Erfahrungssatz besagt nämlich, daß ein seltener Krankheitsfall unweigerlich binnen kurzer Frist einen zweiten ähnlich liegenden Fall „hinter sich her zieht“. Ich vermute allerdings, daß sich hinter dieser mysteriösen „Duplizität“ entweder der statistische Zufall, eine Epidemie, ein Generationsproblem oder einfacher noch der Umstand verbirgt, daß sich der erste Fall herumgesprochen hat. Man staunt oft, mit welcher Geschwindigkeit sich dieses Herumsprechen vollzieht. Bei der Geschichte, die ich berichten will, ist es wohl, mit einigen Umwegen über einen einweisenden Arzt, so zugegangen.

Ich habe die Krankengeschichten oder vielmehr die beiden Berichte, um die es sich hier handelt, 1931 auf einer Tagung der Deutschen Gesellschaft für Chirurgie vorgetragen und habe sie 1937, in einen größeren Zusammenhang gestellt, einer illustren Gesellschaft englischer und internationaler Chirurgen in London berichtet. Es war wohl einer der letzten Vorträge, die ein deutscher Arzt vor einem so erlesenen Forum von Fachkollegen aus aller Welt hielt, bevor Krieg und Verhängnis Deutschland und mit ihm Europa in den Abgrund rissen.

Mein Vortrag wurde damals in London, das kann ich

sagen, ohne mich zu rühmen, mit großem Interesse aufgenommen, und man beglückwünschte mich herzlich. (Später vergaß man in peinlicher Eile, meinen Namen zu nennen, wenn man meine Werke zitierte.)

Man möge mir verzeihen, wenn ich zur Erinnerung an diese Zeit diesen Vortrag hier einfüge. Es hat mir damals großes Vergnügen bereitet, ihn zu halten. Ich entschließe mich, ihn hier folgen zu lassen, weil er am Schluß eine absolut einmalige Operation schildert, nach der ich auch von Nichtmedizinern oft gefragt worden bin:

„CHIRURGISCHE EINGRIFFE AM HERZEN"

Vortrag, gehalten 1937

Meine sehr verehrten Herren Kollegen!

Lassen Sie mich zunächst Ihnen herzlich danken für die freundliche Einladung, in Ihrem Kreise heute abend über die Herzchirurgie zu sprechen.

Eine solche Aussprache hat in der Tat praktische Bedeutung, weil die Herzchirurgie eines der jüngsten Arbeitsgebiete der Chirurgie selbst darstellt und die vorliegenden Erfahrungen doch der Hoffnung Raum geben, daß mit zunehmender klinischer und experimenteller Forschung neue Wege zur Behandlung bestimmter Krankheiten sich erschließen werden.

Bevor wir auf das eigentliche Thema „Chirurgische Eingriffe am Herzen bei Herzkrankheiten" eingehen, lassen Sie mich Ihnen einen kurzen Überblick über das geben, was durch erfolgreiche Operationen bisher möglich war.

Sie wissen alle, daß es in den achtziger Jahren Rehn gelang, Stichwunden im Herzen freizulegen und sie durch Naht zu schließen. Sie wissen weiter, daß dieser kühne, nach den damaligen Vorstellungen kaum glaubliche Eingriff in der Folge hundertfältig ausgeführt worden ist und daß wir heute bei bestimmten Herzwunden uns ohne weiteres entschließen, den rettenden Eingriff auszuführen.

Bei einer richtigen, sachlichen Wertung der Verletzungschirurgie darf aber nicht verschwiegen werden, daß keineswegs alle Herzwunden eine operative Behandlung benötigen, und man darf hinzufügen, daß unter den erfolgreichen Eingriffen zweifellos viele sind, bei denen auch ohne Naht Heilung eingetreten wäre. Daraus folgt die Notwendigkeit klarer Indikationsstellung, die hier – wie überhaupt in der Chirurgie – die wichtigste Voraussetzung für erfolgreiches Handeln ist.

Die Verletzungschirurgie hat uns eindeutig überzeugt, daß der Tod bei Herzwunden keineswegs immer ein Verblutungstod ist – das ist wohl nur dann der Fall, wenn große Wunden der Herzvorhöfe oder -kammern das Blut in die breit eröffnete Brusthöhle austreten lassen, in Mengen, die schon nach Sekunden den Tod bringen.

Sehr viele Kranke werden das Opfer einer rein mechanischen Wirkung, die ein an sich vielleicht nur kleines Blutquantum auf das Herz ausübt.

Das haben schon der Chirurg Rose und auch Macewen erkannt. Das aus dem Herzen ausgetretene Blut sammelt sich im Herzbeutel und dehnt ihn – bis seine Elastizitätsgrenze erreicht ist. Der Bluterguß im Herzbeutel drückt nun das Herz zusammen, vor allen Dingen den rechten Vorhof. So wird der Rückstrom des venösen Blutes blokkiert. Diese sogenannte Herztamponade kann schon bei Mengen zwischen 200 und 400 ccm Blut auftreten und den mechanischen Herztod auslösen. Man versteht, daß dieses Ereignis selbst bei kleinen Wunden eintreten kann – bei Blutverlusten, die an sich durchaus ungefährlich wären.

Man versteht aber auch, daß eine einmalige oder wiederholte Punktion des Herzbeutels die notwendige Entlastung bringen kann, ohne daß ein eigentlich chirurgischer Eingriff nötig wäre.

Wir haben uns einmal in der Züricher und einmal in der Münchener Klinik von der Wirksamkeit der Punktion bei Herztamponade überzeugen können.

Die klaren, allgemein pathologischen Vorgänge des Herztodes durch Druck leiten zu einer anderen Betrachtung über, nämlich der der perikardistischen Exsudate (Ansammlung von Flüssigkeit im Herzbeutel), wie sie im Anschluß an Infektionen und vor allem auch an Tuberkulose öfters entstehen.

Auch hier kann es durch zunehmende Spannung im Herzbeutel zur Erdrosselung des Herzens kommen, und mancher akute Tod ist wohl nur auf solche Weise zu erklären. Man versteht, daß bei diesen Zuständen die Punktion Lebensrettung sein kann.

Auch die Spätfolgen von Herzbeutelentzündungen mannigfacher Art können mit Erfolg chirurgisch beeinflußt werden. Die schwielige Perikarditis, die Pericarditis adhaesiva, tritt in zwei Formen auf. Bei der einen greift der Entzündungsprozeß aus der Umgebung des Herzens von der Pleura, vom Mediastinum auf den Herzbeutel über, verdickt ihn, macht ihn starr und verlötet ihn mit der Brustwand. Dabei kann lange Zeit das Herz frei beweglich im Herzbeutel arbeiten und an sich eine ausreichende Leistung aufbringen. Durch die Tatsache aber, daß der Herzbeutel seine Elastizität verliert und sich den Bewegungen des Herzens nicht mehr anpassen kann – vielmehr durch die Verwachsungen festgehalten und fixiert ist –, kommt es allmählich zu einer großen Mehrbelastung des Herzens. Bei jeder Systole muß der Herzmuskel den Widerstand der Schwielen und Schwarten und schließlich der mit ihnen verlöteten Brustwand überwinden (Systole = Zusammenziehung des Herzens, Gegenteil: Diastole). Die systolische Zusammenziehung des Herzens schleppt die starre Brustwand hinter sich her und wird um diese Belastung verkleinert. Es ist erstaunlich, wie selbst schmale, kleinere, einfache Verwachsungen, die sich zwischen dem Herzbeutel und der Brustwand ausspannen, eine Arbeitsbehinderung darstellen können.

Ich erinnere mich eines Patienten, bei dem im Anschluß an eine Pleuritis (Rippenfellentzündung) ein fixierender Strang zwischen Herzbeutel und Brustwand zustande gekommen war, mit groben Herzstörungen, die sofort verschwanden, als ich den Strang löste.

Die klare mechanische Therapie bei solchen Kranken ist vorgezeichnet in Form der Befreiung des Herzens von Zug und von seiner Belastung durch diese Schwielen.

Lelongs Vorschlag, die Brustwand durch Lösung der Rippen zu mobilisieren – sie nachgiebig zu machen, so daß sie dem Zug des Herzens ohne Hemmung folgen kann, ist ebenfalls ein zweckmäßiger und oft im Erfolg wunderbarer Eingriff. Ich sah Kranke, die auf diese verhältnismäßig einfache Weise Stauung und Atemnot verloren und bei denen die unregelmäßige und unzulängliche Herzarbeit zur Norm zurückkehrte.

Die zweite Form der Perikarditis ist sehr viel schwieriger zu behandeln. Hier ist das schwere klinische Bild mit seiner Einflußstauung, mit der Leberschwellung, mit Ascites, Ödemen (Wassersucht) die Folge breiter Verlötungen zwischen dem Herzmuskel und der Innenfläche des Herzbeutels. Wenn dann außerdem noch der Herzbeutel selbst schwielig, starr oder geradezu verkalkt ist, dann ist das Herz von einem unnachgiebigen Ring umgeben, der die für seine Arbeit notwendigen Volumenschwankungen nicht mehr oder nur in unzureichendem Maße ausführen kann. Es ist vor allen Dingen die diastolische Erweiterung des Herzens erschwert. Diese ist aber die Voraussetzung des Ansaugens und des Rückflusses des Blutes aus den großen Hohlvenen. Folge dieser eingeschränkten diastolischen Erweiterung sind schwerste Zustände von Stauung und Herzschwäche.

Auch unter diesen wesentlich ungünstigeren Verhältnissen als bei der ersten Form der Herzbeutelentzündung kann nur ein chirurgischer Eingriff dem furchtbaren Zustande Abhilfe schaffen. Hier genügt aber nicht die Wegnahme einiger Rippen und die Mobilisation der Brustwand, sondern hier ist die Befreiung des Herzens aus dem umschnürenden Panzer unerläßlich und die dringendste Aufgabe.

Man legt das Herz frei, versucht den Herzbeutel an einer Stelle vorsichtig zu eröffnen und ihn langsam von dem darunter liegenden Herzen abzuschälen. Oft eine mühevolle Arbeit! Der Erfolg tritt aber schon während der Operation überzeugend in Erscheinung. Die Bewegungen des Herzens werden ausgiebiger, es erweitert sich sichtbar, die Diastole nimmt zu; namentlich am rechten Herzen, das infolge seiner Dünnwandigkeit am meisten gelitten hat, ist der Effekt dramatisch schon während des Eingriffs zu erkennen.

Bei der Größe des Eingriffs, der Schwäche und Widerstandsfähigkeit des Kranken empfiehlt es sich oft, die

Operation in zwei Sitzungen auszuführen. In jedem Falle hat sie aber nur dann Erfolg, wenn die Muskulatur noch nicht degeneriert ist und keine chronische schwielige Myocarditis (Herzmuskelentzündung) als Teil der Gesamtentzündung besteht.

Die Sterblichkeit ist hier höher als bei der ersten Form. Aber eine Reihe schöner Erfolge, die von den verschiedensten Chirurgen erreicht wurden, machen es zur Pflicht, angesichts der Hoffnungslosigkeit des Zustandes, bei diesen Kranken den operativen Weg zu wählen.

Die Fortschritte der Thorax-Chirurgie haben uns darüber belehrt, daß mechanisch bedingte Herzstörungen eine große Rolle spielen. So haben wir vielfach erlebt, daß eine Tamponade des Mediastinums im Bereich des rechten Herzens Herzleitungsstörungen hervorrufen kann. Paroxysmale Tachykardien (übermäßige Pulsbeschleunigung) können dann das Leben bedrohen. Die Entfernung des drückenden Tampons aus dem Mittelfell oder einer hier liegenden Plombe wirkt geradezu lebensrettend.

Durch schnell wachsende Tumoren, Zysten, Teratomen (Geschwülste) können stürmische Herzerscheinungen ausgelöst werden. Eine überzeugende Beobachtung unserer Klinik sei mitgeteilt: Es wird ein junger Mann eingeliefert, der beim Ausgleiten mit der linken Seite gegen eine Treppenkante anschlug. Keine erheblichen äußeren Verletzungen, keine Rippenbrüche. Im Vordergrund steht als Folge des Unfalls eine sehr beschleunigte, unregelmäßige und ungleichmäßige Herzaktion, die auch in den nächsten vierzehn Tagen des Klinikaufenthaltes nicht verschwindet. Da der Kranke vorher vollständig gesund war, wird diese krankhafte Veränderung der Herzarbeit als Folge des Unfalls angesehen.

Bei einer Röntgenaufnahme findet sich im linken Mediastinum, dem Herzen unmittelbar aufsitzend, ein scharfumgrenzter, offenbar zystischer Tumor. Man entschließt sich zur Operation und entfernt eine Geschwulst von Zweifaustgröße, die Wände von Blut durchsetzt, im Inneren der Geschwulst ein großer Bluterguß, offenbar als Folge der Brustquetschung bei dem Unfall. Der Kranke verlor unmittelbar nach der Operation die Herzbeschwerden und ist bis heute gesund geblieben. Die Geschwulst, eine Zyste, die vor dem Unfall keinerlei Beschwerden machte, wurde durch den Bluterguß plötzlich vergrößert, und die erfolgende Volumen- und Druckzunahme lösten die mechanischen Herzstörungen aus. Man wird also mehr als bisher Herzstörungen auf mechanische Momente zurückführen dürfen, wenn die klinische und röntgenologische Untersuchung Anhaltspunkte für druckauslösende Tumoren, Exsudate, Abszesse oder dergleichen ergibt.

So einfach und überzeugend die Fortschritte auf den eben erwähnten Gebieten der Herzchirurgie sind, so umstritten und zweifelhaft sind sie bei den eigentlichen Krankheiten des Herzens: Klappenfehler, Herzmuskelstörungen, Innervations- und Zirkulationsstörungen.

Es konnte nicht überraschen, daß man angesichts der eben besprochenen Erfolge den Gedanken erwog, Herzklappenfehler operativ anzugehen – und insbesondere die Verengungen an den verschiedenen Herzklappen als geeignet ansah.

Die experimentelle Chirurgie hat Wege gewiesen, wie man nach Freilegung des Herzens in sein Inneres eindringen und zu den Klappen gelangen kann. Die technische Möglichkeit, Klappenfehler künstlich zu erzeugen und bestehende künstlich zu beeinflussen, steht außer Zweifel. Ganz anders liegt aber die Frage, ob man beim kranken Menschen die chirurgische Behandlung in Betracht ziehen darf. Darüber besteht Einigkeit: nur bei dekompensiertem (unausgeglichenem) Herzfehler – und auch nur dann, wenn alle Mittel interner Behandlung erschöpft sind – ist der Versuch überhaupt gerechtfertigt. Dann aber ergibt sich die Frage, ob solche Kranke einen derartig schweren Eingriff noch aushalten und ob das kranke Herz sich noch eine operative Schädigung gefallen läßt.

Es kommt hinzu, daß eine richtige Einschätzung der anatomischen Veränderungen, die wir bei Herzfehlern finden, von vornherein die Möglichkeit operativer Hilfe auf die Stenosen einengt.

Unter den Stenosen der Herzostien (Herzeingänge = Eintrittsstelle der großen Herzgefäße) hebt sich eine durch ihre günstige anatomische Lage und durch ihre mechanische Eigenart als besonders geeignet ab: die Stenose der Aortenklappen.

Das Ostium ist durch Verwachsung der Klappen bis auf eine kleine Öffnung verengt. Geringfügige Bewegung der Segel genügt zum Verschluß, oder der zwischen ihnen vorhandene Spalt ist so klein, daß eine Insuffizienz („Herzschwäche“) entsteht. Die von dem linken Herzen verlangte Mehrarbeit führt zur Vergrößerung der linken Kammer. Sie ist ein Schulbeispiel für eine Hypertrophie ohne Erweiterung. Der Verlauf ist bei weiterer Zunahme der Verengung ungünstig, das Herz ermüdet und erlahmt.

Das Gegebene wäre eine künstliche Erweiterung der Öffnung oder – anders ausgedrückt – eine Umwandlung der Verengung des Ausgangs in eine mangelnde Abdichtung der Aortensegel.

Wenn man in Verbindung mit einem erfahrenen Internisten das Herz im ganzen, namentlich das rechte Herz, noch als leistungsfähig erkannt hat, während die linke Herzkammer zu erlahmen droht, so kann ernsthaft die operative Behandlung erwogen werden. Ich habe selbst in meiner Züricher Zeit planmäßig eine solche Operation vorbereitet: anatomisch, technisch und instrumentell. Der Kranke starb aber in der Nacht vor der Ausführung des Eingriffs. Bei der Sektion hat sich unsere Diagnose und Indikationsstellung als richtig erwiesen. Es wäre in der Tat ein verhältnismäßig kleiner Eingriff gewesen, das vordere Segel zu durchtrennen.

Eine pulmonale Stenose ist von Doyen angegangen worden, allerdings ohne Erfolg, das Mädchen starb. Inzwischen haben Cutter und Lewien bei einem zwölfjährigen Mädchen, das an schwerster Mitralstenose litt, die Operation gewagt – trotz einer schweren Krisis –, mit Erfolg.

Bei aller Zurückhaltung in der Bewertung solcher Operationen darf doch die Hoffnung ausgesprochen werden, daß es in Ausnahmefällen hier und da gelingen wird, eine Herzstenose günstig zu beeinflussen.

Es folgt jetzt im Vortrag die Darstellung des Krankheitsfalles, von dem ich zu Anfang dieses Kapitels sprach. Zu Nutz und Frommen des Lesers will ich ihn hier etwas ausführlicher und in größerem Zusammenhang schildern.

Der erste obenerwähnte Fall einer Mediastinal-Zyste – das ist nichts anderes als ein mit Flüssigkeit gefüllter Sack im Mittelfellraum, der ständig an Umfang zunimmt – war uns von einem Berliner Arzt überwiesen mit der Frage, ob die bestehenden Beklemmungserscheinungen, das Herzklopfen, die Unregelmäßigkeit des Pulses mit dem Befund des Röntgenbildes in Zusammenhang stehen könnten. Es handelte sich um einen Mann, bei dessen Anblick ich zuerst dachte, es sei ein Angina-pectoris-Kranker. Nagende Angst stand auf dem bleichen Gesicht mit den blauen Lippen geschrieben, das ständige Ringen nach Atem hatte diesem Angesicht seinen unverkennbaren Stempel aufgedrückt. Ich sagte zu ihm, nachdem ich ihn untersucht hatte – das Ritual der klinischen Untersuchungen hatte er bereits hinter sich:

„Wir werden Sie operieren müssen, mein Lieber. Etwas anderes gibt es da nicht, Sie haben eine Geschwulst in der Brust, und da ...“

„Alles, was Sie denken, Herr Professor“, sagte der Kranke, „meine Leiden sind nicht länger zu ertragen.“

Nach den Erfahrungen unserer Klinik war eine solche Operation durchaus gerechtfertigt; aber ich hatte dem Kranken eine Alternative vorzuschlagen, ich sagte zu ihm:

„Es gibt allerdings noch eine andere Möglichkeit. Wir können Ihnen das Brustbein spalten, und wir können unter Umständen mit einer Hohlnadel den Zystensack einstechen und soweit wie möglich entleeren. Wir nennen so etwas einen entlastenden Eingriff, aber das ist eine halbe Sache, und gesund können Sie davon nicht werden. Die größere Operation ist zwar gefährlicher, aber Sie haben gute Aussichten, ein vollkommen gesunder Mensch zu werden.“

„Ich habe genug vom Krüppeltum. Machen Sie, was Sie für richtig halten, Herr Professor. Ich bin Ihnen dankbar dafür.“

Wir führten die Operation durch und konnten sie als einen Erfolg buchen.

Einige Wochen nachdem dieser Kranke uns verlassen hatte, sandte uns derselbe Arzt eine Patientin, deren Brust im Röntgenbild ein ganz ähnliches Gebilde aufwies wie beim ersten Patienten. Die Patientin erzählte uns eine merkwürdige Geschichte, die wir mit allen Details aus ihr herausfragten. Sie klagte über ständige Atemnot, zu der noch Anfälle hinzutraten, in denen sie glaubte, überhaupt nicht mehr atmen zu können, in denen das Herz zu jagen und zu stolpern begann, um plötzlich wieder sekundenlang auszusetzen.

„Ich bin in diesen Anfällen tausend Tode gestorben", sagte sie zu mir, und – wenn man auch solchen Äußerungen der Patienten skeptisch gegenübersteht – ich glaube, sie hat nicht übertrieben. Sie klagte außerdem noch über „Herz"-Schmerzen, die in Arm und Rücken ausstrahlten.

Nachdem wir so den augenblicklichen Krankheitszustand festgelegt hatten, gingen wir daran, die Biographie dieser Krankheit zu erkunden. Ein Jahr vor dem Eintreffen bei uns hatte die Kranke eine Grippe durchgemacht, an die sich rechts eine Lungen-Rippenfellentzündung anschloß. Dabei hatte sie hohes Fieber. Nach einigen Wochen waren die Erscheinungen an der Brust abgeklungen, aber es blieb unregelmäßiges niedriges Fieber bestehen.

Sie fand wegen des Fiebers und wegen allgemein schlechten Befindens Aufnahme in einer Klinik. Hier dachte man zunächst an eine schwere Herzmuskelentzündung, die als Folgeerscheinung der Grippe bestehen geblieben war. Erst im Verlauf von mehreren Monaten besserte sich der Zustand der Kranken, und sie begab sich zu einem Kuraufenthalt in ein Herzbad. Hier setzten die Krankheitserscheinungen ein, mit denen sie in unsere Behandlung kam.

Wir erklärten uns das Bild dieser Krankheit als von einer Geschwulst im Mittelraum herrührend, wobei wir annahmen, daß der Druck der Geschwulst auf das rechte Herz das klinische Bild hervorrief, und wir schlugen der Kranken operative Entfernung der Geschwulst vor.

Ich habe in diesem Buch bereits mehrmals von dem Mittelfellraum und den Organen in ihm gesprochen. Um an diese Organe heranzukommen, muß man den Brustraum öffnen, entweder von vorn oder auch neben der Wirbelsäule von hinten. Da wir es bei unserer Kranken mit einem Gebilde zu tun hatten, das auf der rechten Seite saß, öffnete ich bei der Operation die Brustwand vorn rechts im Bereich der vierten bis sechsten Rippe, und wir bekamen sehr schnell eine fast kindskopfgroße zystische Geschwulst zu sehen. Das heißt, wir konnten den oberen, unteren und seitlichen Abschnitt überblicken, die Basis dagegen lag offenbar tief unten im Mittelfellraum, und ich konnte sie nicht abtasten.

Man muß immer bedenken, daß man im Brustraum nicht wie in der Bauchhöhle nach freiem Ermessen schalten und walten kann, sondern daß empfindliche und übernervöse Gebilde hier zusammengedrängt liegen und daß jede Öffnung des Mittelfellraums so klein wie möglich gehalten werden muß, weil sich dem chirurgischen Vorgehen auf Schritt und Tritt Schwierigkeiten entgegenstellen.

Als ich mit dem Finger die Geschwulst abtastete, merkte ich, daß sie „schwappte“ wie eine wassergefüllte Blase. Ich sagte zu meinem Assistenten: „Wir wollen punktieren“, und stach die hohle Punktiernadel unten an einer bequemen Stelle in den Zystensack ein. Wir blickten alle gebannt auf die Mündung der Nadel und erwarteten, daß sich aus ihr die helle oder gelblich gefärbte Flüssigkeit entleeren würde, mit der gewöhnlich solche Zysten angefüllt sind. Aber es entleerte sich nichts.

Ich zog die Punktionsnadel wieder heraus und stach sie, nichts Böses ahnend, etwas weiter oben wieder ein. Jetzt strömte aus der Nadel Blut. Ich warf einen kurzen Blick auf meinen Assistenten und sah, wie er über seine Gesichtsmaske hinweg mit weitaufgerissenen Augen auf die Punktionsnadel sah, aus der es rot träufelte. Gleichzeitig hatte ich – ich kann nicht umhin, mich des abgegriffenen Vergleichs zu bedienen –, wie von der Tarantel gestochen, die Punktionsnadel zurückgezogen. Und nun liefen die Ereignisse ab, wie mit dem Zeitraffer aufgenommen. Aus der Punktionsstelle schoß eine dünne Blutfontäne, mir mitten ins Gesicht. Ohne zu überlegen, fuhr ich mit dem Zeigefinger der rechten Hand auf die blutende Stelle und dichtete sie ab. Nur noch kleine Blutrinnsale liefen neben dem Finger hervor.

„Naht“, sagte ich und blickte auf meinen Assistenten, der bereits den Seidenfaden in der Hand hielt.

Noch merkte ich im gewohnten Zusammenspiel meiner Mitarbeiter keine Störung, aber ich fühlte die herrschende

Spannung. Wir sahen uns einer äußerst überraschenden Situation gegenüber. Aber noch ahnte niemand, daß es wirklich gefährlich werden sollte. Das zeigte sich indessen Sekundenbruchteile später.

Die spritzende Stelle mußte genäht werden, und während ich zu Professor Frey, der mir bei dieser Operation assistierte, sagte: „Da bin ich entweder in eine Schlagader oder ins Herz geraten“, stieß er schon die gebogene Nadel im Nadelhalter unter meinem abdichtenden Finger durch die Wand dieser vertrackten „Zyste“.

Wieder harrte meiner eine furchtbare Überraschung. Als der Assistent und ich die gelegten Knoten zusammenzogen, ergab sich keine schließende Naht, sondern die Fäden schnitten in die Haut der morschen Wand ein. Es entstand plötzlich eine klaffende Wunde, aus der ein fingerdicker Blutstrahl hervorspritzte.

Keine Zeit zur Überlegung – ich stand zur Rechten der Patientin. Die linke Hand war frei. Ich dachte nur noch an eines: Auf dem Tisch verblutet sie mir nicht – fuhr mit dem Zeige- und Mittelfinger der linken Hand mitten in den Blutstrahl hinein, brachte ihn zu einem wild rieselnden Blutbach, stieß die Finger tiefer in die Wunde hinein und fühlte tief drinnen ein Loch, das von einem elastischen ringförmigen Wall umgeben war. In diese Öffnung preßte ich meine beiden Finger hinein.

Was ich schon nicht mehr zu hoffen gewagt hatte, geschah. Die Blutung stand. Ich fühlte mehr, als ich es hörte, wie meine Mitarbeiter befreit aufatmeten, und ich sagte: „Ich bin in einen anderen Hohlraum eingedrungen und fühle das Schwirren, Brodeln und Wirbeln des Blutes. Meine Finger liegen in der rechten Herzkammer.“

Niemand, ich eingeschlossen, glaubte mehr daran, daß es uns gelingen werde, die Patientin durchzubringen. Jeder hatte nur noch das einzige Bestreben, sie nicht auf dem Tisch sterben zu lassen. Diese demütigende Niederlage unserer Bemühungen wollten wir jedenfalls vermeiden. Darin waren sich alle einig. Im Nu legten der Assistent und ich ungefähr dorthin, wo meine Finger den scharfumgrenzten harten Ring getastet hatten, zwei starke seidene Fäden. Es war eine harte Arbeit, hier, ohne jede

Übersicht, nur auf das Tastgefühl angewiesen, in dunkler Unsicherheit abschnürende Knoten zu legen. Wir taten unser Bestes, und – es gelang.

„Zuziehen!“ kommandierte ich und fühlte gleichzeitig, wie meine Finger irgendwo da drinnen eingeschnürt wurden. Ich zog sie synchron dem fortschreitenden Verschluß des Knotens zurück, nahm sie aus der Wunde heraus, und – die Blutung stand. Zunächst ließ ich mir einmal das blutverschmierte Gesicht abwaschen und eine neue Brille aufsetzen. Dann leistete ich mir einen Stoßseufzer der Erleichterung, und dann gingen wir daran, den häutigen Sack unserer „Zyste“ zu spalten und die Massen geronnenen Blutes und älterer Blutgerinnsel zu entfernen.

„Das ist ein Herz-Aneurysma“, sagte ich zu meinen Mitarbeitern, „wir müssen Methoden entwickeln, um die Diagnose der Mittelfellgeschwülste besser herauszuarbeiten.“

Ein Herz-Aneurysma – das bedeutete, daß sich in der Wand der rechten Herzkammer eine Öffnung befand, daß an dieser Stelle das pressende Blut die Häute des Herzens abgehoben und aus ihnen einen Sack gebildet hatten, den es bis zur Grenze der Dehnungsfähigkeit aufgebläht hatte. Niemals vorher war ein Aneurysma des Herzens operiert worden. Mehrmals während dieser Operation hatte mich der Narkotiseur auf das Aussetzen des Pulses aufmerksam gemacht. Ich hatte ihn zuletzt energisch zur Ruhe verwiesen. Was sollten mir diese Meldungen jetzt, wo es auf Biegen und Brechen ging! Ich stand nun in diesem Augenblick vor einer wichtigen Entscheidung. Sollte ich die Operation abbrechen, die äußere Wunde schließen und alles Weitere dem Zufall überlassen? Die beiden seidenen Fäden, die ich irgendwo drinnen angelegt hatte, ergaben nur eine aufs Geratewohl gesetzte höchst unzuverlässige Unterbindung dieses gefährlichen Loches in der Herzwand. Man mußte geradezu damit rechnen, daß es im Laufe von Stunden, Tagen, Wochen undicht werden würde und die Patientin sich in den Brustraum hinein verbluten würde. So entschloß ich mich dann, die Wand dieses „gebrochenen Herzens“ Stück für Stück abzutragen, die Unterbindungsstelle dann mit Haut abzudecken und dicht zu vernähen. Nur wenn dies gelang, hatte meine Patientin Aussichten.

Der Narkotiseur meldete: „Puls setzt aus“, und ich griff mit der linken Hand in den Brustraum hinein und mit der rechten Hand unter den linken Rippenbogen und führte auf diesem Wege eine Herzmassage aus. Das Herz sprang wieder an, es tobte los.

„160“, meldete der Narkotiseur. Aber wir ließen uns durch nichts zurückhalten, auch dann nicht, wenn jedesmal beim Zusammenziehen der Nähte das Herz plötzlich auf 70, 60, 40, 30 Pulsschläge zurückging oder die Pulszahl bis auf 200 anstieg. Je weiter wir uns von unserer Arbeit von dem Loch im Herzen entfernten – wir legten mehrere Hautschichten abdichtend darüber –, um so regelmäßiger und gleichmäßiger wurde die Tätigkeit des Herzens, die Blutung stand vollständig.

Ich ließ bei der Schließung des Brustkorbs durch Überdruck die Lunge blähen und nähte dann dicht zu.

Die Kranke überstand den Eingriff.

Mehrere Wochen lang bestand eine Steigerung des Pulses auf 140 bis 160 Schläge, nach drei Wochen wurde eine ungetrübte Flüssigkeitsansammlung aus der rechten Brusthöhle durch Punktion von außen entfernt. Nach acht Wochen konnte die Kranke das Bett verlassen, ohne irgendwelche Zeichen gestörter Herzarbeit. Die Kranke genas vollkommen und konnte ein völlig normales Leben führen. Dieses erfreuliche Ereignis, das einen gewissen Fortschritt in der Herzchirurgie darstellt, verdanken wir einer falschen Diagnose, aber richtigem chirurgischem Handeln.

„Wenn auch diese einzigartige Beobachtung“, so beschloß ich damals meinen Vortrag in London, „unsere Indikationsstellung zur Behandlung der Aneurysmen des Herzens nicht beeinflussen kann und wird, so ist es doch ein Beweis für die Möglichkeit selbst, solche Eingriffe mit Erfolg durchführen zu können, und das wird uns in den Bemühungen bestärken, auch auf diesem schwierigen Gebiet weiterzukommen.“

Diese Sätze machen verständlich, warum ich vorhin sagte, unser Irrtum habe der Frau das Leben gerettet. Ich hätte es niemals unternommen, sie zu operieren, wenn wir die Möglichkeit eines Aneurysmas des Herzens in Betracht gezogen hätten. Das Risiko wäre viel zu groß gewesen. Übrigens glaube ich nicht, daß zu dem Zeitpunkt, zu dem wir die Kranke sahen, eine richtige Diagnose überhaupt möglich gewesen ist. Gewöhnlich werden solche Diagnosen erst bei der Obduktion mit Sicherheit gestellt.

Herz-Aneurysmen sind den Ärzten seit langer Zeit, vielleicht sogar seit dem Altertum, wohlbekannt. Sie bilden sich gewöhnlich an der linken Kammer, wenn bestimmte Schäden die Muskelwand betroffen haben. Dann wird die Wand an irgendeiner Stelle undicht, und das Perikard, die Außenhaut des Herzens, kann dem in der Kammer erzeugten Druck nicht standhalten, ohne sich mächtig zu erweitern. Im Röntgenbild sieht man dann eine Ausbauchung, eine Beule, die den Herzschatten gewaltig nach links erweitert. Sitzt dieses Aneurysma an der linken Herzkammer, dann wird von ihm nur Lungengewebe verdrängt und komprimiert, was keine wesentlichen Folgen nach sich zieht. Sitzt die Ausbauchung dagegen an der rechten Kammer, so werden die empfindlichen Organe des Mittelfells irritiert, außerdem herrscht gegen das Mittelfell zu weniger Raum, in den hinein sich das Aneurysma ausdehnen könnte, und so kommt es auch zu Störungen der Herzarbeit. Natürlich sind beide Aneurysmen-Formen mit Langlebigkeit nicht in Einklang zu bringen.

Es kommt häufig vor, daß wir Chirurgen bei Betriebsunfällen und anderen Verletzungen um Gutachten gebeten werden. Das ist einfach genug, wenn es sich nur darum handelt, die gesundheitlichen Schäden zu beschreiben; schwierig wird es, wenn nach einem solchen Unfall vermeintliche oder echte Spätfolgen auftreten, bei denen sich ein Versicherter und eine Versicherung nicht nur über die Höhe des Schadenersatzes streiten, sondern sogar darüber, ob die „Spätfolge“ und der Unfall überhaupt in einem Zusammenhang standen.

Manche Autoritäten sind der Ansicht, daß zum Beispiel zwischen der Entstehung einer bösartigen Geschwulst und einem Unfall kein Zusammenhang besteht, wenn zwischen der Erkennung des Tumors und der Verletzung ein längerer Zeitabschnitt vergangen ist. Ich bin zu sehr Arzt, als daß ich mich solch bürokratischen Ansichten anschließen könnte, die verlangen, daß zwischen den beiden

Ereignissen höchstens zwei bis drei Monate liegen dürften, wenn man einen Zusammenhang anerkennen soll. Ich stehe auf dem Standpunkt, daß bei einer Reihe von Unfällen die Entwicklung einer Geschwulst beginnt.

Ich kenne da mehrere Fälle, die dies eindeutig beweisen; einer davon war mir besonders eindrucksvoll, und ich habe meinen Studenten, wenn es sich darum handelte, derartige Zusammenhänge zu klären, gern diese Geschichte erzählt:

Ein Lehrer legt einen gesunden, frischen Jungen übers Knie, um ihm das Sitzleder zu versohlen. Der Junge wehrt sich – ich hatte früher einen Schulmeister, der verprügelte die Jungen mit einem Violinbogen, er mußte sich jeden Augenblick einen neuen beschaffen –, er strampelt und schlägt mit seinem rechten Bein gegen die Schulbank. Das tut viel weher als die Prügel des Lehrers. Zu Hause merkt die Mutter, daß der Junge hinkt. Er erzählt ihr:

„Der Lehrer hat mich durchgewichst, das war nicht so schlimm. Aber ich bin mit meinem Bein gegen die Bankkante geschlagen, und das tut scheußlich weh."

Etwa vier Monate später kommt der Junge in ärztliche Behandlung. Es stellt sich schnell heraus, daß der Junge am rechten Unterschenkel eine Geschwulst, und zwar ein Sarkom, hat. Da gab es keine andere Hilfe, als den Unterschenkel im Kniegelenk zu amputieren.

Stünde man auf dem Standpunkt, daß nach einem Unfall höchstens drei Monate vergehen dürften, wenn man eine Geschwulst als Unfallfolge auffassen darf, so wäre das Sarkom des Jungen wie aus heiterem Himmel gekommen. Wir gaben unser Gutachten dahingehend ab, daß zwischen der Prügelszene und der Unterschenkelgeschwulst ein ursächlicher Zusammenhang bestand. Es entstand natürlich die Frage nach der Haftung. Die Schule bzw. der Staat für den Schulmeister? In einem solchen Fall können alle Juristen der Welt zusammentreten und alle Mediziner und den Zusammenhang mit dem Unfall leugnen, die Mutter wird das nicht glauben, und auch andere Leute werden das nicht glauben. Wissenschaftlich ist es vielleicht einmal so gewesen, daß dieser Zusammenhang nicht anerkannt wurde, aber in diesem Fall ist der Zusammenhang klar erwiesen; der Staat mußte für die Folgen aufkommen.

Manchmal ist es anders. Es bemerkt jemand am Körper eine rote Stelle, er hat sich da gestoßen, faßt hin und tastet bei dieser Gelegenheit die Schwellung. Das kommt öfters vor. Besonders bei Frauen, die einen Brustkrebs in dem Augenblick entdecken, in dem sie sich gerade gestoßen haben.

Wie wichtig es ist, sich nicht auf den rein ärztlichen „Befund" zu verlassen, sondern sich auch das allgemeine Bild eines Kranken genau anzusehen, das habe ich meinen Schülern immer wieder eingeschärft. Man spricht zum Beispiel nach Unfällen von einem „Schockzustand", in dem sich der Verletzte befindet. Das ist schon richtig. Nach plötzlich einsetzenden Verletzungen, aber auch nach Naturereignissen geraten Menschen leicht in einen seelischen Schreckzustand, der sich körperlich als Schock mit allen seinen Begleiterscheinungen auswirkt. Dabei übersieht man leicht, daß eine wirkliche Verletzung die Ursache des schweren Zustandes ist, den man dem Schock irrtümlicherweise zuschreibt.

Bei einem plötzlichen großen Blutverlust tritt gewöhnlich zwischen der ersten starken Blutung und dem Verblutungstod eine Pause, ein Stillstand, ein Intervall ein. Nachdem der Blutdruck durch die ersten Phasen der Blutung stark gesunken ist, das Herz weniger energisch schlägt, können sich die Gefäße eher zusammenziehen, und es kann jetzt die Blutgerinnung in dem verletzten Gebiet vor sich gehen und dem austretenden Strom den Weg verlegen. So kommt die Blutung zunächst zum Stillstand. Dann aber, wenn sich der Patient wieder etwas erholt hat oder wenn man zur Stärkung des durch den Blutverlust – und nicht durch den vermeintlichen Schockzustand – geschwächten Herzens Herzmittel gegeben hat, können plötzlich die Blutgerinnsel aus den Adern herausgeschleudert werden, und der Kranke kann an der erneuten Blutung zugrunde gehen. Derartige Ereignisse sieht man gewöhnlich nur im Kriege. Aber es ist auch in Friedenszeiten von größter Wichtigkeit, diese Bilder zu kennen und richtig zu beurteilen. Man erlebt sie gewöhnlich bei Betriebs- und Verkehrsunfällen.

Zu einem solchen Fall wurde ich einmal als Konsilarius

gerufen. Der Wagen des Verunglückten war bei einem ungeschützten Bahnübergang von einer Lokomotive erfaßt worden. Der Mann selbst wurde zwischen Steuerrad und Sitz eingeklemmt vorgefunden und befreit. Er wurde in ein Krankenhaus gebracht. Da er über den Unfall genau Bericht erstatten konnte, konnten eine Schädelinnenverletzung und eine Gehirnerschütterung ausgeschlossen werden. Der behandelnde Arzt hatte den Eindruck, daß die Verletzung nicht schwer sei. Den Angehörigen des Patienten gegenüber hatte er eine gute Prognose gestellt, in der Annahme, daß nur zwei Rippen gebrochen seien. Dennoch wurde ich von den Angehörigen zur Begutachtung zugezogen.

Ich sah einen Kranken, der mich mit einem Wortschwall überfiel, der kaum zu unterbrechen war. Er konnte im Bett nicht stilliegen und begleitete seine Sätze mit heftigen Bewegungen der Hände und Arme.

Sein ganzer Körper war von kaltem Schweiß bedeckt, die Nase spitz, der Puls schnell und klein, desgleichen die Atmung flach und beschleunigt. Die Gesichtsfarbe war grau wie ein schlecht gewaschenes Bettuch.

Das waren die klassischen Anzeichen einer Verblutung. Die Frage war nur, an welcher Stelle erfolgte diese innere Blutung.

Nach der Art des Unfalls (Einklemmung zwischen Steuerrad und Sitz) konnte es zu einer Milz-, Herz- oder Lungenzerreißung gekommen sein. Es war auch möglich, daß diese Verletzungen gemeinsam bestanden. Die Untersuchung des Brustkorbs ergab, daß die Herzdämpfung verschoben war. Das erkennt man beim Abklopfen dieser Bezirke. Beim Abklopfen stellte ich auch fest, daß der Brustkorb nicht den gewohnten Trommelton erzeugte, sondern daß der Ton sich eher dem eines vollen Fasses näherte. Aus dem Gesamtbild, das mir der Kranke darbot, wurde mir klar, daß eine schwere Verletzung im Innern des Brustkorbs vorlag. Ich operierte sofort. Als ich den Brustkorb geöffnet hatte, zeigte sich, daß es aus einer Quetschwunde der Lunge sehr stark blutete. Ich nähte die Stelle, woraufhin die Blutung stand. Nachdem wir das Blut aus der Brusthöhle ausgetupft hatten, betastete ich das Zwerchfell und fühlte, daß die Milz ebenfalls gerissen war. Ich öffnete das Zwerchfell mit einem Schnitt und fand, daß die Milz in der Mitte völlig durchgequetscht war. Die Blutung aus dem zerstörten Organ war gewaltig. Ich entfernte also von oben, durch das Zwerchfell hindurch, die Milz so schnell wie möglich. Damit war auch diese Blutung gestillt. Nach Naht des Zwerchfelles verschloß ich den Brustkorb. Der Patient überstand den Eingriff gut und erholte sich.

Die Vorgänge im Körper des Verletzten nach dem Unfall konnten wir bei der Operation genau rekonstruieren. Im Brustkorb fanden wir alte Blutgerinnsel neben dem frischen Blut, was dafür sprach, daß nach der ersten Blutung ein Stillstand eingetreten war, das sogenannte Verblutungsintervall, und daß dann die Blutung nach der Abstoßung der Gerinnsel wiedereingesetzt hatte. Ein ähnliches Bild fanden wir auch in der Bauchhöhle bei der Milzexstirpation. Der Verlauf dieser inneren Blutung war also klassisch.

Leider kommt es ab und an vor, daß nach Operationen, trotz sorgfältiger Unterbindung aller Gefäße, Nachblutungen auftreten. Jeder Chirurg, jeder Arzt, jede Krankenschwester muß die Erscheinungen einer inneren Blutung genau kennen, wenn man ihnen die Bezeichnung Arzt, Chirurg oder Krankenschwester zubilligen soll. Ein einziges Mal in meiner ganzen Laufbahn habe ich eine solche Komplikation erlebt, bei der rechtzeitiges Eingreifen versäumt wurde. Es war in Greifswald im Jahre 1905. Ich war Oberarzt der Klinik und hatte einen Patienten einer Hämorrhoidaloperation unterzogen. Die Schwester erkannte in der Nacht den wahren Grund der Unruhe des Kranken nicht. Als ich endlich gerufen wurde, war es zu spät. Der Patient starb. Ein belastendes Ereignis, das man nie vergißt.

Paul Fechter berichtet in seinem Buch „An der Wende der Zeit“ (C. Bertelsmann Verlag, Gütersloh) ein merkwürdiges Reitererlebnis von mir, das ich ihm einmal erzählt habe und das fast völlig meinem Gedächtnis entschwunden war. Lassen wir ihn selbst berichten:

„Er (Sauerbruch) war wie immer des Morgens aufgestanden, hatte gebadet, sich angezogen, als er in der rechten Hand plötzlich etwas wie eine Neigung zum Krampf spürte. Er prüft sie, macht allerhand Versuche: das Gefühl bleibt. Er überlegt, was er beginnen soll, und beschließt, da der Morgen zufällig frei von Arbeit ist, zunächst einmal auszureiten. Er geht in den Stall, wo die Stute steht, die er bei seinen Ritten zu benutzen pflegt; er läßt sie satteln, prüft dann selbst noch einmal das Riemenzeug und ist gerade dabei, den Schwanzriemen etwas zu lockern, als das Tier plötzlich den Schweif hebt und beginnt, sein Wasser zu lassen. Der warme Strahl ergießt sich breit über die Innenfläche von Sauerbruchs rechter Hand" – und da hatte ich auf einmal das Gefühl: Das tut gut. Ich hielt, zur Seite stehend, die Hand weiter unter den Strahl, wusch sie dann und machte meinen Ritt. Die Besserung war erheblich. Ich bin dann, sooft ich konnte, in den Stall gegangen und habe das Experiment wiederholt – und nach zwei, drei Tagen war alles in Ordnung. Der Krampf ist seitdem nicht wiedergekehrt.

Solche Beobachtungen veröffentlicht man gewöhnlich nicht im Fachschrifttum. Hätte ich es getan, so wäre wahrscheinlich irgendeiner aufgestanden und hätte gesagt: „Sauerbruch kuriert mit Pferdeharn."

Da ich aber hier nicht Fachliteratur schreibe, berichte ich sie zum Ergötzen des Lesers, möchte aber nicht, daß er allzu weitgehende Folgerungen daraus zieht.

HINDENBURG

In meiner Berliner Zeit, im Frühjahr 1934, erkrankte Reichspräsident Paul von Hindenburg, siebenundachtzigjährig, an einem Altersleiden, das in einer für Deutschland sehr kritischen Zeit zu seinem Tode führen sollte.

Bis zu diesem Zeitpunkt kannte ich den alten Herrn nur von offiziellen Gelegenheiten her. Längere Zeit hatte er sich mit mir einmal unterhalten, als er in seinem Dienstpalais ein Konzert veranstaltete. Damals hatte ihm Frau von Neurath bei der Repräsentation zur Seite gestanden.

Die letzten drei Monate vor seinem Hinscheiden habe ich

ihn beinahe täglich besucht. Diese Besuche beschränkten sich üblicherweise nur auf einen kurzen Austausch höflicher Phrasen:

„Wie geht es Ihnen, Exzellenz?“

Und etwa:

„Ich danke Ihnen, Chef, leidlich.“

Der Reichspräsident war in dieser Zeit noch nicht bettlägerig, litt jedoch anfallweise sehr große Schmerzen. Ich konnte mich keinem Zweifel darüber hingeben, daß die Lebenstage des alten Herrn gezählt waren. Von Anfang an mochte er mich gern, und wir kamen bald in ein vertrauliches, freundschaftliches Verhältnis zueinander. Ich nannte ihn „Exzellenz“, und er nannte mich „Chef“. Das hatte er von meinen Mitarbeitern übernommen: Ich holte meinen besten Pfleger, Josef Schmidt, aus dem Dienstbereich der Charité heraus und ließ ihn in das Haus des Reichspräsidenten ziehen, damit der Kranke eine gute und kunstgerechte Pflege habe. Schmidt war dreißig Jahre Pfleger gewesen, und ich wußte, daß er einer der verläßlichsten Menschen auf dieser Welt war.

Zu Schmidt sagte nun Hindenburg eines Tages:

„Ich höre immer, daß Sie den Herrn Geheimrat Sauerbruch mit ‚Chef‘ anreden. Warum und wieso?“

Schmidt meinte, das sei nun einmal die für den Geheimrat Sauerbruch übliche Anrede. Schon in Zürich habe man ihn so genannt, und das werde wohl auch so bleiben.

Da sagte Hindenburg:

„Meinen Sie wohl, daß ich ihn auch so anreden darf? ‚Geheimrat‘ ist ein so schrecklicher, nichtssagender Titel.“

Schmidt meinte, daß ich mir die Anrede „Chef“ vom Reichspräsidenten wohl gefallen lassen würde. Später bezog Schmidt in Neudeck ein Zimmer neben dem kranken Reichspräsidenten, um jederzeit erreichbar zu sein.

Ich war nicht eigentlich der Leibarzt von Hindenburgs. Das war Professor Adam, Facharzt für sogenannte physikalische Heilmethoden. Aber als der einmal verhindert war und nicht zur Visite erschien, sagte der Generalfeldmarschall zu Josef Schmidt:

„Heute müssen Sie den Professor Adam ersetzen und mir den Puls zählen.“

Das geschah an einem Tage, an dem Hindenburg mit seinem Pfleger Josef Schmidt böse war. Der hatte nämlich ohne Wissen des Kranken einen Anzug des Reichspräsidenten zum Reinigen geschickt. Hindenburg wurde ärgerlich und sagte:

„Josef, das geht nicht! Das ist zu teuer. Sie wissen doch, ich bin ein armer Mann!"

In dem letzten Lebensabschnitt des Reichspräsidenten drehte sich alles ums liebe Geld. Als er schon sehr schwer krank war, klagte er mir eines Tages, wie schrecklich ihn der Umstand verstimme, daß ihn seine Umgebung immer mit der Frage plage, wieviel Geld er eigentlich habe. Er bat mich, dafür zu sorgen, daß man ihn mit derartigen Fragen nicht belästige, und ich merkte deutlich, wie sehr ihn diese Dinge quälten. Er sagte mir einmal:

„Da kommen die unmöglichsten Leute zu mir, wollen vor meinem Tode noch Geld von mir haben und fangen ihre Ansprache mit dem Satz an: ‚Also, hochverehrter Herr Reichspräsident . . .'"

Es war mir schon in der Wilhelmstraße gelungen, ihm alles mögliche fernzuhalten, was seinen Zustand verschlechtert hätte. In Neudeck war das einfacher und erfolgreicher. In seiner letzten Lebenszeit, die er dort verbrachte, hatte ich eine Krankenwache mit meinem Oberarzt Prof. H. Krauß dorthin delegiert, die dabei half, ihn abzuschirmen, was natürlich mit seinem Einverständnis geschehen ist.

Der alte Herr hatte ein ausgesprochen starkes Gefühl für die Würde seines Amtes. Bei einer Gelegenheit – er bewohnte noch das Palais des Reichspräsidenten in der Wilhelmstraße – brachte er mich völlig außer Fassung.

Viele führende Persönlichkeiten des Dritten Reichs wollten sich in diesen Zeitläuften mit dem Reichspräsidenten über die ungeklärte Lage besprechen. Er lehnte es meines Wissens immer ab, die Besucher zu empfangen, und war auch tatsächlich nicht dazu in der Lage. Einmal aber galt es – wenn ich mich recht erinnere, handelte es sich um die Ernennung Papens zum Gesandten in Wien –, ein Dokument von Hindenburg unterschreiben zu lassen.

Es ging ihm damals schon sehr schlecht, und ich weilte gerade bei ihm. Man rief mich aus dem Krankenzimmer und informierte mich über den Sachverhalt. Ich nahm die Mappe mit dem Dokument und einen Füllhalter, ging ins Krankenzimmer zurück und bat ihn, die Unterschrift zu leisten.

Hindenburg sah auf das Dokument, blickte zu mir auf und schüttelte den Kopf. Er murrte:

„Aber, was denken Sie denn, ‚Chef', das ist doch eine außerordentlich wichtige Sache, die kann ich nie und nimmer im Bett liegend unterschreiben."

„Aber Sie können doch auf keinen Fall aufstehen, Exzellenz", sagte ich.

„Aber ich muß es doch unterschreiben", brummte er wieder. Er bestand darauf, daß wir ihm einen kleinen Tisch und einen Sessel richteten. Er bestand sogar darauf, daß wir ihn korrekt in seinen Gehrock kleideten, denn, so sagte er:

„Ich kann im Nachthemd keine Amtshandlung vollziehen."

Anfang Juni des Jahres 1934 rief mich mein Oberarzt Prof. Krauß aus Neudeck an und berichtete mir, daß es mit dem Patienten sehr schlecht stehe. Ich eilte nach Neudeck. Morgens gegen sechs Uhr kam ich an, hörte von dem Pfleger Schmidt, daß der Reichspräsident nicht schlafe, und betrat mit ihm das Krankenzimmer. Mein Patient litt sehr. Mich erschreckte das spartanische Zimmer. Sein Bett war zu kurz für ihn, sein Nachthemd zu dünn. Er klagte, daß ihm kalt sei.

„Ja, aber zum Donnerwetter", sagte ich, „jetzt wird erst einmal ein anderes Bett beschafft, und wenn Sie frieren, Exzellenz, dann ziehen Sie doch, bitte, im Bett einen warmen Schlafrock an!"

„Ich habe noch nie einen Schlafrock besessen", wehrte sich der Patient. „Ich bin Soldat, und Soldaten haben keine Schlafröcke."

Energisch entschied ich: „Jetzt wird ein Schlafrock beschafft!" Er meinte, er habe kein Geld für so etwas.

Irgend jemand – ich erinnere mich nicht mehr, wer es war – ging davon, um der Familie mitzuteilen, daß das

Familienoberhaupt einen Schlafrock benötige. Josef Schmidt, dem Pfleger, war das alles zu umständlich. Er meinte:

„Chef, ich nehme einen Wagen, fahre schnell in die nächste Stadt und besorge für Exzellenz einen warmen Schlafrock."

Während dieser Szene öffnete sich die Tür, und die jüngere Tochter Hindenburgs kam herein. Sie rief, noch in der Tür stehend:

„Aber, Papa, wie kannst du nur so nervös sein. Das ist doch sonst deine Art nicht. Du hast doch einen wunderbaren Mantel, den du als Schlafrock tragen kannst."

Da sagte er:

„Ich habe keinen!"

Sie: „Ich hole dir den Mantel."

Er: „Ich habe keinen solchen Mantel."

Sie: „Aber Papa! Hast du alles vergessen? Ich will ihn dir herunterholen."

Nach kurzer Zeit kam seine Tochter zurück und brachte einen hermelingefütterten Mantel. Ich starrte das Prachtstück an. Später erfuhr ich, was für eine Bewandtnis es damit hatte. Es war ein Mitbringsel Aman-Ullahs, des Königs von Afghanistan, für Hindenburg, ein sogenannter afghanischer Königsmantel. Aman-Ullah hatte ihn bei einem Staatsbesuch mitgebracht.

Die Tochter stand im Zimmer und hielt Hindenburg den Mantel hin. Hindenburg wehrte empört ab:

„Wenn ein König einem Soldaten so etwas schenkt, einen Königsmantel, dann darf der nicht als Schlafrock verwendet werden. Der Mantel ist doch ein Symbol für die Monarchie."

Da begann sie zu weinen und sagte:

„So zieh ihn doch an, Papa!"

Hindenburg: „Nun laß mich zufrieden! Ich habe dir meine Meinung gesagt. Und jetzt bringst du ihn wieder hinauf!"

Die Vorgänge um den sogenannten „Röhm-Putsch" nahmen den Reichspräsidenten sehr mit. Er konnte sich von allem kein rechtes Bild machen, war außerordentlich beunruhigt und verlor täglich zusehends an Kräften. Ich glaube, es war am 26. oder 27. Juli, als ich wieder bei ihm war. Ich sah, daß sein Ende nahte. Da ich aber zu einer schwierigen Operation in Berlin erwartet wurde, wollte ich sie vornehmen, um dann wieder nach Neudeck zu fahren. Noch im Operationssaal erreichte mich die Aufforderung Hitlers, nach Bayreuth zu kommen, um ihn über den Gesundheitszustand Hindenburgs zu informieren. Die Zeit reichte gerade noch aus, um den nächsten Zug zu erreichen, aber während ich nun in Richtung Bayreuth davonraste, rief Professor Krauß in meinem Hause in Wannsee an und sagte meiner Frau, es gehe mit dem alten Herrn zu Ende. Ich möge so schnell wie möglich nach Neudeck kommen.

Bei mir zu Hause wußte man, in welchem Zug ich saß. Meine Frau rief die Reichsbahndirektion an, und so kam es, daß auf irgendeiner kleinen Station der FD-Zug hielt. Auf dem Bahnsteig rief jemand: „Geheimrat Sauerbruch – Geheimrat Sauerbruch!“ Ich trat ans Fenster. Der Bahnhofsvorsteher holte mich aus dem Zug, riß mich über den Bahnsteig, denn aus der entgegengesetzten Richtung war gerade ein Zug nach Berlin fällig. Auch den hatte er gestoppt. So kam ich schnell zurück – über Berlin nach Neudeck.

Am Abend des 29. Juli saß ich wieder am Bett des Reichspräsidenten. Ich sah aus dem Fenster in den Garten hinaus, auf den sich langsam die Dämmerung senkte. Der Marschall rief mich:

„Chef, sind Sie noch da?“

Als ich ihn fragte, ob er Beschwerden habe, sah der alte Herr mich lange an und sagte:

„Chef, Sie haben mir stets die Wahrheit gesagt. Sie werden es auch jetzt tun. Ist Freund Hein bereits im Schloß und wartet?“

Es fiel mir schwer, zu antworten. Ich nahm seine Hand und erwiderte:

„Nein, Exzellenz, aber er geht um das Haus herum.“

Hindenburg schwieg eine Weile, dann sagte er langsam:

„Ich danke Ihnen, Chef, und nun will ich mit meinem Herrn dort oben“ – er machte eine Bewegung mit dem Kopf – „Zwiesprache halten.“

Ich erhob mich und wollte leise das Zimmer verlassen, aber Hindenburg hielt mich zurück:

„Nein, Sie können ruhig bleiben. Ich will nur ein wenig in der Bibel lesen.“

Ich wollte den Fenstervorhang zurückziehen, um mehr Licht zu schaffen, jedoch Hindenburg hielt mich abermals zurück:

„Lassen Sie es nur so, Chef! Was ich lesen will, kann ich seit langer Zeit auswendig.“

Der alte Herr nahm dann das Neue Testament, das stets auf seinem Nachttisch lag, blätterte und las darin mit leiser, flüsternder Stimme, wohl eine Viertelstunde lang. Dann legte er das Buch zurück, rief mich an sein Bett und sagte leise:

„Und nun, Chef, sagen Sie Freund Hein, er kann ins Zimmer kommen.“

Am 31. Juli 1934 kam Hitler nach Neudeck, um den Reichspräsidenten zu sprechen. Dieser angekündigte Besuch machte Hindenburg sehr unruhig. Er hatte Hitler nie geschätzt, er mochte ihn gar nicht, und ich hatte den Eindruck, daß er sich vor der Unterredung mit seinem Reichskanzler fürchtete. Ich bot ihm an, behilflich zu sein. Ich könne ja telegrafieren, meinte ich, der Besuch würde dem Patienten schaden. Als Arzt konnte ich den Besuch verbieten.

Aber er antwortete mir mit einer längeren Ausführung, die mühsam von seinen Lippen kam. Zusammengefaßt war das der Inhalt seiner Worte: Er müsse Hitler sehen. Er, Hindenburg, habe schon einmal vor der Weltgeschichte versagt, als er den Kaiser nach Doorn jagte. Aus Sorge um seine eigene Bequemlichkeit könne er nicht zum zweitenmal versagen.

Dann schloß er die Augen und fiel in einen Halbschlaf. In diesem Zustand begann er leise zu sprechen. Ich hörte, daß er sich im Geiste mit seinem ehemaligen Kaiser, mit Wilhelm II., unterhielt.

Zwischen Traum und Wachen beschwor er den letzten deutschen Kaiser, den letzten preußischen König, ihm zu verzeihen, daß er ihn damals 1918 verlassen habe und daß er dazu beigetragen habe, ihn zur Reise nach Holland zu bewegen.

Dann wechselte er seinen Gesprächspartner und bat Gott, ihm diese Sünde zu verzeihen.

Nach einiger Zeit schlug er abermals die Augen auf und fragte:

„Ach, was war denn das? Habe ich geträumt?"

Ich antwortete: „Sie haben nicht eigentlich geträumt. Sie sprachen davon, wie sehr es Sie bedrückt, daß Sie dem letzten deutschen Kaiser zur Abreise nach Holland zugeredet haben."

Er nickte nachdenklich. Die Vorgänge bei der Revolution 1918 im Kaiserlichen Hauptquartier beschäftigten ihn während der ganzen letzten Tage seines Lebens.

So kam also Hitler am 31. Juli zu Hindenburg. Aber zu einem eigentlichen Gespräch ist es nicht mehr gekommen. Zwar blieb der Reichskanzler lange allein im Zimmer des Reichspräsidenten, aber nachdem er den alten, kranken Mann verlassen hatte, sagte Hitler zu mir:

„Der Herr Reichspräsident ist immer nur jeweils für eine kurze Weile voll bei Besinnung gewesen und hat mich schließlich nur noch mit ‚Majestät' angeredet."

In den Vormittagsstunden des 2. August 1934 wurde Paul von Hindenburg von seinen Leiden erlöst. –

Mit Hindenburgs Tod endete eine Epoche. Wir waren endgültig im Dritten Reich. Hermann Göring war der erste der neuen Herren, mit dem ich zu tun bekam, nachdem er sich völlig in den Sattel gesetzt hatte. Er forderte mich auf, die Rechnung für die Behandlung Hindenburgs an ihn zu senden. Er werde die Bezahlung veranlassen.

Ich ließ ihm sagen, daß ich keine Honorarforderung stellen werde. Daraufhin bekam ich von ihm wiederum den merkwürdigen Bescheid, ich solle die „Rechnung" dem für mich zuständigen Finanzamt übersenden; das Amt sei angewiesen, sie zu bezahlen. Nun war es ja an sich eine reizvolle Vorstellung, aus einem Finanzamt, das mir zeit meines Lebens viel Geld abgenommen hatte, Geld zu holen. Aber der Anlaß zu dieser Möglichkeit schloß die Verwirklichung dieses Vergnügens aus. Ich schrieb zurück, Hindenburg habe mir sein Vertrauen geschenkt, auch so sehr seine Dankbarkeit gezeigt, daß es für mich ausgeschlossen sei, für seine Behandlung Bezahlung anzunehmen.

Jetzt ließ Göring mir mitteilen, Hitler bestehe darauf, daß irgend etwas geschehe. Der Staat fühle sich verpflichtet, mir eine öffentliche Anerkennung zukommen zu lassen. Ich bedeutete, das Staatsoberhaupt könne ja verkünden: „Spreche Ihnen meine Anerkennung aus", und damit sei der Fall wohl hoffentlich erledigt. Aber so ging es nicht. Ich begriff, daß ich wieder einmal auf dem Scheidewege stand. Diesmal aber handelte es sich nicht um einen einfachen Rücktritt, wie ich ihn bei früheren Gelegenheiten – ich weiß nicht mehr wie oft – geplant, von dem mich Freunde und Mitarbeiter aber immer wieder zurückgehalten hatten. Ließ ich sagen: „Ich brauche euren Dank nicht!", so hatte ich unweigerlich meine Zelte abzubrechen und zu verschwinden. Dann mußte ich mein Lehramt und die mir so lieb gewordene Arbeitsstätte in der Charité im Stich lassen. Das wollte ich nicht, um so weniger, als ich wie unzählige Leute der Meinung war, das Dritte Reich werde nicht allzulange bestehen. Bei Rückkehr von einer Auslandsreise erfuhr ich, daß ich zum „Staatsrat" ernannt worden sei. Göring befahl mich zu sich und teilte mir mit, daß die Ernennung zum „Staatsrat" als Ausdruck der Dankbarkeit der Reichsregierung für die Betreuung Hindenburgs – er sagte: „. . . des greisen Generalfeldmarschalls . . ." – erfolgt sei. Jetzt erschrak ich doch und stellte an die Übernahme dieses Titels die Bedingung, nicht in die Partei eintreten zu müssen und meine persönliche und vor allen Dingen die akademische Freiheit behalten zu dürfen. Göring war einverstanden. Acht Tage später erfolgte die Ernennung, ohne daß ich in die Partei eingetreten war, und nachdem man mir bedeutet hatte, daß auch meine übrigen Wünsche berücksichtigt werden würden.

Meinetwegen wurde der „Staatsrat" zusammengerufen. Die übrigen Staatsräte sahen mich, als ich ihnen als neuer Kollege vorgestellt wurde, zutraulich an, und diese Blicke freundlich zu erwidern, war alles, was man jemals von mir als „Staatsrat“ verlangt hatte. Nie wurde ich zu einer Sitzung gerufen. Nie habe ich meine staatsrätlichen Kollegen auf einem Haufen versammelt wiedergesehen. Zwar begann unser Personal mich mit „Herr Staatsrat“ und meine Frau mit „Frau Staatsrat“ anzureden, doch wir haben es uns mit deutlichen Worten verbeten.

Aber mein Briefträger – der gewöhnte es sich mit einemmal an, mir jeden Monat fünfhundert Mark zu bringen. Die bekam jeder Staatsrat. Ich fuhr zur Behörde und sagte, ich wolle diese fünfhundert Mark nicht annehmen. – Aber es gebe doch auch arme Staatsräte, klagte man, denen gegenüber sei es unfair, das Geld zurückzuschicken. Wir akkordierten: dieses Geld kam auf ein Sonderkonto zur Aufbesserung des Loses armer Kranker.

Um die gleiche Zeit, die mir den „Staatsrat“ brachte, überraschte mich der Lehrkörper der Deutschen Hochschule für Leibesübungen in Berlin dadurch, daß er mich einstimmig zum Rektor der Hochschule wählte. August Bier hatte dieses Amt niedergelegt.

Meinen Umgang in meiner Berliner Zeit stellten eigentlich die Mitglieder der „Mittwoch-Gesellschaft“ dar. Im 18. Jahrhundert war sie von Wilhelm v. Humboldt gegründet worden, um den Vertretern vieler Sparten der Wissenschaft Gelegenheit zu geben, im privaten Kreise ihre Gedanken auszutauschen. Im Laufe der Jahrhunderte haben ihr viele berühmte Männer angehört. Die Satzungen der „Mittwoch-Gesellschaft“ waren streng, ja kategorisch. Aus jedem Fachgebiet wurde der Beste ausgewählt, und mehr als sechzehn oder siebzehn Mitglieder durfte die Gesellschaft überhaupt nicht aufnehmen. Erst nach dem Tode eines Mitgliedes konnte ein neuer Mann eintreten. Während der Semester fand in Berlin an jedem zweiten Mittwoch eine Zusammenkunft im Hause eines der Mitglieder statt. Der Hausherr hatte aus seinem Fachgebiet einen Vortrag zu halten, den er in seiner ganzen Länge eigenhändig in ein dickes schwarzes Buch eintragen mußte. Dieses Buch wurde vom jeweiligen Schriftführer der Gesellschaft wie ein Heiligtum aufbewahrt. Nur Mitglieder durften bei dem Vortrag anwesend sein, nicht einmal die Frau des Hauses. Erst wenn der Vortrag beendet war, trat die Dame des Hauses in Erscheinung und bat zum Abendessen. Jedoch verlangten die Satzungen, daß dieses Mahl „spartanisch einfach“ sei, damit auch die weniger Wohlhabenden ihre Gäste bewirten konnten, ohne sich des einfachen Mahles schämen zu müssen.

In den letzten Jahren vor dem Ende des Krieges setzte sich die „Mittwoch-Gesellschaft“ aus folgenden Personen zusammen:

Der Geschichtsforscher Oncken und sein Kollege Meinecke; Geheimrat Stroux, der Fachmann für Geschichte des Altertums; der Physiker Max Planck, dessen Sohn Erwin im Zusammenhang mit dem 20. Juli hingerichtet wurde. Der Gesellschaft gehörten weiter an: der frühere preußische Finanzminister Popitz und der Botschafter Ulrich von Hassell. Beide wurden nach dem 20. Juli gehenkt. Generaloberst Beck, ebenfalls Mitglied der Gesellschaft, fiel am 20. Juli in der Bendlerstraße. Der Geograph Penck, der Publizist Paul Fechter, der Zoologe Diels, die Professoren Litzmann, Fischer, Baetgen und der Nationalökonom Jessen, der ebenfalls nach dem 20. Juli hingerichtet wurde, der Goetheforscher Spranger und ich.

Mein Lehrer v. Mikulicz, der seinerzeit der Medizinpapst für die östlichen Randgebiete der europäischen Kultur war, erzählte bei seinen Gesellschaften gern eine köstliche Geschichte. Lassen wir v. Mikulicz selbst erzählen:

„Es mag in den neunziger Jahren gewesen sein, als ich nach Riga gebeten wurde, um den Sohn eines baltischen Barons zu operieren, der leider eine Phimose mit auf die Welt gebracht hatte. Ich blieb ein paar Tage als Gast auf dem Schloß dieses Mannes, und als es entschieden war, daß der Patient sich außer Gefahr befand, veranstaltete der baltische Edelmann ein großes Herrendiner. Nur wer baltische Diners mitgemacht hat, weiß, was für eine körperliche Anstrengung es bedeutet, sie hinter sich zu bringen. Um Mitternacht hatten wir die Hälfte der Speisenfolge erledigt; ich fühlte mich matt, voll und müde. Zu zwölfen saßen wir zu Tisch. Da öffneten sich Schlag zwölf alle Türen zum Saal, und es traten zwölf Friseure in weißen Kitteln ein. Ihre Lehrbuben brachten Flaschen, Becken mit kaltem und mit warmem Wasser sowie Seife. Ein jeder von uns wurde am Tisch rasiert, mit heißen und kalten Kompressen aufgefrischt, und jedem von uns wurde das Haar mit prächtigem kühlendem Eiswasser gewaschen. Dann aßen wir weiter."

Ich lud die „Mittwoch-Gesellschaft" einmal außerhalb der Reihe ein und gab ein Essen „nach baltischer Art" (aber ganz auf spartanisch aufgemacht, wie es die Satzung befahl), und um Mitternacht kamen die Friseure.

So verschieden die Länder sind, so verschieden sind die Geschmäcker; meine Gäste in Berlin mochten es gar nicht.

Generaloberst Ludwig Beck brachte mich in den Kreis der Männer Olbricht – Gördeler – Thomas und Oster. Popitz gehörte auch zu ihnen und war seit langen Jahren mein bester Freund. Beck traf sich mit den Genannten häufig in meinem Hause, wo sie ungestört und unauffällig verhandeln konnten. Gördeler war ein- oder zweimal bei mir.

Dieser Kreis war zu einem Glase Wein bei uns versammelt, als ich im Auftrage der Reichsregierung angerufen wurde. Der Führer sei ergrimmt, weil der Schriftsteller Karl v. Ossietzky den Nobelpreis erhalten habe. Er, Hitler, werde einen deutschen Nationalpreis stiften, der zum erstenmal in diesem Jahre, wir schrieben 1937, verliehen werden solle. Jährlich neu auf dem Reichsparteitag sollten drei verdienstvolle Deutsche mit diesem Preis ausgezeichnet werden. Ein Arzt solle unter den dreien sein, wurde mir gesagt, und die Reichsregierung bitte mich um einen Vorschlag, welcher deutsche Arzt geehrt werden solle.

Ich antwortete kurz: „Da kommt nur August Bier in Frage", und vergaß die ganze Angelegenheit umgehend.

Dann erhielt ich eine Einladung zum Reichsparteitag. Ich solle mich am 7. September 1937 im Nürnberger Opernhaus einfinden. Der Nationalpreis werde erstmalig verliehen, war zudem angekündigt worden. Ich fuhr hin, hatte aber nach meiner Art alle Eintrittskarten vergessen. Man wollte mich nicht hineinlassen, bis mich einer der Offiziellen entdeckte, mich durch die Sperren lotste, um mich in der ersten Reihe zu placieren. Neben mir fand ich Professor Bier.

Ich war sehr spät gekommen, im letzten Augenblick, bevor Hitler und Heß durch die spalierbildende Menge zu Fuß das Opernhaus betraten. Wir erhoben uns alle, als sie eintraten, und in der kurzen Zeit, die verging, bis Goebbels auf die Bühne kam, flüsterte ich Bier zu:

„Ich freue mich für dich!"

Der erwiderte: „Was soll das heißen? Du bist doch derjenige, welcher!"

Ich lächelte, denn ich wußte es besser. Wir konnten nicht weiterreden, Goebbels begann zu sprechen und verkündete die Namen der Ehrenpreisträger. Der erste war der verstorbene Baumeister Professor Ludwig Troost. Als „erstem Lebenden" wurde Alfred Rosenberg der zweite Preis von einhunderttausend Mark überreicht, und dann kam die große Überraschung. Bier und ich mußten uns erheben und auf das Podium kommen, denn der dritte Preis war auf uns beide gefallen. Jeder von uns erhielt fünfzigtausend Mark.

Als alles vorbei war, erzählte mir Bier, die Reichsregierung habe ihn angerufen und gefragt, welcher Arzt den Preis erhalten solle. Er habe geantwortet:

„Da kommt nur Sauerbruch in Frage."

Den Abend dieses Tages verbrachte ich großartig. Mein Sohn Peter stand bei den Bamberger Reitern, also in der Nähe. Ich setzte mich in den Wagen und fuhr auf Bamberg zu, um eins mit ihm zu trinken.

Aber auf der Landstraße von Bamberg nach Nürnberg traf ich Peter. Auch er war auf die Idee gekommen, mit seinem Vater eins zu trinken, und hatte eine Anzahl von Kameraden mitgebracht. Also tranken wir. Und dann telegrafierte ich meiner Frau, sie möge nach Bayern kommen.

Wie unvorbereitet wir alle waren, zeigt ein reizender Brief, den mir meine Tochter Marilen schrieb:

Lieber Vater!

Das ist ja phantastisch. Ich freue mich wahnsinnig für Dich und bin mächtig stolz auf meinen Vater. Ich hatte ja keine Ahnung und bekam restlos zuviel, als ich vor dem Radio saß und mir da so alles über Dich eröffnet wurde. Meine allerherzlichsten Glück-

wünsche, das ist wirklich fein. Ich freue mich, daß die Mama zu Dir kommt, dann könnt Ihr Euch doch zusammen freuen und es befeiern.

Einen ganz dicken Kuß und alles Liebe von

Deiner Katzenfrau

Mein Freund Anschütz schrieb mir:

Lieber Ferd!

Zu Deiner großen Ehrung, die Dir widerfahren ist, möchte ich Dich als Dein alter treuer Freund herzlich beglückwünschen! Ich fühle mich durch Dich geehrt, denn wir haben ja das ganze Leben lang fest zusammengehalten, und Du hast immer Wert darauf gelegt, auf dieses alte Freundschaftsverhältnis und auf die gemeinsame Schule, der wir beide entstammen. Schade, daß Frau v. Mikulicz diesen neuen Gipfelpunkt in der Laufbahn Deines Lebens nicht erlebt hat, sie hätte sich im Erinnern ihres Mannes und für Dich von Herzen darüber gefreut. Ich habe es schon lange als einen Mißklang empfunden, daß Du nicht von Stockholm aus den Nobelpreis bekommen hast, jedenfalls, wenn ich befragt worden bin, habe ich mich für Dich eingesetzt. Aber dort hatte man offenbar irgendwelche Gegenbewegung. Du kannst aber sicher sein, daß die internationale Chirurgen- und Ärztewelt diese Ehrung mit Freuden begrüßen und anerkennen wird. Du bist eben unter den lebenden Chirurgen, die noch im Amt sind, der erste, und es muß für Dich ein besonders beglückendes Gefühl sein, daß Du trotz mancher persönlicher Schwierigkeiten, die Du infolge ehrlicher Meinungsäußerungen gehabt hast, so öffentlich geehrt worden bist. Es liegt darin auch für uns eine große Genugtuung.

Grüße Ada und Deine Kinder sehr herzlich von mir. Die Familie Sauerbruch wird sich dieser großen Ehrung ihres Vaters herzlich und dankbar erfreuen. Auch von Hilda die herzlichsten Wünsche!

In alter Freundschaft getreulichst Dein

Willy A.

WEN DIE GÖTTER VERDERBEN WOLLEN...

Im Jahre 1939 heiratete ich Margot. Mein Haus am Wannsee behielt meine erste Frau Ada. Ich erwarb ein anderes Grundstück im Grunewald, und nun wollten wir, Margot und ich, zunächst einmal auf eine große Reise gehen. Daraus wurde jedoch nichts, denn plötzlich – wenn auch nicht unerwartet – zogen drohende Kriegswolken am Horizont auf.

An einem Abend kam überraschend Generaloberst Beck unangemeldet zu mir in die Herthastraße im Grunewald. Er war völlig niedergeschlagen, von einer großen und schweren Trauer erfüllt, sah sich einsam und im Stich gelassen, und nur so kann ich mir erklären, daß er seine Sorgen bei mir ablud. Beck prophezeite uns allen den Untergang. Hitlers politisches Gebaren treibe in den Krieg, und zwar in einen Feldzug gegen die ganze Welt; das Deutsche Reich werde zusammenbrechen.

Nachdem Österreich mit Gewalt zum Reich geschlagen worden war, hielt im Mai des gleichen Jahres 1938 Hitler in Jüterbog eine Rede. Klar und deutlich sagte er vor der Generalität, also auch vor dem Chef des Generalstabes, dem Generaloberst Beck, man werde sich die Tschechoslowakei „einverleiben".

Jetzt, am prasselnden Kaminfeuer, erzählte mir Beck von dem großen Zusammenstoß, den er daraufhin mit Hitler gehabt habe. Beck sagte zu Hitler, daß nach menschlichem Ermessen ein deutscher Angriff gegen die Tschechoslowakei England und Frankreich, wahrscheinlich auch die Vereinigten Staaten von Nordamerika gegen Deutschland ins Feld führen werde, und eine derartige Konstellation bedeute den Untergang des Reiches. Hitler entgegnete ihm:

„Ich will keinen Krieg."

Beck erwiderte: „Ich bin Chef des Generalstabes. Ich weiß, daß ein neuer Krieg Untergang bedeutet. Geben Sie mir eine Garantie, daß Sie an einen Krieg nicht denken."

Hitler wurde eisig.

„Die Armee ist das Instrument der Politik. Sie hat zu gehorchen und nicht zu diskutieren!"

Beck erzählte mir nun, wie er alles versuchte, um die drohenden Gefahren zu bannen. Die ganze deutsche Generalität wollte er zu einem gemeinsamen Schritt veranlassen. Man wollte geschlossen erscheinen. Vor Hitler. Man wollte ihn warnen, man werde das Verderbnisspiel nicht mitmachen. Mit den zwölf rangältesten Generälen der Wehrmacht sprach Beck. Sie waren einverstanden.

Die Schwierigkeiten für Beck lagen nun darin, daß er gegebenenfalls von sich allein aus dem Schritt der Generalität kein Gewicht durch die Truppe verleihen konnte. Der Chef des Generalstabes hatte ja keine Formationen zur Verfügung, er hatte „keine Befehlsgewalt". Die hatte der Oberbefehlshaber des Heeres, der General v. Brauchitsch. Beck schrieb an Brauchitsch, daß er eine Denkschrift verfassen wolle unter dem Titel: „Gegen Kriegspolitik, SS-Bonzokratie und Tschekamethoden." Man solle diese Denkschrift den führenden Generälen bekanntgeben und dann gemeinsam überlegen, wie man auf Hitler seiner Kriegspolitik wegen einen Druck ausüben könne.

Beck sagte mir an diesem trüben regnerischen Abend, er sei sehr glücklich gewesen, als General v. Brauchitsch zugestimmt habe. Anfang August 1938 lud Brauchitsch die zwölf wichtigsten Generäle in seine Privatwohnung ein. Er begann, die Becksche Denkschrift zu verlesen.

Kaum hatte er das aber getan, bemächtigte sich Becks eine tiefe Niedergeschlagenheit. Denn er begriff, daß Brauchitsch doch nicht die volle Konsequenz aus der Situation ziehen wollte. Die Präambel nämlich der Beckschen Denkschrift verlas Brauchitsch nicht, und die war das Wichtigste.

Sie lautete:

„Um unsere Stellung dem Historiker gegenüber in der Zukunft klarzumachen und den Ruf des Oberkommandos des Heeres sauberzuhalten, wünsche ich als Chef des Generalstabes zu Protokoll zu geben, daß ich mich geweigert habe, irgendwelche nationalsozialistische Kriegsabenteuer zu billigen."

Was die Generäle jetzt zu hören bekamen, war nichts weiter als eine Darstellung der gefährlichen Situation des Augenblicks. War nichts weiter als ein Monolog darüber, daß die großen Mächte der Welt bei einem Einmarsch in die Tschechoslowakei früher oder später gegen Deutschland antreten würden. Beck nahm Brauchitsch beiseite und bat, er möge doch zu den versammelten zwölf Generälen offen sprechen. Brauchitsch war aber unsicher geworden, fürchtete die Konsequenzen und erfüllte den Wunsch seines Generalstabschefs nicht.

„Die zwölf gingen davon, und ich war ganz allein", sagte mir Beck damals traurig.

Hitler erfuhr von der ganzen Geschichte. Noch im gleichen Monat reichte Beck sein Abschiedsgesuch ein. Hitler war natürlich einverstanden. Halder trat an seine Stelle und klärte Brauchitsch bei seinem Amtsantritt auf: er möge sich über seine, Halders, Ansichten über diese Fragen nicht täuschen, er lehne die Hitlerschen Kriegspläne genauso scharf ab, wie Beck es tue.

Der Morgen dämmerte schon, als Beck mir erzählte, was jetzt kommen werde. Die Einmarschpläne in die Tschechoslowakei liefen unter dem Kennwort „Fall Grün". Mit Unterstützung von Beck arbeitete Halder jetzt Pläne aus, die in die Aktion des „Falles Grün" einen deutschen Staatsstreich gleichzeitig einschalteten. Witzlebens Korps sollte in Berlin die Reichskanzlei besetzen und Hitler festnehmen, während andere Truppen gegen die Tschechoslowakei marschierten. Potsdamer Regimenter unter Generalmajor Graf v. Brockdorff-Ahlefeldt sollten ebenfalls nach Berlin marschieren.

Eine Truppe, die todsicher zu Hitler halten würde, war natürlich die „Leibstandarte Adolf Hitler". Im „Falle Grün" befand sie sich aber in Süddeutschland und nicht in Berlin. Eine vorzügliche Truppe, die 1. Leichte Division aus Wuppertal, die im „Falle Grün" durch Thüringen in die Tschechei zu marschieren hatte, sollte nur bis Thüringen fahren, dort aber haltmachen, um die „Leibstandarte Adolf Hitler", wenn sie etwa versuchen sollte, von Süddeutschland zum Entsatz Berlins zu eilen, aufzufangen und abzuschlagen. Diese Division wurde befehligt von Generalmajor Hoeppner. Unter dessen Generalstabsoffizieren befand sich der Rittmeister aus dem Bamberger Reiterregiment, der Graf Stauffenberg. Dieser war ein Regimentskamerad meines Sohnes Peter, der auch bei den Bamberger Reitern stand.

Von all diesen Plänen aber, erzählte Beck, kam nicht einer zur Ausführung, und zwar deshalb, weil die verschiedenen Schritte der Westmächte, das unerwartete stufenmäßige Verlaufen der Aktion und der völlige Zusammenbruch der tschechischen Armee alle Pläne über den Haufen warfen.

Nach dem Frankreich-Feldzug 1940 erhielt ich den Befehl, die Lazarette des besetzten Gebietes in Frankreich, Belgien und Holland zu besuchen. Eine Inspektion der Arbeitsweise in den Lazaretten, ein Bericht über die Eigenart der Verletzungen und über die Versorgung der Verwundeten wurde von mir verlangt. Daneben sollte eine Aussprache mit den Ärzten den Wert neuer Behandlungsverfahren klären, auch unter Berücksichtigung von Art und Aufbau des Kriegssanitätswesens der Gegenwart. Naturgemäß vollzog sich meine Tätigkeit im wesentlichen in den Lazaretten. Trotzdem gaben mir das bunte Bild der Straßen, das Verhalten der Bevölkerung und nicht zuletzt die hohe Spannung unserer Truppen einen starken Eindruck. Die von der Wucht der Angriffe gezeichneten Kriegsgebiete ließen bereits den kraftvollen Willen zu neuem Leben erkennen, zu Wiederherstellung und Hilfe, ein eindrucksvolles Bild des ewigen „Stirb und Werde".

Aber ich hatte als Arzt zu sehen. Wie im ersten Weltkrieg, so war ich auch jetzt wieder überrascht, wie unrichtig das Wesen ärztlicher Kriegsarbeit gewertet wird. Ein Grund hierfür liegt darin, daß sie sich meist im verborgenen vollzieht und daß der Erfolg dieser Leistungen nicht so schnell sichtbar wird. Nur wer Überblick und Sachkenntnis hat, vermag das Wirken des Sanitätskorps ganz zu überschauen und dessen Bedeutung und Tragweite für Wehrmacht und Volk richtig zu beurteilen. Seine Aufgaben beruhen auf den beiden Pfeilern echten Arzttums und soldatisch-organisatorischer Fähigkeit.

Das Wesen und die Bedeutung des ärztlichen Dienstes beim Heere ergibt sich aus einer schicksalsmäßigen Zusammengehörigkeit von Verwundeten und ihren Helfern.

Sie vermittelt uns einen tiefen und klaren Einblick in menschliches Denken und Fühlen, Sorgen, Not und Leid, aber auch in Hoffnung und Glauben. Es ergänzt das Bild des tapferen Kämpfers wirkungsvoll und rundet es ab. Man erfährt Beispiele größten Mutes und erlebt die Steigerung aller seelischen Kräfte zu entscheidender Tat. Dann aber sieht man auch ein stilles Heldentum, wenn der Soldat mit zähem Willen und Selbstbeherrschung Leid und Schmerz überwindet. Dazu kommt sein starkes Vertrauen und seine tiefe Dankbarkeit, die unsere Arbeit adelt. Jeder, der in Front und Heimat in das große ärztliche Hilfswerk des Krieges eingeschaltet ist, steht im Banne seiner verantwortungsvollen Aufgabe. Er wird immer wieder prüfen, ob seine äußere und innere Bereitschaft zu ihrer Erfüllung ausreicht. Man versteht, daß die ungeheure Organisation des Sanitätswesens, die Anpassung an die Kriegsmöglichkeiten und die technischen Notwendigkeiten, die die Grundlage unserer Arbeit schufen, diese erste und vornehmste Pflicht des Arztes leicht überschatten und schematisieren könnten. Sie aber wurzelt in persönlich kameradschaftlicher Verbundenheit mit jedem einzelnen Verwundeten und dient trotzdem gleichmäßiger Fürsorge von Tausenden.

Diese persönliche Aufgabe beginnt im Augenblick der Verwundung des Soldaten und endet erst mit seiner Rückkehr zum Dienst oder zur Friedensarbeit. Der Einsatz in vorderster Front ermöglicht in besonders sichtbarer Form diese ärztliche Pflichterfüllung. Ob eine lebensbedrohliche Blutung gestillt, ein Schutzverband angelegt, ein schneller Transport auf kürzestem Wege eingeleitet oder auch der letzte Dienst dem Sterbenden mit einem guten Wort erwiesen wird, immer handelt es sich um Bewährung der gleichen soldatisch-ärztlichen Haltung. Tapfere Ärzte suchen Verwundete in vorderster Linie auf, um sie zu versorgen und zurückzubringen, und erfüllen im Feuer unter Einsatz der eigenen Person ihre Pflicht. Die Verluste des Sanitätskorps sprechen eine beredte Sprache von Mut und persönlichem Einsatz.

Nach der siegreichen Schlacht bei Austerlitz zeichnete Napoleon seinen Leibarzt, den großen Kriegschirurgen Larrey, mit den Dankesworten aus:

„Sie haben sich geopfert wie ein Soldat und haben gesiegt wie ein Feldherr, weil Sie als Arzt nichts anderes taten, als für Ihre Kameraden das Letzte hinzugeben.“

Die Lebensform deutscher Sanitätsoffiziere ist mehr als ein blasses Berufsideal; sie beruht vielmehr auf großer Tradition und ist gefestigt durch Bewährung in Schicksalsstunden der Nation. Es war für die Sanitätsoffiziere eine bedeutsame Stunde, als im Jahre 1814 beim Stiftungsfest der Pépinière Feldmarschall Blücher an Goercke, den Generalstabschirurgen der Armee, und seine Sanitätsoffiziere Worte des Dankes richtete für ihren persönlichen Einsatz auf dem Schlachtfeld und in den Lazaretten. Auch noch in späteren Feldzügen fanden die Sanitätsoffiziere gebührende Anerkennung.

Das „Sanitätswesen der Wehrmacht“, das ich jetzt auf dieser Reise zu inspizieren hatte, war aufgebaut nach den Erfahrungen des ersten Weltkrieges. Wenige Jahre nach dem ersten Kriege hatte der damalige Chef des Sanitätswesens, von Schjerning, ein vierbändiges, umfassendes „Handbuch der ärztlichen Erfahrung im Weltkrieg 1914/18“ herausgegeben, in dem der wissenschaftliche Ertrag der Arbeit des Sanitätskorps niedergelegt wurde. Das Werk ist ein eindrucksvolles Denkmal fruchtbarer Wechselwirkung von Wissenschaft und Praxis und zeigt die enge Verbundenheit der Wehrmacht mit den deutschen Stätten medizinischer Forschung. Mit diesem Bekenntnis zur Wissenschaft haben auch die Nachfolger, trotz des verlorenen Krieges, in der kleinen Reichswehr seine Arbeit fortgesetzt und in die Sanitätsorganisation die Tragpfeiler von Wissen und Können, von Erziehung und Schulung und nie ruhendem Forschen eingebaut. Als die Armee sich vergrößerte, begann in unermüdlicher Arbeit erneut für das Sanitätskorps der Ausbau einer gewaltigen Organisation für alle Notwendigkeiten eines modernen Krieges. Sie entstand in enger Anlehnung an die medizinische Wissenschaft.

Sehr interessant war für mich ein Teilgebiet der gesamten Wehr-Medizin: die Luftfahrt-Medizin. Sie erwuchs auf der Grundlage psychologischer Untersuchungen und klinischer Erfahrungen. Es ist aber ganz selbstverständlich, und man muß es einmal aussprechen, daß die Forschung wertvollste Anregungen aus der Kriegstätigkeit der Sanitätsoffiziere gewonnen hat. Das gilt besonders für die Chirurgen. Sie entnahmen der eindrucksvollen Schule der Kriege neue Methoden der Wundbehandlung, des Blutersatzes, der Narkose und der Verbandstechnik.

Vielleicht noch bedeutungsvoller aber erschien mir die Heranziehung der modernen Hygiene für die Wehrmacht. Wenn in diesem Kriege verheerende Seuchen ausblieben, so ist das eine medizinische und organisatorische Leistung erster Ordnung. Die Selbstverständlichkeit, mit der dieser Schutz unseres Volkes vielfach hingenommen wird, hat leider oft dazu geführt, die vorangegangene hingebende Arbeit zu übersehen.

Uns Klinikern lag naturgemäß die geregelte Sorge für unsere Verwundeten besonders am Herzen. Sie begann mit der bedeutungsvollen Frage des Krankentransportes. Der Soldat sollte schnell und schonend unter besten äußeren Bedingungen nach primärer Wundversorgung den hinteren Sanitätsformationen zugeführt werden. So wurde er frühzeitig von den Spannungen, Aufregungen und auch von den Gefahren des Kampfes befreit, und erfahrene Ärzte konnten sich in Ruhe seiner Heilung annehmen. Ein großer Fortschritt war durch die Einführung des Flugzeuges als Transportmittel erreicht. Die Luftwaffe hatte zuerst die Vorteile dieser Beförderung erkannt und frühere Bedenken gegenstandslos gemacht. Auch das Heer ging bald dazu über, in größerem Stil derartige Transporte einzuleiten, wo immer die verkehrstechnischen Voraussetzungen gegeben waren und der Zustand der Verwundeten es zuließ. So gelangte eine Reihe von Schwerverletzten auf dem Luftwege auch unmittelbar in unsere Klinik. Man darf noch heute dankbar feststellen, daß die Rettung ihres Lebens zu einem wesentlichen Teil dadurch erreicht wurde. Für die Leichtverletzten bestand nach wie vor das ausgebaute Krankentransportwesen der Eisenbahn, deren Beamte mit vollem Verständnis ihre schwierige Aufgabe meisterten. Daß Kriegsnotwendigkeiten hie und da diese Abwicklung stören konnten, spricht nicht gegen ihre große grundsätzliche Bedeutung und Leistungsfähigkeit.

Von Herzen rührte mich auf dieser Inspektionsreise das Vertrauen, das die verwundeten Soldaten ihren Ärzten so reichlich entgegenbrachten. Erfreut und dankbar war ich, daß diese große menschliche Beziehung bestand. Beim Besuch eines Lazarettes ist man umgeben von einer ernsten Stimmung und oft von Gedanken an Schmerz und Leid ergriffen. Aber jedesmal erhebt sich strahlend über diese Stimmung der Glaube des Verwundeten an unsere Kunst, die Dankbarkeit des Soldaten, sein Wille zum Leben und seine Hoffnung auf Genesung. Ein solches Erlebnis erhebt den Arzt, steigert seine innere Bereitschaft und seine Leistungen. Er, der als einziger im Kriege vor allem den Tod bekämpft, wird damit zugleich Hüter und Wahrer des Lebens.

Am 20. April 1942 erhielt ich mit einer Urkunde, die Keitels Unterschrift trug, das „Kriegsverdienstkreuz I. Klasse mit Schwertern". Aber am 1. Juli 1942 wurde ich zusammen mit meinen beiden Söhnen Peter und Friedel befördert.

Ich schrieb damals an meinen Sohn, den Oberarzt Dr. Friedrich Sauerbruch, der in einem Frontlazarett tätig war:

Mein lieber Junge!

Heute morgen finde ich Deinen Brief, nachdem vorher schon die Mutter telefoniert hatte, daß Du befördert worden bist. Da ich annehme, daß Du genauso wie der Peter und ich selbst am 1. Juli die Beförderung erhalten hast, kann man sich ja nur über die Gemeinsamkeit dieses Ereignisses freuen. Für mich ist es eine ganz besondere Freude, daß Du, mein lieber Junge, nun endlich Oberarzt geworden bist, was Du eigentlich schon längst hättest werden müssen.

Peter ist endgültig in den Generalstab eingerückt und führt nicht mehr den romantischen Titel „Rittmeister", sondern den viel ernsteren des Hauptmanns im Generalstab. Deinen Vater haben sie zum Generalarzt befördert. Das hat keine persönliche, aber eine sachliche Bedeutung insofern, als darin die Anerkennung für die Arbeit der deutschen Ärzte liegt. Da ich nun das Unglück habe, einer der Ältesten oder vielleicht sogar der Älteste im Amt zu sein, hat es mich erwischt mit all seinen positiven und negativen Konsequenzen; aber ich habe mich doch gefreut.

Und nun erinnere ich mich, daß Du am 31. August Deinen Geburtstag hast. Daß ich Dir von Herzen alles Gute und Schöne wünsche, weißt Du. Du weißt aber auch, daß ich diese Wünsche nicht durch eine entsprechende Tat verstärken kann, weil alles so schwierig ist. Nicht einmal ein Buch kann man Dir schicken. Ich will versuchen, es Dir mitzubringen, wenn ich in Deine Nähe komme. Am 22. oder 23. August gehe ich auf ein Kommando für ein paar Wochen nach dem Osten, und ich hoffe zuversichtlich, daß ich Dich und den Peter erwischen kann, und wenn es nur für ein paar Stunden ist.

Wenn Du jetzt mit Deiner Tätigkeit unzufrieden bist, so denke daran, daß es vielen anderen auch so geht und daß die Verteilung der Arbeit heutzutage eine Schicksalsangelegenheit ist und daß man sich dagegen nicht wehren kann. Sorg nur dafür, daß Du gesund bleibst und daß Du Deine Auffassung über den ärztlichen Beruf, über die ich mich immer so sehr gefreut habe und die Du wohl zum Teil von mir ererbt hast, beibehältst. Ich denke mir, es wird doch noch eines Tages möglich sein, daß wir, wenn auch nur für kurze Zeit, nach dem Kriege an der Klinik gemeinsam schaffen und arbeiten. Das wäre wirklich sehr schön, und wenn sich einer darauf freut, so ist es Dein Vater.

Der Mama geht es gut, die Jaduscha ist z. Z. mit den Kindern da und bringt Leben und Ablenkung ins Haus. Hans ist auch eingezogen und „leitet" die Flak in Palermo. In Wirklichkeit wird er wohl hauptsächlich Dolmetscherdienste verrichten.

Nun, mein Junge, will ich schließen. Ich will Dir noch ein paar Zigaretten schicken.

Also, vielleicht doch auf Wiedersehen bald!

Mit vielen herzlichen, lieben und guten Wünschen *Dein Vater*

Erst zwei Wochen später erhielt ich auch von meinem Sohn Peter einen kurzen Feldpostbrief, der das Datum vom 16. August und Stempel vom 18. August trug. Er kam von der Ostfront und lautete:

Lieber Vater!

Erst heute erfahre ich, daß Du Generalarzt geworden bist. Ich habe mich aufrichtig darüber gefreut und hoffe Dich bald zu sehen.

Zum Schreiben komme ich wenig, denn wir stehen seit Anfang Juli in ununterbrochenen harten Kämpfen.

Ich habe mich wirklich sehr gefreut. *Peter*

Vorher hatte ich meinem Sohn Peter geschrieben:

„Deinem alten Vater haben sie die roten Hosen angezogen, wie Du sie jetzt auch trägst. Ein schönes Bild, wenn man sich das in Öl vorstellt. Aber das sind ja alles Nebensächlichkeiten und Kleinigkeiten."

Und dann kündigte ich ihm an:

„Ich fahre am 22. August an die Südostfront und werde dann in irgendeiner Form Deine Stellung ausfindig machen und mich mit Dir in Verbindung setzen. Wenn es auch nur ein kurzer telefonischer Gruß wäre, so wäre das für die Mutter und mich doch eine große Freude und Beruhigung. Noch schöner wäre es, wenn wir uns treffen könnten. Ich wäre selbstverständlich auch bereit, nach ganz vorn zu kommen, wenn es nicht anders geht."

Wie ich 1940 die Lazarette in Frankreich inspiziert hatte, war mir jetzt befohlen worden, dasselbe in den Bereichen von Stalino, Krasnodar, auf der Krim und in Dnjepropetrowsk zu tun. Ich fuhr auch ab, jedoch meine Reise wurde auf wahrhaft dramatische Weise unterbrochen. Von niemand anderem als von Hitler selbst.

Ich weilte schon im Lazarett von Krasnodar, und zu meiner grenzenlosen Überraschung kam eines Nachts ein Fernspruch: Ich müsse mich am nächsten Morgen bereit halten! Um fünf Uhr werde ein Auto kommen, um mich zum Flugplatz zu fahren, dort stehe eine Maschine, die mich ins Führerhauptquartier nach Winiza zu bringen habe. Der Führer wünsche mich sofort zu sprechen.

Pünktlich um fünf Uhr stand ich vor meinem Quartier bereit, jedoch niemand kam, mich abzuholen. Ich war sehr unruhig, weil ich nicht wußte, was Hitler von mir wollte. Gutes konnte ich nicht von ihm erwarten.

So wartete ich bis um elf Uhr und konnte vor lauter Unruhe nichts zu mir nehmen. Gerade hatte ich beschlossen, dennoch zu frühstücken, als eine Gruppe von Offizieren und Soldaten auf mich zukam. Aber wie! Ein Oberst und zwei Unteroffiziere schleppten einen Menschen herbei, den Fahrer des Wagens nämlich, der mich abholen sollte. Er war in Regen und Nebel gegen eine Steinmauer gerast. Jetzt dauerte es sehr lange, bis ein Auto aufgetrieben war, mit dem wir zum Flughafen fahren konnten. Wir bekamen dann ein altes, nicht sehr gutes Fahrzeug, gelangten auf den Flugplatz, flogen ab und trafen schließlich im Führerhauptquartier ein.

Dieses Führerhauptquartier lag dreißig Meter unter der Erde. Ein unterirdisches Dorf, so kam es mir vor. Durch einen Zufall stieß ich zunächst auf den Leibarzt Hitlers, auf den Professor Brandt. Den kannte ich, er war zu irgendeiner Zeit bei mir einmal Assistent gewesen.

„Was will er denn eigentlich von mir?“ fragte ich ein wenig unsicher.

„Ich habe keine Ahnung“, antwortete Brandt, „aber gehen Sie bloß schnell hinein. Denn dieses ganze Hauptquartier ist ein Irrenhaus, und nur deshalb, weil Sie nicht rechtzeitig gekommen sind.“

Ich wollte ihm die Sache erklären, doch er klagte:

„Auch noch Erklärungen, Herr Geheimrat! Gehen Sie bloß schnell zum Führer!“

Entschlossen sagte ich: „Nein!“ Denn ich dachte mir, wenn der Hitler tobt, ist es besser, erst einmal zu frühstücken.

„Brandt“, bat ich, „ich war immer nett zu Ihnen, bringen Sie mich an einen stillen Ort und verschaffen Sie mir Kaffee und ein paar Spiegeleier!“

Er fuhr zusammen und rief:

„Was denken Sie sich! Das ist ganz ausgeschlossen! Wenn der Führer hört, daß Sie hier sind und Kaffee trinken und Spiegeleier essen, und außerdem erfährt, daß ich Ihnen den Kaffee und die Spiegeleier gebracht habe, bringt er mich um!“

Aber er hatte dennoch ein Einsehen. Kurzerhand nahm er mich unter den Arm und brachte mich zum Offizier vom Dienst. Das war ein General. Ich habe vergessen, wie er hieß, man muß das entschuldigen. Kein denkender Mensch kann von mir erwarten, daß ich die Namen aller Generäle des Dritten Reiches behalten habe.

Als der General hörte, ich sei der erwartete Sauerbruch, rief er:

„Was ist denn das für ein Saustall! Wo stecken Sie bloß?“

Da ich ahnte, daß er keine lange Erklärung anhören würde, faßte ich alles kurz zusammen und erwiderte knapp:

„Ein Auto zertrümmert! Zweites Auto alt und lahm!“ Und dann meinte ich, zuerst müsse ich jedenfalls mal Kaffee und Spiegeleier bekommen.

Dieses Verlangen nahm der General sehr übel.

„Was glauben Sie“, zischte er, „was hier geschieht? Wenn Sie diese Tür da aufmachen – lassen Sie das, machen Sie diese Tür nicht auf –, da im Wartezimmer sitzen seit heute morgen um acht Uhr sechzehn Generäle. Die warten alle auf den Führer. Er ist nicht in der Stimmung, die sechzehn Generäle zu empfangen, weil er, zum Donnerwetter, auf Sie wartet! Gehen Sie durch diese Tür sofort zum Führer! Aber schnallen Sie gefälligst Ihr Koppel ab, niemand darf mit einer Waffe zum Führer kommen! So, und nun gehen Sie, bitte, durch diese Tür!“

Ja, dachte ich, mit Gewalt – da kann man nichts machen! Ich öffnete die Tür, auf die er gezeigt hatte, und war bereit, Hitler gegenüberzutreten. Aber ich kam in ein sehr großes und elegant möbliertes, jedoch völlig menschenleeres Zimmer. Da stand ich unschlüssig eine Weile und sah mich um.

Mit einemmal öffnete sich eine gegenüberliegende Tür, aber nur einen Spalt breit, und herein schoß ein riesengroßer Hund, sah mich, riß weit das Maul auf, fletschte die Zähne, bellte wild und stürzte sich mir an die Brust, die Schnauze an meinem Hals. Mit Hunden kann ich umgehen. Natürlich ist man ob eines solchen Überfalls erschrocken. Aber ich wußte, daß ich mich nicht rühren durfte, und sagte dann etwas ganz Sinnloses:

„Dicker, laß das! Was soll der Unsinn!“ Gleichzeitig streichelte ich ihn vorsichtig.

Der gescheite Hund wurde gleich vernünftig. Er setzte sich hin und gab Pfötchen. In der Nähe stand ein Stuhl, auf den hockte ich mich hin. Der Hund legte seine Vorderbeine auf meine Knie, ich streichelte ihn weiter und machte ihm Vorwürfe. Wie er mich so erschrecken könne, fragte ich ihn. Hundekenner werden es mir glauben, der Hund schaute mich freundlich an, man kann sagen, er lächelte freundlich, und in diesem Augenblick, in dem wir beide ein Bild liebevollen Einverständnisses boten – trat Hitler ein.

Der Auftritt, der nun folgte, war die schrecklichste Szene, die ich je erlebt habe.

Hitler blieb fassungslos in der Tür stehen, als ich mich, von dem Hund umschmeichelt, erhob. In seinen Augen funkelte die Wut, er ballte beide Fäuste, stürzte auf mich zu und schrie:

„Was haben Sie mit meinem Hund gemacht?"

Ich konnte gar nichts sagen. Das schreckliche Tier schäkerte weiter mit mir, leckte meine Hand und begehrte nach weiteren Zärtlichkeiten. Da erhob Hitler ein wildes Wutgeschrei:

„Sie haben mir das einzige Wesen, das mir wirklich treu ist, abspenstig gemacht – ich lasse den Hund erschießen! Der Hund kommt sonst nur zu mir – er hängt nur an mir! Dieser Hund ist das einzige Geschöpf auf dieser Welt, das mir treu ist!"

Er hob seine Stimme zu einem schrillen Diskant, der das ganze unterirdische Gewölbe durchdringen mußte:

„Ich bin umgeben von treulosen Generälen, von verräterischen Idioten – von blöden Offizieren! Ich habe Soldaten, die davonlaufen! Niemand hängt an mir, nur dieser Hund! Ich will ihn nicht mehr sehen, nehmen Sie ihn mit, ich schenke Ihnen diesen Köter!"

Ich war einigermaßen fassungslos – man ist kein Psychiater. Der Hund legte sich zu meinen Füßen hin und begann seinen Kopf an meinen Beinen zu reiben. Da tobte der Führer noch schrecklicher als bisher. In derselben Tonart. Was vorgegangen war, konnte ich nicht ahnen, er beschimpfte die Armee mit giftigen uferlosen Sätzen.

„Ich kann diesen Krieg nicht gewinnen", tobte er, „wenn die Armee versagt, Generäle und Offiziere mich verraten!"

Der Hund hatte sich aufgerichtet und streichelte mit den Pfoten meine Hüfte. Ich dachte, daß jetzt etwas geschehen müsse, und erklärte barsch, ich sei nicht gesonnen, Beschimpfungen der Armee anzuhören. Schließlich trüge doch auch ich Uniform, und meine Söhne stünden im Kriege.

Aber das brachte ihn nur noch mehr außer sich. Sein Anblick war für einen Arzt schrecklich. Mit voller Überlegung sagte ich:

„Ich gehe jetzt weg, ich will das nicht mit anhören!"

Das brachte ihn vom Allgemeinen aufs Spezielle – leider mich selbst.

„Was bilden Sie sich ein?" schrie er. „Weil Sie ein berühmter Arzt sind, glauben Sie, Sie können sich hier was herausnehmen? Erst kommen Sie nicht, wenn ich Sie rufe, und dann werden Sie mir hier unverschämt! Ich werde Sie verhaften lassen!"

„Sicherlich können Sie mich verhaften lassen", entgegnete ich. Leute von dieser Sorte kann man nur beruhigen, indem man ihre Exaltiertheit auf die Spitze treibt. Es hat keinen Zweck, ängstlich oder nachgiebig zu sein. Ich hatte mich nicht geirrt, der Wutanfall war gebrochen. Was Entschuldigungen und Ängstlichkeit nicht vermocht hätten, brachte eine scheinbar zustimmende Antwort zustande. Es war, wie wenn eine starke Hand ihm über das Gesicht gewischt hätte. Der Krampf in seinen Zügen löste sich. Es lösten sich auch die bisher zur Faust geballten Hände. Seine Gliedmaßen wurden wieder gelenkig. Er setzte sich an den Schreibtisch und zeigte mit der Hand auf einen Stuhl für mich.

Gott sei Dank ließ jetzt der Hund von mir ab. Als sei nichts geschehen, ruhig und vernünftig, setzte Hitler mir sein Anliegen auseinander.

Der türkische Außenminister Numan Menemencioglu sei schwer erkrankt. Da ich ihn schon früher einmal operiert hätte, habe der Minister nun den Wunsch geäußert, mich in Ankara zu sehen, um sich raten und helfen zu lassen. Auf diplomatischem Wege war dieses Anliegen des türkischen Staatsmannes an Hitler weitergegeben worden.

Hitler sagte mir, die diplomatischen Beziehungen zwischen Deutschland und der Türkei seien so wichtig, daß man den Wunsch erfüllen müsse.

„Ich habe angeordnet, daß meine neue Maschine, eine Condor, Sie hinüberbringt."

Er wandte sich halb ab und knurrte dann:

„Das ist meine eigene Maschine", drehte sich die halbe Wendung zurück und sah mich an.

„Was haben Sie mit meinem Hund gemacht?" fragte er abermals böse.

Um Gottes willen, dachte ich, jetzt fängt er wieder

damit an! – Schnell sah ich zu dem Tier. Das lag auf dem Bauch, streichelte mit der rechten seine linke Pfote, sah mich verliebt an und wedelte mit dem Schwanz.

Jedoch Hitler blieb ganz vernünftig. Ruhig fragte er nochmals:

„Wie haben Sie das mit meinem Hund fertiggebracht? Er kommt zu keinem Menschen außer mir. Können Sie mir erklären . . ."

„Das kann ich wohl erklären", antwortete ich. „Gerade Sie müßten doch eigentlich begreifen, was da geschehen ist."

Das regte ihn sichtlich auf.

„Gerade ich? Was soll das heißen?"

„Ach", sagte ich, „Sie verstehen es doch, auf eine fast unglaubliche Weise mit den Menschen fertig zu werden. Es ist bei den Menschen nicht anders als bei Tieren. Man muß die Grenzen kennen, die allen Lebewesen gesetzt sind. Man muß sie vollkommen durchschauen. Man muß die Beweggründe ihres Handelns ebenso erkennen wie ihre jeweiligen oberflächlichen Motive. Sie kennen das alles bei den Menschen, das beweisen Ihre Handlungen. Nun, ich kenne das alles bei den Tieren."

Sprachlos starrte er mich eine Weile an. Dann sagte er:

„Ich ändere meinen Entschluß. Sie nehmen nicht die Condor-Maschine, sie ist noch nicht genügend ausprobiert. Zwar ist sie sehr schnell, aber meine alte Ju 52 ist sicherer. Ich danke Ihnen."

Das war die Entlassung. Ich verbeugte mich und ging zur Tür. Da rief er mir noch nach:

„Es ist nur deswegen wichtig, Herr Geheimrat, damit Sie auch lebend in der Türkei ankommen. Es ist nur deswegen, weil es so wichtig ist, daß Sie den türkischen Außenminister behandeln."

Wieder einmal kam ich mir vor wie der Reiter auf dem Bodensee. –

Über Berlin flog ich nach Ankara. Der Außenminister Numan Menemencioglu war wirklich schwer erkrankt. Ich mußte eine Weile in der Türkei bleiben, denn es waren zwei Operationen nötig, um ihn wiederherzustellen. Die türkischen Kollegen hielten mich zudem zurück. Sie interessierten sich für die Fortschritte der Kriegschirurgie, und über dieses Thema mußte ich einige Vorträge halten.

Um die Jahreswende 1942/43 kam Generaloberst Beck zu mir in die Charité. Er war krank. Ich stellte fest, daß er an einem Krebs litt. Eine große Operation war angezeigt, um die Geschwulst zu entfernen. Ich nahm sie auf meiner Privatstation in der Charité vor. Kaum konnte er wieder sprechen, fand ich bei meinen Visiten sein Bett von anderen Generälen umlagert. Ich dachte an die Gespräche am Kamin. Auch unsere Freunde aus der „Mittwoch-Gesellschaft" gaben sich zum Besuch bei Beck die Türklinke in die Hand. Auf diese Weise konnte Beck sich nicht erholen. Meine Frau Margot und ich holten ihn daher aus der Charité heraus und brachten ihn auf Margots Gut nach Groß-Röhrsdorf bei Dresden. Wir versuchten seinen Aufenthalt geheimzuhalten. Es gelang jedoch nicht. Generäle, Offiziere und Politiker fanden den Weg zu ihm. Das Haus füllte sich mit einer Geschäftigkeit, die uns unheimlich wurde. Ich mischte mich nicht ein.

Nach einiger Zeit wurde mir mitgeteilt, einer der fähigsten deutschen Generalstabsoffiziere, der Graf Stauffenberg, sei in Afrika schwer verwundet und im Flugzeug nach Berlin gebracht worden. Es gehörte zu meinen dienstlichen Pflichten, ihn zu behandeln. Diese Pflicht erfüllte ich besonders gern. Ich fand einen schwerverwundeten Mann vor. Ein Geschoß war ihm durch das Auge in den Hinterkopf eingedrungen und stak noch im Schädelknochen. Außerdem hatte er den rechten Arm verloren, und an der linken Hand fehlten ihm drei Finger. Diesen tapferen Soldaten wiederherzustellen, würde lange Zeit erfordern, dachte ich und sagte es ihm auch. Das Geschoß mußte aus dem Kopf herausgeholt, ein Sauerbruch-Arm mußte angepaßt werden, und danach würde er mehrere Monate in einer Erholungsstätte verbringen müssen.

Als ich ihm das alles auseinandergesetzt hatte, begehrte er auf:

„Ich habe nicht soviel Zeit, ich habe eine dringende Aufgabe zu erfüllen!"

Ich wandte ein:

„Sicherlich. Alle Soldaten haben in diesem Kriege dringende Aufgaben zu erfüllen. Aber es kommt doch darauf an, daß jeder Soldat seine Aufgabe gut erfüllt. Das aber können Sie bei Ihrem Gesundheitszustand nicht."

Er verweigerte mir die Zustimmung zu der Operation, mit der die Kugel entfernt werden sollte. Er ließ sich keinen Sauerbruch-Arm anlegen. Kaum hatten wir ihn notdürftig wieder aufgepäppelt, verschwand er. Er ließ sich zum „Chef des Stabes des Befehlshabers des Ersatzheeres" ernennen. Ich sah ihn bald darauf durch einen Zufall wieder, schüttelte den Kopf und sagte ihm, seine Handlungsweise sei selbstmörderisch. Sein Gesundheitszustand war so schlecht, daß ernsthafte Maßnahmen ergriffen werden mußten, um eine Besserung zu erreichen.

Offenbar hatte ich mir aber doch seine Zuneigung erworben, denn nach kurzer Zeit kam er nach telefonischer Anmeldung zu mir und brachte ein seltsames Anliegen vor. Er habe, so sagte er, eine vertrauliche Unterredung zu führen, und zwar mit den Generälen Olbricht und Beck. Das Gespräch werde sehr geheimgehalten werden müssen, außerdem kenne er Beck nicht. Ob ich ihnen meine Wohnung zu der Zusammenkunft zur Verfügung stellen könne? Allerdings ergebe sich noch die Schwierigkeit, daß ich, der Hausherr, zum Gespräch nicht zugelassen werden könne.

Warum, um Gottes willen, muß ich immer in solche Geschichten geraten?

Ich dachte mir meinen Teil und sagte dem Grafen Stauffenberg alles zu, sprach mit Olbricht, und so kamen die drei in meinem Hause zusammen. Olbricht hatte mir bei der ersten Anfrage gesagt:

„Stauffenberg! Das ist der Mann, den wir brauchen." Kein Wort weiter.

Als die drei nun erschienen, brachte ich sie in einem Zimmer meines Hauses zusammen, gab ihnen etwas zu trinken, ließ sie allein, und sie verbrachten einige Stunden miteinander. Beim Abschied sagte Beck ganz nebenbei zu mir:

„Stauffenberg ist bereit, die Aufgabe zu übernehmen."

In groben Zügen konnte ich mir natürlich denken, um was es sich handelte. Nicht umsonst hatte Beck vor Ausbruch des Krieges an meinem Kamin gesessen und mir eine ganze Nacht lang sein Herz ausgeschüttet. Von Einzelheiten wußte ich nichts, und ich wollte auch nichts davon wissen.

Dann aber, wenn ich mich recht erinnere, war es Anfang Juli 1944, hatte ich ein langes Gespräch mit dem Grafen Stauffenberg. Abermals war mein Haus der Schauplatz einer Versammlung von Generälen und Politikern. Weder meine Frau noch ich hatten uns an dieser Versammlung beteiligt, wie stets waren die Herren nur unter sich gewesen.

Diesmal verließen sie alle mein Haus bis auf Stauffenberg. Er machte einen sehr müden und abgespannten Eindruck, und ich schenkte ihm ein Glas Rotwein ein. Dann schlug ich ihm vor:

„Kommen Sie auf ein paar Wochen zu uns nach Groß-Röhrsdorf. Sie müssen sich unbedingt erholen."

Er antwortete:

„Ich habe keine Zeit, ich habe eine wichtige Aufgabe zu erfüllen."

Da wurde mir alles deutlich, und ich muß gestehen, daß ich außerordentlich erschrak, so sehr, daß es mir zunächst die Sprache verschlug. Er sprach weiter und wollte mir Einzelheiten der Pläne entwickeln, mit denen er sich trug. Ich unterbrach ihn schleunigst.

„Sie dürfen sich mit solchen Plänen nicht abgeben! Sie nicht!" rief ich.

Das traf ihn schwer, er fragte verstört:

„Warum nicht ich?" Er erhob sich gekränkt aus seinem Sessel.

Ich drückte ihn in seinen Stuhl zurück und sprach wie ein Vater auf ihn ein, schilderte ihm seinen Gesundheitszustand, machte ihm klar, daß alle seine Handlungen unter seiner körperlichen Mitgenommenheit leiden müßten. Ich versuchte ihm zu erklären, daß ein Mensch nach einer so schweren Verwundung, wie er sie erlitten hatte, nicht im vollen Besitze seiner körperlichen und geistigen Fähigkeiten sein könne. Ich beschwor ihn, daran zu denken, daß sich infolge seines Zustandes viele Fehler in sein Kalkül einschleichen könnten, und bat ihn inständigst, von seinem Vorhaben abzusehen. Ach, was habe ich ihm nicht alles gesagt! Seine Nerven könnten allzuleicht bei der Ausführung der Tat versagen. Wohl eine Stunde lang redete ich auf ihn ein, aber ich konnte ihn von seinem Entschluß nicht abbringen.

Unvergeßlich wird mir immer der Ablauf der Woche sein, in der das Attentat geschah. Am Dienstag kam Generaloberst Beck zu uns zum Abendessen. Er war völlig ruhig, gut aufgelegt und erzählte mit viel Humor aus seinem Leben. Es war ihm nicht im geringsten anzumerken, daß er sich unmittelbar vor einem ungewöhnlichen und gewagten Vorhaben befand.

Nach zwei oder drei Stunden sah er auf die Uhr, es war gegen zehn Uhr abends, da wurde er unruhig und wollte sich verabschieden. Als wir ihn drängten, doch noch zu bleiben, entgegnete er, daß er noch mit Olbricht eine Verabredung habe. Nun hielt ich ihn nicht mehr, bestand aber darauf, ihn mit meinem Wagen zu Olbricht zu fahren.

Da ich glaubte, verstanden zu haben, daß Beck nicht allzulange bei Olbricht bleiben werde, trat ich mit meinem Gast in Olbrichts Haus, spürte aber gleich, daß den beiden Herren meine Anwesenheit nicht angenehm war. Sie waren sichtlich verlegen und wußten mit mir nicht das geringste anzufangen. Daher schlug ich vor, sie allein zu lassen, und zog mich in die Bibliothek zurück. Hier war ich ganz einsam und zog aufs Geratewohl ein Buch heraus. Es hatte den Titel: „Das Trompeterschlößchen in Dresden". Ich war mit dem Buch bis zum Ende gekommen, als Beck hereinkam. Dann fuhr ich ihn nach Hause.

Am Donnerstag ereignete sich das Attentat. Am Mittwoch, also einen Tag davor, wurde ich von dem Adjutanten des Generalquartiermeisters Wagner nach Zossen ins OKW abgeholt.

Mit Ausnahme von Stauffenberg stieß ich hier auf den ganzen Kreis der Verschwörer, wurde jedoch nicht im eigentlichen Sinne hinzugezogen. Das hätte für die Beteiligten auch gar keinen Nutzen gehabt. Man wollte mir offenbar nur demonstrieren, daß man mich als dazugehörig betrachtete. Außerdem war ich wohl als unverdächtige „Mittelsperson“ mit Auto und großer Bewegungsfreiheit ein sehr willkommenes Hilfsmittel.

Nach dem schrecklichen Ende der Verschwörung des 20. Juli 1944 konnte ich nächtelang diese Vision nicht bannen: Immerzu sah ich Stauffenberg vor mir, wie er sich gekränkt aus dem Sessel erhob und wie ich ihn wieder auf seinen Sitz drückte. Es war schrecklich. Das Schicksal dieser Männer traf mich schwer. Ich konnte sie gut verstehen: es ist auch Chirurgenart, dem Schicksal in die Arme zu greifen. Zu allem Überfluß fand man noch die Korrespondenz zwischen Stauffenberg und meinem Sohn Peter. Man verhaftete meinen Jungen an der Ostfront, schaffte ihn in die Prinz-Albrecht-Straße, und wir erhielten seine Bitte, ihm einen Zivilanzug zu schicken, da die SS ihm die Uniform ausgezogen hatte.

Bald darauf wurde die Sache für mich selbst höchst gefährlich. Der Chef des Reichssicherheits-Hauptamtes, Ernst Kaltenbrunner, lud mich vor. Er vernahm mich selbst.

Als ich ihm auf der Dienststelle gegenübersaß, wurde mir alsbald klar, daß ich sehr viel Glück haben müsse, um nicht verhaftet und hingerichtet zu werden, denn seine erste Frage lautete:

„Sie, Herr Geheimrat, haben am Dienstag, dem 18. Juli, zwei Tage vor dem Attentat, den Herrn Beck zum Herrn Olbricht gefahren. Worüber haben die beiden Herren an diesem Abend gesprochen?“

Herr Kaltenbrunner wußte also recht viel von mir, wenn er sogar über diese Fahrt orientiert war. Ich bedachte, daß es unsinnig sei, zu lügen. Ich sagte also die Wahrheit. Beck sei bei mir zum Abendessen gewesen, dann hätte ich ihn zu Olbricht gefahren und anschließend die beiden Generäle in Olbrichts Haus allein gelassen.

„Ich war bei ihrer Unterredung nicht zugegen, und ich kann nicht sagen, worüber sie gesprochen haben“, sagte ich, meine Schilderung abschließend.

Kaltenbrunner lächelte:

„Wo waren Sie denn, Herr Geheimrat, als sich die beiden besprachen?"

Wahrheitsgemäß antwortete ich.

„In der Bibliothek."

„Und was haben Sie dort getan?"

„Ein Buch gelesen."

„Welches Buch denn?" fragte Kaltenbrunner berückend liebenswürdig.

Mein Gott, dachte ich, der Kerl ist genauso ein blöder Polizist wie mein Steuer-Regierungsrat aus der „Million des Königs von England"!

„Das Trompeterschlößchen in Dresden", antwortete ich auf die idiotische Fangfrage.

„Aber so etwas, Herr Geheimrat", verwunderte sich Kaltenbrunner und konnte anscheinend nicht begreifen, daß in jener Zeit ein erwachsener Mensch ein Buch gelesen haben konnte, das den Titel „Das Trompeterschlößchen in Dresden" trug.

Er schickte jemanden in Olbrichts Bibliothek. Bis die Sache „geklärt" war, unterhielt er sich mit mir in der Art vernehmender Amtspersonen, die sich alle wohl kaum voneinander unterscheiden. Es ist ein Katz-und-Maus-Spiel – alle Macht ist auf einer Seite – und wird mit dem Sadismus des Machthabers ausgeübt. Merkwürdig, daß die Macht, und sei es auch nur die eines eckenstehenden Polizisten, so verzweifelt dumm macht.

War diese Sache noch einmal gutgegangen, so wurde die ganze Angelegenheit gefährlich, als die Geheime Staatspolizei eine Liste entdeckte, auf der von meiner Hand folgende Namen vermerkt waren: Popitz, Beck, Hassell, Olbricht, Jessen, Kempner, Planck.

Wieder saß ich Kaltenbrunner „persönlich" gegenüber. Der Wahrheit gemäß erklärte ich ihm die Bedeutung dieser Liste. Es waren meine Geburtstagsgäste, die ich zum 3. Juli eingeladen hatte.

Ob ich noch immer behaupten wolle, von nichts eine Ahnung gehabt zu haben, fragte Kaltenbrunner in der ihm eigenen kalten, heimtückischen Art.

Ich behauptete nach wie vor, nichts geahnt zu haben.

In diesen Tagen erhielt ich eine Warnung von Gebhardt. Er war einst mein Schüler gewesen; jetzt stand er der Anstalt in Hohen-Lychen vor und war der SS verbunden. Himmler war als Patient bei ihm in Behandlung, und da hatte er allerhand erfahren. Ich solle nicht versuchen, in die Schweiz zu kommen, riet er mir eindringlich. Man wisse, daß ich Freunde dort habe, man werde mich an der Grenze aufhalten und verhaften und mir die versuchte Flucht als ein Indiz für meine Mitschuld auslegen.

Professor Gebhardt versprach noch, sich für mich zu verwenden. Dann hat er sich mir gegenüber außerordentlich anständig verhalten. Er überzeugte Hitler von meiner völligen Unschuld. Die Untersuchung gegen mich wurde eingestellt, auch mein Sohn Peter verließ das Gefängnis.

Gebhardt wurde dann später neben anderen Ärzten, darunter auch mein ehemaliger Schüler Brandt, in Landsberg aufgehängt. Der Aufschub der Vollstreckung dieser Todesurteile kam damals nur um wenige Minuten zu spät.

Ich will mich nicht zum sogenannten „Ärzteprozeß“ in Nürnberg äußern. Ich kann hier nur versichern, daß heute manche Ärzte, die sicher nicht weniger schuldig waren, in aller Gemütsruhe ihrer Praxis nachgehen. Ich könnte ein Dutzend Namen nennen, aber das brächte die anderen nicht wieder zum Leben, sondern möglicherweise nur neue Opfer der so höchst zweifelhaften „irdischen Gerechtigkeit“.

Aus diesen Kriegszeiten verbleibt mir noch von zwei Ereignissen zu berichten, die sich vor dem 20. Juli 1944 ereignet haben.

Auf dem östlichen Kriegsschauplatz geriet mein Sohn Peter mit seiner Truppe in schwere Bedrängnis. Er war eingekesselt worden, konnte sich aber durchschlagen. Anfang Januar 1943 verlieh man ihm das Ritterkreuz. Auf mich, den Vater, prasselte eine Flut von Glückwünschen nieder zu der Tat des Sohnes. Sehr freute ich mich über ein Telegramm des Kronprinzen:

Zur Verleihung des Ritterkreuzes zum Eisernen Kreuz an Ihren Sohn meine allerherzlichsten Glückwünsche.

Viele Grüße Ihr *Wilhelm, Kronprinz*

Wie man sieht, bleiben die frühen Idole der Kindheit immer Idole. Und dann ereilte mich dasselbe Geschick, das Ritterkreuz zum Kriegsverdienstkreuz mit Schwertern, im Oktober des Jahres 1943.

Unzählige Telegramme und Briefe erhielt ich. Zwei Schreiben waren darunter, die mir das Gefühl gaben, daß es nun beginne, sich in meinem Leben zu runden. – Anfang und Ende, dachte ich mir, nähern sich.

Da meldete sich aus Bad Reinerz Herr Kurt Klinner, ein Mann, an den ich mich deshalb genau erinnere, weil ich ihm, einem Soldaten des ersten Weltkrieges, als einem der ersten einen Sauerbruch-Arm gemacht hatte. Er schrieb mir, nachdem er seine Glückwünsche ausgesprochen hatte:

Mit meinem immer noch gut funktionierenden Arm ist es mir möglich, hier den stellvertretenden Organisten an der hiesigen evangelischen Kirche auszuführen und zu ersetzen.

Und über einem zweiten Brief saß ich lange. Er lautete so:

An den Ritterkreuzträger, Herrn Generalarzt,
Staatsrat, Geheimrat,
Prof. Dr. med. Dr. med. h. c. Ferdinand Sauerbruch,
Direktor der Chirurgischen Universitätsklinik Berlin.

Sehr verehrter, lieber Herr Geheimrat!

In dem Kreise derer, die Ihnen zu der hohen Auszeichnung der Verleihung des Ritterkreuzes des Kriegsverdienstkreuzes mit Schwertern Glückwünsche übermitteln, kann und will die Medizinische Fakultät der Universität Breslau nicht fehlen. Die Fakultät ist stolz darauf, daß einer, der aus ihren Reihen hervorgegangen ist, als erster Wissenschafter in der Medizin diese hohe Auszeichnung erhalten hat. Wir sind tiefst davon durchdrungen, daß keinem Würdigeren diese Auszeichung hätte zuteil werden können, und freuen uns, daß so erneut Ihre hohen Verdienste um die Wissenschaft und Lehre sowie um Volk und Reich Anerkennung gefunden haben. Wir verbinden diese Glückwünsche mit dem Wunsch und der Hoffnung, daß es Ihnen noch lange vergönnt sein möge, Ihre große Persönlichkeit auf der breiten Basis wie bisher einzusetzen.

Ich bitte, die herzlichsten Glückwünsche der Fakultät zur Verleihung des Ritterkreuzes mit meinen persönlichen verbinden zu dürfen, und verbleibe in aller Anhänglichkeit

Ihr sehr ergebener
H. Gottron
Dekan der Med. Fakultät

Das Schreiben aus Breslau sortierte ich aus den anderen Briefen heraus. Ich ließ es auf meinem Schreibtisch liegen und sah oft hinein, sah mich in meiner Jugend in den Kellerräumen der Universitätsklinik in Breslau und hörte die Stimme des Geheimrats von Mikulicz. Tempi passati... Ich war mir – verzweifelt, zerknirscht, zum erstenmal in meinem Leben fatalistisch – darüber klar, daß Krieg und Drittes Reich in einem Meer von Verzweiflung enden würden. Da halfen keine Ernennungsdekrete und Ritterkreuze! –

DAS ENDE

Ein älterer Herr hat gelegentlich Anwandlungen, kritisch auf seinen ganzen Lebensweg zurückzuschauen, kritisch und ein wenig skeptisch. Ein Mann insbesondere, der zeit seines Lebens dazu gezwungen wurde, wissenschaftlich-praktisch zu denken, und der es in bitteren Lehrjahren lernen mußte, das eigene Werk mit größter Skepsis anzusehen – nur so wird es ihm gelingen fortzuschreiten –, wird das Bedürfnis haben, sich sine ira et studio über sich selbst Rechenschaft zu geben. Es sind über fünfzig Jahre vergangen, daß ich begann. Manches hat sich inzwischen geändert. Rückschauend muß ich jetzt sagen, und ich kann mir das heute alles noch vergegenwärtigen: was wir erlebt haben, das waren Dinge, um die sich damals kein Kliniker, kein Anatom, kein Pathologe und kein Physiker gekümmert hat. Unsere Arbeiten mit der Unterdruckkammer wurden betrachtet als Versuche von Handwerkern der Medizin. Im Grunde unterschied sich die Auffassung der „reinen Wissenschafter“ zu Beginn des 20. Jahrhunderts kaum von der Auffassung, die man von den Chirurgen im sechzehnten oder siebzehnten oder achtzehnten Jahrhundert hatte.

Sind Chirurgen deshalb tragische Figuren?

Heute ist das aktuelle Thema in der experimentellen Physiologie die Lungendurchblutung und die Lungenatmung. Wir, die selbst heute noch von den „reinen Gelehrten" leicht scheel angesehenen Chirurgen, wußten diese Dinge schon damals, weil wir zum Beispiel beobachten konnten, daß die Lunge Eigenbewegungen besitzt, eine Einrichtung, die es ihr bis zu einem gewissen Grad erlaubt, unabhängig von den Faktoren der Atmung, sich zusammenzuziehen und wieder auszudehnen. Als wir Chirurgen darauf hinwiesen, wurde uns Pseudologia phantastica (Lügensucht) unterstellt.

Wenn ich sehr gelehrt sein wollte, würde ich sagen, die Entwicklungsgeschichte des Menschen und die sich daraus ergebenden anatomischen Bedingungen fordern es gebieterisch, daß die Lunge diese Eigenschaften, wenn auch rudimentär, haben muß. Da ich kein Gelehrter bin, kann ich nur sagen: ich habe es so gesehen, beobachtet, geschaut.

Ich weiß nicht, ob man schon deshalb eine tragische Figur wird, weil man mit seinen Ansichten und Meinungen keinen sofortigen Anklang bei der Welt fand, zu der man als Chirurg, mehr oder weniger anerkannt, gehört: zu der Welt der Wissenschaft. Ich vermute also, daß ich keine tragische Figur bin.

Wir konnten damals, also vor etwa fünfzig Jahren, schon zeigen, daß die Durchblutung der Lunge nicht gleichmäßig ist, sondern daß wir große Bezirke in der Lunge fanden, die sich zusammengezogen hatten und an der Atmung nicht beteiligt waren, also zugleich auch Teile der Lunge, die mehr oder weniger von der Teilnahme an der allgemeinen Blutzirkulation ausgeschlossen waren. Die Physiologie ist erst fünfundzwanzig Jahre später dahin gekommen; ich glaube annehmen zu dürfen, daß unsere Funde hier richtungweisend waren.

Wir Chirurgen haben ganz andere Gesichtspunkte dabei verfolgen müssen. Uns kam es naturgemäß darauf an, die Dinge für den praktischen Gebrauch im Operationssaal auszuwerten. Wir waren also weniger an der grauen Theorie interessiert als an einem Verfahren, das uns eine systematische Brustkorb-Chirurgie ermöglichte. Niemand kann sich heute noch vorstellen, daß mit der Schaffung des Druckdifferenzverfahrens die Probleme der Lungenchirurgie gelöst wären, dieses Verfahren ist heute nur ein kleines, aber wichtiges Hilfsmittel. Aber wir wissen, daß kleine technische Hilfsmittel große praktische Bedeutung erlangen können. So ein einfaches Instrument wie die Schere ist bei allen handwerksmäßigen Verrichtungen von großer Bedeutung, obgleich sie nur ein bescheidenes Hilfsmittel darstellt.

Es fehlte also vor fünfzig Jahren eine genaue Kenntnis der anatomischen Verhältnisse im Brustkorb; denn die Anatomen haben eine andere Anatomie gelehrt, als wir sie gesehen haben. Ich spare mir hier den Vergleich zwischen Galen und etwa Vesalius.

Die topographische Anatomie, die früher Alleinherrscherin war, ist erst in unserer Zeit durch die systematische Anatomie verdrängt worden. Wir haben an der Leiche Anatomie gelernt, und da ist vieles anders als am lebenswarmen Körper. Die Vorstellungen von der Anatomie des Herzens, der Lunge, dem Mittelfell waren unzulänglich, zum Teil fasch. Es wurde notwendig, eine neue Anatomie zu schaffen. Das dauerte seine Zeit. Die ersten Anfänge hierzu sind von Tiegel in Breslau gemacht worden, und sie gingen unter großen Schwierigkeiten vor sich. Die Anatomen sind da etwas gehemmt, sie haben sich als Selbstzweck in der Natur erkannt, und das ist in jedem Beruf ein Fehler. Der Zweck ist, sich gegenseitig zu helfen. Wir hatten damals vor fünfzig Jahren als Medizin-Handwerker große Widerstände zu überwinden. Man hat uns nicht einmal einen menschlichen Thorax zu Studienzwecken anvertraut. Soviel über das Zunftwesen.

Noch schwieriger war die Erfassung und Beherrschung der physikalischen Verhältnisse im Brustkorb. Es ist eine lange und mühevolle Arbeit vieler Hände und vieler Köpfe nötig gewesen, um die bestehenden Unklarheiten und Schwierigkeiten beiseite zu räumen.

Aufgabe der Thorax-Chirurgie war es, kranke Lungen,

kranke Herzen zu heilen, sich in den Dienst der heilerischen Chirurgie zu stellen. Es mußte sich der Chirurg, der sich dieser Aufgabe unterzog, mit den Krankheiten der Brust befassen, wobei zu beachten ist, daß alle Diagnosen, die uns von den Internisten gestellt wurden und die, allerdings mit Recht, sehr zurückhaltend waren, nicht mit dem Befund übereinstimmten. Erst wenn sie überzeugt waren, daß eine Diagnose nicht nur eindeutig, sondern auch hoffnungslos war, durften wir Chirurgen uns mit einem Kranken befassen.

Im rein ärztlichen Sinne war dies auch richtig. Der Chirurg galt als ultima ratio, als letzte Reserve, wenn es überhaupt keine andere Rettung mehr gab. Wir hatten es damals sehr schwer, aber wir erkannten doch bald, daß die hochgepriesenen Urteile der Kollegen von der Inneren Medizin in der Brust-Chirurgie genauso versagten wie dreißig oder vierzig Jahre vorher in der Bauch-Chirurgie. Das soll aber heute nur eine geschichtspolitische, beileibe keine personalpolitische Feststellung sein. In diesem Zusammenhang sei zum Beispiel daran erinnert, daß das Wesen der Appendizitis erst im Jahre 1889 erfaßt worden ist. Man wußte zwar von Eiterungen in der Bauchhöhle, Perforationen eines gangränösen Wurmfortsatzes. Selbst Virchow hat das Wesen der Appendizitis nicht einmal anatomisch erfaßt, geschweige denn klinisch. Man wußte nicht, was ein Ulcus ventriculi (Magengeschwür) war und wie man es zu behandeln hatte.

Alle falschen Diagnosen, die die Innere Medizin damals stellte, waren zurückzuführen auf die Unkenntnis der tatsächlichen Verhältnisse. Geklärt wurden sie erst durch die wirklich vorhandenen anatomischen Befunde, wenn die Leute an irgendeinem Bauchleiden gestorben waren. Die Diagnosen waren unzulänglich und genügten nicht als sichere Unterlage für unseren operativen Eingriff. Es kam hinzu, daß man in der Bauchhöhle gegenüber der Brusthöhle den großen Vorteil hat, daß man den Bauch öffnen und den Schnitt ohne wesentliche Schwierigkeiten erweitern und vergrößern und die ganze Bauchhöhle übersehen kann. Das geht in der Thorax-Chirurgie nicht. Wenn man in Höhe des fünften Interkostalraumes eine

Rippe wegnimmt, so hat man nur ein relativ kleines Gebiet vor sich, das man abtasten kann. Und es bedeutet eine große Erschwerung des Gesamteingriffes, wenn dann noch einmal drei Rippen eingeschnitten werden müssen. Das ist eine viel größere Operation, als wenn man in der Bauchhöhle einen kleinen Schnitt macht und ihn dann verlängert. Die traumatische Schädigung ist viel geringer. Man sah jedenfalls in der Thorax-Chirurgie dasselbe, was wir in der Bauch-Chirurgie vor dreißig Jahren erlebt haben, daß alles unzulänglich und unrichtig war. Wir erleben es noch heute, daß unsere Vorstellungen von der Pathologie der Erkrankung von Herz und Lungen unrichtig sind.

Ohne Kenntnis der topographischen Anatomie und ohne Kenntnis der allgemeinen Pathologie, ohne Kenntnis der Krankheiten begann der schwierige Aufbau der Thorax-Chirurgie. Es ist kein Ruhmesblatt der Chirurgie, daß die ersten acht oder zehn Männer, die zuerst mit großer Begeisterung ihre Kraft einsetzten, nach den ersten Fehlschlägen, die unerhört zahlreich und niederschmetternd waren, verzichteten und daß nur sehr wenige der Arbeit treu geblieben sind. Es war eine schwierige Arbeit und vor allem eine sehr enttäuschungsreiche Arbeit. Aber ich denke mir, daß alles, was gut und groß ist, immer mit viel Enttäuschung verbunden ist und daß aus diesen Enttäuschungen heraus der Trotz und die Kraft zur Leidenschaft entspringt.

Heute hat die Thorax-Chirurgie vor allem auch für die traumatische Schädigung des Brustkorbs eine erlösende Bedeutung erlangt. Wir haben als Folge des Krieges schwere Schädigungen des Brustkorbs gesehen, bei denen alle Rippen zusammengedrückt waren, haben gesehen, wie die Lunge eingerissen, ja, daß sogar der eine oder andere Lungenlappen abgerissen war und man annehmen mußte, die Leute seien verloren. Wir haben gelernt, bei solchen Kranken ebenso vorzugehen wie bei schweren Darmerkrankungen: wir öffnen den Brustkorb und führen uns den Befund vor Augen. Wenn vor dem Kriege naturgemäß die Gelegenheit zu solchen Operationen relativ gering war, so haben wir doch im Kriege die Probe auf das Exempel machen können. Bei schweren Schußverletzungen des

Thorax, bei denen der Thorax in mehr oder minder großer Ausdehnung von Granatsplittern zerrissen war, Lungen ein- und abgerissen waren, schwere Blutungen das Leben der Verwundeten bedrohten, haben wir diese intrathorakalen Eingriffe mit Hilfe des Druckdifferenzverfahrens ausgeführt, und die Sterblichkeit ist ganz erheblich zurückgegangen. Heute kann an dem Erfolg dieses Vorgehens bei dem großen Material intrathorakaler Eingriffe, die an meiner Klinik in München, Zürich und hier gemacht worden sind, nicht gezweifelt werden.

Mit Margot war ich zuletzt völlig in den großen Operationsbunker der Charité gezogen, der während des Krieges erbaut worden war. Je mehr sich der Krieg Berlin näherte, um so weniger kam ich aus diesem Verlies heraus. Und für mich ging das Dritte Reich wirklich und wahrhaftig inmitten von Blut, Eiter, Leichen und Gestank unter. Als die Russen Berlin angriffen, als ihre Artillerie schon in die Stadt schoß, als in den Straßen Kämpfe tobten, da konnte natürlich nicht die Rede davon sein, daß wir den Operationsbunker auch nur einen Augenblick verließen. Das Licht war erloschen. Wir halfen uns mit Akkumulatoren und Kerzen. Der Bunker lag voll Leichen, voll stöhnender und jammernder Verwundeter. Meine Kollegen und ich operierten Tag und Nacht. Mit meiner Frau Margot lebte ich im Gang zur Röntgen-Abteilung. Da hatten wir ein Kabuff, in dem zwei Feldbetten standen. Wir ernährten uns von schottischem Whisky (weiß der Teufel, wo Margot ihn aufgetrieben hatte!) und von Knäckebrot.

Am 1. Mai 1945 erreichte das Drama im Operationsbunker seinen Höhepunkt. Über abgeschnittene Gliedmaßen, Leichen, Frischoperierte und Sterbende stürzte ein SS-Offizier zu uns herein und schrie:

„Ich will zum Generalarzt Sauerbruch! Ich habe einen Befehl für ihn."

Ich operierte gerade, und man muß sich das Bild etwa so vorstellen:

Einen großen, schlechterleuchteten Raum, in dem wohl ein Dutzend Menschen gleichzeitig operiert wurden und in dem die fürchterlichen Dissonanzen einer satanischen

Geruchsmischung schwebten, zusammengesetzt aus Mief, Schweiß, Eiter, Äther, Blut und Desinfektionsmitteln. Dieser SS-Offizier kommt also zu mir, der ich das Messer in der Hand habe, und schreit:

„Ich habe Ihnen einen Befehl zu überbringen! Unsere SS liegt hier in der Nähe. Die Russen sind uns auf den Fersen! Wehren können wir uns nur hier im Operationsbunker! Also, Sie haben den Bunker sofort zu räumen! Alle Kranken 'raus!"

Ich operiere weiter und rufe zurück:

„Das kommt gar nicht in Frage!"

Aber der Offizier schreit:

„Dann werden wir den Bunker mit Gewalt frei machen! In zehn Minuten ist die SS da!"

Nach drei Minuten bin ich mit der Operation fertig, rufe nach meinem Adjutanten, das war der Stabsarzt Close. Der hockt sich hin, nimmt die Schreibmaschine auf die Knie, und ich diktiere ihm einen Brief an Hitler: er solle Befehl geben, die SS zurückzurufen. Dann hole ich mir einen Meldegänger – den hatte ich verrückterweise zur Verfügung – und befehle ihm, den Brief in die Reichskanzlei zu bringen. Nach geraumer Weile denke ich mir: Der Mann bleibt aber lange weg!, und sage zu meinem getreuen Famulus Ranner, der ja natürlich auch wieder um mich war:

„Wo, zum Teufel, bleibt der Meldegänger?"

Ranner eilt auf den Ausgang des Bunkers zu, und – da kommt der Meldegänger. Ranner hält ihn wenigstens dafür. Er ist in Leder gekleidet, genau wie der Mann, den ich weggeschickt hatte, und Ranner brüllt ihn an:

„Wo bleibst du denn?"

Er will ihn an der Schulter fassen und zur Eile mahnen – da hebt der Mann ganz geruhsam seine Maschinenpistole und sagt zu Ranner:

„Soldat Ruski!"

Und hinter diesem Soldaten her kommt ein ganzer Schwarm von Russen, schwerbewaffnet und sehr mißtrauisch, in den Operationsbunker. Fassungslos bleiben sie stehen und starren auf die abgeschnittenen Gliedmaßen, die herumliegen. Ihre Augen ruhen in aufgeschnittenen

Bäuchen. Einer, ein großer, starker Kerl, geht ganz nahe heran, um in einen offenen Leib zu sehen. Die Operationsschwester schiebt ihn weg, erschreckt ihn. Der Russe feuert zweimal in die Erde und verletzt den Fuß der Krankenschwester.

Aber, Gott sei Dank, in diesem Augenblick bringt man einen schwerverletzten russischen Offizier, den Adjutanten des Kommandierenden Generals, in den Raum, denn es spricht sich in Kriegszeiten erstaunlich schnell herum, wo ein Arzt zu finden ist. Der Russe ist schwer verletzt. Ich gehe auf ihn zu, winke, man möge ihn auf einen Tisch legen, aber schon steht ein russischer Sanitätsoffizier da, ein Arzt, und wehrt mir. Ich glaube zu verstehen, daß er mich fragt, wer ich sei. Ich nenne nur meinen Namen: „Sauerbruch", worauf die Gruppe, die sich um den verwundeten Offizier bemüht, aufblickt. Der Arzt wiederholt meinen Namen: „Sauerbruch." Er bedeutet mir mit Gesten, ich solle dem Verletzten die Kugel aus dem Bauch schneiden. Das tue ich denn auch.

Während ich operiere, durchstöbern die Russen unter der Führung eines Offiziers den Bunker. Ich höre, wie sie Margot fragen:

„Wer du?"

Sie antwortet russisch: „Deutsche Ärztin", und man läßt sie ungeschoren.

Bald kam dann ein höherer Offizier. Ich brachte ihn nach oben, denn die Artillerie schoß nicht mehr auf uns. Er wollte verhandeln, wie man in der Charité jetzt vorgehen solle.

Der Russe trat vor mir ins Zimmer. Seine Ordonnanz jedoch hielt mich noch auf, wies auf mein Armgelenk und flüsterte beschwörend:

„Urri!"

Ich gab ihm die Uhr.

Warum waren die Sieger alle miteinander so wild auf Uhren? Alle, sogar die Amerikaner! –

Die neuen Herren der Stadt, die Russen, hinderten mich nicht daran, meine Tätigkeit fortzusetzen. In Berlin selbst war zwar der Krieg zu Ende, aber die Verwundeten aus den Tagen des letzten Sturmes auf Berlin strömten uns in nimmer enden wollenden Massen zu, unterschiedslos Deutsche und Russen.

Man machte mich in der folgenden Zeit zum Chef des Berliner Sanitätswesens. In meiner Arbeit änderte sich nichts, außer daß sie mühsam geworden war. Die Sorge um das Geschick der Verwundeten behielt die Oberhand.

Mit der Zeit normalisierten sich die Verhältnisse etwas. Mit den Russen kamen wir in mannigfache Berührung, und das machte eigentlich keine Schwierigkeiten, weil diese Russen fast immer phantasievolle Leute waren.

Der damalige russische Stadtkommandant Bersarin kam oft in die Charité. Eigentlich nur, um mich zu besuchen. Er plauderte mit mir, rauchte Zigaretten, brachte stets ein Flasche Wodka mit und benahm sich auch sonst entgegenkommend. Sehr bald kamen dann auch andere Offiziere, und schließlich wurden wir Mode. Wenn ein russischer Offizier krank wurde, kam er zu uns in die Charité und wurde auf meiner Privatstation behandelt. Man muß sich dabei in die Erinnerung rufen, daß es in der damaligen Reichsmarkzeit in Deutschland für deutsche Kranke kaum etwas zu essen gab. Natürlich brachten die Russen ihre Verpflegung in die Klinik mit. Mit allen Kranken dieser Art kamen sowohl ich, die anderen Ärzte wie auch das gesamte Personal des Krankenhauses recht gut aus.

Da war die zwanzigjährige, mit ihren leicht tatarischen Zügen sehr attraktive Tochter eines russischen Generals, der in Halle stationiert war und der neben seiner Ehefrau auch diese Tochter nach Deutschland hatte kommen lassen. Das eine Bein Ritas war zwanzig Zentimeter zu kurz, und das war für das sonst so hübsche Mädchen natürlich eine Katastrophe.

Eines Tages kam Papa General mit seinem Dolmetscher-Adjutanten Orloff und mit Rita an. Sie stürmten unisono mein Arbeitszimmer. Rita zeigte das zu kurze Bein vor, begann der Sicherheit halber auch gleich zu weinen, daß die fehlenden zwanzig Zentimeter sie verunstalteten, und der Vater General hielt mir eine Rede von rund zehn Minuten Dauer, eine veritable Ansprache, die Herr Orloff mit dem Satz wiedergab:

„Sie sollen das Bein länger machen. Keine Widerrede! Der General befiehlt es!“

Nun, ich brachte doch noch ein kleines Gespräch zustande und erfuhr, daß alle russischen Ärzte, die konsultiert worden waren, erklärt hatten: „Da ist nichts zu machen, sie muß sich damit abfinden.“

Ich meinte, man könne es versuchen. Gefragt, wie lange das Ganze dauern könne, antwortete ich etwas obenhin:

„Vielleicht sechs Wochen.“

Mein Vorschlag ging dahin, Rita gleich dazulassen, aber das wollte der General nicht. Er hielt mir wieder eine längere Ansprache, und abermals übersetzte der Dolmetscher sehr kurz:

„Man muß doch Vorbereitungen treffen.“

Und ein paar Tage später zog eine richtige Wagenkolonne bei uns in die Charité ein. Im ersten, einem offenen Personenwagen, saßen der General in Uniform, dann die Frau Gemahlin, merkwürdigerweise auch in Uniform, sehr rüstig, ununterbrochen Zigaretten rauchend, sie trug schöne hohe rote Juchtenstiefel, und dann die an einem Bein zu kurze Tochter.

Im zweiten Wagen saßen der Dolmetscher Orloff, ein russischer Militärarzt und der Adjutant des Generals, ein Major.

Alsdann kamen Lastwagen mit gackernden Gänsen und Hühnern, mit Mehl, Eiern, Schinken und mit Konserven jeglicher Art. Es fehlten auch nicht der Wein und die Zigaretten; Schnaps, unzählige Büchsen mit Milch und alle Nahrungsmittel, die man sich vorstellen kann, wurden gleichfalls ausgeladen.

Wir gerieten in große Verlegenheit.

Ein Krankenzimmer mußten wir als Vorratsraum einrichten, es ganz besonders gut verschließen, denn – schließlich hungerten wir alle. Auf dem Balkon in der Privatstation wurden die Gänse und Hühner untergebracht.

Während Rita ins Bett ging, um für die Operation am nächsten Tag vorbereitet zu werden, befahl der General dem Major, eine Rede zu halten, und wenn Herr Orloff richtig übersetzt hat, was ich nicht beurteilen kann, so hat der Major gesagt:

„Deutschland und Rußland sind miteinander verbunden. Uns trennt nur die Sprache. Wir haben heute einen wunderbaren Tag. Der Major sagt, ihr sollt sofort die Flasche austrinken!"

Wir tranken die Flasche aus, und am nächsten Morgen operierten wir Rita. Der russische Arzt stand mit großen Augen dabei, als wir die Extension machten. Dann legten wir Rita ins Bett und hängten ein schweres Gewicht an das operierte Bein, wie man es in solchen Fällen tut.

Als die Kranke aus der Narkose erwachte, hatte sie natürlich Schmerzen. Wir gaben ihr Morphium, und ich erklärte dem russischen Kollegen durch den Dolmetscher, daß die Kranke in der Nacht Schmerzen haben werde. Das Gewicht müsse aber auf jeden Fall am Bein verbleiben.

In der Nacht schrie Rita die Klinik zusammen. Der russische Arzt, der die Nächte, laut Befehl des Generals, an ihrem Bett zu verbringen hatte, nahm das Gewicht sofort ab. Infolgedessen mußten wir am nächsten Tag wiederum das Bein einrichten, weil sich die Knochenenden verschoben hatten. Die Klinik zitterte, draußen tobten General und Generalin. Wenn die beiden ruhig waren, randalierte der Major, Herr Orloff übersetzte immer nur lakonisch:

„Wir sind alle sehr böse!"

Es wurde ganz schrecklich, als Rita eine Infektion bekam, denn die Manipulationen mit den immer wieder einzurichtenden Knochen und dem Abnehmen der Gewichte hält selbst ein russisches Bein auf die Dauer nicht aus. Sie hatte vierzig Grad Fieber, und wir sahen uns alle schon in Sibirien.

Als das erste Nachkriegsweihnachten herankam, wurde sie völlig hysterisch. General und Generalin hatten ihr dauerndes Geschrei nicht aushalten können und waren nach Halle zurückgekehrt. Beeindruckt von den Weihnachtsvorbereitungen in der deutschen Klinik, wurde sie sentimental und begehrte, das Fest bei ihren Eltern in Halle zu verbringen. Da kam der Major aus Halle mit einem überdimensionalen Krankenwagen, der Platz für die Gewichte und die Verpflegung Ritas hatte, und so wurde sie auf Weihnachtsurlaub nach Halle gebracht. Sie kam nicht wieder, und wir dachten schon, wir wären die schreckliche Patientin los. Keineswegs! Jetzt holte man mich nach Halle. Der Major kam mit dem Wagen und bat mich an das Bett zu Rita. Es hatte jedoch alles keinen Zweck, denn der russische Arzt hängte immer gleich die Gewichte aus, wenn die Tochter des Generals schrie.

Diese Geschichte endete sehr merkwürdig.

Als ich das zweitemal in Halle war, packte mich die Wut, und ich ging zum Vater General, um ihm im Beisein des Dolmetschers Orloff eine prächtige Rede zu halten. Die war ausführlich und kräftig. Am Schlusse meiner Rede sah ich mich wieder einmal in Sibirien.

Der General ließ Herrn Orloff gar keine Zeit zum Übersetzen, er umarmte mich nur und ließ Wodka kommen. Dann ließ er mich nach Hause fahren. Ich nehme an, daß ihm meine Rede, die er ja nicht verstehen konnte, optisch und akustisch sehr gefallen hat.

Rita habe ich nie wiedergesehen.

Nach diesem zweiten Krieg, nach dieser Naturkatastrophe, mußte auch ich – wie der überwiegende Teil von uns – die Eröffnungsbilanz eines neuen Lebens machen. Ich hatte das große Glück, daß mein Haus nicht zerstört war, auch der Besitz meiner ersten Frau in Wannsee war heil geblieben. Meine Kinder meldeten sich, nur mein Sohn Friedrich, der Arzt, fehlte. Ich sorgte mich um ihn. Noch war ich damals Chef der Chirurgischen Klinik und einiges andere mehr, wenn ich auch diese Ämter infolge der komplizierten Verhältnisse in Berlin und im Verlauf von vielen Wirren und Wirrungen später niederzulegen hatte. Wie gesagt, ich war noch Chef, als in der Klinik bei mir ein russischer Offizier erschien. Er sah wild und gewalttätig aus, und er litt an Brustkrebs. Ich behandelte ihn, konnte ihm helfen, aber er hatte keine rechte Vorstellung davon, wer ich war. Als wir uns verabschiedeten, fiel ihm doch wohl mein Name auf, und er sagte:

„Ich Kommandant Gefangenenlager in Niederschlesien. Da viele Deutsche. Da auch ein Militärarzt Sauerbruch."

Blitzschnell sagte ich:

„Das ist mein Sohn! Den gibst du sofort heraus!"

„Gut! Du hast mich gesund gemacht, ich bringe dir Sohn."

In der nächsten Woche kam er in einem Automobil an. Er brachte mir den Friedel und als Zugabe noch einen großen Käse und andere Dinge mehr.

Im Menschlichen hatte ich so wieder alles beisammen.

Bald jedoch legte ich alle meine Ämter nieder.

Schließlich und endlich lud man mich noch vor das Entnazifizierungsgericht.

Einer der Leute dort, die über mich zu richten hatten, fragte mich:

„Welche Personen können Sie benennen, die wohl bereit wären, zu Ihren Gunsten auszusagen?“

Ich entgegnete nur:

„Ich hoffe nur, daß zu meinen Gunsten die vielen Verwundeten und die vielen Kranken aussagen, denen ich geholfen und denen ich das Leben gerettet habe.“

Ich weiß ja nicht genau, wie sich das im einzelnen abspielen wird, wenn ich einmal zur großen Armee abberufen werde. Sicherlich ist da auch wieder ein Ankläger. Vielleicht wird er mir vorwerfen, ich hätte in großen Zügen gelebt und alles Kleine und jegliche Kleinlichkeit verachtet. Er wird bemängeln, daß die „stille Gelehrtenstube“ nicht ganz meine Art war. Den vielen Champagner, den ich getrunken, die vielen Frauen, in die ich mich verliebt habe, wird man mir vorrechnen. Vielleicht wird der Ankläger mir auch vorwerfen, daß ich mich keineswegs an die Vorschriften Platons gehalten habe, obgleich das Schicksal mir diesen Autor schon in meiner Jugend so nachdrücklich präsentierte. Sogar Kitharistinnen habe er kennengelernt, wird es vielleicht von mir heißen, und er wird fragen:

„Wer eigentlich, meine arme Seele, sollte wohl für dich zeugen?“

Ich bin ganz getrost, ich werde wieder antworten:

„Ich hoffe, daß zu meinen Gunsten die vielen Verwundeten und die vielen Kranken aussagen werden, denen ich geholfen und denen ich das Leben gerettet habe, mein lieber Ankläger.“

„Mein lieber Ankläger“, so werde ich ihn anreden; denn da oben darf man ja nicht grob sein!

ANHANG

STELLDICHEIN MIT DEM TODE

Eine vergessene Episode aus dem Leben Sauerbruchs

Der Sanitätswagen passierte die Pforte des großen Krankenhaus-Komplexes. Es war ein Wagen des Roten Kreuzes. Mit Schwung nahm der Chauffeur die flache Kurve und hielt vor der „Aufnahme", einem kleinen Haus dicht am Hauptportal, in dem sich auch die Rettungsstation befand. Der Beifahrer sprang heraus, betrat das Haus und erschien gleich darauf wieder, begleitet von einem jungen Arzt in weißem Kittel. Der Sanitäter trat an den Wagen heran und öffnete die seitliche Tür ins Innere.

„Selbstmörderin – sie versuchte unter einen einfahrenden Zug zu springen", informierte er den Arzt sachlich, „einer hat sie zurückgerissen, und dabei hat sie sich am Bein verletzt."

Der Arzt warf einen kurzen Blick auf die Frau im Wagen, die drinnen auf der Tragbahre lag.

„Sind Sie in der Krankenkasse?" fragte er. Im Wagen rührte sich nichts. Die Frau lag mit geschlossenen Augen. Dann flüsterte die Stimme eines Mannes aus dem Inneren:

„Wir wissen gar nichts von ihr, Herr Doktor – Papiere hat sie keine."

Der Arzt beugte sich vor, nahm den Puls der Patientin, zählte kurz und griff dann nach dem Augenlid, es mit dem Daumen leicht anhebend. „Bewußtlos ist sie nicht", murmelte er. Dann trat er vom Wagenschlag zurück.

„Psychiatrische – Sie wissen ja Bescheid", sagte er zu den Sanitätern, „ich lasse Sie anmelden", nickte grüßend und ging davon.

Der Wagen rollte die von Rasenflächen, Sträuchern und Blumenbeeten begrenzten Asphaltwege entlang, passierte die medizinische Klinik, passierte die Pathologie mit der Leichenhalle, passierte die Frauenklinik. Er erreichte eine übermannshohe Backsteinmauer, die oben mit nach innen gebogenen spitzigen Eisenstangen armiert war.

Es war die Mauer, die den wohlgepflegten „Park“ der psychiatrischen Klinik umgab. Der Wagen rollte an ihr entlang und erreichte die Front eines Gebäudes, das sich in nichts von den anderen Häusern des großen Komplexes dieser Metropole der Krankheit und Forschung unterschied.

Der Mann aus dem Sanitätswagen stieg aus und betrat das Haus. Wieder gab er einem Pförtner das Losungswort: „Selbstmörderin.“

Der Mann in dem kleinen, mit dem Schiebefenster versehenen Raum sah ihn an und fragte dann: „Habt ihr die Personalien?“

Der Sanitäter schüttelte den Kopf:

„Wir haben nichts – außerdem ist sie verletzt.“

Der Mann hinter dem Fenster nickte bloß und meinte: „Na, dann bringt sie mal ’rein zur Untersuchung, ich werde gleich anrufen.“

Wie eine wohlgeölte Präzisionsmaschine und ebenso unpersönlich schleuste die Organisation das havarierte Leben an seinen vorläufigen Bestimmungsort, wo das weitere Schicksal entschieden werden sollte.

Die Kranke blickte hinter halbgeschlossenen Wimpern auf den jungen Arzt, der neben dem Untersuchungsbett stand, auf das die helfenden Hände sie gelegt hatten. Er sah auf sie hinunter. Die Mischung aus Resignation und Leid, die über dem noch jugendlichen Gesicht der Frau lag, irritierte ihn. Er war noch ein Neuling in der Klinik.

Depressiv? – Er legte sich in Gedanken diese einfachste Diagnose zurecht und verwarf sie zögernd wieder.

„Wollen Sie uns nicht Ihren Namen nennen?“ sagte er leise zu der Frau.

Die Liegende antwortete nicht, regte sich nicht, verzog keine Miene. Wie enttäuscht drehte sie bloß die Augäpfel in die andere Richtung.

Was erwartet sie eigentlich von mir? dachte der Arzt. Übertrieben laut sagte er dann:

„Schreiben Sie, Schwester: Patientin ist bei Einlieferung

bei Bewußtsein, aber nicht ansprechbar, sie beantwortet die üblichen Fragen nicht."

Er beugte sich hinunter und betastete flüchtig das rechte Bein der Kranken, das mit einer Cramerschiene notdürftig, aber offensichtlich fachmännisch versorgt worden war.

„Das ist eine Oberschenkelfraktur", sagte er vor sich hin, „kann man durch den Verband hindurch diagnostizieren." Beifallheischend blickte er zur Schwester hinüber. Die starrte ungerührt vor sich hin.

„Schreiben Sie, Schwester: Patientin zog sich bei einem Tentamen suicidii – t-e-n", begann er zu buchstabieren.

„Ich weiß, Herr Doktor", unterbrach ihn die Schwester schnippisch, „ein Selbstmordversuch – das kennt man hier bei uns."

Der Arzt schien verstimmt, daß weder seine Blitzdiagnose des Oberschenkelbruchs noch seine geschauspielerte Sicherheit Eindruck auf die Schwester machte. Mit etwas zuviel Forschheit in der Stimme setzte er das Diktat des Aufnahmeprotokolls fort.

„Patientin versuchte sich vor einen Zug zu werfen. Ein Mann auf dem Bahnsteig riß sie zurück. Sie kam dabei zu Fall und brach den Oberschenkel. Ein Arzt leistete die Erste Hilfe und veranlaßte die Überführung in die psychiatrische Klinik. Sein Name ist nicht bekannt. Die Polizei wurde von dem Vorfall verständigt. Patientin wird wegen Gemeingefährlichkeit hier aufgenommen."

„Sind Sie fertig?" fragte er dann grob und fügte hinzu: „Füllen Sie das Formular aus und schicken Sie es dem Oberarzt 'rüber. Sagen Sie ihm auch, daß die Fraktur versorgt werden muß. Ich denke, er wird da einen Knochenmann kommen lassen. Geben Sie schon das Zeug her, damit ich unterschreibe, Sie können den Rest nachher ausfüllen."

Er unterschrieb das Papier und verließ den Raum.

„Wie geht's der Frau vom Bahnhof?"

Der Oberarzt behielt sein Pokergesicht bei, die Haltung, die er sich in langen, harten und entsagungsreichen Jahren angelernt, andressiert hatte. Aber hinter seiner unbewegten Stirn tobten die Gedanken:

Was ist denn das nun wieder? Was ist denn da wieder einmal schiefgegangen? Den Kerl bring' ich um! Ich weiß zwar nicht, wer das wieder versiebt hat – aber ich bring' ihn um! – „Frau vom Bahnhof" – habe ich nie gehört – ist das ein Witz vom Alten? Dann muß ich jetzt lachen. Aber er sieht gar nicht nach Witz aus – es ist zum Verrücktwerden! – Ist er vielleicht übergeschnappt. –

„Ich habe gefragt, Herr Professor, wie es der Frau vom Bahnhof geht?"

Allmächtiger, er gibt nicht nach! – Die Gedanken des Oberarztes drehten Loopings und Rollen. Dann sagte er in seiner Verzweiflung: „Von welchem Bahnhof, Herr Geheimrat?"

„Du Trottel, glaubst du, ich habe auf meiner Reise nichts anderes getan, als auf allen Bahnhöfen Patientinnen für diese Klinik gesammelt!" Sauerbruch wurde sachlich. „Wenn Sie schon in Ihrem Laden nicht Bescheid wissen, dann erkundigen Sie sich gefälligst, aber sofort, wenn ich bitten darf!"

Der Oberarzt enteilte und machte den Eindruck eines Mannes, der billig davongekommen ist.

„Wie geht es der Frau vom Bahnhof?"

Die vier Stationsärzte der Frauenstation – sie hatten die harte entsagungsreiche Schule der Klinik noch nicht völlig absolviert – rissen wie Lehrbuben vier Münder und acht Augen auf und blickten ängstlich und unsicher auf den Oberarzt. – Der Wille der Götter ist unerforschlich! sagten ihre Mienen.

„Ich frage, wer von Ihnen hat die Frau vom Bahnhof auf der Station?" Die oberärztliche Stimme klang unverblümt drohend.

Die vier Opfer sahen sich verstohlen an. – Er spinnt wieder einmal! sprachen die Blicke. Dann richteten sie unisono, wie unter dem Zeichen eines unsichtbaren Kapellmeisters, die Augen wieder auf ihren Peiniger und schüttelten viersam den Kopf.

Der Oberarzt raufte sich andeutungsweise die nach Chirurgenart geschnittenen Haare. Er schien ausbrechen zu wollen. Statt dessen aber brach er zusammen und sagte kleinlaut:

„Nun helfen Sie mir schon, meine Herren! Wie soll ich es dem Chef beibringen, daß wir keine ‚Frau vom Bahnhof' in der Klinik haben?"

„Was soll denn mit ihr los sein, mit der komischen Frau vom Bahnhof?" fragte jetzt ein heller Kopf.

„Weiß der Himmel!" seufzte der zum Kollegen gewordene Oberarzt. „Der Chef hat sie auf irgendeinem Bahnhof in Deutschland oder so aufgelesen, glaube ich, und hat sie hierhergeschickt. Weiß Gott, wo sie jetzt steckt oder ob sie je hier ankam! Wo ich sie hernehme, ist ihm Wurscht – er will sie haben."

„Aber das ist doch ganz einfach", sagte einer, „wir werden schnell wissen, wo sie abgeblieben ist, wenn sie überhaupt hier bei uns ankam. Die chirurgische Klinik stellt den jeweiligen Aufnahmearzt. Wir werden uns durchfragen, und so Gott will, wird sich einer der Kerle an die ‚Frau vom Bahnhof' erinnern. Sie sind zwar alle dämlich – vielleicht haben sie gar die Gynäkologen geschnappt, die ‚Frau vom Bahnhof' – das wäre nicht schlecht, wenn unser Mann sie denen zugeschoben hätte. Ich möchte nicht in seiner Haut stecken."

„Wir werden morgen den spanischen General operieren. Wie Sie wissen, handelt es sich bei ihm um eine fieberhafte Phlegmone im vorderen Mittelfellraum. Die Röntgenaufnahmen haben gezeigt, daß die Eiterung durch ein Steckgeschoß in der Brust hervorgerufen wird, und wir glauben mit Recht annehmen zu dürfen, daß dieses Steckgeschloß zur Bildung einer Fistel geführt hat."

Der Chef wandte sich zum Vorlesungsassistenten und sagte zu ihm:

„Reich mir die Röntgenaufnahmen des Falles."

Er wählte eines der großen Filmbilder, hielt es gegen das Licht und sagte zu einem Praktikanten:

„Schauen Sie sich das mal an! Was sehen Sie denn da?"

Der Praktikant stotterte etwas, und der Chef sagte:

„Nun sag schon, was du siehst. Jedes Kind sieht den schwarzen erbsengroßen Schatten in der Herzgegend. Was ist das?"

Praktikant: „Es ist ein Steckgeschoß."

„Und was tut man damit?"
Praktikant: „Man schneidet es heraus."

„Ja, wenn das so einfach wäre. Wir haben bei diesem tapferen Verteidiger des Alcázar, der uns drei Wochen nach seiner Verwundung überwiesen wurde, bereits mehrfach Spaltungen der vorderen Brustwand vorgenommen und haben den Mittelfellraum eröffnet, um einen Abfluß der angestauten Absonderung zu ermöglichen. Bei dieser Behandlung verschwanden die Atembehinderungen und die Schmerzen, die über den ganzen Brustraum und bis hinunter in den Oberbauch ausstrahlten. Auch das Fieber klang ab. Dagegen dauerten die Herzbeschwerden an. Extraszystolen, Unregelmäßigkeit des Pulses."

Der berühmte Chirurg legte die Röntgenbilder weg und wandte sich wieder zu seinen Zuhörern: „Und neuerdings auch stellen sich wieder Entzündungen und Eiterungen ein, und jetzt sind wir gezwungen, da der Splitter anscheinend keine Ruhe geben will, einen Eingriff in die Tiefe des Brustraums zu unternehmen. Die Operation ist für morgen angesetzt. Ich hoffe, Sie werden sich alle den interessanten Eingriff ansehen. Guten Tag, meine Damen und Herren."

Der Chef, hinter sich einen Kometenschweif herziehend, zusammengesetzt aus Gästen, Assistenten, Faktotum und Krankenschwestern, enteilte aus dem Kolleg in die Klinik. In seinem Zimmer angelangt – der Kometenschweif war abgebröckelt und hatte sich zuletzt aufgelöst –, sagte er zur Sekretärin:

„Professor N . . . soll sofort kommen."

Der Oberarzt erschien, und die heftig hervorgestoßene Frage „Wo ist die Frau vom Bahnhof" setzte ihn diesmal nicht in Verlegenheit.

„Unsere Recherchen, Herr Geheimrat, die wir seit gestern durchgeführt haben, ergaben ein schnelles Resultat."

„Spar dir die Einleitung! Wo ist die Frau vom Bahnhof?"

„In der Psychiatrischen, Herr Geheimrat."

„Was ist das für ein Saustall – wie kommt die Frau, wie kommt meine Patientin in die psychiatrische Klinik?

Veranlasse sofort die Verlegung meiner Patientin in meine Klinik!"

„Aber, Herr Geheimrat, die Patientin ist ein Suizid, und Herr Professor B . . ."

„Da ich hier ja doch alles selber machen muß, kann ich schließlich auch das für Sie tun, wenn Sie dazu nicht in der Lage sind!"

Der Chef ergriff den Hörer und schnauzte:

„Sofort eine Verbindung mit Professor B.!"

Der Hörer knallte auf die Gabel zurück, und der Oberarzt enteilte.

„Zeus donnert", sagte er draußen säuerlich lächelnd zur Sekretärin.

„Gleich wird er säuseln", antwortete sie lachend.

„Guten Tag, mein lieber B.!" flötete der Chef in den süßesten Tönen. „Es ist mir ein wahres Herzensbedürfnis, dir zu deinem Vortrag über den Insulinschock bei Schizophrenie zu gratulieren. Er war für mich wirklich eine Erleuchtung."

Kleine Pause, in der das Telefon spricht.

„Jaja, natürlich, mein lieber B.!" – Der Chef hatte offensichtlich nicht den Wunsch, sich über den Insulinschock bei Schizophrenie zu unterhalten. – „Ich wollte noch etwas Praktisches mit dir besprechen. Ich habe da vor drei Wochen auf dem Bahnhof eine Frau von einem Selbstmord zurückgehalten und habe gleich auf dem Bahnsteig ihren Oberschenkelbruch schnell eingerichtet. Wie sie bei dem Fall, den sie tat, das Bein brechen konnte, ist mir völlig rätselhaft. Da stimmt etwas nicht. Mein Zug mußte die ganze Zeit über warten, bis ich fertig war. Was glaubst du, wie ich angeben mußte, um den Zug zum Warten zu bewegen. Es war schrecklich! – Also, dieser Fall interessiert mich, und ich würde ihn mir gerne einmal bei dir ansehen."

Wenn sich Klinikvorstände in ihren Kliniken besuchen, so erinnert das an die Begegnung zweier Fürstlichkeiten. Der Direktor der chirurgischen Klinik traf im kleinen Kreis ein: Oberarzt, Assistenzarzt und Faktotum. Während das Gefolge im Vorzimmer wartete, betrat der Chirurg das Zimmer des Psychiaters, der seinen Oberarzt zur Konferenz gebeten hatte. Sauerbruch wurde mit kollegialem Schmunzeln begrüßt und erfüllte augenblicks den Raum mit seiner quecksilbrigen Persönlichkeit.

„Wir wußten natürlich nicht, mein lieber Sauerbruch“, sagte der Psychiater, „daß du es warst, der unsere Patientin vor dem Selbstmord bewahrt hat.“

„Es ist unglaublich“, sagte der Chirurg, „ich habe doch ausdrücklich Weisung gegeben, die Kranke bei mir einzuliefern.“

„Aber selbstverständlich erkennen wir deine Priorität an, mein sehr Verehrter, und wenn wir eine Ahnung gehabt hätten ...“

„Also, wo ist die Patientin? Ich möchte sie doch sehr gern jetzt sehen.“

„Bitte, noch einen Augenblick, mein Lieber, der Fall liegt etwas komplizierter, und Kollege K. hier wird dir kurz referieren. Wir haben die Kranke in den letzten vierzehn Tagen dazu gebracht, uns ihren Namen zu nennen. Die Polizei hat den Ehemann aufgesucht. Er hat sich hier nicht blicken lassen, sondern einen kühlen Brief geschrieben. Sie habe ihn verlassen, wahrscheinlich wegen eines anderen, und er sei fertig mit ihr – in dieser Art. Alles Weitere wird uns jetzt der Herr Kollege berichten.“

Der Oberarzt der psychiatrischen Klinik setzte sich in Positur und trug frei vor, indem er gelegentlich die Krankengeschichte zu Rate zog.

„Olga A., 32 Jahre alt, Suizid. Patientin war bei ihrer Einlieferung in die Klinik nicht ansprechbar und äußerte sich zu nichts. Sie ließ alles willenlos mit sich geschehen. Die Behandlung wurde Dr. S. übertragen. Es gelang ihm nach einigen Tagen, die Patientin zum Sprechen zu bringen. Sie gab Namen und Wohnort an. Nach den Gründen für ihren Selbstmordversuch befragt, gab sie wiederum keinerlei Auskünfte. Sie lag die Tage über teilnahmslos im Bett, sprach weder mit anderen Patienten noch mit den Wärterinnen. Sie verweigerte tagelang die Nahrungsaufnahme, und erst als mit künstlicher Ernährung gedroht wurde, begann sie wenig zu essen. Eine Anfrage bei der Heimatgemeinde ergab kein klares Bild. Der Ehemann schrieb, daß seine Frau vor vierzehn Tagen ohne Angabe von Gründen verschwunden sei. Sie habe sich schon seit ein oder zwei Jahren schlecht gefühlt. Aber er habe früher sehr gut mit ihr zusammen gelebt. Eine eingehendere Untersuchung der Kranken, bis auf die üblichen Blut- und Harnteste, ist bisher mit Rücksicht auf den Oberschenkelbruch unterblieben. Dieser ist von Dr. K. in der üblichen Weise versorgt worden. Vermutungsdiagnose: endogene Depression."

„Kann ich jetzt vielleicht die Patientin sehen, meine Herren", unterbrach der Chirurg und erhob sich. Man merkte ihm die Ungeduld an, wie er im knappen, zu knappen weißen Kittel dastand, die kleinen scharfen Augen hinter den Brillengläsern auf die beiden anderen gerichtet. Die anderen Herren erhoben sich ebenfalls, und der Direktor der psychiatrischen Klinik machte eine verbindliche Handbewegung:

„Die Patientin ist bereits in einem Untersuchungszimmer untergebracht."

Als Sauerbruch mit seinem Gefolge, das sich jetzt um zwei Männer vermehrt hatte, an das Bett der Kranken trat, leuchteten deren Augen auf. Dann begann sie lautlos zu weinen. Sauerbruch legte ihr die Hand auf die Stirn und sagte:

„Na, na, mein Mädchen." Dann nahm er sein Taschentuch und wischte ihr die Tränen fort.

„Ach, Herr Doktor", sagte sie, „daß Sie nur wieder da sind – ich habe so sehr auf Sie gewartet!"

Die Anwesenden hatten die kleine Rührszene mit einigem Unbehagen beobachtet. Man schätzt die Äußerung von Gefühlen am Krankenbett in den Kreisen der wissenschaftlichen Mediziner nicht. Aber Sauerbruch schien von seiner Umgebung nichts mehr zu wissen. Er fragte die Kranke:

„Nun sag mir, wie konntest du nur so etwas anstellen?"

Die Frau wandte den Blick ab und sprach leise, wie zu sich selbst:

„Wenn man in seinem Leben zu gar nichts taugt – nicht zum Arbeiten, wenn man kaum gehen kann ohne Schmerzen, seinen Haushalt nicht versehen kann und nicht einmal zum Tanzen oder Vergnügtsein taugt – so ist man nur eine Last für die anderen und für sich selbst. – Hierher gehöre ich aber dennoch nicht!“

„Aber, was soll denn das alles heißen“, sagte der Chirurg, „warst du denn so schwer krank?“

„Nein, Herr Doktor, die Ärzte haben mir immer gesagt, daß sie nichts Ernsthaftes finden können und daß ich nur rheumatische Beschwerden hätte. Ich tauge eben nicht für diese Welt, und mein armer Mann wird eine Bessere finden, wenn ich weg bin.“

Der Chirurg erhob sich vom Krankenbett, auf dessen Rand er gesessen hatte, und blickte die beiden Psychiater an. Die zuckten die Schultern, als wollten sie sagen: Da haben Sie's. – Sauerbruch trat auf die beiden zu und fragte sie flüsternd:

„Sind Sie Ihrer Sache sicher, meine Herren?“

„Sicher kann man nie sein, bevor man das nicht lange Zeit beobachtet hat, aber die Äußerungen, wie Sie selbst hörten, sind beinahe klassisch, dazu die fehlende Krankheitseinsicht ...“ Und der andere Psychiater murmelte etwas von angedeuteter „Veraguthscher Falte“, dem früheren depressiven Stupor und der bestehenden „melancholischen Verstimmung“.

„Ich möchte die Röntgenbilder des Oberschenkels sehen“, sagte Sauerbruch bestimmt, „mir ist da einiges aufgefallen, und dem wollen wir einmal nachgehen.“

Er erhielt zwei Röntgenbilder, trat ans Fenster, hielt sie sich vor die Augen, dann sagte er:

„Das ist kein einfacher glatter Oberschenkelbruch, das ist entweder ein Sarkom (bösartige Geschwulst von krebsähnlichem Charakter) oder ...“ Er wandte sich zu den anderen:

„Sehen Sie einmal, meine Herren, diese Fleckung hier und die Trübung der Knochenbälkchen. Das sieht aus wie eine fortschreitende Erweichung des Knochens.“ Er unterbrach sich und trat ans Krankenbett und sagte zu der Kranken:

„Haben Sie in der letzten Zeit öfters Unfälle gehabt?“

Die Kranke lächelte leise und ein wenig wehmütig:

„Ja, Herr Doktor“, sagte sie, „ich bin eine schrecklich ungeschickte Frau und habe schon zweimal den Arm gebrochen.“

Sauerbruch schwang herum. Er blickte triumphierend auf die anderen:

„Da haben Sie's, das ist ein Recklinghausen, so wahr ich hier stehe! Ich will sofort eine Gipsschere haben, und die Patientin muß sofort in meine Röntgenabteilung. Ich bin sicher, daß wir weitere Herde in den langen Knochen finden werden."

Die Kranke lag in Narkose auf dem Operationstisch. Der Oberschenkel ihres rechten Beines lag frei, und Sauerbruch öffnete mit einem langen Schnitt den Zugang zum gebrochenen Knochen. Er erweiterte die Wunde und sagte dann zu den Umstehenden:

„Sehen Sie her, das ist ein ‚brauner Tumor' und kein Sarkom; aber wir wollen immerhin die hohen Herren von der Pathologie befragen."

Er schnitt aus dem Knochen ein kleines Stück heraus und legte es mit der Pinzette in ein Schälchen, reichte dieses seinem immer gegenwärtigen Faktotum und sagte:

„Hier, schnell hinüber in die Pathologie – in drei Minuten bist du wieder hier."

Dann trat er vom Operationstisch zurück. Die Hände vorsichtig vor sich hin haltend, sagte er zu den Zuschauern:

„Wir haben es hier also mit einer Ostitis fibrosa zu tun, die Recklinghausen zuerst beschrieben hat. Die Krankheit ist dadurch gekennzeichnet, daß an den verschiedensten Stellen des Skeletts, zuletzt sogar im Schädelknochen, Auftreibungen und Höhlenbildungen auftreten. Wenn man nun längere Zeit zuwartet, beispielsweise wie hier bei einem Herd im Oberschenkel, so wird die Auftreibung immer größer und die Rindenschicht des Knochens immer dünner und dünner. In den entstandenen Hohlräumen befindet sich eine braune Flüssigkeit, weshalb man diese Geschwülste auch ‚braunen Tumor' heißt. Sie haben aber mit bösartigen Geschwülsten, wie z. B. den Sarkomen, nichts zu tun, sondern entstehen durch einen vermehrten Abbau des Kalks in den Knochen, haben also mit dem Kalkstoffwechsel zu tun. Früher, als man sie nicht von den bösartigen Geschwülsten unterscheiden konnte, hat man sie ausgeschnitten, ganze Gliedmaßen amputiert, und wir hätten auch hier vor einigen Jahren noch diesen Oberschenkel fälschlich amputiert."

Das Faktotum hatte den Operationssaal wieder betreten und ging auf Sauerbruch zu.

„Sarkom", sagte er kurz.

Sauerbruch bekam einen roten Kopf. Er war zunächst sprachlos. Dann wandte er sich mit einem Ruck dem Operationstisch wieder zu. Verbissen sagte er über die Schulter hinweg zu seinem Oberarzt:

„Machen wir weiter – wir amputieren nicht."

„Das ist ihr Todesurteil", flüsterte einer der Zuschauer einem anderen zu, „aber auch, wenn amputiert würde – da ist eben nichts zu machen."

Der andere flüsterte zurück:

„Diese Niederlage, die ihm die Pathologen beigebracht haben, erträgt er schwer. Jetzt ist er mindestens eine Woche lang nicht zu genießen."

Sauerbruch ging mit einem scharfen Löffel ins Operationsgebiet und räumte die erkrankte Stelle aus. Er arbeitete wortlos, verbissen und schnell.

„Schließen Sie", sagte er zum Assistenten, als er fertig war, und verließ den Saal.

Sauerbruch war aus dem Operationssaal in sein Arbeitszimmer gegangen. Er trug noch den zu engen, leicht blutbefleckten Kittel.

„Verbinden Sie mich mit Professor R.", hatte er der Sekretärin zugeknurrt, als er durch das Vorzimmer schritt.

Als es klingelte, nahm er den Hörer ab und sagte nach einigen Begrüßungsworten:

„Ich wäre Ihnen zu allergrößtem Dank verpflichtet, Herr Kollege, wenn Sie sich das von Ihrem Institut als ‚Sarkom' diagnostizierte Gewebe des Falles Olga A. noch einmal selber ansehen würden. Meine Erfahrung sagt mir, daß es sich bei der Patientin um einen Recklinghausen handelt, auch die Röntgenaufnahmen des Skeletts sprechen dafür. Vielleicht hilft Ihnen das bei der Diagnose."

Nach einigen verbindlichen Dankesworten legte er dann den Hörer auf.

*

Im Pathologischen Institut herrschte an diesem Tage dicke Luft. Der Vorstand des Instituts hatte ein Präparat angefordert, und dieses war nicht mehr da. Endlich fand es gegen Mittag ein Laboratoriumsdiener in einer Schublade und dazu auch das winzige Stück morschen Knochengewebes, das am Morgen aus der Chirurgie herübergebracht worden war. Der Vorstand selbst nahm sich mit seinen kundigen Händen und einer wissenschaftlichen Erfahrung, die in der Welt ihresgleichen suchte, dieses Nichts an.

„Wofür halten Sie das?" herrschte er nervös seine Assistentin an, als er das Präparat unter das Mikroskop gelegt hatte.

Die Assistentin sah lange in den Tubus und drehte die Mikrometerschraube hin und her, bevor sie sagte:

„Ich halte es noch genauso für ein Fibrosarkom wie heute früh, als ich es zum erstenmal sah."

Der Pathologe sah sie prüfend an, zuckte die Schulter, und dann sagte er:

„Meine Meinung – aber Sauerbruch hält es für eine Ostitis fibrosa. Er ist ein erfahrener Kliniker. Machen Sie aus dem Rest, der noch vorhanden ist, Schnitte, färben Sie und legen Sie mir Präparate dann vor, wir können uns da keine Blöße geben."

Tags darauf fand eine längere Unterredung zwischen dem Pathologen und dem Chirurgen statt. Der Pathologe hielt einen kleinen Vortrag über Riesenzellen und Grenzfälle und die irrige Beurteilung infolge der sehr kurzen Zeit, die der untersuchenden Assistentin zur Verfügung gestanden hätte, um das Präparat anzufertigen und zu beobachten – natürlich strafwürdig, lediglich ein einziges Präparat durchzumustern.

„Keine Entschuldigungen, Herr Kollege", sagte der Chirurg, „so was kann vorkommen – immerhin haben wir ja auch noch unsere eigenen klinischen Erfahrungen und richten uns danach."

„Im Altertum", sagte der Chirurg an dem Abend vor der Operation zu seiner Patientin, „existierte eine griechische Kolonie, die merkwürdige Gesetze hatte. Wenn sich dort einer das Leben nehmen wollte, so mußte er vor den sechshundert besten Männern der Kolonie erscheinen und ihnen die Gründe für seinen Entschluß auseinandersetzen und mit ihnen darüber diskutieren. Und erst wenn diese sechshundert Besten davon überzeugt waren, daß es für diesen Menschen wirklich keine Lebensmöglichkeit mehr gab, durfte er den Schierlingsbecher trinken, und man bereitete ihm ein schönes Totenfest."

Die Kranke sah ihn verwundert an. – Seit wann erzählen Ärzte Geschichten? dachte sie. – Und seit wann haben sie soviel Zeit für einen – besonders so ein Großer? – Und ganz allein ist er gekommen, nicht wie sonst mit einem ganzen Rudel. –

Der Arzt hatte weitergesprochen:

„Ich glaube, daß die Sechshundert dir das damals auch erlaubt hätten. Aber heute wäre diese Entscheidung falsch. Ich vermute, daß eine kleine Drüse in deinem Hals sich vergrößert hat und dadurch in dem Kalkstoffwechsel deines Körpers Unordnung hervorruft. Dadurch sind deine Knochen brüchig geworden, und das hat dich unfähig gemacht, ein normales Leben zu führen. Dein Stelldichein mit dem Tode war verfrüht, und außerdem soll man ihn Treffpunkt und Zeit bestimmen lassen."

Die Frau lächelte ihn an.

„Sie meinen, daß hierbei keine Damenwahl vorgesehen ist, ja?"

Er lächelte zurück und schenkte sich die naheliegende Bemerkung, wie schön es sei, daß sie schon wieder scherzen und lächeln könne.

„Leider muß ich dich jetzt um ein anderes Stelldichein bitten", fuhr er ernsthafter fort, „wir müssen versuchen, dir diese vergrößerte Drüse, es ist eine Nebenschilddrüse, im Halse gelegen, zu entfernen. Zu diesem Zweck muß ich dich operieren. Ich kann dir, wenn es sich nur um diese einzelne Drüse handelt, den Erfolg beinahe garantieren; aber es kommt vor, daß sich an irgendwelchen anderen Stellen des Körpers solches Drüsengewebe angesiedelt hat, und dann sind wir machtlos. Wenn du den Versuch riskieren willst, werde ich morgen die Operation vornehmen."

„Sie haben mir einmal das Leben gerettet, Herr Doktor –

ich bitte um Verzeihung, Herr Geheimrat –, ich glaube, daß Sie am besten wissen, was weiter zu tun ist."

„Wir haben deinen Mann verständigt, Olga A.", sagte dann der Arzt, „er hat zu allem seine Einwilligung gegeben."

Der Gesichtsausdruck der Kranken hatte sich bei diesen Worten verändert. Sie blickte angstvoll.

„Aber sei unbesorgt", fuhr Sauerbruch fort, „ich verspreche dir, dafür zu sorgen, daß das mit deinem Mann in Ordnung kommt, ob wir Erfolg haben oder nicht!"

Die Kranke saß halb aufgerichtet auf dem Stuhl, lange Hohlnadeln hatten schon vor Beginn der Operation das Operationsgebiet, den Hals, mit betäubender Flüssigkeit durchflutet. Sie saß mit weit zurückgebeugtem Kopf. Ein Assistent flüsterte mit ihr, sprach ihr Mut zu und sagte ihr, sie solle nicht an die Operation denken, sondern an die gesunde Zeit, die hinterher käme.

„Seien Sie unbesorgt, Herr Doktor", lächelte die Patientin, „ich habe keine Angst – schlimmer als die letzten Jahre kann keine Operation sein."

Sauerbruch stand vor der Frau und öffnete mit einem Schnitt die rechte Seite des Halses. Der Schnitt verlief in einer Halsfalte und schwang von der Halsmitte nach außen.

Die Chirurgen gingen jetzt daran, eine Schilddrüsenvene zu durchschneiden. Unten Klemme – zwei Zentimeter weiter oben Klemme – Schnitt durch die Ader – kein Tropfen Blut fließt aus dem Schnitt. Neben jeden Klemmenschnabel fallen die chirurgischen Knoten, und die Vene ist dicht.

Sauerbruch holte den rechten Schilddrüsenlappen aus seinem Bett, sorgfältig betasteten seine Finger das Gebilde.

„Keine Knoten hier", sagte er kurz und legte einen Wundhaken ein. Der Schilddrüsenlappen wurde nach der Mitte zu herumgeklappt, der Haken in der Hand des Assistenten hielt ihn dort fest.

Der Chirurg beugte sich hinunter. Äußerst empfindliche Gebilde sind hier freigelegt, der Rekurrensnerv, der so oft bei schlecht durchgeführten Kropfoperationen verletzt wird, Schilddrüsenarterien und -venen.

Sauerbruch suchte die Gegend ab.

„Mehr nach oben", sagte er zum Assistenten, und der zog stärker am spreizenden Haken.

Der Chirurg richtete sich auf, er reckte den schmerzenden Rücken, um neue Kraft zu sammeln. Der Assistent beugte sich jetzt etwas weiter vor und warf einen forschenden Blick in die Wunde.

„Etwas weiter unten, medial, sehe ich eine Vorwölbung."

Sauerbruch schnellte den Kopf vor, augenblicklich wieder aktiv, gespannt, interessiert. Tastend fuhr sein Finger an eine Stelle, dicht neben der Luftröhre.

„Das ist es", sagte er, „liegt verdammt weit unten – anheben, damit ich 'rankomme."

Sehr sorgfältig, um nichts zu verletzen, befreite Sauerbruch ein gelbliches Gebilde aus seinen Häuten, so groß etwa wie eine große Kirsche. Behutsam hob er es mit der Pinzette an, der Assistent unterband, und der Chirurg durchschnitt die zuführende Arterie. Damit war das Gebilde frei. Die Pinzette legte er in ein hingehaltenes Schälchen.

„Wollen wir ein Stückchen re-implantieren?" fragte Sauerbruch den Assistenten. Der verzog das Gesicht und schüttelte den Kopf.

„Du traust dich auch gar nichts", sagte Sauerbruch lächelnd, „wir würden ihr sicher die Krämpfe ersparen, wenn wir es zerstückeln und ein Stück in die Schilddrüse pflanzen würden."

„Und wenn es wieder einwächst, fängt die Geschichte von neuem an", meinte abweisend der Assistent.

„Na schön", seufzte Sauerbruch, „lassen wir's. Joseph", sagte er zum Faktotum, „bring nachher das Ding 'rüber zu den Halbgöttern – sie sollen sich ihr ‚Sarkom' einmal ansehen, damit sie auch etwas davon haben."

Das kirschrote Gebilde, das der Chirurg jetzt aus dem Körper entfernt hatte, war eine der vier kleinen Nebenschilddrüsen, die sich aus unbekannten Gründen vergrößert und den Körper mit ihrem Hormon überschwemmt hatte. Die kleine Geschwulst allein war an dem Leiden der Frau schuld gewesen.

Die Operateure nähten die Wunde.

Dann sagte er zur Patientin:

„Du hast dich wunderbar gehalten, Olga, wirklich ganz großartig – ich danke dir schön!“

Die Patientin wurde hinausgefahren.

Sauerbruch ging zum Waschtisch, um sich für die nächste Operation vorzubereiten. Ein anderer Arzt fragte ihn:

„Wie ist denn die Prognose, Herr Geheimrat? Allzuviel weiß man ja über diesen Eingriff und seine Erfolge noch nicht.“

„Nun“, sagte der Chirurg, „einiges haben wir da schon gesehen: ihre Nieren sind völlig ungeschädigt, und ich möchte sagen, daß sie eine gute Chance hat – sogar auf lange Sicht.“

Für die Kranke kam eine schlimme Woche. Sie litt an langwierigen Anfällen schmerzhafter Krämpfe, eine Folge des plötzlich eingetretenen Mangels an Nebenschilddrüsenhormonen. Aber die Krämpfe, durch Kalkgaben und das AT 10, dem an Sauerbruchs Klinik entwickelten Stoff gegen die Krampfbereitschaft, in Schach gehalten, hörten mit der Zeit auf, und der Knochenbruch heilte mit großer Schnelligkeit.

„Gestern war dein Mann hier“, sagte Sauerbruch bei einer Visite zu seiner Patientin, „aber ich habe ihn wieder wegschicken lassen.“ – Die Patientin sah ihn vorwurfsvoll an. – „Aber laß man“, beruhigte der Arzt sie, „er soll dich erst sehen, wenn du wieder völlig gesund bist, und es wird in ein paar Wochen soweit sein. Dann kannst du Wiedersehen feiern.“

„Aber wieso ist er denn hergekommen?“ fragte die Kranke erstaunt.

„Ach“, antwortete der Chirurg, „ich habe ihm einen Brief auf meinem eigenen Papier geschrieben und ihm einige Worte gesagt. So was wirkt manchmal Wunder.“

Ein glücklich aussehender Mann betrat das Zimmer des Geheimrats Sauerbruch.

„Das ist nicht meine Frau, die Frau, zu der man mich da ins Zimmer geführt hat – alle behaupten es zwar, aber es ist nicht wahr!“ rief er in gespielter Verzweiflung.

„Ja, mein lieber Freund", sagte der Geheimrat, „Sie werden sich mit der abfinden müssen, die wir Ihnen liefern können."

„Jaja", sagte der Mann lächelnd, „ich bin's ganz zufrieden. Sie sieht so wohl und gesund aus, wie ich sie nie zuvor gesehen habe, fast wie ihre jüngere Schwester – wenn sie eine hätte."

Diese Geschichte steht nicht in den Memoiren Sauerbruchs. Als er gefragt wurde, warum dieser „Fall" keine Erwähnung gefunden habe, sagte er lächelnd:

„Wenn ich jedes Lebensschicksal erzählen wollte, in dem ich als Katalysator mitwirkte – wo bliebe da meine eigene Geschichte. Sie wissen ja, ein Katalysator ist ein Ding, das nur die Rolle eines Statisten spielt, der allein durch seine Anwesenheit das Geschehen in Gang bringt und dann ‚unverändert wieder davongeht'."

EIN LEBEN FÜR DIE CHIRURGIE

Nachruf auf Ferdinand Sauerbruch

Geheimrat Professor Dr. med. Ferdinand Sauerbruch starb in Berlin am 2. Juli 1951, einen Tag vor Beendigung seines 76. Lebensjahres. Er war fast ein halbes Jahrhundert hindurch Deutschlands führender Chirurg gewesen. Bei einem Mann der Wissenschaft ist es wichtig, seine geistigen Grundlagen, seine wissenschaftlichen Väter zu kennen.

Sauerbruch war einer jener bedeutenden Männer, deren Geisteshaltung in hohem Maße vom 19. Jahrhundert bestimmt war und die in das furiose Tempo hineingestoßen wurden, das der Webstuhl der Nornen im 20. Jahrhundert annahm.

Politische und soziale Umwälzungen – das Feudalsystem gerät in Agonie –, die Atomphysik, die Relativitäts- und Quanten-Theorie, die Entdeckung der elektromagnetischen Wellen, die Lehre von den Strahlen, Becquerel, Curie,

Röntgen, die Kolloid-Chemie, die Gewebezüchtung, die Hormone, die Vitamine, die Hals-über-Kopf-Entwicklung der Technik, diese diamantenharte Welt der Tatsachen, diese Zauberwelt, innerhalb deren Horizonte wir, einigermaßen hilflos geworden, unser Dasein verbringen, die wir benommen, begeistert, berauscht, erschüttert und aufgewühlt erleben – wenn wir nicht zur tristen Gesellschaft der stumpfen Spießer gehören –, in dieses neuaufkeimende Weltgefühl sieht sich der junge Sauerbruch gestellt. Es findet ihn nicht unvorbereitet; er ist zuletzt doch ein Kind seiner Zeit, und er findet sich schnell zurecht. Mikulicz, sein Lehrer, soll einmal in vorgerückter Stunde zu ihm gesagt haben: „Hören Sie mal, Sauerbruch, Sie sollen doch ein Genie sein – dann erfinden Sie doch mal was, damit man im Brustkorb operieren kann." So wird, im Zuge der Zeit, aus einer Verbindung von Technik und Medizin heraus die Chirurgie der Brusthöhle angegangen und, beinahe selbstverständlich, gleichzeitig die der dritten Körperhöhle, des Schädels.

Etwa um dieselbe Zeit, zu der Sauerbruch daranging, die Chirurgie des Brustkorbs zu begründen, zermarterte sich in Amerika Cushing das Hirn, um die Chirurgie des Hirns zu ermöglichen. Bei Kocher in Bern hat er gelernt zu operieren, und um die Jahrhundertwende sah er dort bei einer Hirnoperation zu, die ein höchst unglückliches Ende nahm. Das machte ihm einen derartig großen Eindruck, daß er sein Leben der Chirurgie des Hirns – einer reichlich brotlosen Kunst – widmete und ganz einsam und für sich allein diese Technik entwickelte. Sein Leben verläuft, abgesehen von den äußeren Umständen, die bei ihm glücklicher lagen, in den gleichen Bahnen wie das Leben Sauerbruchs, wenn auch Welten die beiden trennen: bei Cushing hochentwickeltes Spezialistentum, bei Sauerbruch der immer wieder hervorbrechende Drang nach einer Zusammenfassung und Beherrschung der gesamten Chirurgie. So wird er zwar für einige Zeit zum Alleinherrscher auf dem Gebiet der Thorax-Chirurgie, die in der Zeit vor dem ersten Weltkrieg praktisch eine Lungenchirurgie war, entwickelte sich aber, diesem Drang gehorchend, immer mehr zum Rufer für die Vereinigung allen chirurgischen

Handelns in einer Hand oder vielmehr in einer Person. Er verzichtete damit bewußt darauf, seine „Spezialität", die Thorax-Chirurgie, so monoman vorwärtszutreiben, wie dies Cushing bei der Hirnchirurgie getan hat und wie es im Zuge jeder wissenschaftlichen Betätigung heutzutage liegt. An diesem Punkt scheiden sich die Geister: es mag praktisch vielleicht wertvoller sein, nach dem Satz zu handeln, daß „das gesamte Wissen eines Gebietes und dessen Anwendung unmöglich mehr in einer Person zusammengefaßt werden können". In einem höheren Sinne aber ist die Stellung des umfassenden Kenners einer Materie ungleich bedeutungsvoller.

Sauerbruch berichtet in seinen Memoiren nicht von der Bitternis, die seine letzten Jahre erfüllte, die ihm nicht nur den Verlust seiner weltlichen Güter, nicht nur den Zusammenbruch seines Vaterlandes brachten, sondern ihm auch tiefe und durch nichts verdiente Demütigungen zufügten. So soll denn auch hier darüber nichts gesagt werden.

Dagegen entspricht es einem Wunsche des Verstorbenen, wenn hier einige Worte über seine geistigen Väter und Großväter erscheinen und seine eigene Schule Erwähnung findet.

Sauerbruch ist als Forscher und Chirurg ein Urenkel Bernhard von Langenbecks, der 35 Jahre lang Professor an der II. Chirurgischen Klinik in Berlin (1848–1882) und in seiner Zeit der unbestrittene Führer der deutschen Chirurgie war. Aus seiner Schule gingen Persönlichkeiten wie Busch, von Esmarch, Israel, Lücke, Franz König, Kocher, Theodor Billroth, Krönlein und viele andere hervor. Sein größter Schüler war Theodor Billroth, der geistige Großvater Sauerbruchs.

Billroth wurde 1829 in Bergen auf Rügen geboren. 1868 ging er nach Wien und wirkte dort fünfundzwanzig Jahre lang an der II. Chirurgischen Universitäts-Klinik. Er war der „große Mann" der Chirurgie in dieser Zeit, der eine unwahrscheinliche Zahl bedeutender Schüler ausbildete. „Die Zukunft einer Schule beruht auf den Arbeiten ihrer Schüler wie die Zukunft eines Staates auf der Arbeit der Bürger", sagte er einmal. Am bekanntesten ist sein Name durch seine Leistungen auf dem Gebiet der Magenchirurgie geworden.

Seine Meisterschüler, die uns hier vorwiegend angehen, waren von Eiselsberg und von Mikulicz-Radecki. Dieser war der Lehrer Sauerbruchs.

Auch aus der Schule Sauerbruchs ging eine Reihe glänzender Chirurgen hervor.

Professor E. K. Frey, der Inhaber des Münchner Lehrstuhls, ist sein bedeutendster Schüler. Sein Interesse gehört traditionsgemäß der Thorax-Chirurgie. Frey habilitierte sich bei Sauerbruch in München, begleitete ihn nach Berlin und erhielt 1931 eine Berufung nach Düsseldorf als Nachfolger Hans v. Haberers. Seine wissenschaftlichen Arbeiten gingen über das Gebiet der Chirurgie hinaus, so entdeckte er in seiner Berliner Zeit das Kallikrein-Padutin, einen körpereigenen Wirkstoff, der gefäßerweiternd wirkt („Herz-Hormon"). In Düsseldorf gelang ihm als erstem die Heilung einer Skoliose (Rückgratverkrümmung) durch Entfernung des Keilwirbels.

Frey ist der Lehrer von Max Madlener (also eines Enkels Sauerbruchs), der 1943 nach Düsseldorf berufen wurde, 1948 nach Berlin kam, aber die Berufung als Nachfolger Sauerbruchs an die Charité ablehnte. Er blieb in Berlin am Urban-Krankenhaus und behandelte Sauerbruch dort in dessen letzten Tagen. Weitere Schüler von Frey sind in Gießen Professor Karl Voßschulte und in Worms Professor Otto Wustmann, Chefarzt der Krankenanstalt St. Martinsstift.

Der Schweizer Alfred Brunner war in Zürich und in München Sauerbruch-Schüler. Im Jahre 1942 wurde er nach Professor Clairmont (Eiselsberg-Schüler) auf den Lehrstuhl in Zürich berufen. Professor Brunners Hauptinteresse gilt ebenfalls der Thorax-Chirurgie und speziell der Lungentuberkulose.

Professor Lebsche, der in Sauerbruchs Münchner Zeit selbständig die Poliklinik leitete, hat heute eine Privatklinik in München. Er ist neben Professor Frey ordentlicher Professor für Chirurgie.

Professor Nissen mußte nach 1933 auswandern. Er erhielt eine hohe Stellung in Istanbul und ist heute einer der angesehensten Chirurgen New Yorks.

Professor Krauß leitet die sehr große chirurgische Abteilung des Kreiskrankenhauses in Göppingen.

Professor Fick, der ehemalige Chefarzt des Virchow-Krankenhauses in Berlin, war bis 1937 Oberarzt bei Sauerbruch. Zur Zeit ist er Chefarzt in einer Münchener Privatklinik.

Dr. O. Übelhör, bis 1935 bei Sauerbruch, ist jetzt Chefarzt im Krankenhaus in Geislingen.

Professor Felix ist Sauerbruchs Nachfolger an der Charité in Berlin.

Ein Sauerbruch-Schüler in München war Jehn (später Mainz), dessen Assistent Lezius heute den Lehrstuhl in Hamburg als Nachfolger Konjetznys innehat.

Wie jede andere Wissenschaft, hat auch die Chirurgie aus ihren Anfängen „ihr Skelett im Schrank". Die Chemie war früher die Alchimie mit all ihrem Scharlatanismus, die Astronomie, edelste der Wissenschaften, hat einen peinlichen Vorfahren, die Astrologie, die Medizin den Schamanismus.

Die Chirurgie führt ihren Ursprung auf die Bader und Bartscherer zurück. Wie „konservativ" sich selbst die heutige Welt der Wissenschaft der Chirurgie gegenüber einstellt, zeigt der seltsame Umstand, daß sich unter den Nobelpreisträgern der Medizin nur ein einziger Chirurg, Theodor Kocher aus Bern, finden läßt, obgleich die Lungen- und Hirnchirurgie, auch rein zahlenmäßig betrachtet, der „leidenden Menschheit" viel mehr geholfen haben als eine Reihe von medizinischen Neuerungen. Sollte dieser Mangel an Anerkennung damit zusammenhängen, daß die Chirurgie in so hohem Maße an Persönlichkeiten gebunden ist und ihr „Handwerk" dem Nichtfachmann so fremd bleiben muß?

Der folgende Vortrag Sauerbruchs, gehalten in der Preußischen Akademie der Wissenschaften, ist eine Schilderung der Geschichte der Chirurgie, ihrer Stellung in der Gegenwart und der Bedeutung dieses Zweiges der Medizin.

Sauerbruch hat sich mit dem ihm eigenen Temperament mit diesen Fragen auseinandergesetzt, und das Zugehörigkeitsgefühl zur Zunft der Chirurgen war bei ihm stark ausgeprägt. Mit Leib und Seele Chirurg, ist er auch in allen seinen Äußerungen Kämpfer für das Chirurgentum. Dieses

Verhaftetsein mit seinem Beruf und seiner Berufung prägt sich besonders in diesem Vortrag aus, und wir wollen ihm daher hier noch einmal das Wort erteilen, um dem Leser diese Wurzel des Wesens Sauerbruchs vor Augen zu führen:

„Die geschichtliche Betrachtung, die heute hie und da als unnötiger Umweg, ja als Ballast für die Erfassung gegenwärtiger Probleme empfunden wird, kann allein den Stand der Chirurgie, aber auch ihre künftigen Aufgaben und Ziele dem Verständnis näherbringen. Vor allem aber ist ihre Eigenart nur als Ergebnis einer langen Entwicklung ganz zu begreifen.

Trotz aller Wandlungen und Schwankungen im medizinischen Denken, an dem freilich die Chirurgie erst in den letzten Jahrhunderten Anteil nahm, bleibt ihr Wesenskern durch Jahrtausende unverändert. Er ist gekennzeichnet durch die Kunst, krankhafte Zustände auf anatomischem Wege mechanisch zu beseitigen oder wenigstens günstig zu beeinflussen. Die Hilfsmittel der Chirurgie dienen der Durchtrennung der Gewebe, der mechanischen Beseitigung krankhafter Befunde, dann aber der Wiedervereinigung der durch Verletzungen oder operativen Eingriff getrennten Gebilde. Darum sind Schneiden und Nähen die eigentlichen Hauptverrichtungen operativer Arbeit. Sie bleibt darum selbst in ihrer letzten Vollendung immer nur ein Handwerk. Erst dann steigert sie sich zur Kunst, wenn der Chirurg für einen gegebenen Krankheitsbefund schöpferisch einen neuen Behandlungsweg findet und ihn mit vollendeter Technik durchführt.

Im Anfang jeder einzelnen Kultur ist chirurgische Behandlung das Kernstück ärztlicher Kunst, auch dann noch, als sich in der griechischen Medizin die ersten wissenschaftlichen Grundlagen formten. Die spätere Entwicklung der abendländischen Heilkunst führt freilich allmählich zu einer verhängnisvollen Trennung von Chirurgie und Medizin, der erst im 19. Jahrhundert eine Wiedervereinigung folgt.

Man könnte also von einem Kreislauf sprechen. Aber eine nähere Betrachtung zeigt, daß dieses Sich-wieder-Finden von Chirurgie und Medizin keine Rückkehr zum Anfang ist, sondern vielmehr eine neue Begegnung auf einer höheren Ebene. Es ist eine wahrhaft schöpferische Synthese, deren Wirkungskraft wir Chirurgen in unserer täglichen Arbeit unablässig spüren. Sie wird aber auch dem Fernerstehenden deutlich, der auf die großen Anregungen und Antriebe achtet, die die gesamte ärztliche Forschung und Praxis von der Chirurgie und umgekehrt die Chirurgie von der übrigen Medizin immer wieder empfängt.

In den Anfängen der Heilkunde liegen empirisch gewonnene Einsichten und magische Vorstellungen vom Wesen der Krankheit und ihrer Heilung noch dicht beieinander. Das chirurgische Handwerk erschöpft sich anfänglich in der Behandlung von Verletzungen, wie sie im Kampf, auf der Jagd und im Zufall des Lebens entstehen. Später folgten bestimmte Eingriffe, die naiver und unproblematischer Betrachtung von Krankheiten entsprangen. Höchste Leistungen offenbarten sich in vollendeter Handfertigkeit, in Schnelligkeit und Sicherheit.

Als dann später religiöse und magische Vorstellungen von Leben und Krankheit sich durchsetzten, bediente man sich der operativen Kunst zur mittelbaren Beeinflussung bestimmter Krankheitszustände. So entstand aus der Vorstellung, daß Domänen in den Körper eines Menschen eindringen und Geisteskrankheiten erzeugen, ein chirurgisches Heilmittel in der Anlegung von Knochenlücken im Schädel, durch die die Geister wieder entweichen sollten. Hier verbindet sich zum erstenmal die rein mechanische Aufgabe des Chirurgen mit einer spekulativen Form medizinischen Denkens. Freilich verdrängt allmählich in dieser magisch gedeuteten Welt die Zaubermacht des Wortes die einfachen empirisch erprobten Behandlungsmethoden der operativen Kunst und auch der Kräuterbehandlung.

Man versteht, daß der Priester, in dessen Händen die primitive Medizin lag, sich der Chirurgie nicht annehmen wollte, weil mit der Erweiterung ihrer Aufgaben der Gefahrenkreis wuchs und seine autoritative Stellung zu gefährden drohte.

Er überließ darum alle mechanischen Verrichtungen bei der Behandlung von Kranken einem nur technisch ausgebildeten Stande, der den eigentlichen Ärzten als Werkzeug dienen mußte.

Demgegenüber war es eine bedeutungsvolle Wendung, als Hippokrates dem Wort des Priesters die Wirkungskraft gegen Not und Krankheit abstritt. Kühn bekennt er sich zum handelnden Arzttum. Für ihn sind wirkungsvolle Heilmittel allein das Medikament, das Messer, die Säge und das Glüheisen, oder mit seinem eigenen berühmten Ausspruch: ‚Was Arzneien nicht heilen, heilt das Eisen, was das Eisen nicht heilt, heilt das Feuer, was das Feuer nicht heilt, muß für unheilbar gelten.'

Damit war – wenigstens theoretisch – der Magie der Boden entzogen und eine feste und breite Grundlage für die systematische Entfaltung von Wissen und Können in der Chirurgie geschaffen. Tatsächlich verdanken wir Hippokrates und seinen Nachfolgern eine Reihe von neuen Einsichten und praktischen Fortschritten. Von ihm selbst ist die hochentwickelte Kunst, Glieder wieder einzurenken und Knochenbrüche zweckmäßig zu behandeln, klassisch beschrieben worden.

Trotzdem aber waren die alten Überzeugungen nicht verschwunden und die Tätigkeit der Priester in der Heilkunst keineswegs beendet. Es bedurfte nur eines neuen Anstoßes, um sie wieder zu beleben. Dieser kam mit dem Christentum.

Mit seiner Herrschaft nahm sich der Priester von neuem der Heilkunst an. Allerdings hat er sehr bald wiederum – wie seine antiken Vorgänger – auf die Chirurgie verzichtet. Diesmal aber kam es zu grundsätzlicher Abtrennung der Chirurgie von der übrigen Heilkunde. Es ist schwer, den Gründen hierfür im einzelnen nachzugehen. Die Medizingeschichte steht hier vor vielen ungeklärten Streitfragen. Jedenfalls ist mit irgendeiner einzelnen dogmatischen Festlegung der Kirche allein diese Scheidung nicht zu erklären. Vielmehr liegt es im gesamten Weltbild des Mittelalters begründet, daß Praxis und Empirie, die nun einmal zur Chirurgie gehören, geringer bewertet wurden als spekulative und rein deduktive Betrachtungen von Leben und Krankheit. Es ist bezeichnend, daß dem Chirurgen gerade damals der Arzt als ‚Medicus purus' als ‚reiner Arzt', übergeordnet wird, wobei das Wort ‚rein' ganz deutlich auch einen moralischen Akzent hat. Diese Wertung hat freilich nicht durchgängig Anerkennung gefunden. So wurde im Volksmunde dem ‚Schnittarzt' der Medicus purus als ‚Maularzt' gegenübergestellt. Vor allem aber war auch der christliche Priester, wie sein Vorgänger im Altertum, bemüht, seine Autorität nicht dem Zufall von Erfolg und Mißerfolg operativer Eingriffe auszusetzen. Man versteht darum auch das Verbot der Ausübung der Chirurgie durch Kleriker, das im 12. und 13. Jahrhundert auf zahlreichen Konzilien ausgesprochen wurde. Man darf heute feststellen, daß in der unglückseligen Trennung von Chirurgie und Medizin der Hauptgrund für den Tiefstand der ganzen ärztlichen Kunst im Mittelalter liegt. Die Chirurgie beschränkt sich auf die handwerkliche Erledigung rein mechanischer Aufgaben. Probleme gibt es nicht mehr, es wird nur technisch-chirurgisch die Methode verbessert und ausgebildet in einem Rahmen, den frühere Jahrhunderte schon gezogen hatten. Das Arbeitsgebiet beschränkt sich auf Wundchirurgie, auf Bruch- und Steinschnitt, wo primitiv und problemlos eine einfache Aufgabe mit Geschick erledigt werden konnte. Man überließ diese Chirurgie, deren sich der Arzt schämte, Badern und Barbieren. So entstand eine Zunft von Chirurgen, die durch Verantwortungslosigkeit ihren Stand schließlich der Verachtung des Volkes anheimgab. Dieses Urteil änderten auch nicht die wenigen Ausnahmen, bei denen ärztliches Pflichtgefühl und Adel der Seele das Handwerksmäßige überwanden und die nun wirkliche Ärzte wurden. Aber selbst solche Männer wurden von den ‚gelehrten' reinen Ärzten abgelehnt, wie zum Beispiel der größte Chirurg in der Renaissance, der Franzose Ambroise Paré.

Noch schlimmer aber war, daß die eigentlichen sogenannten wissenschaftlichen Ärzte die Fühlung mit der praktischen Heilkunst am Krankenbett verloren und nur auf Grund theoretisch erworbener Kenntnisse eine unklare, meist mystische Heilkunst betrieben. In dieser Zerrissenheit fehlte es nicht an einem großen Ansatz zur Besserung. Die Belebung der Anatomie durch Vesal und ihre Bedeutung für die Chirurgie sicherte die Verbesserung chirurgischer technischer Leistung. Hinzu kommt, daß einzelne große Männer, wie Pierre Franco und der erwähnte Ambroise Paré, nicht zuletzt die Deutschen Hieronymus Brunswyk und Fabricius Hildanus, die operative Kunst als Ärzte betrieben und durch ihre eigene Leistung und ihr Vorbild den Chirurgenstand erhöhten. Das 16. und 17. Jahrhundert, in dem sie lebten, war angefüllt mit Kriegen, die die Chirurgen vor ganz große Aufgaben stellten; die Notwendigkeit zwang sie, an die Lösung neuer Probleme heranzugehen und sie zu meistern. Deshalb darf man in der Isolierung, in der die Chirurgie damals stand, auch einen Vorteil sehen. Die operative Kunst zog aus ihrer Isolierung schöpferische Kraft, Sicherheit und Selbstvertrauen. So erwarb sich Ambroise Paré das große Verdienst, die Unterbringung der Gefäße zur Blutstillung von neuem einzuführen und zum unverlierbaren Besitz zu machen. Ebenso bedeutungsvoll aber ist seine große ärztliche und menschliche Haltung in schwierigen politischen und beruflichen Krisen seiner Zeit. Sein Beispiel durchbrach schließlich das Vorurteil gegen seinen Stand. Trotz des Widerstrebens der Pariser medizinischen Fakultät wurde er durch Machtspruch seines Königs mit allen Ehren in das Collège de St. Côme aufgenommen. Leider blieb eine solche Auszeichnung für den Chirurgenstand vereinzelt. Die alten Vorurteile hielten sich selbst gegenüber prachtvollen Persönlichkeiten. Hierfür zwei bemerkenswerte Beispiele:

Als ein Freiburger Professor im Jahre 1774 für die Vereinigung der Chirurgie mit der Medizin eintrat, wurde er von der Studentenschaft mit Mißhandlungen bedroht. Tatsächlich war die Chirurgie damals der sogenannten wissenschaftlichen Medizin unterstellt. So mußten die Chirurgen ihre Arbeit durch einen ‚reinen' Arzt beaufsichtigen lassen, der zwar von der Sache nichts verstand, aber dafür einen Teil des Honorars einstrich.

An der Universität Bern hatten bis 1807 die Chirurgen dem Medicus ordinarius die Instrumente vorzuzeigen.

Eine andere Bestimmung galt noch bis vor etwa hundert Jahren. Durch sie werden die Chirurgen sehr deutlich an die frühere Berufsgemeinschaft mit den Barbieren erinnert: sie mußten als Nebenaufgabe nicht nur ihre eigenen

Patienten, sondern auch die der medizinischen Abteilung rasieren.

Solche Beispiele, die wir heute als lächerliche Kuriositäten betrachten, haben auch eine ernste Seite: sie deuten die Schwierigkeiten an, die überwunden werden mußten, um durch überzeugende Leistung endlich der Chirurgie den Platz in der Medizin zu erobern, den sie heute einnimmt. Das erhöht unser Dankgefühl gegen die, die in unablässigem Kampf unserer Kunst endgültige Anerkennung verschafften. Mit ihr begannen auch die Vertreter der Behörden allmählich die Chirurgie als echte Heilkunde anzusehen: wie zum Beispiel die Entwicklung hier in Berlin zeigt.

Im Jahre 1724 gründete Friedrich Wilhelm I. aus praktischer Dringlichkeit das Collegium medico-chirurgicum. Der Soldatenkönig brauchte Ärzte. Darum richtete er eine Fachschule ein, die ihm seine Kompanie- und Eskadronschirurgen zu Stabs- und Regimentschirurgen ausbilden und nebenher noch Landärzte liefern sollte. Dieses Lehrinstitut wurde mit dem schon bestehenden Theatrum anatomicum verbunden. Der Lehrbetrieb selbst aber zeigte, daß hier noch die vorhin geschilderten mittelalterlichen Verhältnisse in der Einschätzung des Chirurgenstandes nachwirkten. So durften bei Demonstrationen auf der untersten Bank nur Professoren, Doktoren und ‚Leute von Distinction', auf der zweiten die Herren Regimentsfeldschere und die auf den Universitäten gewesenen Medizinstudenten, auf der dritten ausschließlich die Feldschere der Berliner Garnison sitzen.

Geschichtliche Berichterstattung verlangt die Feststellung, daß die Preußische Akademie der Wissenschaften kurz nach ihrer Gründung ein ablehnendes Bekenntnis zur Chirurgie abgab, wenn wohl auch nur aus materiellen Gründen. Friedrich Wilhelm I. verfügte, daß die Akademie aus ihrem Etat 1000 Taler für die Einrichtung des neuen Institutes hergeben sollte. Diese Verpflichtung trübte das sonst wohl mögliche Freundschaftsverhältnis zwischen der Akademie und Chirurgie auf lange Zeit. Anfängliche Feindschaft wich später einer ablehnenden Neutralität. Erst in unseren Tagen hat großzügige Haltung und vorurteilsfreies Verständnis der modernen Chirurgie eine Vertretung in der Preußischen Akademie der Wissenschaften zuerkannt.

Trotz der in jener Zeit aber noch immer bestehenden Geringschätzung operativer Kunst waren Anzeichen einer höheren Auffassung vom Stande der Chirurgen bereits vorhanden. So geißelte zum Beispiel der berühmte und einflußreiche Hallesche Arzt Reil die damaligen Verhältnisse. Er stellte fest, daß die Wundärzte aus minderwertigen Persönlichkeiten, die noch dazu schlecht ausgebildet sind, sich ergänzen. Er knüpfte hieran die Frage: ‚Wie und wo lernen sie es, Menschen zu behandeln, in welchen die Gottheit selbst offenbar geworden ist, und die Natur gerade da zu meistern, wo sie mit undurchdringlicher Weisheit waltet?' Er kommt schließlich zu einem vernichtenden Urteil: ‚Die Barbierstuben sind die Lyzeen zur Bildung der Ärzte, denen das Gesundheitswohl des Wehr- und Nährstandes anvertraut ist!'

Wären diese Betrachtungen nur Kritik und Empörung, so hätten sie freilich für uns heute kaum noch Bedeutung. Aber hinter diesen scharfen Worten Reils steht eine hohe Meinung vom Wesen und von den Aufgaben der Chirurgie. Glücklicherweise war gerade er berufen, sie bei Gründung der Berliner Universität endgültig durchzusetzen. In einer Denkschrift über das Wehrprogramm für den medizinischen Unterricht erklärt er, daß es zwischen Heilkunde und Chirurgie, zwischen Ärzten und Wundärzten keinen anderen Unterschied gebe als den der angewendeten Mittel. Es gebe auch keine Grenze zwischen den Krankheiten, die zum Bereich der einen oder anderen Klasse gehörten. Er folgert daraus, daß es auch nur einen einheitlichen Unterricht in der Medizin geben kann. Er hat ein Bild vom Chirurgen, das er mit seinen eigenen Worten beschreibt: ‚Ich setze nämlich einen Wundarzt voraus, der Selbständigkeit zum eigenen Handeln hat und sich nicht als bloßes Werkzeug oder Handlanger von dem Arzt zur Vollziehung einer mechanischen Operation gebrauchen läßt. In diesem Falle wäre er bloßer Artist, totes Instrument, das durch die Seele eines anderen geleitet werden muß.' Wenn Reil schließlich nach diesen Überlegungen die Chirurgie definiert als ‚die zweckmäßige Erregung der Heilkräfte der Natur durch mechanische Einflüsse', so ist damit das Entscheidende gesagt, das auch heute uneingeschränkt gilt: die gesamte Medizin erschöpft sich in der Unterstützung der Heilkräfte der Natur, und der Chirurgie fällt in dieser Aufgabe nur eine bestimmte Methode zu: sie hat nicht nur ein Teilgebiet von Krankheiten zum besonderen Gegenstand, sie kann vielmehr alle umfassen, wenn ihre Mittel wirksamer sind als andere. Es ist erstaunlich, daß diese Auffassung von Chirurgie und Gesamtmedizin damals schon zum Ausdruck kam. Für uns ist in der Tat die Chirurgie zunächst einmal allgemeine Heilkunst, die nur durch die Eigenart ihrer Mittel eine Sonderstellung einnimmt. In selbstverständlicher Zugehörigkeit zur wissenschaftlichen und praktischen allgemeinen Medizin hat sich dann auch unter dem Einfluß naturwissenschaftlicher Neubelebung der gesamten Heilkunde das chirurgische Handwerk zur chirurgischen Wissenschaft steigern können.

An den mannigfachen Fortschritten der Medizin hatte die Chirurgie bis an die Wende des 18. zum 19. Jahrhundert nur in verhältnismäßig geringem Grade unmittelbar teilgenommen. Man fing jetzt an, von den Ärzten auch eine möglichst gute chirurgische Ausbildung zu verlangen, und die entstandenen Bildungsanstalten wurden mit den medizinischen vereinigt. So fiel die letzte Scheidewand. Aber trotzdem blieb die Chirurgie noch in der ersten Hälfte des 19. Jahrhunderts ohne grundsätzlichen Fortschritt. Nur bedeutende Fachvertreter mit großen persönlichen Verdiensten und Leistungen wurden ihr geschenkt. Die Chirurgie stand im Anfange des vorigen Jahrhunderts ganz unter französischem Einfluß. Paris war die Stadt, von der die meisten Anregungen und Neuerungen ausgingen. Hier lebte und wirkte der Schöpfer der neuen Kriegschirurgie, Larrey, der Leibarzt Napoleons I., neben ihm Dupuytren, Nélaton, Pravaz und viele andere bedeutende Chirurgen.

Auch in Deutschland und Österreich war der Einfluß Frankreichs zunächst noch sehr stark, und viele deutsche Chirurgen haben ihre Ausbildung in Paris genossen. Nur wenige, wie Friedrich Graefe, Dieffenbach, Stromeyer, gingen ihre eigenen Wege.

Die letzte große, vielleicht größte Epoche in der Entwicklung der Chirurgie setzte in der zweiten Hälfte des vorigen Jahrhunderts ein. Der allgemeine Fortschritt der Medizin und der Naturwissenschaften hat auch die Chirurgie erfaßt, und drei gewaltige Ereignisse eröffneten mit einem Male Möglichkeiten und Aussichten für die Fortentwicklung, an die man früher überhaupt kaum zu denken gewagt hatte. Drei Ereignisse sind die Einführung bzw. Wiedereinführung der Narkose, die Antisepsis und die künstliche Blutleere.

Mit der Einführung der Narkose fielen die großen Hemmungen für die Entwicklung der Chirurgie fort. Die schmerzlose chirurgische Arbeit ermöglichte Ruhe und Sicherheit in bisher nicht gekanntem Maße. Arzt und Kranke entschlossen sich naturgemäß jetzt leichter zu chirurgischen Eingriffen, und es ist in der Tat auffallend, wie allgemein nach der Einführung der Narkose die Zahl der Operationen zunahm.

Eine der unbegreiflichsten Rückständigkeiten, die die ganze mittelalterliche Medizin bis in die Mitte des vorigen Jahrhunderts hinein beherrscht hatte, war die mangelnde Erkenntnis, daß bei der Heilung von Wunden nichts so wichtig ist wie die Fernhaltung aller Unreinlichkeiten.

In dieser zweiten Periode der neuen deutschen Chirurgie setzt nun ein ungeahnter Aufschwung ein. Mit einem Schlage waren alle Hindernisse der früheren Zeiten gefallen, und jeder Tag brachte neue Anregungen und neue Probleme, die der Lösung harrten. Männer waren da, die sich mit Begeisterung und Hingebung diesen neuen Aufgaben widmeten, Männer wie Bernhard Langenbeck, ein Mann von ausgezeichneter allgemeiner Bildung und eingehendsten Kenntnissen auf allen Gebieten der Medizin. Dann Karl Thiersch, der Begründer der Transplantationslehre. Ernst von Bergmann und Kocher müssen genannt werden. Gustav Simon, Richard Volkmann, der Russe Pirogoff, die Engländer Cooper, Syme und Hutchinson und vor allem aber Theodor Billroth.

In der praktischen Anwendung der Antisepsis und

Asepsis lernte man bedrohliche Wundstörungen vermeiden, die bisher fast allen operativen Eingriffen anhafteten. Vielleicht bedeutungsvoller als diese beiden Fortschritte ist aber die grundsätzliche Wandlung in der Vorstellung vom Wesen der Krankheit. Die Humoralpathologie, der letzte Ausläufer romantischer Medizin, die die Krankheiten aus einer Veränderung der Säfte ableitet, wurde verdrängt durch den anatomischen Gedanken. Morgagni hatte im Jahre 1792 eine Arbeit ‚De sede morborum' – ‚Über den Sitz der Krankheiten' – veröffentlicht. Er glaubte, daß jeder Störung der Gesundheit eine anatomische Veränderung entspräche. Aber erst Rokitansky und vor allem Virchow gelang es, diesem Gedanken wissenschaftliche Grundlagen zu geben und ihn zu einem herrschenden Prinzip der Krankheitsvorstellung auszubauen. Jede Krankheit wurde aufgefaßt als die Folge einer mehr oder weniger umschriebenen anatomisch faßbaren Veränderung. Diese wird geradezu zur Krankheit selbst, und nur ihre Beseitigung führt zur Heilung. Ursprung und klinische Bedeutung treten zurück. Diese Denkrichtung mußte – das versteht auch der Laie – insbesondere der Chirurgie zugute kommen. Ihr fiel folgerichtig die Aufgabe zu, nachgewiesene anatomische Veränderungen mechanisch zu beseitigen, um die Heilung einzuleiten. Da gleichzeitig die technischen Voraussetzungen für die Erweiterung operativen Könnens erfüllt waren, mußte eine neue operative Ära in der Chirurgie beginnen. Überall, wo pathologisch-anatomische Veränderungen bei einer Krankheit bekannt wurden, suchte man nach Wegen, sie operativ zu beeinflussen. Tägliche Übung und neue Erkenntnisse, die dem Chirurgen wie ein Geschenk in den Schoß fielen, steigerten die Leistung. Seine Erfolge machten ihn selbstsicher und ließen ihn oft seine enge Bindung an die Gesamtmedizin vergessen. Schließlich kam er zu der Überzeugung, daß alle Krankheiten chirurgisch zu erfassen seien. Selbst den großen Billroth beherrschte diese Auffassung, die er in die Worte kleidete: ‚Die ganze Medizin muß chirurgisch werden.'

Angesichts zweifelloser und gewaltiger Fortschritte war diese Überschätzung der chirurgischen Leistung verständlich. Eine Enttäuschung mußte eintreten in dem Augenblick, in dem man die Erwartungen überspannte. Das geschah, als man versuchte, auch funktionelle Störungen durch operative Eingriffe zu beheben. Noch entmutigender war aber die Erkenntnis, daß radikale Entfernung anatomisch lokalisierter tuberkulöser Herde in Knochen und Gelenken keineswegs immer zur Heilung führte. Auch bei der inneren Medizin versagte einseitige anatomische Betrachtung mit ihrer unvermeidbaren Begriffseinengung gegenüber der Mannigfaltigkeit des Lebens und den bunten Formen seiner Äußerungen.

Einen beachtenswerten Fortschritt brachte die Serologie. Sie belebte alte, humoralpathologische Lehren von der Bedeutung der Säfte. Die experimentelle Pathologie klärte das Wesen der inneren Sekretion. Man lernte verstehen, wie durch hormonale, nervöse und im Stoffwechsel begründete Veränderungen Krankheiten auftreten können. Überraschende Erfolge in der Behandlung tuberkulöser Knochen und Gelenke durch klimatische Faktoren offenbarten die dem Körper eigenen Heilkräfte. Die Ärzte beschäftigen sich wieder mit Fragen der Konstitution und Vererbung und versuchen das Wesen gewisser Erkrankungen, wie zum Beispiel der Tuberkulose, in seiner allgemeinen Bedeutung zu erfassen. Funktionelle Störungen, lange Zeit verkannt oder nicht beachtet, werden wieder klinischem Verständnis zugänglich. So wächst allmählich aus Enttäuschung und notwendiger Selbstbesinnung die Einsicht, daß anatomisch kausale Heilvorstellungen nur für einzelne Krankheiten Berechtigung haben, daß aber lokalisierte Veränderungen oft nur Ausdruck und Symptom eines allgemeinen Krankheitsvorganges sind. Darum befestigte sich immer mehr die Überzeugung von der notwendigen Einheit der medizinischen Forschung und Praxis.

Wir kennen eine Reihe aufschlußreicher Beispiele für die Belebung und Vertiefung der medizinischen Forschung durch die Chirurgie und umgekehrt der Chirurgie durch die allgemeine Medizin.

Die operative Heilkunst deckte manche Irrtümer auf, die die innere Medizin beherrschten. So wurde z. B. die

Blinddarmentzündung, deren Wesen und Bedeutung bisher durchaus verkannt worden waren, durch chirurgische Erfahrungen in ein ganz neues Stadium der Betrachtung und Behandlung gerückt. Die segensreiche Frühoperation der akuten Blinddarmentzündung ist eine der größten und sichtbarsten Fortschritte der Gesamtmedizin.

Die bedeutungsvollen Erfahrungen, die sich unmittelbar aus der operativen Chirurgie für die Lehre von der inneren Sekretion ergeben hatten, erschließen ein allgemein medizinisches Arbeitsgebiet, in dem Chirurg und innerer Mediziner gemeinsam tätig sein konnten und mußten. Die Entfernung eines Kropfes, die früher nur wegen Verdrängung und Einengung der Luftwege ausgeführt wurde, erfährt eine weitere Bedeutung. Die Operation wird jetzt vorgenommen, um eine zu starke Funktion der Schilddrüse zu beseitigen und eine Überschwemmung des Körpers mit ihrem Drüsensekret zu verhindern. Diese Begründung des Eingriffs ergab sich aus der chirurgischen Erfahrung, daß nach Totalentfernung der Schilddrüse schwerste allgemeine Veränderungen auftraten. Somit war die Schilddrüse als ein lebenswichtiges Organ erkannt, und ihre Einwirkung nicht nur auf das körperliche, sondern auch auf das seelische Befinden wurde zur allgemeinen Überraschung festgestellt. So entstand die Lehre von der inneren Sekretion, die heute die Funktion aller Drüsen umfaßt und einen bedeutungsvollen Wandel in der Beurteilung physiologischer Vorgänge und vieler Krankheitsbilder herbeigeführt hat. Ein noch überzeugenderes Beispiel von der engen gegenseitigen Gebundenheit der Chirurgie und inneren Medizin ist die moderne operative Behandlung der Lungentuberkulose. Aus der klinischen Erkenntnis, daß manche Formen der Tuberkulose nur deswegen nicht spontan ausheilen, weil mechanische Faktoren eine Schrumpfung der Lunge verhindern, ergab sich die segensreiche künstliche Mobilisation und künstliche Entspannung der Brustwand bzw. der Lunge durch Rippenresektion. Bald sah man aber, daß dieser Eingriff über das mechanische Ergebnis hinaus auch biologische Heilvorgänge anfachte. Die moderne Auffassung vom Ablauf der Tuberkulose, der von der wechselnden Reaktionsfähigkeit des

Körpers abhängt, beruht zu einem nicht unwesentlichen Teil auf den Ergebnissen moderner Brustchirurgie.

Die Beispiele, die uns zeigen, wie aus chirurgischen Erfahrungen neue Erkenntnisse für die innere Medizin erwachsen, ließen sich beliebig vermehren. Man denke an die Gallensteinerkrankungen, an das Magengeschwür, an die Basedowsche Krankheit und nicht zuletzt an bestimmte Formen von Herzerkrankungen, deren Wesen erst auf Grund chirurgischer Klarstellung erfaßt werden konnte.

Auch mit der Biologie und der experimentellen Pathologie steht die Chirurgie in wechselseitiger Beziehung. Neue Arbeiten über Entzündung, Fieber, Heilung und Pfropfung entstehen. Beeinflussung des Organismus durch allgemeine Umstimmung, die auf mannigfache Weise erreicht werden kann, wird auch in der Chirurgie zu einem wichtigen Behandlungsprinzip. Aus dieser Verbundenheit mit den Schwesterndisziplinen entsteht eine Erweiterung unseres Wissens und unserer therapeutischen Möglichkeit.

Röntgens so außerordentlich fruchtbare Entdeckung hat auf dem beschrittenen siegreichen Weg weitere Fortschritte gebracht, und die Chirurgie, die früher einmal eine rein handwerksmäßige Betätigung der Heilkunde darstellte, wurde selbständiger und wuchs in demselben Maße, in dem sie zu eigenen Erkenntnissen, Fragestellungen und chirurgischen Entscheidungen vordrang. Die experimentelle Erforschung der Entzündung, der Wundheilung, der Transplantation lebender Gewebe und vieles andere sind Meilensteine in der Geschichte der Medizin geworden, die von der Chirurgie gesetzt wurden.

Kein Bezirk im Lebendigen ist heute dem Messer des Chirurgen unerreichbar. Die Organe der Brust-, Bauch- und Schädelhöhle können, ohne das Leben des Patienten besonders zu gefährden, freigelegt werden, und die bedeutsamen heilerischen Leistungen sind heute wohl allgemein bekannt.

Trotz des grundsätzlichen Verzichtes auf unberechtigte, vielleicht sogar schädigende Eingriffe werden die Aufgaben unserer Kunst nicht geringer. Man lernt durch mechanische Maßnahmen, auch mittelbar auf einen kranken Körper zu wirken. Nur so erklärt sich zum Beispiel der Erfolg der modernen Behandlung des Basedow und des haemolytischen Ikterus. Dort erreicht man durch Wegnahme der Drüse Änderung des ganzen hormonalen Stoffwechsels und Wiederherstellung des nervösen Gleichgewichts. Hier hört nach Milzexstirpation die krankhafte Zerstörung der Blutkörperchen auf, so daß sich Neubildung und Abbau wieder regelrecht ergänzen. Selbst bei der operativen Einengung einer tuberkulösen Lunge leitet, wie wir sahen, die mechanische Einengung des Erkrankungsgebietes eine Änderung der Zirkulation, der Saftströmung und Selbstimmunisierung in Richtung der Heilung ein.

Nirgends aber lassen sich die Wunder des Lebens unmittelbar und klarer betrachten als in der Werkstatt des Chirurgen. Hier gewinnt man Einblick in die Funktionen der inneren Organe und ihre gegenseitige Abhängigkeit und Gebundenheit untereinander. Nirgends kann der Vorgang der Heilung und Entzündung klarer beobachtet werden als an Wunden und den vielfältigen Formen phlegmonöser Erkrankungen. Aber auch die menschlich-ärztliche Ausbildung ist in der chirurgischen Erziehung gewährleistet. Pflichterfüllung, letzte Hingabe im Krankendienst sind selbstverständliche Forderungen.

Die sichtbaren Erfolge unserer Kunst stärken das Selbstbewußtsein, aber die unvermeidlichen Fehlschläge zeigen auch mit Deutlichkeit die Begrenztheit aller menschlichen Leistungen und erziehen darum zu Verantwortung.

Die Persönlichkeit des Chirurgen kennzeichnet neben den allgemeinen Merkmalen des Arztes im Sinne des Helfens und Heilens noch etwas Besonderes, das der Eigenart seiner Arbeit entspringt. Er ist der einzige, der sich selbst als Werkzeug bei der Durchführung des Heilplanes unmittelbar einschaltet. Von der Klarheit seines Blickes und dem mutigen Werk seiner Hand hängen Leben und Tod ab. Mit dieser besonderen Leistung ist darum auch eine stärkere Verantwortung verbunden. Dem Chirurgen wird ein schlechter Ausgang in höherem Sinne zur persönlichen Schuld.

Tragbar wird diese Belastung nur durch Gewissenhaftigkeit in der Indikationsstellung, Beherrschung der Technik und ein berechtigtes Selbstvertrauen. Seine sicherste Stütze aber ist die Wahrhaftigkeit. Der Chirurg, der deutelt, Fehlschläge zu entschuldigen sucht, verstößt gegen das vornehmste Gesetz seiner Zunft. Nur wenige sind begnadet; alle aber, die unseren schönen und großen Beruf erwählt haben, können sich durch Liebe und Hingabe an ihn sicheren Boden für befriedigende und erfolgreiche Tätigkeit erwerben. Die systematische Ausbildung im Operationssaal vom Kleinsten zum Kleinen, vom Großen zum Größten bietet allein Gewähr für echten Erfolg. Zur schöpferischen Gestaltung wird unsere Arbeit, wenn in schwieriger Lage die Besonderheit des Befundes zu einem neuen Wege drängt.

Die Chirurgie zeigt am deutlichsten das Doppelgesicht der Medizin, die Wissenschaft und praktische Kunst zugleich ist. In der Einheit von Erkenntnis und praktischem Können liegt Wesen und Geheimnis echten Arzttums. In mancher Disziplin der Medizin mögen sich die Akzente nach der einen oder anderen Seite verschieden stark verteilen, für den Chirurgen kommt alles darauf an, daß er Besinnung und Tat völlig ins Gleichgewicht bringt und daß beides in gleicher Art und Stärke seine Berufsarbeit durchdringt. Jeder Streit über den Vorrang der theoretischen oder praktischen Seite hat vor dieser Notwendigkeit zu verstummen, ja, er wäre auf die Dauer sogar für die Entwicklung unserer Kunst gefährlich.

Diese Einheit von Erkenntnis und Erfahrung verbürgt die Lebensnähe unserer Arbeit. Sie festigt auch die Überzeugung, daß alles, was wir tun, nur Dienst am Mitmenschen ist. Damit wird auch die Forderung der Pflicht gegenüber der Gesamtheit erfüllt, die nachdrücklich an jeden von uns gestellt wird. Sie erwächst für den Arzt ganz natürlich aus seinem Schaffen selbst, ja, sie ist seit je feste und oft bewährte Grundlage seiner Kunst. Wir brauchen deshalb auch nicht eine neue Ausrichtung. Die Chirurgie ist in dauernder innerer Bereitschaft und lebendigster Aufgeschlossenheit für alle neuen Probleme wissenschaftlichen Fortschritts und für die Meisterung aller Aufgaben, die jedes Gebot der Stunde heute und in Zukunft ihr stellt. Die Geschichte aber lehrt uns, daß immer nach besonders großen Leistungen in der Medizin und damit auch in der Chirurgie aus äußeren oder inneren Gründen ein Umschwung eintritt. Er bedroht uns auch jetzt. Immer nach Revolutionen, nach großen politischen und wirtschaftlichen Umwälzungen, läßt der Zug der Zeit – auch das lehrt die Geschichte – einen Hang zum Mystischen aufkommen, der auch die Medizin und die Chirurgie einbezieht.

In diesem Zusammenhang wird die Frage, ob die Medizin eine Kunst oder eine Wissenschaft sei, immer wieder besonders akut und aktuell.

Und immer dann, wenn nach großen unerhörten Erfolgen auf naturwissenschaftlichem Gebiet die Medizin als Wissenschaft sich fortentwickelt, trat eine Reaktion, ein Ausschlagen des Pendels nach der anderen Richtung ein. Und in den letzten Jahrzehnten ist, das muß schon gesagt werden, die Medizin zu einer rein naturwissenschaftlichen Disziplin gestempelt, vielleicht sogar herabgewürdigt worden. Jedenfalls trifft dies für die Chirurgie zu. Denn keinesfalls ist sie, und darf es nicht einmal sein, eine Wissenschaft. In ihr kommt die Persönlichkeit in einem Maß zur Geltung wie in keinem anderen Fach der Medizin, und über allem Wissen und Können, die von der jeweiligen Zeitepoche vermittelt und bestimmt werden, steht und muß stehen die Eigenart des handelnden Chirurgen. So entspringt das Wesentliche in unserem Fache nicht der Wissenschaft, sondern dem inneren Wesen des Arztes. Die naturwissenschaftliche Medizin hat diese Erkenntnis getrübt und der Chirurgie, trotz aller großen Fortschritte, ganz gewiß vieles Große und Schöne genommen.

Die Demokratisierung der Wissenschaft, die öde Gleichmacherei, die internationalen Beziehungen, die vieles förderten, aber auch vieles verflachten, sollen hier nicht anklagend, aber doch feststellend genannt sein.

Die medizinische Wissenschaft kann Krankheiten erschöpfend erforschen, aber keine wissenschaftliche Methode kann dem Arzt eine richtige Auffassung über den kranken Menschen selbst vermitteln. Der Chirurg vor allen Dingen muß empfinden, daß sein Fach, das ja wie kaum ein anderes auf nüchternen, klaren Vorstellungen beruht, eine erhebliche Ergänzung notwendig hat, wenn es zur Kunst werden soll. Das Recht und die Pflicht des Chirurgen sind, seine Erfahrungen mit der ganzen Seele zu machen, und er muß wie jeder Arzt empfinden, daß alles zahlenmäßige Registrieren, Untersuchen und Messen nur tote Mechanismen sind, wenn sie nicht eine Korrektur empfangen aus einem tiefen Gefühl und einem intuitiven Verständnis der menschlichen Dinge. Und gerade in der Erkenntnis der Beschränkung unseres Könnens liegt der Grund einer großen Bescheidenheit, aber auch einer schaffenden Kraft. Gerade weil Medizin und Chirurgie Kinder der Zeit sind, werden sie auch notgedrungen von dem gewaltigen Umschwung erfaßt, der sich vorbereitet und sich bereits angebahnt hat. Überall empfinden wir, daß unser ganzes Leben, unsere Kunst und unsere Wissenschaft in den Jahrzehnten vor dem Kriege lose Bahnen gingen, und vielleicht liegt schließlich gerade darin die tiefste Ursache unseres furchtbaren Zusammenbruchs nach dem Kriege. Heute haben die Wissenschaften und insbesondere auch die Medizin ihre Grenzen wiederentdeckt, und beide suchen nach Fäden, die sie mit einer übergeordneten Weltanschauung verbinden. Hier liegt eine Aufgabe, deren Lösung höher zu werten ist als alle Fachleistungen und an der die Heilkunst voll mitzuarbeiten hat, weil sie mit der Kultur verankert ist und auf die ganze Kultur einen so bedeutsamen Einfluß ausüben kann. Kultur ist in letzter Linie nichts anderes als der Ausdruck des im Menschen lebendigen Triebs, die ihn umgebende Welt geistig zu erfassen. Besonders muß der Mensch Stellung nehmen zu dem Mitmenschen und aus seinem Verhältnis zu ihm neue Möglichkeiten gewinnen, den in ihm wohnenden Drang dieser Entwicklung zu stillen.

Kann es eine Bestätigung geben, die diesen Trieb besser unterstützt und ihm hilft? In jeder Kultur finden sich zwei Grundideen: die gewaltige Arbeits- und Schaffensenergie, der verstandesmäßige Trieb nach Erkenntnis und daneben das dem Gefühl entstammende Verlangen sozialen Verstehens, dienender Menschenliebe und hilfreicher Betätigung. Die Doppelnatur macht auch das Wesen der Heilkunde aus, und in ihr liegt der Schlüssel zu ihrer Größe und das Verständnis für ihre allgemeine Bedeutung.

Diese beiden Kulturkräfte werden nur selten von einzelnen Persönlichkeiten und noch seltener, und nur unter ganz günstigen Entwicklungsbedingungen, von der Allgemeinheit harmonisch vereinigt. Gewöhnlich kämpfen sie gegeneinander im einzelnen wie im großen. Auch die Entwicklungsgeschichte der Chirurgie lehrt uns eindrucksvoll, daß es ohne Kampf keine Entwicklung gibt. Nichts hemmt den Fortschritt so sehr wie enges Fachgelehrtentum und in Selbsttäuschung befangene Behandlungsroutine. Immer wenn der Geist der Heilkunde ihnen verfiel, verfiel mit ihnen die gesamte Kultur.

Die Geschichte der Heilkunst zwingt uns aber auch zur Bescheidenheit. Es gibt keine absoluten Wahrheiten und keine immer geltenden Gesetze. Ein System löst das andere ab, was bleibt, sind nur die allgemeinen Erkenntnisse, wie sie mit der Menschheitskultur im Zusammenhang stehen. Und da tritt die Geschichte gerade für unsere jetzige Zeit als ernster Mahner auf. Übertriebenes Spezialistentum war, wie überall, so auch in der Medizin, immer der Ausdruck einer Dekadenz, eines Stillstandes oder Rückganges. Auch wir sind von ihm bedroht. Es muß so sein, daß nach dem großen Aufschwung der letzten Jahrzehnte in der Medizin eine Erschlaffung, eine Ermüdung eintritt und daß wir Atem holen vor neuen gewaltigen Ereignissen des Fortschrittes und der Entwicklung. Aber wir müssen einsehen und begreifen, daß das so ist, und dürfen uns nicht mit unseren Leistungen brüsten und sie als ein Ende ansehen.

Eine neue Zeit wird kommen mit neuen Lehren und neuen Ideen. Sorgen wir, daß wir aufnahmebereit sind und ihr Verständnis entgegenbringen."

KAPITELÜBERSICHT

Als Student mit Mutter und Tante Mathilde

Großvater Hammerschmidt

Johannes von Mikulicz-Radecki

Mit den Söhnen in unserem Züricher Garten

Meine Kinder mit ihrer Mutter in Berlin

Nach meiner Ernennung zum Geheimen Hofrat

Eine der Freuden meines Lebens

In meinem Haus gab es immer Hunde

An meinem Platz: dem Krankenbett

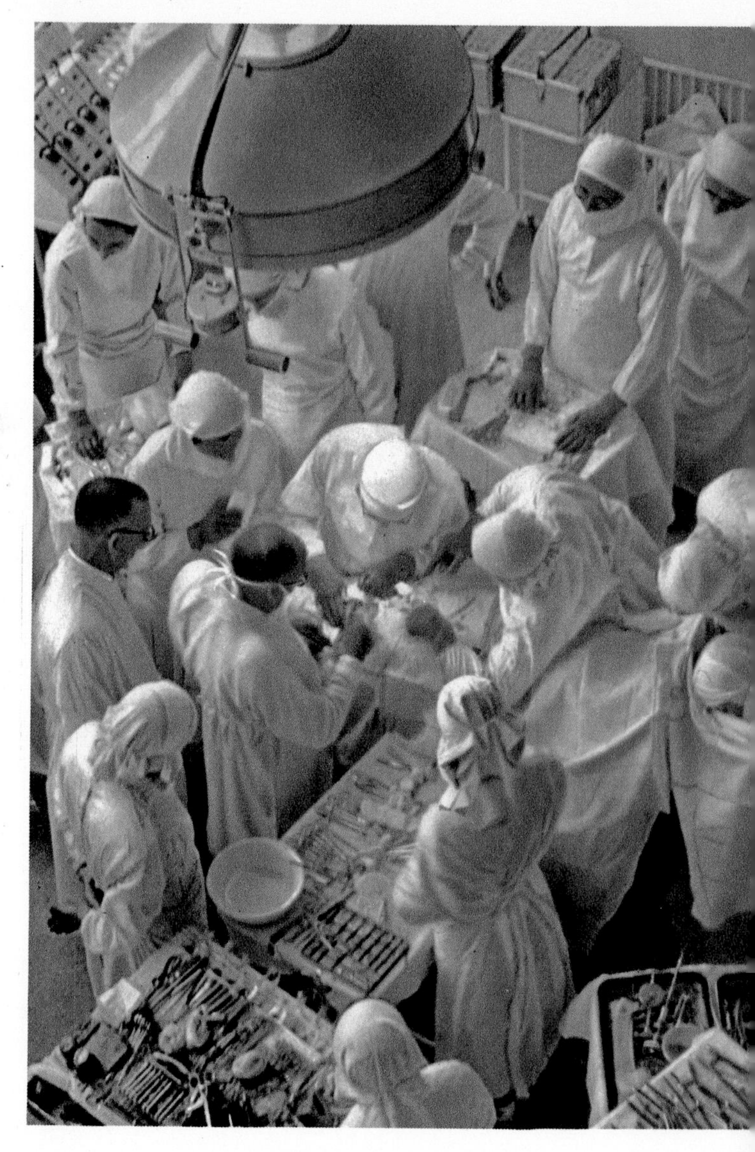

Im Operationssaal

Max Liebermann mit meinem Porträt

Meine große Leidenschaft: operieren

Meine kleine Leidenschaft: dirigieren

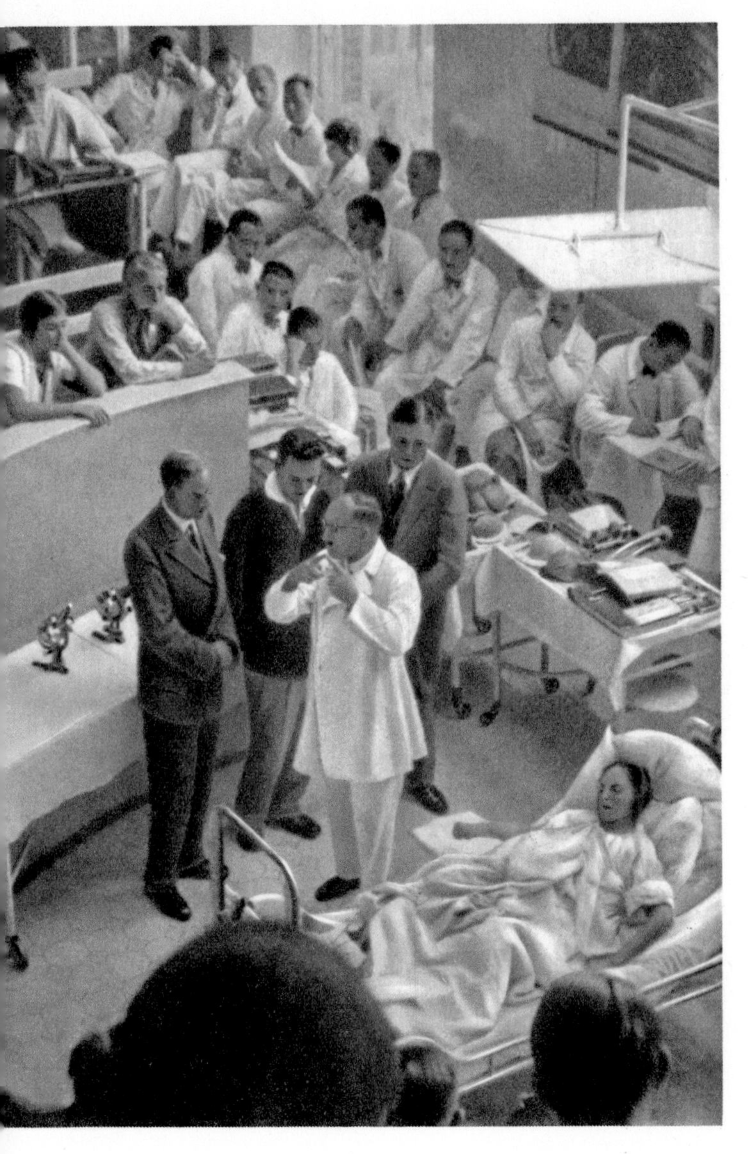

Im Hörsaal

Mit meiner zweiten Frau

In Neudeck bei Hindenburg

Spazierfahrt mit Hindenburg

Im zweiten Weltkrieg

Im Gespräch mit König Michael von Rumänien

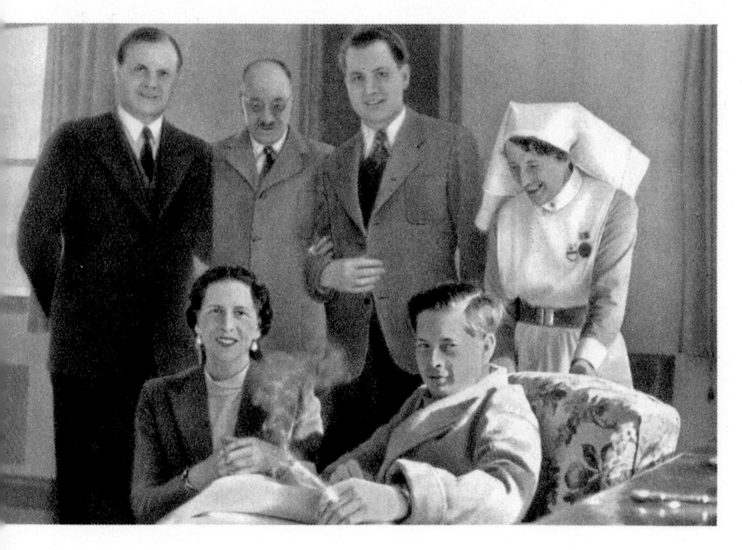

Königin Helene besucht ihren Sohn

Mit meinem Oberarzt und Freund Professor Frey

In meinem Berliner Arbeitszimmer